Kate Burkholder ist die erste weibliche Polizeichefin von Painters Mill, Ohio, wo Amische und ›Engländer‹ eigentlich friedlich miteinander leben. Bis jetzt. Denn jetzt scheint der, den sie vor 16 Jahren den Schlächter nannten, wieder da zu sein. Er tötete damals auf bestialische Weise mehrere junge Frauen. Doch handelt es sich bei dem Täter jetzt wirklich um ein und dieselbe Person? Wenn sie den Mörder finden will, muss sie ein Geheimnis lüften, das sie seit Jahren in ihrem Innersten bewahrt. Doch dann könnte sie alles verlieren, was sie liebt: ihre Familie, ihren Job und ihren Glauben an Recht und Gesetz.
»Fesselnde Charaktere, exzellenter Plot und ein Finale, dass einem die Haare zu Berge stehen.« USA Today

Linda Castillo lebt mit ihrem Mann in Texas. Die Autorin schreibt an ihrem zweiten Thriller mit Polizeichefin Kate Burkholder.

Besuchen Sie auch ihre Website: www.lindacastillo.com
Unsere Adresse im Internet: www.fischerverlage.de

Linda Castillo

DIE
ZAHLEN
DER
TOTEN

Thriller

Aus dem Amerikanischen
von Helga Augustin

Fischer Taschenbuch Verlag

Deutsche Erstausgabe
Veröffentlicht im Fischer Taschenbuch Verlag,
einem Unternehmen der S. Fischer Verlag GmbH,
Frankfurt am Main, September 2010

Die amerikanische Originalausgabe erschien 2009
unter dem Titel »Sworn to Silence«
bei Minotaur Books, New York, N.Y.
© 2009 by Linda Castillo. All rights reserved.
Dieses Werk wurde durch die Literarische Agentur
Thomas Schlück GmbH, 30827 Garbsen, vermittelt.
Für die deutsche Ausgabe:
© S. Fischer Verlag GmbH, Frankfurt am Main 2010
Satz: Buch-Werkstatt GmbH, Bad Aibling
Druck und Bindung: GGP Media GmbH, Pößnek
Printed in Germany
ISBN 978-3-596-18440-8

Ich gehöre zu den Schriftstellerinnen, die das Glück haben, während der langen und manchmal schwierigen Monate des Schreibens von einem starken Team unterstützt zu werden. Dieses Buch ist meinem Mann Ernest gewidmet, der rein zufällig auch mein Held im wirklichen Leben ist, sowie Jack und Debbie, denen ich eine wundervolle Reise zu den Amischen zu verdanken habe.

Auf einmal war der Teufel da,
ruf nur seinen Namen, und er ist nah.

Matthew Prior, *Hans Carvel*

PROLOG

Mit sechs hatte sie aufgehört, an Monster zu glauben, und ihre Mutter musste abends nicht mehr unterm Bett und im Schrank nachsehen. Jetzt, mit einundzwanzig, lag sie nackt, gefesselt und grausam gequält auf einem eiskalten Betonboden und wurde eines Besseren belehrt.

Um sie herum war es stockdunkel. Das Herz schlug ihr bis zum Hals, und sie zitterte am ganzen Leib. Ihre Zähne klapperten. Bei jedem auch noch so kleinen Geräusch fürchtete sie die Rückkehr des Ungeheuers.

Anfangs hatte sie noch gehofft, sie könnte fliehen oder ihren Entführer überreden, sie laufen zu lassen. Doch inzwischen hatte die Realität sie eingeholt. Sie wusste, dass das hier nicht gut enden konnte. Es würde keine Verhandlungen geben, keine Rettung durch die Polizei, keine Begnadigung in letzter Minute. Das Monster würde sie töten. Die Frage war nur noch, wann. Aber das Warten war fast so höllisch wie der Tod selbst.

Sie wusste nicht, wo sie war oder wie lange das alles schon dauerte, hatte jedes Gefühl für Zeit und Raum verloren. Allein den Gestank nach verrottetem Fleisch und das höhlenartige Echo noch des kleinsten Lautes nahm sie überdeutlich wahr.

Sie war heiser vom Schreien, erschöpft vom Kämpfen und demoralisiert von den Qualen, die er ihr zugefügt hatte. Eigentlich wollte sie einfach nur noch schnell sterben, aber lieber Gott, wie sehr sie doch am Leben hing …

»Mama«, flüsterte sie.

Über den Tod hatte sie sich nie Gedanken gemacht. Sie war

voller Träume gewesen, hatte der Zukunft hoffnungsvoll ent-
gegengesehen und fest daran geglaubt, dass es morgen noch
schöner sein würde als heute. Doch jetzt lag sie in der kalten
Lache ihres eigenen Urins und akzeptierte, dass es kein Morgen mehr für sie gab. Keine Hoffnung und keine Zukunft.
Nur das Grauen über ihren bevorstehenden Tod und dessen
Unausweichlichkeit.

Sie lag auf der Seite, die Knie bis zur Brust hochgezogen.
Ihre Handgelenke waren auf dem Rücken mit Draht zusammengebunden, und anfangs war der Schmerz fast unerträglich gewesen, doch jetzt spürte sie ihn kaum mehr. Sie wollte
nicht daran denken, was er ihr alles angetan hatte. Zuerst die
Vergewaltigung, die ihr jedoch angesichts der späteren Un-
geheuerlichkeiten, die sie noch hatte erleiden müssen, eher
unbedeutend schien.

Das Knistern von Elektrizität hallte ihr noch in den Ohren.
Die Erinnerung an den Stromstoß, der ihren Körper durch-
fahren und ihr Gehirn durchgerüttelt hatte, war noch frisch.
Auch den tierischen Klang ihrer eigenen Schreie konnte sie
weiterhin hören. Das Rauschen des adrenalingetriebenen
Blutes in ihren Adern. Das wilde Hämmern ihres Herzens.
Und dann hatte sie wieder das Messer vor Augen.

Er war mit der Konzentration eines makabren Künstlers
ans Werk gegangen und ihr dabei so nahe gewesen, dass sie
seinen Atem auf der Haut gespürt hatte. Wenn sie schrie, hatte er ihr einen Stromstoß verpasst, und wenn sie mit den Füßen trat, auch. Am Ende hatte sie einfach nur dagelegen und
die Marter schweigend ertragen. Für ein paar Minuten waren
ihre Gedanken zu dem Strand in Florida gedriftet, wo sie vor
zwei Jahren mit ihren Eltern gewesen war. Weißer Sand unter ihren Füßen, eine Brise so feucht und warm, dass sie den
Atem Gottes auf ihrer Seele zu spüren glaubte.

»Hilf mir, Mama …«

Stiefelschritte auf Beton rissen sie aus ihrem Tagtraum. Sie hob den Kopf und blickte wild um sich, konnte aber durch die Augenbinde nichts erkennen. Sie atmete stoßweise, wie ein wildes Tier, das man jagte, um es zu schlachten. Sie hasste ihn. Ihn und was er ihr angetan hatte. Wenn sie doch nur ihre Fesseln lösen und wegrennen könnte …

»Lass mich in Ruhe, du Scheißkerl!«, schrie sie. »*Lass mich in Ruhe!*«

Doch sie wusste, das würde er nicht tun.

Eine behandschuhte Hand strich über ihre Hüfte. Sie wand sich und trat mit beiden Füßen in seine Richtung. Ein flüchtiges Gefühl von Befriedigung, als ihr Peiniger aufstöhnte. Dann das Aufblitzen von Licht. Schmerz durchzuckte ihren Körper, wie nach einem Peitschenhieb. Einen Moment lang war die Welt um sie herum lautlos und grau. Vage spürte sie Hände an ihren Füßen. Hörte in der Ferne Eisen über Beton kratzen. Die Kälte, die sie jetzt durchdrang, ließ ihren ganzen Körper hemmungslos zittern.

Als ihr kurz darauf bewusst wurde, dass das Monster ihr eine Eisenkette um die Fußgelenke gewickelt hatte, erfasste sie purer Horror. Er zog die Kette fest, und die kalten Glieder gruben sich in ihre Haut. Sie versuchte zu treten, ihre Beine freizubekommen, ein letztes verzweifeltes Aufbäumen gegen den drohenden Tod.

Doch es war zu spät.

Sie schrie so lange, bis ihr die Luft ausging. Sie zappelte und wand sich, aber vergebens. Eisen scharrte über Eisen, als ihre Füße langsam von der Kette hochgehoben wurden. »Warum machen Sie das?«, schrie sie. »*Warum?*«

Die Kette zog knarrend ihre Füße nach oben, höher und höher, bis sie mit dem Kopf nach unten über dem Boden hing. »Hilfe! Helft mir doch! Irgendwer!«

Panik ergriff sie, als die Handschuhhand ihre Haare packte und den Kopf nach hinten zog. Ein Schrei entwich ihren Lungen. Der Schnitt des Messers, die plötzliche Hitze an ihrer

Kehle. Wie aus weiter Ferne drang Wasserrauschen an ihr Ohr, als würde es von den Kacheln einer Dusche widerhallen. Sie starrte in die dunkle Augenbinde und spürte das Blut aus sich herausströmen. Das bildete sie sich bestimmt ein, so was konnte gar nicht passieren. Nicht hier. Nicht in Painters Mill.

Und dann, als hätte jemand einen Schalter umgelegt, schwanden ihr die Sinne. Ihr Gesicht wurde heiß und ihr Körper kalt. Die Panik verebbte. Der Schmerz verpuffte im Nichts. Ihre Muskeln erschlafften und ihre Glieder wurden taub.

Er tut mir also doch nicht weh, dachte sie.

Und sie entfloh zu dem weißen Sandstrand, wo schlanke Palmen sich wie graziöse Flamencotänzer im Wind wiegten. Noch nie hatte sie so blaues Wasser gesehen, so weit das Auge reichte.

1. KAPITEL

Das Blaulicht auf dem Dach des Streifenwagens flackerte über die kahlen Winterbäume. Officer T. J. Banks hielt auf dem Seitenstreifen. Er schaltete den Suchscheinwerfer ein und leuchtete den Rand des Feldes ab, wo Getreidehalme in der Kälte zitterten. Etwa zwanzig Meter entfernt standen sechs Jersey-Rinder im Wassergraben und käuten in aller Ruhe wieder.

»Blöde Viecher«, murmelte er. Genau wie Hühner gehörten Rinder bestimmt mit zu den dümmsten Tieren der Welt.

Er aktivierte das Funksprechgerät. »Zentrale, siebenundvierzig hier.«

»Was gibt's, T. J.?«, fragte Mona, die nachts in der Telefonzentrale arbeitete.

»Ich hab hier 'nen 10-54. Stutz' verdammte Kühe sind wieder mal ausgebrochen.«

»Das ist das zweite Mal in einer Woche.«

»Und immer in meiner Schicht.«

»Was willst du machen? Er hat kein Telefon.«

Der Blick auf die Uhr im Armaturenbrett verriet ihm, dass es fast zwei war. »Also, ich bleib bestimmt nicht hier draußen in der Scheißkälte und passe auf die dämlichen Viecher auf.«

»Vielleicht solltest du sie einfach erschießen.«

»Bring mich nicht in Versuchung.« Er blickte sich um und seufzte. Um diese Uhrzeit stellten Tiere auf der Straße ein großes Unfallrisiko dar. Es brauchte nur einer zu schnell um die Kurve kommen und schon war's passiert. Er dachte an den ganzen Papierkram, den ein Unfall nach sich zog, und schüttelte den Kopf. »Ich stell ein paar Warnleuchten auf, fahr zu Stutz und hol seinen amischen Arsch aus dem Bett.«

»Melde dich, wenn du Hilfe brauchst.« Sie kicherte.

Er zerrte den Reißverschluss seiner Jacke bis hoch zum Kinn, nahm die Taschenlampe aus der Vertiefung neben dem Sitz und verließ den Streifenwagen. Es war so kalt, dass ihm die Nasenhaare gefroren. Beim Gehen knirschten seine Stiefel im Schnee und sein Atem formte weiße Wölkchen in der Luft. Die Nachtschicht war ihm fast so verhasst wie der Winter.

Er leuchtete mit der Taschenlampe den Zaun ab und fand in zirka sechs Metern Entfernung tatsächlich eine Stelle, wo der Stacheldraht lose am knorrigen Pfahl hing. Zahlreiche Hufabdrücke belegten, dass auch die Kühe die Öffnung entdeckt hatten.

»Verdammte Mistviecher.«

T. J. ging zum Streifenwagen zurück, holte zwei Warnleuchten aus dem Kofferraum und platzierte sie auf dem Mittelstreifen, um die Autofahrer zu warnen. Gerade wollte er umkehren, da bemerkte er auf der Standspur der gegenüberliegenden Straßenseite etwas im Schnee. Neugierig ging er hin. Ein einzelner Frauenschuh, der in Anbetracht des guten Zustands und der fehlenden Schneeschicht darauf noch nicht lange dort liegen konnte. Wahrscheinlich Teenager. Der einsame Straßenabschnitt war beliebt, um ungestört Haschisch zu rauchen und Sex zu haben. Die Kids waren fast so dumm wie die Kühe.

Missbilligend runzelte er die Stirn, stieß mit dem Fuß an den Schuh. Erst da bemerkte er die Schleifspur. Anscheinend war hier etwas durch den Schnee gezogen worden. Mit dem Schein der Taschenlampe folgte er der Spur bis zum Zaun und weiter ins Feld dahinter. Plötzlich tauchte Blut im Lichtkegel auf. Viel Blut. Ihm sträubten sich die Nackenhaare.

»Was zum Teufel ist das denn?«

Er stapfte durch den Wassergraben, wo verdörrtes Gras aus der Schneeschicht ragte, und kletterte über den Zaun. Dahinter fand er noch mehr Blut, dunkel und glänzend im blütenweißen Schnee. So viel, dass einem ganz anders werden konnte.

Die Schleifspur führte ihn in die Nähe einer Gruppe kahler Milchorangenbäume am Rande eines Kornfelds. T. J. konnte seinen eigenen Atem hören, begleitet vom Wispern der abgestorbenen Getreidehalme um ihn herum. Die Hand auf dem Revolver, leuchtete er mit der Taschenlampe einen Radius von dreihundertsechzig Grad ab. Und sah wieder etwas im Schnee.

Vielleicht doch ein angefahrenes Tier, das sich bis hierhin geschleppt hatte und dann verendet war. Aber als er näher kam, blieb der Strahl seiner Taschenlampe auf etwas ganz anderem hängen – bleichem Fleisch, dunklen Haaren, einem nackten Fuß. Bei dem Anblick wurde ihm übel. »Heilige Scheiße.«

Einen Moment lang war T. J. unfähig, sich zu rühren. Wie gebannt starrte er auf die dunkle Blutlache und das bleiche Fleisch. Dann riss er sich zusammen und ging neben dem Körper in die Hocke. War es möglich, dass sie noch lebte? Er streckte die Hand aus und berührte die nackte Schulter. Ihre Haut war eiskalt. Er drehte sie trotzdem um, sah aber nur mehr Blut, fahles Fleisch und glasige Augen, die ihn anzustarren schienen.

Erschüttert wich er zurück. Seine Hand zitterte, als er nach dem Ansteckmikro am Kragen tastete. »Zentrale! Siebenundvierzig hier!«

»Was denn jetzt noch, T. J.? Hat 'ne Kuh dir Beine gemacht und dich einen Baum hochgejagt?«

»Auf Stutz' Weide liegt 'ne Leiche.«

»*Was?*«

Sie benutzten in Painters Mill das Zehn-Code-System, aber die Nummer für einen Leichenfund fiel ihm beim besten Willen nicht ein. Die hatte er noch nie gebraucht. »Ich hab gesagt, hier liegt eine Leiche.«

»Das hab ich schon verstanden.« Schweigen. Anscheinend hatte es ihr die Sprache verschlagen. Dann: »Was ist dein Zwanzig?«

»Dog Leg Road, gleich südlich der überdachten Brücke.«

Erneute Pause. »Wer ist es?«

In Painters Mill kannte jeder jeden, doch diese Frau hatte er noch nie gesehen. »Ich weiß es nicht. Eine Frau. Nackt wie Gott sie schuf und toter als Elvis.«

»Ein Autounfall?«

»Das war kein Unfall.« T. J. legte die Hand auf den Griff seiner .38er und ließ den Blick zu den Schatten zwischen den Bäumen wandern. Sein Herz klopfte heftig. »Ruf lieber den Chief an, Mona. Ich glaube, sie ist ermordet worden.«

2. KAPITEL

Ich träume vom Tod. Wie immer bin ich in der Küche des alten Farmhauses. Der abgewetzte Holzboden ist voller Blut, rot und grauenerregend. Der Duft von Hefebrot und frisch geschnittenem Heu mischt sich mit dem strengen Geruch meiner Panik, ein Gegensatz, den mein Verstand nicht verarbeiten kann. Durch das Fenster über der Spüle weht eine Brise herein, die Vorhänge bauschen sich. Ich sehe Blut auf dem gelben Stoff. Spritzer an der Wand. Meine Hände sind klebrig.

Ich kauere in der Ecke. Aus meinem Mund kommen fremdartige, tierische Laute, wie erstickte Schreie. Ich spüre den Tod im Raum. Um mich herum nur Dunkelheit. Auch in mir drin. Und im Alter von vierzehn Jahren lerne ich, dass es in meiner sicheren und behüteten Welt das Böse gibt.

Das Telefon reißt mich aus dem Schlaf, und der Albtraum schleicht wie ein nachtaktives Tier zurück in seine Höhle. Ich drehe mich um, taste auf dem Nachttisch nach dem Hörer und drücke ihn ans Ohr. »Yeah.« Meine Stimme krächzt.

»Hallo, Chief, hier ist Mona. Tut mir leid, dass ich Sie wecke, aber ich glaube, Sie müssen kommen.«

Mona vom Telefon-Nachtdienst neigt normalerweise nicht zur Hysterie, deshalb lässt mich die Aufregung in ihrer Stimme aufhorchen. »Was ist los?«

»T. J. ist draußen auf Stutz' Wiese. Er wollte Kühe zurücktreiben und hat 'ne tote Frau gefunden.«

Meine Benommenheit ist schlagartig weg. Ich setze mich auf und streiche mir die Haare aus dem Gesicht. »Was?«

»Er hat eine tote Frau gefunden und klang ziemlich aufgewühlt.«

Womit T. J. nicht der Einzige ist, ihrer Stimme nach zu urteilen. Ich schwinge die Beine aus dem Bett und greife nach dem Morgenrock. Mein Blick fällt auf den Wecker: gleich zwei Uhr dreißig. »Ein Unfall?«

»Bloß die Leiche. Nackt.«

Als mir bewusst wird, dass ich meine Kleider brauche und nicht den Morgenrock, knipse ich die Lampe an. Das Licht schmerzt in meinen Augen, aber ich bin jetzt hellwach. Trotzdem habe ich Mühe, mir vorzustellen, dass einer meiner Officers eine Leiche gefunden hat. Ich frage nach dem Fundort, und sie nennt ihn mir.

»Ruf Doc Coblentz an«, sage ich. Doc Coblentz ist einer von sechs Ärzten hier in Painters Mill und der zuständige Coroner für Holmes County, Ohio.

Ich gehe zum Schrank, nehme BH, Socken und lange Unterhosen heraus. »Sag T. J., er soll nichts anfassen und auch die Leiche nicht bewegen. Ich bin in zehn Minuten da.«

* * *

Die Farm von Stutz umfasst 32 Hektar Land und grenzt an die Dog Leg Road sowie die nördliche Gabelung des Painters Creek. Der Fundort, den Mona mir genannt hat, liegt knapp tausend Meter hinter der alten überdachten Brücke an einem einsamen Straßenabschnitt, der an der County-Grenze endet.

Ich halte hinter T. J.s Streifenwagen, träume von einem Kaffee. Im Licht meiner Scheinwerfer erkenne ich seine Silhouette auf dem Fahrersitz. Er hat Warnleuchten aufgestellt und sein Blaulicht angelassen. Gut. Mit der Taschenlampe in der Hand steige ich aus dem Ford Explorer. Kälte schlägt mir entgegen, lässt mich tief in meinen Anorak kriechen und wünschen, ich hätte die Mütze nicht vergessen. Aus der Nähe betrachtet sieht T. J. ziemlich mitgenommen aus. »Was gibt's?«

»Eine Leiche. Weiblich.« Er bemüht sich, seiner Polizistenrolle gerecht zu werden, doch als er zum Feld zeigt, zittert seine Hand. Und das liegt nicht an der Kälte. »Zehn Meter feldeinwärts, bei den Bäumen.«

»Und sie ist ganz sicher tot?«

T. J.s Adamsapfel schnellt zweimal auf und ab. »Sie ist kalt. Kein Puls. Alles ist voller Blut.«

»Dann sehen wir uns das mal an.« Wir gehen in Richtung der Bäume. »Haben Sie irgendwas angefasst? Oder verändert?«

Er senkt leicht den Kopf, was wohl Ja bedeutet. »Ich dachte, dass sie vielleicht … noch lebt, und hab sie umgedreht, nachgesehen.«

Das ist schlecht, aber ich sage nichts. T. J. Banks hat das Zeug zum guten Polizisten. Er ist gewissenhaft und nimmt seine Arbeit ernst. Aber er ist ein Neuling und noch unerfahren, arbeitet erst seit sechs Monaten für mich. Ich könnte wetten, das ist seine erste Leiche. Wir stapfen durch knöcheltiefen Schnee. Als ich die Tote sehe, packt mich das kalte Grauen. Ich wünschte, es wäre hell, doch bis Tagesanbruch dauert es noch Stunden. Die Nächte sind lang in dieser Jahreszeit. Das Opfer ist nackt. Um die zwanzig. Dunkelblondes Haar. Die Blutlache um ihren Kopf ist zirka sechzig Zentimeter groß. Sie war einmal hübsch, doch tot hat ihr Gesicht etwas Grausiges. Die Totenflecken verraten, dass sie ursprünglich auf dem Bauch gelegen hat; die eine Gesichtshälfte ist schon blaurot. Ihre Augen stehen halb offen und sind glasig. Die Zunge, auf der sich Eiskristalle gebildet haben, quillt zwischen den geschwollenen Lippen hervor.

Ich gehe neben der Toten in die Hocke. »Sieht aus, als ob sie schon ein paar Stunden hier liegen würde.«

»Frostbrand hat bereits eingesetzt«, bemerkt T. J.

Obwohl ich sechs Jahre lang Streifenpolizistin in Columbus, Ohio, und danach zwei Jahre in der Mordkommission war, ist mir das hier eine Nummer zu groß. Columbus ist zwar nicht gerade eine Mörderhochburg, hat aber wie jede Stadt ihre dunklen Seiten. Tote habe ich mehr als genug gesehen. Doch die offenkundige Brutalität dieser Tat entsetzt mich. Ich hätte gern geglaubt, dass es in einem Ort wie Painters Mill keine so grausamen Morde gibt.

Doch ich weiß es besser.

Ich ermahne mich, dass wir uns an einem Tatort befinden, also stehe ich auf und leuchte mit der Taschenlampe die Umgebung ab. Es gibt keine Spuren außer unseren eigenen. Ein ungutes Gefühl sagt mir, dass wir möglicherweise Beweismittel zertrampelt haben. »Rufen Sie Glock an, er soll herkommen.«

»Glock hat Url…«

Mein Gesichtsausdruck lässt ihn mitten im Wort verstummen.

Das Polizeirevier von Painters Mill besteht aus drei Vollzeit-Kräften, einem Hilfspolizisten, zwei Angestellten in der Telefonzentrale und mir. Rupert »Glock« Maddox, ein ehemaliger Marine, besitzt die größte Erfahrung. Den Spitznamen hat er seiner Vorliebe für die Dienstwaffe zu verdanken. Urlaub hin oder her, ich brauche ihn.

»Sagen Sie ihm, er soll Absperrband mitbringen.« Ich überlege, was wir sonst noch brauchen. »Bestellen Sie einen Krankenwagen. Geben Sie im Krankenhaus von Millersburg Bescheid, dass wir ihnen eine Tote ins Leichenschauhaus bringen. Oh, und Rupert soll Kaffee mitbringen. Viel Kaffee.« Ich blicke hinab auf die Tote.

»Wir sind sicher noch eine ganze Weile hier.«

* * *

Dr. Ludwig Coblentz ist ein rundlicher Mann mit großem Kopf, schütterem Haar und einem Bauch so ausladend wie ein VW-Käfer. Ich gehe zum Seitenstreifen, wo er gerade aus seinem Cadillac Escalade steigt. »Einer Ihrer Polizisten soll über eine Tote gestolpert sein«, sagt er wenig erfreut.

»Nicht nur tot«, erwidere ich. »Ermordet.«

Er trägt khakifarbene Hosen und eine rotkarierte Schlaf-anzugjacke unterm Parka. Ich sehe zu, wie er seine schwarze Tasche vom Beifahrersitz zieht, die er wie eine Brotdose hält. Sein Gesichtsausdruck verrät mir, dass er sofort anfangen will.

Er folgt mir durch den Wassergraben, und obwohl es bis zu der Toten nicht weit ist, atmet er bereits schwer, noch bevor wir über den Zaun steigen. »Wie zum Teufel kommt eine Leiche hierher?«, murmelt er.

»Jemand hat die Frau hier abgeladen, oder sie hat sich mit letzter Kraft selbst hergeschleppt.«

Er sieht mich fragend an, doch ich hülle mich in Schweigen. Ich will nicht, dass er voreingenommen an die Arbeit geht. Erste Eindrücke sind wichtig bei polizeilichen Ermittlungen.

Wir ducken uns unter dem Absperrband durch, das Glock zwischen die Bäume gespannt hat wie Toilettenpapier an Halloween. T. J. hat eine Arbeitslampe an den Ast über der Toten gehängt. Sie spendet nicht besonders viel Licht, ist aber besser als die Taschenlampen. Außerdem haben wir so die Hände frei. Ich wünschte, wir hätten einen Generator.

»Der Tatort ist gesichert«, vermeldet Glock, der mit zwei Bechern Kaffee kommt und mir einen davon hinhält. »Sie sehen aus, als könnten Sie den brauchen.«

Ich nehme den Styroporbecher, hebe den Deckel an und trinke einen Schluck. »Mein Gott, das tut gut.«

Er betrachtet die Tote. »Glauben Sie, jemand hat sie hierher gebracht?«

»Sieht so aus.«

T. J. stellt sich zu uns, wirft einen kurzen Blick auf die tote Frau. »Puh, Chief, ich finde es schlimm, wie sie so daliegt.«

Ich auch. Von hier kann ich ihre Brüste und Schamhaare sehen. Die Frau in mir krümmt sich. Aber es lässt sich nicht ändern; wir dürfen sie weder bewegen noch zudecken, bevor alles aufgenommen ist. »Kennt sie einer von euch?«, frage ich.

Beide Männer schütteln den Kopf.

Während ich an meinem Kaffee nippe, sehe ich mir den Tatort genau an und versuche mir vorzustellen, was passiert sein könnte. »Glock, haben Sie noch die alte Polaroid?«

»Im Kofferraum.«

»Machen Sie ein paar Aufnahmen von der Leiche und dem Fundort.« Dafür dass wir auf dem Schnee rumgetrampelt sind, trete ich mir im Geiste in den Hintern. Ein Sohlenprofil wäre sicher hilfreich gewesen. »Ich will auch Fotos von den Schleifspuren.« Jetzt wende ich mich an beide Männer. »Teilt den abgesperrten Bereich in Quadrate ein und sucht jedes einzelne genau ab, angefangen bei den Bäumen. Tütet alles ein, was ihr findet, auch wenn ihr es für unwichtig haltet. Und macht ein Foto, bevor ihr es anfasst. Vielleicht gibt es ja irgendwo einen Schuhabdruck. Und haltet Ausschau nach Kleidungsstücken oder einer Geldbörse.«

»Wird gemacht, Chief.« Glock und T. J. setzen sich in Bewegung.

Ich wende mich Doc Coblentz zu, der neben der Leiche steht. »Wissen Sie, wer sie ist?«, frage ich.

»Keine Ahnung.« Der Arzt zieht die Winterhandschuhe aus und schiebt die dicken Finger in Latexhandschuhe. Ächzend geht er in die Hocke.

»Können Sie schon sagen, wie lange sie tot ist?«

»Das ist schwer, wegen der Kälte.« Er hebt den Arm der Frau. Sie hat blutige Furchen an den Handgelenken. »Ihre Hände waren zusammengebunden«, sagt er.

Ich betrachte das eingeschnittene Fleisch. Sie hatte versucht, sich zu befreien. »Mit Draht?«

»Vermutlich.«

Sie hat lackierte Fingernägel und ist somit keine Amische. Mir fällt auf, dass zwei Nägel ihrer rechten Hand abgebrochen sind. Sie hatte sich gewehrt. Im Geiste notiere ich, Proben unter ihren Fingernägeln nehmen zu lassen.

»Die Leichenstarre hat schon eingesetzt«, sagt der Doc. »Sie ist mindestens acht Stunden tot. Den Eiskristallen auf der Schleimhaut nach zu urteilen, wahrscheinlich eher zehn. Sobald sie im Krankenhaus ist, messe ich die Körpertemperatur. Die fällt zwischen ein und anderthalb Grad pro Stunde. Wenn ich die weiß, kann ich den Todeszeitpunkt genauer eingrenzen.« Er lässt ihre Hand sinken.

»Hier im Gesicht sind Totenflecke«, sagt er, wobei seine Finger über dem blauroten Fleisch ihrer Wange schweben. Er blickt zu mir hoch. Seine Brille ist leicht beschlagen, und seine Augen wirken riesig hinter den dicken Gläsern. »Hat sie jemand bewegt?«, fragt er.

Ich nicke, sage aber nicht wer, frage stattdessen: »Wie steht's mit der Todesursache?«

Er holt eine Stiftlampe aus der Jackentasche, zieht das Lid zurück und leuchtet in ihr Auge. »Keine punktförmigen Blutungen.«

»Sie wurde also nicht erdrosselt.«

»Richtig.« Vorsichtig schiebt er die Hand unter ihr Kinn und dreht ihren Kopf nach links. Ihr Mund geht auf, und ich sehe, dass zwei Vorderzähne knapp über dem Zahnfleisch abgebrochen sind. Er dreht den Kopf nach rechts, und die Wunde an ihrem Hals klafft offen wie ein blutiger Mund.

»Man hat ihr die Kehle durchschnitten«, sagt der Arzt.

»Irgendeine Vermutung, womit?«

»Etwas Scharfem, ohne Zacken. Keine augenfälligen Rissspuren. Nicht geschlitzt, sonst wäre die Wunde länger und an den Rändern flacher. Es ist schwer zu sagen bei dem Licht.« Vorsichtig rollt er die Tote auf die Seite.

Mein Blick wandert über ihren Körper. Ihre linke Schulter ist überzogen mit hellroten Schürfwunden, vielleicht auch Brandmalen. Ihre linke Pobacke ebenfalls. Beide Knie sowie die Fußrücken weisen Abschürfungen auf. Die Haut beider Knöchel ist auberginefarben. Das Fleisch selbst ist nicht verletzt, doch ihre Füße waren eindeutig zusammengebunden.

Das Herz rutscht mir in die Hose beim Anblick des Bluts auf ihrem Bauch, knapp über dem Nabel. Halb verdeckt von der dunklen Körperflüssigkeit erkenne ich etwas, das mir bekannt vorkommt. Das ich schon tausendmal in meinen Albträumen gesehen habe. »Und das da?«

»Großer Gott.« Die Stimme des Arztes zittert. »Sieht aus, als wäre etwas ins Fleisch geritzt.«

»Schwer zu erkennen, was es ist.« Doch wir wissen es beide, da bin ich mir sicher. Nur will es keiner laut aussprechen.

Der Arzt beugt sich weiter vor, ist kaum dreißig Zentimeter davon entfernt. »Sieht aus wie zwei Xe und drei I.s.«

»Oder die römische Ziffer dreiundzwanzig«, ergänze ich.

Er sieht mich an, und seine Augen drücken das gleiche Grauen, den gleichen Unglauben aus, der auch mir den Hals zuschnürt. »Vor sechzehn Jahren habe ich so etwas schon einmal gesehen«, flüstert er.

Ich starre die blutigen Einschnitte auf dem Körper der jungen Frau an und bin so fassungslos, dass ich zittere.

Kurz darauf richtet sich Doc Coblentz ein wenig auf. Kopfschüttelnd deutet er auf die Verletzungen auf ihrem Gesäß, die abgebrochenen Fingernägel und Zähne. »Jemand hat ihr fürchterlich zugesetzt.«

Wut und eine Angst, die ich nicht wahrhaben will, steigen in mir hoch. »Wurde sie sexuell missbraucht?«

Mein Herz pocht, als er mit der Stiftlampe auf ihr Schambein leuchtet. Ich sehe Blut auf der Innenseite ihrer Oberschenkel und schaudere innerlich.

»Sieht so aus.« Er schüttelt den Kopf. »Ich weiß mehr, wenn ich sie in der Leichenhalle untersucht habe. Hoffentlich hat der Scheißkerl seine DNA zurückgelassen.«

Der Knoten in meinem Bauch sagt mir, dass es so einfach nicht sein wird.

Ich blicke wieder auf die Tote und frage mich, welches Monster einer jungen Frau, die das Leben noch vor sich hatte, so etwas antun konnte. Und auch, wie viele Menschenleben durch ihren Tod zerstört werden. Mein Kaffee schmeckt jetzt bitter. Mir ist nicht mehr kalt. Ich bin zutiefst erschüttert und aufgebracht von der Brutalität dieser Tat. Schlimmer noch, ich habe Angst. »Tun Sie mir einen Gefallen und stecken ihre Hände in Tüten?«

»Kein Problem.«

»Wie schnell können Sie eine Autopsie vornehmen?«

Mit den Händen auf die Knie gestützt, erhebt sich Doc Coblentz. »Ich kann ein paar Termine verlegen und sofort anfangen.«

Inmitten von Wind und Kälte kämpfen wir vergeblich gegen die Vorstellung an, was die Frau vor ihrem Tod alles durchgemacht haben muss.

»Er hat sie irgendwo anders umgebracht.« Ich blicke auf die Schleifspuren. »Keine Anzeichen eines Kampfes. Hätte er ihr hier die Kehle durchgeschnitten, gäbe es noch mehr Blut.«

Der Doktor nickt. »Blutungen hören auf, sobald das Herz stehen bleibt. Vermutlich war sie schon tot, als sie hier abgeladen wurde. Das Blut ist aller Wahrscheinlichkeit nach nur der Rest aus der Halswunde.«

Ich denke an die Menschen, die sie geliebt haben: Eltern. Ehemann. Kinder. Es macht mich traurig. »Das war kein Verbrechen aus Leidenschaft.«

»Wer das getan hat, war nicht in Eile.« Unsere Blicke treffen sich. »Das war geplant. Gut vorbereitet.«

Ich weiß, was er denkt. Es steht in seinen Augen geschrieben. Ich weiß es, weil ich das Gleiche denke.

»Genau wie damals«, sagt er schließlich.

3. KAPITEL

Schnee wirbelt im Scheinwerferlicht meines Explorers, als ich auf den langen, schmalen Feldweg zu Stutz' Farm einbiege. T. J. sitzt schweigend neben mir. Er ist der jüngste Polizist in meinem Revier, erst vierundzwanzig – und sensibler, als er selbst je zugeben würde. Sensibilität ist bei einem Cop keine schlechte Eigenschaft, aber der Leichenfund hat ihm stark zugesetzt.

»Was für ein beschissener Start in die Woche.« Ich lächele gezwungen.

»Kann man wohl sagen.«

Ich will, dass er redet, habe aber wenig Talent in Smalltalk. »Mit Ihnen ist alles okay?«

»Mit mir? Klar, mir geht's gut.« Meine Frage und die Bilder, die ihm bestimmt noch im Kopf rumgehen, machen ihn verlegen.

»So was zu sehen …« Ich blicke ihn in bester Cop-zu-Cop-Manier an. »Das ist hart.«

»Ich hab schon mehr Scheiße mitgekriegt«, erwidert er abwehrend. »Als Houseman frontal in das Auto der Familie aus Cincinnati gekracht ist und sie dabei alle umgebracht hat, war ich als Erster vor Ort.«

Ich warte und hoffe, dass er sich mir gegenüber öffnet.

Er sieht aus dem Fenster, fährt mit den Handflächen über die Uniformhose. Jetzt wirft er mir einen verstohlenen Blick zu. »Haben Sie schon mal so was gesehen, Chief?«

Seine Frage bezieht sich auf meine acht Jahre als Polizistin in Columbus. »So was Schlimmes noch nicht.«

»Er hat ihr die Zähne rausgebrochen. Sie vergewaltigt. Ihr

die Kehle durchgeschnitten.« Er stößt Luft aus wie ein Dampf-kochtopf, bei dem man das Ventil geöffnet hat. »*Verdammt.*«

Mit meinen dreißig Jahren bin ich zwar nicht so viel älter als T. J., doch angesichts seines jugendlichen Profils fühle ich mich steinalt. »Sie haben sich ganz gut gehalten.«

Er starrt zum Fenster hinaus, will nicht, dass ich seinen Gesichtsausdruck sehe. »Ich hab am Tatort Mist gebaut.«

»Sie konnten ja nicht wissen, dass da eine Tote liegt.«

»Schuhabdrücke wären sicher hilfreich gewesen.«

»Es ist immer noch möglich, dass wir etwas Brauchba-res finden.« Eine ziemlich optimistische Annahme. »Ich bin auch auf den Schleifspuren rumgetrampelt. So was passiert.«

»Glauben Sie, Stutz weiß was über den Mord?«, fragt er.

Isaac Stutz und seine Familie gehören den Amischen an, einer Glaubensgemeinschaft, die mir sehr vertraut ist, denn ich bin vor ewigen Zeiten als Amische geboren, in just die-ser Stadt.

Ich gebe mir Mühe, mein Urteilsvermögen nicht von mei-nen Vorurteilen und meiner Voreingenommenheit beein-trächtigen zu lassen. Doch ich kenne Isaac persönlich und halte ihn für einen anständigen, hart arbeitenden Mann. »Ich glaube nicht, dass er etwas mit dem Mord zu tun hat«, erwi-dere ich. »Aber vielleicht hat jemand von der Familie etwas beobachtet.«

»Wir befragen ihn also nur?«

»*Ich* befrage ihn nur.«

Das entlockt ihm ein Lächeln. »Richtig«, sagt er.

Der Weg biegt nach links ab und ein weißes Schindelhaus kommt ins Blickfeld. Wie die meisten Amisch-Farmen in dieser Gegend ist das Haus einfach, aber gepflegt. Ein Holz-zaun mit Querlatten trennt den hinteren Garten von einem Hühnerstall mit Auslauf. Mein Blick fällt auf den schön ge-wachsenen Kirschbaum, der im Sommer bestimmt Früch-te trägt. Jenseits davon heben sich die Silhouetten einer großen Scheune, eines Getreidesilos und einer Windmühle vom Himmel ab, wo sich die Morgendämmerung ankündigt.

Obwohl es noch nicht einmal fünf Uhr ist, werden die Fenster vom gelben Schein einer Laterne erhellt. Ich parke neben einer Kutsche, dem *Amisch-Buggy,* und stelle den Motor ab. Der Schnee auf dem Gehweg zur Haustür ist schon weggeschaufelt.

Noch bevor wir klopfen, geht die Tür auf. Isaac Stutz ist etwa vierzig Jahre alt. Er hat – wie alle verheirateten Amisch-Männer – einen Vollbart und trägt ein blaues Arbeitshemd, dunkle Hosen und Hosenträger. Sein Blick schnellt von mir zu T. J. und wieder zurück zu mir.

»Es tut mir leid, dass wir schon so früh stören müssen, Mr Stutz«, sage ich zur Begrüßung.

»Chief Burkholder.« Er neigt leicht den Kopf, tritt einen Schritt zurück und macht die Tür weit auf. »Kommen Sie herein.«

Ich säubere meine Schuhe auf der Fußmatte und trete ins Haus. Es duftet nach Kaffee und gebratenem Scrapple, einem traditionellen Amisch-Frühstück aus Maismehl und Schweinefleisch. Auf dem selbstgebauten Regal in der Nische im Flur stehen eine Kaminuhr und zwei Laternen. An den Holzpflöcken darunter hängen drei Strohhüte. Die Küche ist nur schwach beleuchtet, aber warm. Isaacs Frau Anna steht am gusseisernen Herd. Sie trägt die traditionelle *Kappe* aus Organdy und ein einfaches schwarzes Kleid. Als sie mich über die Schulter hinweg ansieht, suche ich den Blickkontakt mit ihr, doch sie wendet den Kopf gleich wieder ab. Vor zwanzig Jahren haben wir zusammen gespielt, doch heute Morgen bin ich für sie eine Fremde.

Die Amischen sind eine enge Gemeinschaft, deren Grundfeste auf dem Glauben an Gott, harter Arbeit und Familienbanden basieren. Während achtzig Prozent der amischen Kinder im Alter von achtzehn Jahren der Gemeinde Gottes beitreten, bin ich eine der wenigen, die es nicht getan haben. Infolgedessen wurde ich unter *Bann* gestellt, also von gewissen sozialen Kontakten mit Amischen ausgeschlossen. Doch entgegen der allgemeinen Annahme ist diese Ausgrenzung keine Form von Bestrafung. In den meisten Fällen hat sie eine läuternde Wirkung. Liebevolle Strenge, wenn man so will. Doch mich hat das nicht zurück in den Schoß der Gemeinschaft gebracht. Weil ich also abtrünnig geworden bin, wollen viele Amische nichts mehr mit mir zu tun haben. Was ich akzeptiere, denn ich verstehe ihre kulturellen Hintergründe und habe nichts gegen sie.

T. J. tritt hinter mir ins Haus. Wie immer respektvoll, nimmt er die Mütze ab.

»Möchten Sie Kaffee oder Tee?«, fragt Isaac.

Ich würde meine Waffe für einen heißen Kaffee hergeben, lehne aber ab. »Ich möchte Ihnen wegen letzter Nacht gern ein paar Fragen stellen.«

Er deutet in die Küche. »Kommen Sie, setzen Sie sich in die Nähe des Herdes.«

Auf dem Weg klacken unsere Stiefel dumpf auf dem Holzboden. Der Raum wird von einem rechteckigen Holztisch mit blau-weiß karierter Tischdecke dominiert, in dessen Mitte eine Glaslaterne steht, die unsere Gesichter in gelbes Licht taucht. Der Petroleumgeruch erinnert mich an das Zuhause meiner Kindheit, und einen Moment lang empfinde ich Wohlbehagen.

Holz kratzt auf Holz, als wir drei die Stühle unterm Tisch hervorziehen und Platz nehmen. »Wir haben letzte Nacht einen Anruf wegen Ihrer Tiere bekommen«, beginne ich.

»Ah, meine Milchkühe.« Er schüttelt selbstkritisch den Kopf, doch sein Gesichtsausdruck sagt mir, dass er weiß, ich komme nicht morgens um fünf Uhr hierher, um ihn wegen ein paar eigensinniger Kühe zurechtzuweisen. »Ich bin gerade dabei, den Zaun zu reparieren.«

»Es geht nicht um die Kühe«, sage ich.

Isaac sieht mich an und wartet.

»Wir haben letzte Nacht auf Ihrem Feld die Leiche einer jungen Frau gefunden.«

Mein Gott, höre ich Anna auf der gegenüberliegenden Seite des Raums sagen.

Ich sehe sie nicht an, sondern konzentriere mich auf Isaac. Seine Reaktion. Seine Körpersprache. Seinen Gesichtsausdruck.

»Jemand ist gestorben?« Er reißt die Augen auf. »Auf meinem Feld? Wer?«

»Wir haben sie noch nicht identifiziert.«

Ich kann sehen, wie er versucht, die Information zu verarbeiten. »Hatte sie einen Unfall? Ist sie erfroren?«

»Sie wurde ermordet.«

Wie von unsichtbarer Hand gestoßen, zuckt er auf dem Stuhl zurück. »*Ach! Jammer.*«

Ich sehe hinüber zu seiner Frau. Sie begegnet meinem Blick jetzt ruhig, aber mit einem ängstlichen Ausdruck im Gesicht. »Hat einer von Ihnen gestern Nacht irgendetwas Ungewöhnliches bemerkt?«, frage ich.

»Nein.« Er antwortet für sie beide.

Fast hätte ich gelächelt. Die Amischen sind eine patriarchalische Gesellschaft. Es herrscht zwar nicht zwangsläufig Ungleichheit zwischen den Geschlechtern, doch ihre unterschiedlichen Rollen sind klar definiert. Normalerweise macht mir das nichts aus, doch jetzt ärgert es mich. Bei Mord ist die stillschweigende Übereinkunft der Amischen außer Kraft gesetzt, und es ist meine Aufgabe, ihnen das zu verdeutlichen. Ich sehe Anna direkt an. »Anna?«

Sie kommt näher, wischt sich die schrundigen Hände an der Schürze ab. Sie ist fast so alt wie ich und hübsch, mit großen haselnussbraunen Augen und Sommersprossen auf der Nase. Die Schlichtheit passt zu ihr.

»Ist sie eine Amisch?«, fragt Anna auf Pennsylvania-deutsch, dem Amisch-Dialekt.

Ich kenne die Sprache, weil ich sie selbst einmal gebraucht habe, doch ich antworte auf Englisch. »Das wissen wir nicht«, antworte ich ihr. »Hast du vielleicht Fremde hier in der Gegend gesehen? Irgendwelche unbekannten Fahrzeuge oder Buggys?«

Anna schüttelt den Kopf. »Ich hab nichts gesehen. In dieser Jahreszeit wird es so früh dunkel.«

Das stimmt. Im Nordosten Ohios ist der Januar ein kalter und dunkler Monat.

»Kannst du deine Kinder fragen?«

»Natürlich.«

»Glauben Sie, einer von uns hat diese Sünde begangen?« Ein abwehrender Unterton schwingt in Isaacs Stimme mit.

Er meint damit die Amisch-Gemeinde, deren Mitglieder in der Regel Pazifisten sind. Hart arbeitend und religiös. Und familienorientiert. Doch ich weiß, dass es auch Ausnahmen von der Regel gibt. Ich selbst bin so eine.

»Ich weiß es nicht.« Ich nicke T. J. kurz zu und stehe auf. »Danke für das Gespräch. Wir finden selbst hinaus.«

Isaac folgt uns und hält die Tür auf. Als ich auf die Veranda trete, flüstert er: »Ist er zurück, Katie?«

Die Frage erschreckt mich, doch ich werde sie in den nächsten Tagen sicher noch öfter hören. Ich will nicht darüber nachdenken. Isaac erinnert sich an das, was vor sechzehn Jahren passiert ist. Damals war ich erst vierzehn Jahre alt, erinnere mich aber gut. »Ich weiß es nicht.«

Doch das ist gelogen. Ich weiß, dass der Mörder dieses Mädchens nicht derselbe Mann sein kann, der vor sechzehn Jahren vier junge Frauen vergewaltigt und ermordet hat.

Ich weiß es, weil ich ihn getötet habe.

* * *

Im Osten türmen sich purpurrote Kumuluswolken am Horizont. Ich parke den Explorer hinter T. J.s Streifenwagen. Das gelbe Absperrband an Bäumen, Zaunpfählen und Stacheldraht passt nicht in diese Landschaft. Der Krankenwagen ist weg, ebenso Doc Coblentz' Escalade. Glock steht am Zaun und blickt auf das Feld hinaus, als berge der Schnee, der über die aufgeworfenen Erdhäufchen geblasen wird, die Antwort, die wir alle suchen.

»Gehen Sie nach Hause und schlafen Sie eine Runde«, sage ich zu T. J. Seine Schicht hatte um Mitternacht begonnen. Nach diesem Mord wird keiner von uns in nächster Zeit viel Schlaf bekommen.

Ich stelle den Motor aus. Ohne das Rauschen des Heizungsgebläses ist es plötzlich ganz still im Wagen. T. J. legt die Hand auf den Griff der Tür, öffnet sie aber nicht. »Chief?«

Ich sehe ihn an. Er schaut bekümmert drein, wie ein kleiner Bruder. »Ich will den Kerl kriegen.«

»Ich auch«, erwidere ich und stoße meine Tür auf. »Ich rufe Sie in ein paar Stunden an.«

Er nickt, und wir steigen beide aus. Ich mache mich auf zu Glock, doch in Gedanken bin ich noch bei T. J. Hoffentlich kommt er mit der Sache klar. Ich habe das schlimme Gefühl, dass die Leiche, die wir heute Morgen gefunden haben, nicht die letzte sein wird.

Hinter mir höre ich T. J. den Streifenwagen anlassen und wegfahren. Glock sieht in meine Richtung. Ihm scheint nicht einmal kalt zu sein.

»Irgendwas?«, frage ich ohne große Vorrede.

»Wenig. Ein Kaugummipapier, aber es sieht alt aus. Und ein paar lange Haare am Zaun, wahrscheinlich von ihr.«

Glock ist ungefähr so alt wie ich, hat kurzgeschorenes Haar wie beim Militär und einen Körper, der mit seinen zwei Prozent Körperfett Arnold Schwarzenegger beschämen würde. Ich habe ihn vor zwei Jahren eingestellt, wodurch er die

Ehre hatte, der erste afroamerikanische Polizist in Painters Mill zu sein. Als ehemaliger Militärpolizist der Marine ist er ein Meisterschütze und Inhaber des braunen Gürtels in Karate. Er lässt sich von niemandem etwas gefallen, auch von mir nicht.

»Irgendwelche Abdrücke?«, frage ich. »Autospuren?«

Er schüttelt den Kopf. »Hier wurde ziemlich viel rumgetrampelt. Ich will versuchen, ein paar Abdrücke zu nehmen, verspreche mir aber kaum was davon.«

Schuh- oder Reifenabdrücke im Schnee zu nehmen ist kompliziert. Zuerst müssen mehrere Schichten eines Spezialwachses auf den Abdruck gespritzt werden, um ihn zu isolieren. Das soll den Verlust von Details verhindern, der sonst durch die exothermische Reaktion mit dem härtenden Abdruckmaterial eintritt.

»Wissen Sie, wie das gemacht wird?«, frage ich.

»Ich muss mir das notwendige Material aus dem Büro des Sheriffs besorgen.«

»Machen Sie das gleich. Ich bleibe solange hier, bis Skid kommt.« Chuck »Skid« Skidmore ist der dritte Officer in unserem Revier.

»Das Letzte, was ich von ihm gehört habe, war, dass er in McNarie's Bar mit einer Blondine auf dem Pooltisch lag.« Glock lächelt. »Wahrscheinlich hat er 'nen Kater.«

»Wahrscheinlich.« Skid schätzt billige Tequilas genauso sehr wie Rupert seine Glock-Pistole. Doch der Anflug von Leichtigkeit ist schnell vorüber. »Wenn Sie die Abdrücke haben, machen Sie auch welche von allen, die hier am Tatort rumgestiefelt sind. Schicken Sie alles ans BCI-Labor. Die sollen einen Abgleich machen und herausfinden, ob es irgendwelche Besonderheiten gibt.«

BCI ist das Akronym für Bureau of Criminal Identification and Investigation in London, Ohio, einem Vorort von Columbus. Diese staatliche Behörde ist dem Büro des Generalstaatsanwalts unterstellt und hat ein hochmodernes Labor, Zugang zu Polizeidatenbanken und viele andere Ressourcen, die von örtlichen Polizeidienststellen genutzt werden können.

Glock nickt. »Sonst noch was?«

Mein Lächeln wirkt gezwungen. »Wäre es möglich, Ihren Urlaub zu verschieben?«

Auch er lächelt, doch es hat etwas Angestrengtes. Wenn jemand eine Auszeit verdient hat, dann Glock. Seit er für mich arbeitet, hat er noch keine nennenswerte Freizeit gehabt. »LaShonda und ich haben keine großen Pläne«, sagt er. LaShonda ist seine Frau. »Wir wollten nur das Kinderzimmer fertig machen. Der Arzt meint, es kann jeden Tag so weit sein.«

In einhelligem Schweigen blicken wir auf den Tatort. Obwohl ich zwei Paar Socken in meinen wasserfesten Stiefeln trage, schmerzen meine Füße vor Kälte. Ich bin müde, mutlos und erschüttert. Der Zeitdruck sitzt mir im Nacken. Jeder kompetente Polizist weiß, dass die ersten vierundzwanzig Stunden nach einem Mord entscheidend für die Aufklärung sind.

»Ich fahr dann mal los und hole die Sachen«, sagt Glock schließlich.

Ich sehe zu, wie er den Wassergraben durchquert, in seinen Streifenwagen steigt und wegfährt. Dann blicke ich wieder auf das Feld, wo der Schnee flüsternd über den gefrorenen Boden treibt. Von meinem Standort aus kann ich gerade noch die Blutlache des Opfers erkennen, leuchtend rot auf reinem Weiß. Das Absperrband flattert im frischen Nordwind, die Äste der Bäume stoßen aneinander wie klappernde Zähne.

»Wo bist du, du Scheißkerl?«, sage ich laut, doch meine Stimme klingt merkwürdig in der frühmorgendlichen Stille.

Nur das Säuseln des Windes in den Bäumen und der Widerhall meiner Stimme antworten mir.

* * *

Zwanzig Minuten später trifft Officer Skidmore am Tatort ein. Er schwingt sich aus dem Streifenwagen mit zwei Kaffeebechern in der Hand, einem »Keine Fragen bitte«-Gesichtsausdruck und einem halbgegessenen Donut in der Hand.

»Warum können sich die Leute nicht bei zwanzig Grad und Sonnenschein umbringen lassen?«, murmelt er und reicht mir den Kaffee.

»Das würde es uns viel zu leicht machen.« Ich nehme den Deckel vom Kaffee und informiere ihn kurz über den Stand der Dinge.

Als ich fertig bin, wirft er einen Blick auf den Tatort. Dann sieht er mich erwartungsvoll an, als solle ich jetzt bitte die Hände in die Luft werfen und zugeben, dass das Ganze ein schlechter Scherz ist. »Ein echter Hammer, so was mitten in der Nacht hier draußen zu finden.« Er schlürft seinen Kaffee. »Wie geht's T. J.?«

»Ich denke, er kommt klar.«

»Der Kleine wird ziemliche Albträume kriegen.« Seine Augen sind blutunterlaufen, und mit der Kater-Prognose hatte Glock recht.

»War es spät letzte Nacht?«, frage ich.

Mit Puderzucker am Kinn, grinst er mich schief an. »Die Tequilas mögen mich leider weniger als ich sie.«

Das höre ich nicht zum ersten Mal. Skid kommt aus Ann Arbor, Michigan, wo er seinen Polizeijob wegen außerdienstlicher Trunkenheit am Steuer verlor. Jeder weiß, dass er zu viel trinkt. Aber er ist ein guter Cop. Ich hoffe, dass er sein Problem in den Griff bekommt. Alkohol hat schon das Leben vieler Menschen zerstört, ich möchte ihn ungern dazuzählen müssen. Er weiß, dass ich ihn auf der Stelle feuere, wenn er betrunken zur Arbeit kommt. Das habe ich gleich bei der Einstellung vor zwei Jahren klargestellt, und bis jetzt hat er sich daran gehalten.

»Glauben Sie, es ist derselbe Kerl wie Anfang der neunziger Jahre?«, fragt er. »Wie hat man ihn genannt? Den Schlächter? Der Fall wurde nie gelöst, stimmt's?«

Als ich den Spitznamen laut ausgesprochen höre, kriege ich Gänsehaut auf den Armen. Damals hatten die örtliche Polizei und das FBI noch Jahre nach dem letzten Mord an dem Fall gearbeitet. Als die Spuren schließlich kalt wurden und das öffentliche Interesse schwand, ließen auch ihre Bemühungen nach. »Es ist irgendwie kaum vorstellbar«, sage ich zurückhaltend. »Eine sechzehnjährige Handlungspause lässt sich schwer erklären.«

»Es sei denn, der Kerl hat die Örtlichkeiten gewechselt.« Ich sage nichts, habe keine Lust auf Mutmaßungen. Skid fährt unbeirrt fort. »Oder er hat wegen was anderem gesessen und ist gerade wieder rausgekommen. Genau so was hab ich erlebt, als ich bei der Polizei anfing.«

Ich hasse solche Spekulationen und Fragen, weiß aber, dass ich in der nächsten Zeit noch mehr davon zu hören bekomme, und zucke mit der Schulter. »Könnte ein Nachahmungstäter sein.«

Er rümpft die laufende Nase. »Das wäre schon merkwürdig in einer kleinen Stadt wie dieser. Ich meine, Herr im Himmel, das ist doch mehr als unwahrscheinlich.«

Weil er recht hat, antworte ich nicht. Spekulieren ist gefährlich, wenn man mehr weiß, als man sollte. Ich schütte den restlichen Kaffee weg und knülle den Becher zusammen. »Sie behalten hier alles im Auge, bis Rupert zurück ist, ja?«

»Klar, mach ich.«

»Und helfen Sie ihm bei den Abdrücken. Ich fahre ins Revier.«

Auf dem Weg zum Wagen freue ich mich auf die Heizung.

Mein Gesicht und meine Ohren schmerzen vor Kälte. Meine Finger sind taub. Aber beschäftigen tut mich etwas ganz anderes: Ich muss ständig an die junge Frau denken, an die unheimlichen Parallelen dieses Mordfalls zu denen vor sechzehn Jahren.

Als ich den Explorer anlasse und auf die Straße fahre, habe ich die düstere Vorahnung, dass der Mörder weitermachen wird.

* * *

Das Zentrum von Painters Mill besteht im Wesentlichen aus einer großen Hauptstraße – sinnigerweise Main Street genannt –, die von etwa einem Dutzend Geschäften gesäumt wird. Ungefähr die Hälfte davon sind Touristenläden der Amischen, in denen es von Windspielen über Vogelhäuser bis zu kunstvollen handgemachten Quilts alles zu kaufen gibt. Im Norden mündet die Straße in einen Autokreisel, im Süden endet sie an einer evangelisch-lutherischen Kirche. Östlich der Main Street befinden sich eine neue Highschool, ein zunehmend beliebtes Siedlungsgebiet namens Maple Crest und ein paar Bed-&-Breakfast-Unterkünfte. Letztere tragen dem Tourismus Rechnung, der am schnellsten wachsenden Branche der Stadt. Im Westen, kurz hinter der Bahnstrecke und der Wohnwagen-Siedlung, liegen der Schlachthof und die Abdeckerei, ein Großmarkt für Farmbedarf und ein riesiger Getreidespeicher.

Painters Mill wurde 1815 gegründet und hat konstant um die fünftausenddreihundert Einwohner, ein Drittel davon Amische. Obwohl die Amischen meistens unter sich bleiben, gehören sie doch dazu, und so ziemlich jeder weiß über jeden Bescheid. Es ist ein angenehmer Ort, in dem man gut leben und Kinder großziehen kann. Und auch, um Polizeichefin zu sein – wenn man nicht gerade einen brutalen Mord aufzuklären hat.

Das Polizeirevier liegt eingepfercht zwischen Kidwell's Pharmacy und der Freiwilligen Feuerwehr und ist eine zugige dunkle Höhle in einem hundert Jahre alten Backsteinbau, der früher ein Tanzlokal beherbergt hatte. Ich betrete den Eingangsbereich, wo Mona Kurtz am Schreibtisch mit der Telefonanlage sitzt. Sie sieht von ihrem Computer auf, schenkt mir ein strahlendes Lächeln und winkt. »Hallo, Chief.«

Mona ist etwas über zwanzig, hat rotes, üppiges Haar und eine Energie, die jeden Duracellhasen beschämt. Sie spricht so schnell, dass ich immer nur die Hälfte verstehe, was nicht unbedingt ein Nachteil ist, weil sie meist mehr erzählt als nötig. Doch ihr gefällt der Job, und da sie unverheiratet und kinderlos ist, macht es ihr nichts aus, die Nachtschicht zu übernehmen. Zudem hat sie echtes Interesse an der Polizeiarbeit, und obwohl es von der TV-Serie *CSI* herrührt, war das alles Grund genug, sie letztes Jahr einzustellen. Sie hat noch keinen Tag gefehlt.

Beim Anblick der vielen rosa Telefonzettel in ihrer Hand und dem Eifer in ihren Augen wünschte ich, es wäre schon Schichtwechsel gewesen. Ich mag Mona und weiß ihren Enthusiasmus zu schätzen, aber heute Morgen fehlt mir die nötige Geduld, so dass ich sofort auf mein Büro zusteuere.

Unbeeindruckt davon kommt Mona mit ihrem Dutzend Telefonzetteln in der Hand hinter mir her. »Das Telefon klingelt ununterbrochen, Chief. Die Leute sind verunsichert wegen des Mords. Mrs Finkbine will wissen, ob es derselbe Mörder ist wie vor sechzehn Jahren.«

Ich stöhne innerlich über die Rasanz der Gerüchteküche von Painters Mill. Könnte man diese Energie zur Erzeugung von Elektrizität nutzen, würde hier keiner mehr eine Stromrechnung kriegen.

Beim Blick auf den nächsten Zettel runzelt Mona die Stirn. »Phyllis Combs vermisst ihre Katze und glaubt, derselbe Kerl ist dafür verantwortlich.« Sie sieht mich aus großen braunen Augen an. »Ricky McBride hat mir erzählt, das Opfer war … geköpft. Stimmt das?«

Ich widerstehe dem Drang, mir die brennenden Augen zu reiben. »Nein. Und ich wäre Ihnen dankbar, wenn Sie alle Gerüchte sofort im Keim ersticken. Davon wird es in den nächsten Tagen nämlich noch genug geben.«

»Ganz bestimmt.«

Mit Blick auf die rosa Zettel beschließe ich, mir ihren Eifer zunutze zu machen. »Rufen Sie die Leute alle zurück. Sagen Sie ihnen, die Polizei von Painters Mill tut alles, um den Mord aufzuklären, und dass ich in der nächsten Ausgabe vom *Advocate* ein Statement abgeben werde.« *The Advocate* ist die Wochenzeitung unserer Stadt mit einer Auflage von viertausend. »Wenn Anfragen von der Presse kommen, sagen Sie, dass sie heute Nachmittag eine Pressemeldung gefaxt bekommen. Ansonsten heißt es immer ›Kein Kommentar‹, ist das klar?«

Sie hängt an meinen Lippen, wirkt dabei etwas zu aufgeregt, zu eifrig. »Hab verstanden, Chief. Kein Kommentar. Sonst noch etwas?«

»Ich könnte einen Kaffee brauchen.«

»Ist schon unterwegs.«

Ich muss an ihr Soja-Espresso-Schokolade-Gebräu denken und mich schaudert. »Einen ganz normalen Kaffee, Mona, und ein paar Aspirin, wenn wir welche hier haben.« Ich setze mich in Bewegung, um Zuflucht in meinem Büro zu suchen.

»Ja, natürlich. Milch, ohne Zucker. Ist Tylenol auch okay?«

Kurz vor meiner Bürotür fällt mir noch etwas ein und ich drehe mich um. »Hat in den letzten Tagen jemand eine junge Frau als vermisst gemeldet?«

»Nicht dass ich wüsste.«

Aber es ist immer noch früh, der Anruf kommt bestimmt, da bin ich mir sicher. »Fragen Sie bei der State Highway Patrol und beim Sheriffbüro von Holmes County nach, ja? Weiß, blaue Augen, dunkelblonde Haare. Alter zwischen fünfzehn und dreißig.«

»Wird sofort erledigt.«

Ich gehe in mein Büro, mache die Tür hinter mir zu und widerstehe der Versuchung, sie abzuschließen. Auf engem Raum stehen hier ein lädierter Metallschreibtisch, ein altmodischer, staubiger Aktenschrank und ein Computer, der Geräusche macht wie eine Kaffeemühle. Das einzige Fenster bietet einen wenig berauschenden Blick auf den Verkehr in der Main Street.

Sobald ich die Jacke ausgezogen und über den Stuhl gehängt habe, schalte ich den Computer ein und schließe den Aktenschrank auf. Während der PC hochfährt, ziehe ich die untere Schublade auf und blättere einige Akten durch. Häusliche Gewalt. Tätlichkeiten. Mutwillige Sachbeschädigung. Alles Vergehen, die in einer Stadt wie Painters Mill nicht überraschen. Doch die Akte, die ich suche, ist ganz hinten, und ich zögere einen Moment, bevor ich sie schließlich heraushole. Seit zwei Jahren bin ich hier Chief of Police, habe mich aber nicht überwinden können, mir die Akte anzusehen. Heute Morgen komme ich nicht mehr drum herum.

Es ist eine dicke Akte, braun mit verschlissenen Rändern und schwarzen, vom vielen Gebrauch zerbrochenen Metallklammern. Auf dem sich ablösenden Etikett steht: *Schlächter-Morde, Holmes County, Januar 1992*. Ich nehme die Akte mit zum Schreibtisch und schlage sie auf.

Mein Vorgänger, Delbert McCoy, hat alles pedantisch genau festgehalten. Auf einem getippten Polizeibericht stehen Datum, Uhrzeit und Ort. Den Namen von Zeugen folgen Kontaktinformationen und Anmerkungen über erfolgte Überprüfungen. Jeder einzelne Aspekt der Untersuchung scheint peinlich genau dokumentiert. Außer natürlich dem einen Vorfall, der nicht der Polizei gemeldet worden war …

Ich blättere die Akte durch, präge mir das Wesentliche ein. Vor sechzehn Jahren hatte in den ruhigen Straßen von Painters Mill ein Mörder auf der Lauer gelegen. Über einen Zeitraum von zwei Jahren hatte er vier Frauen auf grausamste Weise getötet.

Die Art seines Vorgehens – er hat sie wie Schlachtvieh ausbluten lassen – veranlasste einen schlagzeilengeilen Reporter, ihn als »Schlächter« zu bezeichnen, was sich dann in den Köpfen der Leute festsetzte.

Das erste Opfer, die siebzehnjährige Patty Lynn Thorpe, war vergewaltigt und misshandelt worden, ihre Kehle durchgeschnitten. Die Leiche wurde an der Shady Grove Road abgeladen – nur zwei Meilen von der Stelle entfernt, an der T. J. heute Morgen die Tote gefunden hat. Der Autopsiebericht lässt mich frösteln.

ZUSAMMENFASSUNG DER ANATOMISCHEN BEFUNDE:
I. Schnittwunde am Hals: Durchtrennung der linken Halsschlagader.

Ich überfliege die Präliminarien, die Anmerkungen zur äußeren Beschau, einige weitere Details und komme zu dem, wonach ich suche.

BESCHREIBUNG DER HALSSCHNITTWUNDE:
Schnittwunde am Hals ist acht Zentimeter lang. Sie verläuft diagonal nach oben zum linken Ohrläppchen. Durchtrennung der linken Halsschlagader, dadurch Hämorrhagie des umgebenden Fleisches. Frische Hämorrhagie entlang gesamtem Wundrand.

BEURTEILUNG:
Es handelt sich um eine tödliche Wunde, verursacht durch ein Messer oder einen anderen scharfen Gegenstand, wo-

bei die linke Halsschlagader durchtrennt wurde, mit Ausblutung als Folge.

Die Ähnlichkeit mit der Wunde an der Toten, die heute Morgen gefunden wurde, ist frappierend. Ich lese weiter.

BESCHREIBUNG DER SEKUNDÄREN SCHNITTWUNDE:
Bemerkenswert ist eine zweite Schnittwunde auf dem Unterleib über dem Nabel. Die Wunde hat eine irreguläre Form, ist insgesamt fünf Zentimeter lang und vier Zentimeter breit, mit einer Tiefe von eins Komma fünf Zentimetern. Frische Hämorrhagie entlang des gesamten Schnitts, der die Haut und die darunterliegende Fettschicht durchtrennt, aber keine Muskelfasern verletzt hat. Die Wunde wurde vor dem Tod zugefügt.

BEURTEILUNG:
Es handelt sich um eine oberflächliche Schnittwunde, die nicht lebensbedrohlich ist.

Wieder diese verblüffende Ähnlichkeit mit der Unterleibswunde der Toten von heute Morgen.

Ich blättere im Polizeibericht und stoße auf eine handschriftliche Anmerkung von Chief McCoy.

Die Wunden auf dem Unterleib sehen aus wie ein großes V und I oder vielleicht die römische Zahl VI. Bei der Halswunde handelt es sich nicht um unkontrollierte Messerstiche eines wahnsinnigen Mörders, sondern um den gezielten Einschnitt von jemandem, der wusste, was er tat und was er damit bezwecken wollte. Der Täter hat ein Messer ohne Zähne benutzt. Die Einritzung auf dem Unterleib der Toten wurde nicht veröffentlicht.

Weiter unten steht, dass das Opfer vaginale und rektale Wunden erlitten hatte, die vom Labor untersuchten Abstriche jedoch keine fremde DNA aufwiesen.

Ein paar Seiten weiter stoße ich wieder auf eine handschriftliche Anmerkung von Chief McCoy.

Keine Fingerabdrücke. Keine DNA. Keine Zeugen. Kaum etwas Verwertbares. Wir arbeiten weiter an dem Fall und verfolgen jede Spur. Aber ich glaube, der Mord war eine Einzeltat. Ein Landstreicher, der zufällig hier durchgekommen ist.

Diese Worte sollten ihn noch lange verfolgen.

Vier Monate später fand ein Fischer am schlammigen Ufer des Painters Creek die Leiche der sechzehn Jahre alten Loretta Barnett. Sie war zu Hause überfallen und vergewaltigt worden, an einem unbekannten Ort wurde ihr dann die Kehle durchschnitten. Die Ermittlungen ergaben, dass sie von einer überdachten Brücke westlich der Stadt geworfen worden war.

An dem Punkt hatte McCoy Hilfe vom FBI angefordert. Laut Forensik hatte der Mörder seine Opfer vermutlich mit einer Elektroschockpistole unter Kontrolle gebracht. Beide Opfer wiesen Verletzungen im Genitalbereich auf, aber es konnte keine DNA sichergestellt werden, was – nach Aussage von Special Agent Frederick Milkowski – darauf hinwies, dass der Mörder entweder ein Kondom benutzt oder mit einem unbekannten Objekt in sie eingedrungen war. Möglicherweise hatte der Mörder seine Körperbehaarung komplett abrasiert.

Quetschungen an den Fußgelenken der Opfer ließen darauf schließen, dass sie mit dem Kopf nach unten an einer Kette hingen, bis sie ausgeblutet waren. Beunruhigend war auch die Entdeckung der in ihren Unterleib geritzten römischen Zahl VII.

Jetzt war klar, dass sie es mit einem Serienmörder zu tun hatten. Da die Opfer durch Ausbluten umgebracht worden waren, eine klassische Schlachtmethode, wandten McCoy und Milkowski sich ratsuchend an den örtlichen Schlachthof.

Ich las McCoys Gesprächsnotizen:

Bei einer informellen Befragung erklärte J.R. Purdue von Honey Cut-Enterprises, der Besitzer und Betreiber des Fleischverpackungsbetriebs: »Die Wunden entsprechen den Einschnitten, die zum Ausbluten von Tieren angebracht werden, sind aber kleiner …«

Alle, die jemals in der Honey-Cut-Fleischverpackungsfabrik gearbeitet hatten oder noch arbeiteten, wurden verhört. Ihre Fingerabdrücke wurden genommen, und männliche Angestellte wurden aufgefordert, eine DNA-Probe zu geben. Doch nichts kam dabei heraus. Und die Morde gingen weiter …

Am Ende des darauf folgenden Jahres waren vier Frauen tot. Alle starben durch Ausbluten. Alle erlitten Höllenqualen. Und allen hatte der Mörder eine fortlaufende römische Zahl auf den Unterleib geritzt, als führe er eine Art krankhafte Strichliste seiner Bluttaten.

Ich betrachte mir die Fotos vom Fundort und der Autopsie und fange an zu schwitzen. Die vielen Übereinstimmungen mit dem Mordopfer von heute Morgen sind nicht zu übersehen. Ich weiß, was die Bürger von Painters Mill denken werden: Der Schlächter ist zurückgekehrt. Nur drei Menschen auf der ganzen Welt wissen, dass das unmöglich ist, und ich bin einer von ihnen.

Als es an der Tür klopft, schrecke ich hoch. »Es ist offen.«

Mona kommt herein, stellt mir eine Tasse Kaffee und eine Großpackung Tylenol auf den Schreibtisch. Ihr Blick fällt auf die Akte. »Eine Frau von Coshocton County ist auf Leitung eins. Ihre Tochter ist gestern Abend nicht nach Hause gekommen. Norm Johnston ist auf der Zwei.«

Norm Johnston ist einer von sechs Stadträten, aggressiv, egozentrisch und schwer zu ertragen. Letztes Frühjahr habe ich ihn wegen Trunkenheit am Steuer verhaftet, woraufhin er seine Hoffnung, auf der politischen Leiter von Painters Mill bis ins Bürgermeisteramt hochzuklettern, ad acta legen konnte. Seitdem mag er mich nicht mehr. »Sagen Sie Norm, ich rufe ihn zurück«, erwidere ich und drücke die Eins.

»Hier ist Belinda Horner. Meine Tochter Amanda ist Samstagabend mit ihrer Freundin ausgegangen, und seither habe ich nichts mehr von ihr gehört.« Die Frau spricht zu schnell, klingt panisch und atemlos. »Ich habe geglaubt, dass sie bei Connie übernachtet, was sie manchmal tut. Aber als sie sich heute immer noch nicht gemeldet hat, hab ich angerufen und erfahren, dass sie seit Samstagnacht niemand mehr gesehen hat. Ich mache mir wirklich Sorgen.«

Heute ist Montag. Ich schließe die Augen und bete, dass die Tote in der Leichenhalle von Millersburg nicht ihre Tochter ist. Aber ich habe kein gutes Gefühl. »Ist sie schon öfter so lange weggeblieben, Ma'am? Oder ist es ungewöhnlich für sie?«

»Sie ruft immer an, wenn sie woanders übernachtet.«

»Wann hat ihre Freundin sie zuletzt gesehen?«

»Samstagabend. Connie ist manchmal furchtbar verantwortungslos.«

»Haben Sie schon bei der State Highway Patrol nachgefragt?«

»Die haben gesagt, ich soll mich ans örtliche Polizeirevier wenden. Ich habe Angst, dass sie in einen Autounfall verwickelt war. Ich rufe jetzt die Krankenhäuser an.«

Ich nehme einen Block und Kuli zur Hand. »Wie alt ist Ihre Tochter?«

»Einundzwanzig.«

»Wie sieht sie aus?«

Die Beschreibung, die sie mir gibt, passt auf die Tote. »Haben Sie ein Foto?«, frage ich.

»Natürlich.«

»Können Sie mir das neueste faxen?«

»Hm … ich hab kein Faxgerät, aber mein Nachbar hat einen Computer und Scanner.«

»Gut. Scannen Sie das Foto und schicken Sie es als E-Mail-Anhang. Geht das?«

»Ich denke schon.«

Beim Notieren ihrer Kontaktdaten fällt mein Blick aufs Telefon, wo alle vier Leitungslämpchen wild blinken. Ich ignoriere es und gebe ihr meine E-Mail-Adresse. Als ich schließlich auflege, ist mein Magen wie zusammengeschnürt, doch ich habe die Befürchtung, dass der heutige Tag für Belinda Horner noch viel schlimmer wird als für mich.

Mona klopft kurz an und steckt den Kopf durch die Tür. »Die State Highway Patrol ist auf der Eins, Columbus' Regionalsender Kanal Sieben auf der Zwei und Doc Coblentz auf der Drei.«

Ich drücke die Taste für Leitung drei und murmele meinen Namen.

»Ich fange jetzt mit der Autopsie an«, sagt der Arzt. »Ich dachte, Sie wollen das vielleicht wissen.«

»Ich bin in fünfzehn Minuten bei Ihnen.«

»Wissen Sie schon, wer es ist?«

»Möglicherweise.«

»Gütiger Gott, steh der Familie bei.«

Und uns auch, füge ich im Stillen hinzu.

In den nächsten zehn Minuten erledige ich Anrufe, dann öffne ich mein E-Mail-Programm, klicke auf Senden/Empfangen und sehe, dass ich eine E-Mail mit Anhang von J. Miller im Posteingang habe.

Ich öffne den Anhang und starre entsetzt auf das Foto

einer jungen Frau mit schönen blauen Augen, dunkelblonden Haaren und einem strahlenden Lächeln. Die Ähnlichkeit ist unverkennbar. Und ich weiß, dass Amanda Horner nie wieder so lächeln wird.

Ich wähle Doc Coblentz' Durchwahl und warte ungeduldig, dass er abnimmt. »Warten Sie mit der Autopsie.«

»Ich dachte, es wäre eilig.«

Ich klicke auf die Drucken-Taste am PC. »Das ist es auch. Aber die Eltern wollen sie bestimmt sehen, bevor sie aufgeschnitten wird.«

»Ich beneide Sie nicht um Ihren Job.« In Coblentz' Stimme schwingt Mitleid.

In diesem Moment hasse ich meinen Beruf abgrundtief. »Ich fahre zur Mutter nach Coshocton County. Können Sie den Krankenhausseelsorger anrufen und bitten, ins Leichenschauhaus zu kommen? Er wird bestimmt gebraucht.«

4. KAPITEL

Die Horners wohnen in der Wohnwagensiedlung Sherwood Forest am Highway 83 zwischen Keene und Clark. Der graue Himmel gleicht einer Betondecke. Während ich in die Schotterstraße abbiege, studiert Glock auf dem Beifahrersitz die Karte, die ich vor der Abfahrt ausgedruckt habe.

»Da ist die Sebring Lane«, sagt er, den Finger auf dem Ausdruck.

Ich fahre rechts in die Straße, an der auf beiden Seiten ein Dutzend Wohnmobile wie Matchboxautos aufgereiht sind. »Welche Stellplatznummer?«

»Fünfunddreißig, dahinten, am Ende.«

Ich parke den Explorer vor einem etwa vier Meter breiten und 18 Meter langen blauweißen Liberty Mobile Home, Baujahr um 1980. Die seitliche Wohnzimmererweiterung sieht etwas zusammengeschustert aus, doch insgesamt macht die Parzelle, in deren Auffahrt ein Ford F-150 Pick-up neueren Datums steht, einen gepflegten Eindruck. Am Küchenfenster hängt eine grüne Gardine und um die Sturmtür eine verbliebene Weihnachtslichterkette. Die Mülltonne am Bordstein quillt über. Ein ganz normales Zuhause kurz vor einer furchtbaren Erschütterung.

Ich würde mir lieber die Hand abhacken, als Belinda Horner in die Augen zu sehen und sie auffordern zu müssen, eine Tote zu identifizieren, die ganz bestimmt ihre Tochter ist. Aber genau das ist meine Aufgabe, ich habe keine Wahl.

Auf dem Weg zum Wohnmobil dringt der eisige Wind durch meinen Parka bis auf die Knochen. Während Glock neben mir die Kälte verflucht, steige ich schlotternd die Stufen hinauf und klopfe. Augenblicklich geht die Sturmtür auf, als würden wir erwartet. Vor mir steht eine Frau mittleren Alters mit blond gefärbtem Haar und dunklen Ringen unter den müden Augen. Sie sieht aus, als hätte sie tagelang nicht geschlafen.

»Mrs Horner?« Ich zeige ihr meine Dienstmarke. »Ich bin Kate Burkholder, Chief of Police von Painters Mill.«

Ihr Blick huscht von mir zu Glock und heftet sich dann auf unsere Dienstmarken. Kurz flackert Hoffnung in ihren Augen auf, doch ihre Angst ist nicht zu übersehen. Im Grunde weiß sie, dass es kein gutes Zeichen ist, wenn Polizisten persönlich vorbeikommen. »Geht es um Amanda? Haben Sie sie gefunden? Ist sie verletzt?«

»Dürfen wir hereinkommen?«, frage ich.

Sie macht einen Schritt zurück und öffnet die Tür ganz. »Wo ist sie? Steckt sie in Schwierigkeiten? Hatte sie einen Unfall?«

Der überheizte Wohnwagen ist vollgestopft mit Dutzenden bunt zusammengewürfelten Möbelstücken. Ich rieche eine Mischung aus Schinken vom Frühstück, Hackbraten von gestern Abend und Haarspray. Im Fernsehen läuft eine Gameshow, in der ein strahlender Kandidat gerade ein Angebot für eine Jukebox abgibt. »Sind Sie allein, Ma'am?«

Sie sieht mich an. »Mein Mann ist auf der Arbeit.« Ihr Blick huscht von mir zu Glock und wieder zurück. »Was ist los? Warum sind Sie hier?«

»Ma'am, ich fürchte, ich habe eine schlechte Nachricht.«

Sie reißt entsetzt die Augen auf, weiß instinktiv, was ich als Nächstes sagen werde. In ihrem Blick erkenne ich dieselbe Vorahnung von etwas Grauenvollem, wie ich sie in meinem Inneren gespürt habe.

»Es ist möglich, dass wir Ihre Tochter gefunden haben, Ma'am. Eine junge Frau, auf die Ihre Beschreibung passt –«

»Gefunden?« Ein kurzes, hysterisches Lachen. »Was meinen Sie mit *gefunden*? Warum ist sie nicht hier?«

»Es tut mir leid, Ma'am, aber die Frau, die wir gefunden haben, ist tot.«

»Nein.« Sie hebt die Hand, als wolle sie mich fernhalten. Ihr wilder Gesichtsausdruck könnte einen Zug zum Halten bringen. »Sie irren sich. Das stimmt nicht. Jemand hat einen Fehler gemacht.«

»Ich muss Sie bitten, uns ins Krankenhaus nach Millersburg zu begleiten und sie zu identifizieren.«

»Nein.« Sie stößt das Wort halb schluchzend, halb stöhnend aus. »Das kann nicht sein. Das ist sie nicht.«

Ich blicke zu Boden, um ihr Zeit zu geben, das Unfassbare zu begreifen, und nutze die paar Sekunden, meine eigenen Gefühle in den Griff zu bekommen. Ich will nicht darüber nachdenken, wie unerhört es im Grunde ist, hier zu stehen und das Leben dieser Frau zu zerstören. »Gibt es jemanden, den Sie anrufen und herbitten können, Ma'am? Ihren Mann oder sonst jemand in der Familie?«

»Ich brauche niemanden. Amanda ist nicht tot.« Sie schnappt nach Luft, drückt die Hand auf den Bauch. »Sie lebt.«

»Es tut mir leid.« Selbst in meinen Ohren klingen die Worte hohl.

Sie ballt die Hände zu Fäusten und presst sie an die Schläfen. »Sie ist nicht tot. Das hätte ich gespürt.« Unsägliches Leid steht in ihren Augen, als sie mich anblickt. »Die Polizei hat einen Fehler gemacht. Das hier ist eine kleine Stadt. Andauernd passieren Fehler.«

»Sie ist noch nicht identifiziert, aber wir glauben, dass sie es ist«, sage ich. »Es tut mir sehr leid.«

Ruckartig wendet sie sich von uns ab und geht ans andere Ende des Zimmers. Ich werfe Glock einen Blick zu. Er sieht so aus, wie ich mich fühle, nämlich dass er lieber ganz weit weg wäre und nicht in diesem überheizten, vollgestopften Wohnwagen, wo die Welt dieser Frau gerade zusammenbricht. Unsere Blicke treffen sich. Sein Nicken tut mir gut, und ich frage mich, ob er weiß, wie sehr ich im Moment dieses kleine Zeichen von Unterstützung brauche.

Zum ersten Mal ergreift er das Wort. »Mrs Horner, ich weiß, wie schwer das ist, aber wir müssen Ihnen ein paar Fragen stellen.«

Sie dreht sich um und blickt ihn an, als sehe sie ihn zum ersten Mal. Tränen glänzen in ihren Augen. »Wie ist sie …«

Sie weiß, dass noch mehr kommt, ich sehe es in ihren Augen. Manche Menschen haben einen sechsten Sinn für drohendes Unheil. Der Ausdruck in ihrem Gesicht, als wäre sie auf alles gefasst, die müden Augen – all das verrät mir, dass sie im Leben schon einiges eingesteckt hat.

»Die Frau, die wir gefunden haben, wurde ermordet«, antworte ich.

Belinda Horner stößt einen Laut aus, halb Schrei, halb Wehklage. Sie starrt mich an, als wollte sie auf mich, die Überbringerin dieser furchtbaren Nachricht, losgehen. Ich wappne mich, doch sie verharrt auf der Stelle, bleibt endlose Sekunden bewegungslos stehen, wie festgefroren. Dann läuft ihr Gesicht tiefrot an. »Nein!« Ihre Lippen zittern. »Sie lügen.« Ihr Blick schießt zu Glock. »Sie alle beide!«

Da ich ihr nicht in die leidvollen Augen sehen kann, konzentriere ich mich auf einen Fleck im Teppichboden. Doch dann stößt sie einen wilden Klageschrei aus, ich blicke wieder auf und sehe, dass sie vornübergebeugt dasteht, als hätte ihr jemand einen Schlag in die Magengrube versetzt. Als sie mich ansieht, ist ihr Gesicht tränenüberströmt. »Bitte sagen Sie mir, dass das nicht stimmt.«

Es ist nicht das erste Mal, dass ich schlechte Nachrichten überbringen muss. Vor zwei Jahren, gleich in meiner ersten Woche hier, musste ich Jim und Marilyn Stettler mitteilen, dass ihr sechzehn Jahre alter Sohn mit seinem nagelneuen Mustang frontal gegen einen Telefonmast gerast war und sich selbst und seine vierzehnjährige Schwester getötet hatte. Das war mit das Schlimmste, was ich im Laufe meiner Polizeiarbeit tun musste. Danach habe ich mich zum ersten Mal im Leben allein betrunken. Aber nicht zum letzten Mal.

Ich gehe zu Belinda Horner, lege ihr die Hand auf die Schulter und drücke sie sanft. »Es tut mir so leid.«

Sie schüttelt meine Hand ab und sieht mich an, als wolle sie mich in Stücke reißen. »Wie konnte das passieren?« Sie schreit jetzt, überwältigt vom Kummer und einer ohnmächtigen Wut, die außer Kontrolle zu geraten droht. »Wie konnte ihr jemand weh tun?«

»Wir wissen es nicht, Ma'am, aber ich verspreche, dass wir alles tun, um es herauszufinden.«

Sie starrt mich weiter an, dann packt sie ihre Haare, als wolle sie sie ausreißen. »O Gott. Harold. Ich muss Harold anrufen. Wie soll ich ihm denn sagen, dass unsere Kleine tot ist?«

Das Telefon steht in der Ecke, ich gehe hin und nehme den Hörer ab. »Mrs Horner, lassen Sie mich anrufen. Sagen Sie mir seine Nummer?«

Sie wischt sich mit dem Handrücken über die Augen, verschmiert die Wimperntusche. Mit zittriger Stimme nennt sie die Nummer. Als ich wähle, verfluche ich die Gewissheit, dass auch Harold Horners Welt gleich zusammenbrechen wird. Aber ich will die Frau nicht alleine lassen. Trotzdem muss ich einen Mord aufklären, und das kann ich nicht von hier aus.

Horner nimmt nach dem ersten Klingeln ab. Ich sage, wer ich bin und dass es zu Hause einen Notfall gibt. Er fragt nach seiner Frau, und ich erwidere, dass ihr nichts fehlt. Als er nach seiner Tochter fragt, sage ich, er soll nach Hause kommen, und lege auf.

Belinda Horner steht am Fenster, die Arme um sich geschlungen. Glock ist zur Tür gegangen und schaut auf die öde Landschaft hinaus. Seine Stirn ist schweißnass; mir läuft das Wasser den Rücken hinunter.

»Mrs Horner, wann haben Sie Amanda das letzte Mal gesehen?«, frage ich.

Der Blick, den sie mir jetzt zuwirft, lässt mich frösteln. »Ich will sie sehen«, sagt sie mit ausdrucksloser Stimme. »Wo ist sie? Wo ist mein Kind?«

Bevor ich antworten kann, sinkt sie in die Knie. Ich eile zu ihr hin, doch Glock ist schneller und fängt sie unter den Armen auf, kurz bevor sie auf den Boden schlägt. »Ruhig, Ma'am, ruhig«, beschwichtigt er sie.

Glock und ich führen sie zum Sofa. »Ich weiß, es ist schwer, Mrs Horner«, sage ich. »Bitte beruhigen Sie sich.«

Sie blickt mich aus tränennassen Augen an. »Wo ist sie?«

»Im Krankenhaus in Millersburg. Der Geistliche dort ist für Sie da, falls Sie ihn brauchen.«

»Ich bin nicht religiös.« Sie steht auf und blickt sich um, verharrt aber auf der Stelle, als wüsste sie nicht, wo sie ist und was sie tun soll. »Ich will sie wirklich sehen.«

»Ja, natürlich, aber haben Sie bitte noch einen Moment Geduld.« Ich versuche erneut, die Information zu bekommen, die ich brauche. »Mrs Horner, wann haben Sie Ihre Tochter das letzte Mal gesehen?«

»Vor zwei Tagen. Sie ist … ausgegangen. Sie war beim Friseur gewesen und hatte sich in der Mall einen neuen Pullover gekauft, braun mit Pailletten am Halsausschnitt. Sie sah so schön aus.«

»War sie mit jemandem zusammen?«

»Mit Connie, ihrer Freundin. Sie wollten in die neue Bar gehen.«

»Wie heißt die?«

»Brass Rail.«

Meine Polizisten sind schon ein paar Mal dorthin gerufen worden. Die Bar wird von hormongesteuerten jungen Leuten frequentiert, die zu viel trinken und Gott weiß was sonst noch alles treiben. »Wie heißt Connie mit Nachnamen?«

»Spencer.«

Ich ziehe meinen Notizblock aus der Tasche und schreibe es auf. »Um wieviel Uhr ist Amanda hier weggegangen?«

»So gegen sieben Uhr dreißig. Sie war immer zu spät dran, hat immer erst alles in letzter Minute gemacht.« Sie schließt die Augen und schluchzt. »Ich kann einfach nicht glauben, dass das hier kein böser Traum ist.«

»Hatte Amanda einen Freund?«

»Nein. Sie war so eine gute Tochter. Jung und hübsch und klug dazu. Klüger als ich und ihr Dad zusammen.« Ihre Lippen zittern. »Im Herbst wollte sie zurück aufs College.«

Es gibt keine Worte, um sie zu trösten.

»Dürfen wir uns ein wenig in ihrem Zimmer umsehen?«, frage ich.

Sie starrt mich aus blicklosen Augen an.

»Können Sie uns bitte ihr Zimmer zeigen, Ma'am?«, fragt Glock behutsam.

Sie geht leise wehklagend zum Flur, ich bleibe dicht hinter ihr. Wir passieren ein winziges Bad mit rosa Handtüchern und farblich passendem Duschvorhang. Vor der nächsten Tür bleibt sie stehen, stößt sie auf. »Das ist ihr Zimmer mit ihren Sachen.« Ihr ganzer Körper bebt, so heftig schluchzt sie. »O mein Baby, meine süße Tochter.«

Ich trete an ihr vorbei ins Zimmer und versuche, es mit dem unvoreingenommenen Blick einer Polizistin zu betrachten, kein leichtes Unterfangen bei all dem Leid um mich herum.

Ein Einzelbett, ungemacht. Mit rosa Rüschenbettwäsche und rosa Tagesdecke. Die Bettwäsche eines kleinen Mädchens, denke ich. Die hat sie wahrscheinlich seit ihrer Kindheit.

Auf dem Nachttisch stehen eine Lampe, ein Wecker und mehrere gerahmte Fotos. Ich nehme das Foto mit Amanda und einem jungen Mann darauf in die Hand. »Wer ist das?«

Belinda kämpft gegen ihre Tränen. »Donny Beck.«

»Ihr Freund?«

Sie nickt. »Exfreund. Er war verrückt nach Amanda.«

»Und sie?«

»Sie mochte ihn, aber mehr nicht.«

Ein anderes Foto zeigt Amanda auf dem Rücken eines Rotfuchses; sie grinst, als hätte sie gerade das Kentucky Derby gewonnen.

»Sie liebt Pferde.« Belinda Horner sieht aus, als wäre sie in den letzten fünf Minuten um zehn Jahre gealtert. Ihre Augen liegen tief in den Höhlen, ihre Wangen sind eingefallen und ihr verlaufenes Make-up erinnert an einen traurigen Clown. »Harold und ich hatten ihr zum Highschool-Abschluss Reitstunden geschenkt. Das konnten wir uns eigentlich nicht leisten, aber sie hat sich so darüber gefreut.«

Ich stelle das Foto wieder zurück. »Hat sie Tagebuch geführt, Ma'am? Oder einen Terminkalender gehabt?«

»Ich weiß es nicht.« Sie nimmt einen verschlissenen Teddy, riecht daran. Dann drückt sie ihn fest an sich und bricht in Tränen aus. *Ich will sie wiederhaben.*«

Ich blicke mich im Zimmer um, hoffe, irgendetwas zu entdecken, das mir mehr über Amanda Horner verrät. So diskret wie möglich sehe ich in ihrem Nachttisch nach, finde nichts, dann suche ich in der Kommode zwischen T-Shirts, Socken und Unterwäsche nach irgendeinem Hinweis.

Eine zugeschlagene Autotür kündigt Harold Horner an. Ohne etwas zu sagen, läuft Belinda aus dem Zimmer. »Harold! *Harold!*«

Glock und ich sehen uns betreten an. »Mein Gott«, sage ich, und er stimmt mir nickend zu.

Als ich ins Wohnzimmer komme, fliegt die Eingangstür auf.

»Ich bin so schnell wie möglich gekommen.« Harold Horner ist ein hochgewachsener Mann. Er trägt ein rotes Flanellhemd und eine Jeansjacke, ist kahlköpfig und hat die schwieligen Hände eines Arbeiters. Seine Augen haben die gleiche Farbe wie die seiner Tochter. Er blickt uns der Reihe nach an. »Wo ist Amanda?«

Ich zeige ihm meine Dienstmarke und stelle mich vor. »Ich fürchte, wir haben traurige Nachrichten, Sir.«

»O Gott, nein. Was ist passiert? Was ist los?«

»Sie ist tot«, stößt Belinda Horner aus. »Unser Kind ist tot. O Harold, lieber Gott.« Er geht zu ihr, und sie bricht in seinen Armen zusammen.

»Unser süßes kleines Mädchen kommt nie wieder nach Hause.«

* * *

Ich setze Glock am Polizeirevier ab mit dem Auftrag, rüber ins Brass Rail zu fahren. Eigentlich möchte ich selbst hin, delegieren fällt mir schwer, aber ich muss unbedingt mit Doc Coblentz sprechen. Und den erneuten Anblick der Toten möchte ich keinem meiner Officers zumuten.

Glock hatte zuvor schon die Reifen- und Schuhabdrücke am Tatort genommen, ein mühsames Unterfangen, und Mona hatte alles per Kurier ins einhundert Meilen entfernte BCI-Labor in London, Ohio, geschickt. Die Kurierkosten überschreiten zwar unser Budget, aber ich kann auf keinen meiner Mitarbeiter verzichten. Notfalls muss ich es aus der eigenen Tasche bezahlen.

Im Labor werden alle Abdrücke eingescannt und am Computer mit denen von unseren Leuten und Fahrzeugen abgeglichen, die am Tatort waren. Mit etwas Glück bleibt am Ende mindestens einer übrig, der nicht zu den anderen passt und uns einen ersten Hinweis auf die Identität des Mörders gibt. Aber meine diesbezügliche Hoffnung hält sich in Grenzen.

Um kurz vor zwölf parke ich beim Haupteingang des Pomerene Hospital in Millersburg. Ich gehe an der Information vorbei zum Aufzug, fahre ins Kellergeschoss, wo ich die Schwingtüren mit dem schwarzgelben Symbol für Biogefährdung aufstoße und Doc Coblentz in seinem verglasten Büro am Schreibtisch sitzen sehen, weil die Jalousien hochgezogen sind. Als er mich sieht, steht er auf. In dem weißen Laborkittel und den ausgebeulten lohfarbenen Hosen wirkt er unförmig wie ein Hefekloß.

»Chief Burkholder.« Er reicht mir zur Begrüßung die Hand. »Die Eltern waren vor ein paar Minuten hier und haben sie identifiziert.« Er schüttelt den Kopf. »Eine nette Familie. Es ist schlimm mit anzusehen, was ihnen passiert ist.«

»Haben sie mit dem Geistlichen gesprochen?«

»Pfarrer Zimmerman hat sie mit in die Kapelle genommen.« Er nickt zum Zeichen, dass er anfangen will. »Mit der Autopsie habe ich noch nicht begonnen. Bis jetzt gibt es nur vorläufige Ergebnisse.«

»Ich kann alles gebrauchen.« Die Vorstellung, Amanda Horners Leiche gleich wieder zu sehen, erfüllt mich mit Grauen. Doch ich brauche Fakten und muss meine Gefühle ignorieren. Im Moment sind Informationen mein wichtigstes Werkzeug. Ich will den Kerl kriegen, der das getan hat. Am liebsten würde ich ihm ins Gesicht schießen, damit er niemandem mehr das antun kann, was er den Horners angetan hat.

Diese Gedanken helfen mir, der Aufforderung des Doktors nachzukommen, mir Schutzkleidung aus der Nische hinten im Zimmer zu holen.

»Geben Sie mir Ihre Jacke«, sagt er und hält die Hand hin. Widerstrebend ziehe ich den Parka aus, den er draußen vor der Tür an einen Haken hängt. Ich binde mir schnell eine sterilisierte Schürze um und streife Plastikhüllen über die Stiefel.

Doc Coblentz zeigt auf einen angrenzenden Raum, dessen Tür mit einem noch größeren Symbol für Biogefährdung beklebt ist. »Es ist kein schöner Anblick«, sagt er.

»Das sind Mordopfer nie.«

Nach einer weiteren Schwingtür kommen wir schließlich in den Autopsieraum. Obwohl er ein eigenes, separates Lüftungssystem hat, riecht es hier nach Formalin und einigen anderen Dingen, die ich lieber nicht identifiziere. An der hinteren Wand stehen vier fahrbare Seziertische aus Edelstahl. In der Mitte des Raums ist eine riesige Waage zum Wiegen von Leichen, eine kleinere für einzelne Körperteile befindet sich auf einem stählernen Unterschrank, neben verschiedenen Tabletts, Flaschen und Instrumenten.

Der Doktor nimmt ein Klemmbrett vom Regal und geht mit mir zum fünften Seziertisch, der einzige benutzte. Er schlägt das Tuch zurück, so dass Amanda Horners Gesicht und Hals freiliegen. Ihre Haut ist jetzt grau. Jemand hat ihre Augen zugemacht, doch das linke Lid ist wieder aufgegangen. Ein klebrig aussehender Schleier bedeckt den Augapfel.

Doc Coblentz schüttelt seufzend den Kopf. »Dieses arme Kind ist einen grausamen Tod gestorben, Kate.«

»Folter?«

»Ja.«

Ich versuche die Wut, die in mir aufsteigt, zu ignorieren. »Wissen Sie schon die Todesursache?«

»Sie ist mit ziemlicher Sicherheit verblutet.«

»Gibt es schon Hinweise auf die Art des Messers?«

»Ein scharfes, ohne Zähne. Wahrscheinlich mit kurzer Klinge.« Er zeigt mit einem langen Watteträger auf den Schnitt am Hals. »Das hier ist die tödliche Wunde. Die Verletzung durch einen scharfen Gegenstand ist deutlich sichtbar, der Einstich relativ klein.« Er wirft einen Blick aufs Klemmbrett. »Acht Komma eins Zentimeter.«

»Ist das von Bedeutung?«

»Es sagt mir, dass der Täter wusste, wo er die Schlagader trifft.«

»Medizinische Ausbildung?«

»Oder es ist nicht das erste Mal.«

Ich will nicht darauf eingehen und stelle meine nächste Frage. »Wie hat er sie unter Kontrolle gebracht? Mit Medikamenten, Drogen?«

»Ich mache noch eine toxikologische Untersuchung.« Er sieht mich über seine Brille hinweg an. »Aber ich glaube, er hat eine Elektroschockpistole benutzt.«

»Was lässt darauf schließen?«

Er streift Einmalhandschuhe über die dicken Finger und schiebt das Tuch bis hinab zu ihrem Unterleib.

Ich bin seit über zehn Jahren Polizistin, habe Schießereien, blutige familiäre Auseinandersetzungen und grauenerregende Verkehrsunfälle gesehen. Doch der unverblümte Anblick von toten Menschen bereitet mir noch immer Probleme. Die Angst vor dem Tod ist ein Urinstinkt, der in Menschen unterschiedlich stark ausgeprägt ist. Ganz gleich, wie viele Tote ich schon gesehen habe, ich werde mich nie daran gewöhnen.

»Sehen Sie diese roten Male?«, fragt er.

Auf der Stelle, wo er mit dem Watteträger hinzeigt, erkenne ich zwei kleine, kreisrunde Flecken an der linken Schulter, die wie Abschürfungen aussehen. Zwei weitere befinden sich über ihrer rechten Brust und einer auf dem linken Bizeps. Würde es sich hier nicht um die Leiche eines Mordopfers handeln, könnte ich mir sicher einreden, Windpocken oder irgendwelche anderen gutartigen Hautveränderungen vor Augen zu haben. Aber als Polizistin weiß ich, dass diese Male viel unheilvoller sind.

»Abschürfungen?« Ich beuge mich näher dran. »Verbrennungen?«

»Verbrennungen.«

»Die meisten Elektroschockpistolen hinterlassen keine Male.«

»Richtig«, räumt er ein. »Das trifft vor allem zu, wenn sie durch Kleidung hindurch benutzt werden.«

»Dann hat er sie damit betäubt, als sie nackt war?«

Er zuckt die Schultern. »Wahrscheinlich. Aber diese Male sehen anders aus als die, die ich von früher kenne.«

»Was wollen Sie damit sagen?«

»Die Verbrennungen hier sind schlimmer. Ich glaube, er hat die Stromstärke der Pistole manipuliert.«

Ich betrachte die Male und gebe mir Mühe, nicht zu schaudern. Vor zehn Jahren habe ich die Polizeiakademie in Columbus besucht. Zu unserer Ausbildung gehörte es, dass mutige Schüler sich freiwillig zur Verfügung stellten, mit der Elektroschockpistole angeschossen zu werden. Aus Neugier habe ich mich gemeldet, und obwohl die Stromstärke ziemlich gering war, bin ich auf dem Hintern gelandet. Ich will mir nicht vorstellen, einem Psychopathen mit einer frisierten Elektroschockpistole ausgeliefert zu sein.

»Glauben Sie, er hat die Pistole selbst zusammengebastelt?«, frage ich.

»Zumindest hat er sie verändert.« Er nickt. »Jedenfalls steht fest, dass er sie damit mehrere Male angeschossen hat.«

Ich sehe mir die Furchen um ihre Handgelenke genauer an und fröstele beim Anblick des hellen Knochens. »Womit zum Teufel hat er sie gefesselt?«

»Draht. Und augenscheinlich ziemlich lange.« Er schüttelt den Kopf so heftig, dass seine Wangen wabbeln. »Sie hat sich gewehrt.«

Painters Mill ist umgeben von Farmen. Viele Bauern machen Heu, es gibt also Unmengen Draht für Heuballen. Selbst wenn wir die Marke herausfinden, können wir unmöglich seine Herkunft zurückverfolgen.

Der Arzt hebt das Tuch hoch. »Ihre Fußgelenke waren mit einer Kette zusammengebunden. Große, leicht angerostete Kettenglieder. Den Druckstellen nach zu urteilen hat er sie daran aufgehängt, als sie noch lebte.«

Vor meinen Augen steigt ein Bild auf, über das ich lieber nicht nachdenken möchte. Ich weiß nur, dass wir es hier nicht mit einem menschlichen Wesen zu tun haben. Nicht einmal mit einem Tier. Nur ein Ungeheuer ist zu solchen Gräueltaten fähig.

Mit dem distanzierten Habitus des Wissenschaftlers zieht der Doktor das Tuch jetzt ganz weg. Ich muss mich zusammennehmen, als Amanda Horners Leichnam in voller Größe vor mir liegt. Mein Blick fällt auf multiple Verbrennungen und Abschürfungen in grauem Fleisch. Ich bin nicht zimperlich, aber mir ist flau im Magen. Mein Herz schlägt zu schnell und Speichel sammelt sich in meinem Mund. Ich weiß, was der Arzt gleich sagen wird, denn auch ich starre auf die Schnitte in ihrem Unterleib, über dem Nabel.

Jetzt, wo die Wunde gesäubert wurde, ist das ins Fleisch geritzte XXIII eindeutig erkennbar. Ich merke, dass ich die Luft anhalte, und atme aus.

»Wollen Sie ein Glas Wasser, Kate?«

Die Frage ärgert mich, aber ich widerstehe der Versuchung, ihn anzufahren. »Haben Sie Fotos davon?«

»Ja.«

Mein Blick wandert zu den leichten Prellungen auf der Innenseite der Oberschenkel. »Wurde sie sexuell missbraucht?«

»Es gibt kleine vaginale Einrisse. Und auch anale. Zudem habe ich Verbrennungen um den After herum gefunden, vermutlich von einer Art elektrischem Instrument. Ich habe Abstriche gemacht, glaube aber nicht, dass er Samen hinterlassen hat.«

»Was ist mit Haaren oder Fasern?«

»Nein, und nein.«

»Dann hat er ein Kondom benutzt.«

»Genau genommen ein Kondom mit *Gleitbeschichtung*. Ich habe Spuren von Glycerin und Methylparaben in der Vagina und um den Anus gefunden.«

Ich denke nach. »Wie kann ein Mann so nah an sie rankommen, um sie zu vergewaltigen, und keine Haare hinterlassen?«

»Dazu habe ich zwei Hypothesen.«

»Und die lauten?«

»Er könnte seine Körperhaare rasiert haben. Es wäre nicht das erste Mal, dass ein Serienvergewaltiger alles tut, um keine DNA zu hinterlassen.«

»Und die zweite?«

»Er könnte mit irgendeinem Objekt in sie eingedrungen sein. Vielleicht kann ich mehr sagen, wenn die Ergebnisse der Abstriche aus dem Labor zurückkommen.«

»Dann weiß der Mörder also etwas über forensische Untersuchungen und Beweismittel.«

»Wer weiß das heutzutage nicht?« Er zuckt mit den Schultern. »Die Leute sehen sich im Fernsehen *CSI* an. Jeder ist ein Experte.«

»Machen Sie wegen der Laborergebnisse ein wenig Druck, ja?«

»Ganz bestimmt.«

Meine Anspannung lässt ein wenig nach, als der Doktor den Leichnam wieder zudeckt. »Was ist mit dem Todeszeitpunkt?«

»Ich habe sofort die Körpertemperatur gemessen, als sie hergebracht wurde, also um drei Uhr dreiundfünfzig.« Er wirft einen Blick aufs Klemmbrett. »Lebertemperatur achtundzwanzig Komma sechs Grad Celsius. Ich würde sagen, der Todeszeitpunkt liegt zwischen sechzehn und neunzehn Uhr gestern Nachmittag.«

Belinda Horner hatte ihre Tochter zuletzt am Samstag gegen neunzehn Uhr dreißig gesehen, sie muss also irgendwann danach entführt worden sein. »Wenn er sie irgendwann Samstagnacht entführt hat, war sie ziemlich lange in seiner Gewalt, bevor er sie umbrachte.« Bei der Vorstellung wird mir übel. Am liebsten würde ich den kranken Mistkerl in die Finger bekommen und vergessen, dass ich Polizistin bin.

»Ich fürchte ja.« Er zeigt auf die Tote. »Wer immer das getan hat, hat sich Zeit genommen, Kate. Er hatte keine Eile und hat sie eine Weile am Leben gelassen.«

Ich habe Mühe, meine Stimme zu kontrollieren. »Also hat er sie wahrscheinlich an einen Ort gebracht, wo er sich sicher fühlte. Wo er wusste, dass man nichts hört.« Solche Orte gibt es auf dem Land, wo die Farmen oft meilenweit auseinanderliegen, mehr als genug.

Ich sehe den Arzt an. »Wurde sie geknebelt?«

»Sieht nicht so aus. Es gibt keine Reste von Klebeband auf der Haut oder von Fasern im Mund.« Er verzieht das Gesicht. »Sie hat sich auf die Zunge gebissen.«

Er hat ihr beim Schreien zugehört, denke ich. »Dann kennt er also einen einsamen Ort, wo er kommen und gehen kann, wie er will. Einen Ort, der so abgelegen ist, dass niemand sie hören konnte.«

»Oder er hat ein Haus mit Keller oder schalldichtem Raum.«

Ich verspüre einen fast manischen Drang, endlich aktiv zu werden. In meinem Kopf überschlagen sich die Dinge, die ich tun muss. Zum Beispiel Leute befragen. Ich muss entscheiden, welche Aufgaben ich delegiere und welche ich selbst übernehme. Ich werde die Hilfe aller meiner Kollegen brauchen und auch unseren Hilfspolizisten einsetzen. Meine Erschöpfung ist wie weggeblasen, stattdessen spüre ich den eisernen Willen, dieses Monster zu fassen.

Als hätte er gemerkt, dass ich keine Fragen mehr habe, zieht der Doktor die Latexhandschuhe aus. »Ich rufe Sie an, sobald ich fertig bin.«

»Danke, Doc. Sie haben mir sehr geholfen.«

Auf dem Weg zur Tür fällt mir doch noch eine Frage ein. »Haben Sie noch die ausführlichen Autopsieberichte von den früheren Opfern? In unseren Akten befinden sich nur die Zusammenfassungen.«

»Die sind meines Wissens im Archiv, aber ich kann sie kommen lassen.«

»Ich wäre Ihnen dankbar, wenn Sie mir von allem, was Sie haben, so schnell es geht, Kopien ins Büro schicken lassen.«

Er hält meinem Blick stand, doch sein Gesichtsausdruck verdüstert sich. »Ich hatte damals gerade meine Assistenzzeit im Krankenhaus beendet, Kate, und Dr. Kours bei allen vier Autopsien assistiert.« Er stößt ein freudloses Lachen aus. »Ich schwöre bei Gott, als ich die Leichen gesehen habe, wäre ich um ein Haar zur Zahnmedizin gewechselt.«

Ich will nicht wissen, was als Nächstes kommt, bleibe aber stehen.

»Wenn man so etwas sieht, vergisst man es nie wieder.« Er tritt vor mich. »Amanda Horner ist auf *genau die gleiche* Weise gestorben wie jene Mädchen.«

Obwohl ich auf diese Aussage gefasst war, wird mir eiskalt.

»Ihnen ist sicher nicht entgangen, dass die Nummer, die in den Unterleib der Opfer geritzt ist, von neun auf dreiundzwanzig angestiegen ist«, sagt der Doktor. »Das macht mir Sorgen.«

»Wir sind nicht einmal sicher, dass wir es hier mit demselben Mörder zu tun haben«, erwidere ich. »Könnte auch ein Nachahmungstäter sein.«

Er wirft die Handschuhe in den Behälter für Sondermüll. »Ich kann es einfach nicht glauben, dass es einen Mann gibt, oder sogar zwei, die zu solchen grauenhaften Taten fähig sind. Und schon gar nicht, dass sie aus unserer Stadt stammen.«

Er nimmt die Brille ab und wischt sich mit dem Taschentuch über den Nasenrücken, und mir wird klar, dass dieser gestandene Arzt wegen der Dinge, die er heute gesehen hat, aus der Fassung geraten ist.

»Die Tat trägt seine Handschrift«, sagt er. »Da wette ich meine Karriere drauf.«

Ich starre ihn an, sage mir, dass er unrecht hat. Doch zum allerersten Mal verspüre ich einen Anflug von Zweifel, und eine leise Stimme in meinem Hinterkopf fragt, ob der Schuss aus der Schrotflinte an jenem grauenhaften Tag vor sechzehn Jahren wirklich tödlich war.

Ein halbes Leben lang habe ich mit der Überzeugung gelebt, einen Mann umgebracht zu haben. Ich habe mir vergeben und auch Gott um Vergebung gebeten. Ich habe meine Tat rationalisiert, mein Schweigen, das Schweigen meiner Familie. Und irgendwie habe ich gelernt, damit zu leben. Doch dieser Mord stellt das nun alles in Frage.

»Kate?«, sagt der Arzt, die weißen Augenbrauen sorgenvoll zusammengezogen.

»Es ist alles okay«, sage ich schnell und gehe zur Tür. Ich spüre den Blick des Arztes in meinem Rücken, als ich sie aufstoße, und bin unter der Uniform nassgeschwitzt, als ich schließlich den Korridor erreiche.

Es gibt nur eine Möglichkeit herauszufinden, ob der Mann, auf den ich vor all den Jahren geschossen habe, wirklich tot ist: Ich muss mit zwei Menschen sprechen, mit denen ich seitdem kaum Kontakt hatte. Zwei Menschen, die an dem Tag dabei waren, als die Gewalt mein Leben für immer veränderte. Dem Tag, als ein vierzehnjähriges Amisch-Mädchen die Schrotflinte ihres Vaters nahm und einen Mann tötete. Oder vielleicht doch nicht?

5. KAPITEL

Ich sitze fünf Minuten vor dem Krankenhaus im Auto, bevor ich wieder handlungsfähig bin. Meine Hände zittern noch, als ich die Kurzwahlnummer fürs Revier eintippe. Mona nimmt nach dem ersten Klingelton ab.

»Ich möchte, dass Sie eine Liste mit allen leerstehenden Gebäuden, Grundstücken und Geschäftshäusern in und um Painters Mill zusammenstellen«, falle ich mit der Tür ins Haus. »So im Radius von fünfzig Meilen.«

»Irgendwelche besonderen Kriterien?«

»Machen Sie erst mal nur die Liste, sobald ich im Revier bin, gebe ich Ihnen mehr Einzelheiten.«

Ich lasse den Motor an und fahre Richtung Highway, versuche, nicht allzu viel an das zu denken, was ich als Nächstes tun muss.

Mein Bruder Jacob, seine Frau Irene und meine zwei Neffen, Elam und James, leben neun Meilen östlich der Stadt auf einer sechsundzwanzig Hektar großen Farm, die seit achtzig Jahren im Besitz der Familie Burkholder und nur über eine unbefestigte Straße zu erreichen ist. Gemäß amischer Tradition hat Jacob, der älteste und einzige männliche Nachkomme in unserer Familie, nach dem Tod meiner Mutter vor zwei Jahren die Farm geerbt.

Als ich auf die Schotterstraße einbiege, stelle ich auf Allradantrieb um und lenke den Explorer durch hohen Schnee, bete, dass ich nicht stecken bleibe. Ich fahre viel zu schnell durch die vertraute Landschaft, in der jetzt rechts von mir ein kleiner Garten mit Apfelbäumen auftaucht, deren kahle

Äste mich unter ihrem weißen Winterkleid misstrauisch zu beäugen scheinen.

Ich gehöre nicht mehr hierher, bin eine Fremde, die unbefugt heiliges Land betritt. Diese Tatsache war mir nie bewusster als jetzt, wo ich die Welt meiner Vergangenheit betrete. Für die Menschen, die mir einmal sehr vertraut waren, bin ich jetzt eine Fremde. Ich besuche sie nur selten und kenne meine beiden Neffen kaum. Aber sosehr ich mir wünsche, dass sich das ändert, ist doch die Kluft zwischen uns zu groß.

Links von mir drängen sich sechs Milchkühe um einen Futtertrog voll schneebedecktem Heu. Ein Stück weiter biegt der Weg nach rechts ab, und schnurgerade aufgereihte Getreideballen lenken meinen Blick zu dem Farmhaus dahinter. Ein schönes Bild, wie es da so mitten in der Schneelandschaft liegt, und einen Moment lang flackert in mir die Erinnerung an eine einfachere Zeit auf. Eine Zeit, als meine Schwester, mein Bruder und ich barfuß und sorglos über Weizenfelder tollten und im hohen Getreide Versteck spielten. Mir fallen die Wintertage ein, an denen wir mit unseren Cousins stundenlang auf Millers Teich Eishockey spielten. Damals hatten wir Kinder nur wenige Pflichten, mussten die Kühe und Ziegen melken, die Hühner füttern, unserer *Mamm* beim Bohnenpflücken helfen und, natürlich, beten.

Diese glückliche Kindheit endete abrupt in dem Sommer, als ich vierzehn wurde. An dem Tag, an dem ein Mann namens Daniel Lapp unser Haus betrat in der Absicht zu töten. An dem Tag habe ich meine Unschuld verloren. Meine Fähigkeit zu vertrauen. Und zu vergeben. Meinen Glauben an Gott und an meine Familie. Fast hätte ich auch mein Leben verloren, und in den darauf folgenden Wochen wünschte ich mehr als einmal, es wäre so gekommen.

Seit *Mamms* Beerdigung vor zwei Jahren war ich nicht mehr hier gewesen. Die meisten Amischen finden es wahrscheinlich beschämend, dass ich meinen Geschwistern aus dem Weg gehe, doch ich habe meine Gründe.

Wäre meine Mutter nicht vor drei Jahren an Brustkrebs erkrankt, wäre ich nie wieder nach Painters Mill zurückgekommen. Doch *Mamm* und ich hatten immer eine besondere Beziehung zueinander gehabt. Sie hatte mich unterstützt, als andere es nicht taten – besonders als ich ihr und meinem Vater mitteilte, nicht der Glaubensgemeinschaft beitreten zu wollen. Ich wurde nach meiner Zeit der *Rumspringa*, in der den Jugendlichen viele Freiheiten zugestanden werden, nicht getauft, was meine Mutter zwar nicht guthieß, aber auch nicht verurteilte. Und sie hatte nie aufgehört, mich zu lieben.

Mit achtzehn zog ich nach Columbus, wo ich ein ganzes Jahr lang arm wie eine Kirchenmaus war, unglücklich und verlorener als jemals zuvor. Die Rettung brachten eine ungewöhnliche Freundschaft und schließlich ein noch ungewöhnlicherer Job. Gina Colorosa lehrte mich, nicht amisch zu sein, und brachte mir in einem Schnellkurs all die gottlosen Gewohnheiten der »Englischen« oder Nicht-Amischen bei. Hungrig nach neuen Erfahrungen, lernte ich schnell. Ich kannte sie gerade mal einen Monat, als wir zusammen in eine Wohnung zogen und von Fast Food, Heineken-Bier und Marlboro Lights lebten. Sie arbeitete im Polizeipräsidium von Columbus in der Einsatzzentrale und verhalf mir zu einem Job in einem kleinen Revier in der Innenstadt, wo ich Anrufe entgegennahm. Diese Mindestlohn-Stelle war in den folgenden Wochen meine Welt – und meine Rettung.

Schon bald schrieben Gina und ich uns am städtischen College ein, um einen Abschluss in Strafrecht zu machen. Es war eine der besten und aufregendsten Zeiten in meinem Leben. *Mamm* kam mit dem Bus zu meiner Abschlussfeier nach Columbus, eine eklatante Missachtung der *Ordnung*, in der die Regeln unserer Kirchengemeinde festgelegt sind. Meine Mutter tat es trotzdem, und dafür werde ich ihr immer dankbar sein. Ich machte sie mit Gina bekannt und eröffnete ihr, dass wir uns an der Polizeiakademie einschreiben wollten. Das verstand sie zwar nicht, hielt aber weiter zu mir. Es war das letzte Mal, dass ich sie vor der Krebsdiagnose gesehen hatte. Sechs Monate nach meiner Graduierung hatte *Datt* plötzlich einen Schlaganfall und starb. Ich war nicht auf seiner Beerdigung. Doch für meine *Mamm* war ich zurückgekommen, um am Ende ihres Lebens bei ihr zu sein. Und um auf der Farm mitzuhelfen. Das war jedenfalls mein Vorwand. Aber wenn ich ehrlich bin, hatte es mich schon länger in Richtung Heimat gezogen. Zurückblickend weiß ich, dass es nicht nur der bevorstehende Tod meiner Mutter war, der mich zu dem Umzug bewogen hatte. Tief im Inneren wusste ich, dass die Zeit reif war, mich meiner Familie zu stellen – und einer Vergangenheit, vor der ich seit über einem Jahrzehnt weggelaufen war.

Zwei Wochen nach dem Tod meiner Mutter, als meine Schwester Sarah und ich gerade ihre Sachen durchsahen, erschienen zwei Stadtratsmitglieder auf unserer Farm. Norm Johnston und Neil Stubblefield informierten mich, dass Delbert McCoy, der Polizeichef von Painters Mill, in einem Monat in Rente gehen würde, und wollten wissen, ob ich Interesse hätte, seine Nachfolge anzutreten.

Ich war vollkommen verblüfft, überhaupt gefragt zu werden: eine ehemalige Amische und obendrein eine Frau. Doch ich fühlte mich auch geschmeichelt, und zwar wesentlich mehr als angebracht. Erst später, als ich Zeit hatte, alles ins rechte Licht zu rücken, wurde mir klar, dass das Angebot mehr mit Kleinstadtpolitik zu tun hatte als mit meiner Erfahrung bei der Polizei. Painters Mill ist zwar eine idyllische Stadt, aber sicherlich nicht perfekt. Zwischen den Amischen und Englischen gibt es ernste kulturelle Probleme. Da der Tourismus einen Großteil der städtischen Einnahmen ausmacht, wollte der Stadtrat jemanden, der die erregten Gemüter beschwichtigen konnte, sowohl die der Amischen als auch der Englischen.

Ich war die perfekte Kandidatin: Ich hatte acht Jahre Diensterfahrung, einen Abschluss in Strafrecht und war in dieser Stadt geboren und aufgewachsen. Und das Allerbeste: Ich war selbst einmal eine Amisch gewesen. Ich sprach fließend Pennsylvaniadeutsch, kannte die amische Kultur und stand ihrer Lebensweise verständnisvoll gegenüber.

Eine Woche später nahm ich das Jobangebot an. Ich quittierte meinen Dienst in Columbus, kaufte ein Haus, lud mein Hab und Gut in einen Umzugswagen und zog zurück in meine Heimatstadt. Das ist jetzt über zwei Jahre her, und ich habe meine Entscheidung nie bereut. Bis heute.

Das Haus, in dem ich aufgewachsen bin, ist weiß und schlicht, mit einer großen vorderen Veranda und Fenstern wie langgezogene traurige Augen. Dahinter steht die Scheune, imposant und rot, wie zum Beweis ihrer zentralen Funktion. Das Getreidesilo daneben ragt hoch in den verhangenen Winterhimmel.

Ich parke in der Auffahrt und stelle den Motor ab. Von hier aus kann man den Garten hinter dem Haus sehen. Der Ahornbaum, den ich mit meinem Vater gepflanzt habe, als ich zwölf Jahre alt war, überragt inzwischen das Haus. Es erstaunt mich immer wieder, wie wenig sich hier verändert hat, wo doch mein eigenes Leben so vollkommen anders geworden ist. Von all den Aufgaben, die ich heute Morgen zu bewältigen hatte, ist das jetzt die schwierigste. Aber dass ich mir eher den misshandelten Leichnam einer jungen Frau ansehen kann, als meiner eigenen Familie gegenüberzutreten, ist keine angenehme Vorstellung. Ich will nicht darüber nachdenken, was das über mich als Mensch aussagt, und muss mir beschämt eingestehen, dass ich bis ans Ende meiner Tage zufrieden leben könnte, ohne meine Geschwister je wiederzusehen.

Ich zwinge mich, aus dem Explorer auszusteigen. Wie schon bei Stutz, ist auch hier der Fußweg freigeschaufelt. Und zwar nicht mit einer motorisierten Schneefräse, sondern auf amische Weise mit der Schneeschaufel. Mit zittrigen Beinen und hochnervös gehe ich über die Veranda zur Eingangstür. Ich würde das zwar gern auf zu viel Kaffee, den Stress oder die Kälte schieben, doch ich weiß, dass es mit alledem nichts zu tun hat. Grund dafür ist der Mann, dem ich gleich gegenüberstehen werde, und das Geheimnis, das uns verbindet.

Ich klopfe und warte. Schritte werden laut, dann geht die Tür auf. Meine Schwägerin, Irene, ist einige Jahre jünger als ich, hat eine schöne Haut und klare, haselnussbraune Augen. Ihr Haar ist im Nacken zu einem Knoten gebunden und wird von der traditionellen *Kapp* bedeckt. In dem grünen Kattunkleid und der weißen Schürze repräsentiert sie den Typ Frau, der ich geworden wäre, wenn nicht das Schicksal eingegriffen und alles verändert hätte. »Guten Tag, Katie.« Sie spricht Pennsylvaniadeutsch, ihr Ton ist freundlich, doch ihre Augen können die Skepsis mir gegenüber nicht verbergen. Sie tritt zur Seite, macht die Tür ganz auf. »Wie geht's?«

Ich trete ins Wohnzimmer, wo es nach gebratenem Schinkenspeck riecht. Im Haus ist es warm und gemütlich, doch ich weiß, wie sehr es in den Zimmern zieht, sobald die Temperatur unter null fällt.

Ich verliere keine Zeit mit netter Plauderei. »Ist Jacob da?«

Irene versteht nicht, warum ich mit meiner Familie keinen Umgang pflege. Ich habe sie nur wenige Male getroffen, doch immer den Eindruck gehabt, dass sie sich meine Schroffheit damit erklärt, dass ich unter *Bann* gestellt wurde. Doch die Wahrheit sieht ganz anders aus. Ich habe großen Respekt vor den Amischen und ihrer Kultur. Ich werfe ihnen nicht vor, dass sie mich in ihre Gemeinde zurückholen wollen. Doch ich verspüre nicht den Wunsch, Irene darüber aufzuklären.

»Er ist in der Scheune und repariert den Traktor«, antwortet sie.

Die Erwähnung des Traktors entlockt mir fast ein Lächeln. Mein Vater hatte nur einen Pferdepflug benutzt, doch Jacob, den viele Amische der Alten Ordnung für liberal halten, hatte letztes Jahr einen Traktor mit Stahlrädern gekauft.

»Soll ich ihn holen?«

»Ich gehe zu ihm.« Ich würde mich gern nach meinen Neffen erkundigen, kann mich aber nicht dazu durchringen und rede mir ein, keine Zeit zu haben. In Wirklichkeit weiß ich einfach nicht, wie ich auf sie zugehen kann.

Irene streicht sich die Schürze glatt und macht sich auf zur Küche. »Ich backe gerade Streuselkuchen. Möchtest du ein Stück, Katie? Und eine Tasse Tee?«

»Nein danke.« Ich bin kurz vor dem Verhungern, aber beim Betreten der Küche verspüre ich keinen Appetit. Sie ist mollig warm von der Hitze, die der Herd ausstrahlt, und anders gestrichen als bei meinem letzten Besuch. An der Wand zu meiner Rechten stehen neue Regale, die bis an die Decke reichen und mit Einmachgläsern und getrockneten Bohnen gefüllt sind. Doch keine der Veränderungen kann die Erinnerung auslöschen, die der Raum für mich enthält.

Auf dem Weg zur Hintertür bohren sich diese Erinnerungen wie krude, beharrliche Finger in mein Fleisch. Beim Passieren des Spülbeckens wird mir eng ums Herz, vor meinem inneren Auge taucht Blut darin auf, dickflüssig und rot auf weißem Porzellan. Mehr davon auf dem Boden, an meinen Händen, klebrig zwischen den Fingern …

Ich will Luft holen, doch es gelingt mir nicht. Meine Lippen und Wangen prickeln. Undeutlich nehme ich wahr, dass Irene etwas fragt, doch ich bin in Gedanken so weit weg, dass ich nicht antworten kann. Ich taste nach dem Türknauf, reiße die Tür auf. Die Kälte, die mir entgegenschlägt, reißt mich aus dem dunklen Tunnel meiner Vergangenheit. Die Erinnerungen verblassen, je näher ich der Scheune komme, und als ich sie erreiche, habe ich mich wieder beruhigt. Ich bin dankbar dafür, denn um meinem Bruder gegenüberzutreten, muss ich stark sein.

Die Scheunentür führt in eine saubere, aufgeräumte Werkstatt. Unter dem Fahrgestell eines Traktors, der mit zwei altmodischen Wagenhebern aufgebockt ist, gucken die Stiefel meines Bruders hervor.

»Jacob?«

Er gleitet unter dem Traktor hervor, setzt sich erst und steht dann auf, klopft den Dreck von Hose und Jacke. Unsere Blicke treffen sich. Er ist überrascht, mich zu sehen. Sein Gesichtsausdruck ist zwar nicht feindselig, aber auch nicht freundlich.

»Katie. Hallo.«

Mein Bruder ist sechsunddreißig Jahre alt, doch sein Vollbart ist schon mit Grau durchzogen. Sein Mund, der mich früher herzlich angelächelt hat, ist jetzt ein schmaler, stets Missbilligung ausdrückender Strich.

»Was machst du hier?« Er zieht die Arbeitshandschuhe aus und wirft sie auf den Traktorsitz.

Ich frage mich, ob er schon von dem Mord gehört hat. Die Amischen möchten zwar glauben, in einer von den Englischen getrennten Gesellschaft zu leben, doch das trifft nicht ganz zu. Meine Schwester arbeitet in der Stadt im Carriage Stop Country Shop, der hauptsächlich von englischen Touristen und Einwohnern von Painters Mill frequentiert wird. Zudem bekocht eine solide Gerüchteküche die ganze Stadt, und wer Ohren hat, der hört, selbst wenn man amisch ist.

Ich schiebe die Hände in die Jackentaschen und gehe noch tiefer in die Scheune hinein, brauche einen Moment, um meine Gedanken zu ordnen. Der erdige Geruch von Mist und Heu erinnert mich an die Tage, die ich in meiner Kindheit in der Scheune verbracht habe. Weiter hinten stehen vier

Jersey-Kühe, die rosa Euter prall mit Milch gefüllt. Rechts von mir, in Regalen aus Kiefernbrettern und Backsteinen, sind ein Dutzend rote und weiße Briefkästen aufgereiht, die wie Farmhäuser aussehen. Daneben stehen kunstvolle Vogelhäuser und Schaukelpferde mit echter Pferdemähne, und mir wird bewusst, dass Jacob das handwerkliche Geschick unseres Vaters geerbt hat.

Als ich ihn hinter mir höre, drehe ich mich zu ihm um. »In Painters Mill wurde letzte Nacht ein Mädchen ermordet«, beginne ich.

Er steht keine zwei Meter von mir entfernt da, den Kopf leicht zur Seite geneigt und einen vorsichtigen Ausdruck im Gesicht. »Ermordet? Wer?«

»Amanda Horner, eine junge Frau.«

»Ist sie eine Amisch?«

Es ärgert mich, dass ihm das wichtig ist, doch ich sage nichts. Zu viele Gefühle brodeln in mir. Wenn ich diese Büchse der Pandora erst einmal aufmache, kann ich sie vielleicht nicht wieder schließen. »Nein.«

»Was hat der Mord mit mir und meiner Familie zu tun?«

Ich sehe meinem Bruder fest in die Augen. »Die Frau wurde auf die gleiche Weise getötet wie die Mädchen Anfang der neunziger Jahre.«

In der Stille der Scheune klingt sein rasches Luftholen wie ein Flüstern. Er sieht mich an wie eine Fremde, die gekommen ist, seine Welt zu zerstören.

»Wie ist das möglich?«, fragt er kurze Zeit später.

Die gleiche Frage wütet in mir wie ein Sturm. Weil ich keine Antwort darauf habe, starre ich ihn an und tue alles, um nicht zu zittern. »Vielleicht ist es der gleiche Kerl.«

Ich kann sehen, wie in Jacobs Kopf die Gedanken zu jenem furchtbaren Tag gezerrt werden. Einem Tag, an dem alle in unserer Familie zerstört wurden, besonders ich. Er schüttelt den Kopf. »Das ist unmöglich. Daniel Lapp ist tot.«

Ich schließe die Augen vor den Worten, an die ich sechzehn Jahre lang geglaubt habe. Worte, die mir ein halbes Leben lang unermessliches Leid und große Schuldgefühle bereitet haben. Ich öffne die Augen, sehe meinen Bruder wieder an und weiß, dass er meine Gedanken lesen kann. »Ich muss ganz sicher sein«, sage ich. »Ich muss die Leiche sehen.«

Er sieht mich an, als hätte ich ihn gebeten, Gott abzuschwören.

Damals hatte ich erst Wochen nach dem Vorfall herausgefunden, dass Jacob und mein Vater die Leiche begraben hatten. Schreckliche Albträume hatten mich geplagt. Einmal war ich nachts schreiend im Bett aufgewacht, sicher, dass der Mann, der versucht hatte, mich zu töten, in meinem Zimmer war. Aber mein großer Bruder war zu mir geeilt, hatte mich tröstend in den Armen gehalten und mir verraten, dass *Datt* die Leiche im angrenzenden County in einem ehemaligen Getreidespeicher beerdigt hatte und dass der Mann nie wieder jemandem weh tun konnte.

»Du weißt, wo er begraben ist«, sagt Jacob. »Ich habe es dir erzählt.«

Das stimmt. Der alte Getreidespeicher wird seit zwanzig Jahren nicht mehr benutzt, ich bin schon hunderte Male dort vorbeigefahren. Aber ich habe nie angehalten, nie zu genau hingeguckt. Überhaupt gestatte ich mir nur selten, an das Geheimnis zu denken, das dort begraben liegt. »Ich brauche deine Hilfe.«

»Ich kann dir nicht helfen.«

»Komm mit mir. Heute Abend. Zeig mir, wo genau.«

Er reißt die Augen auf, und ich sehe die Angst darin. Mein Bruder ist ein stoischer Mann, weshalb seine Reaktion noch schwerer wiegt. »Katie, *Datt* hat mich nicht mit reingenommen. Ich weiß nicht wo –«

»Ich schaffe es nicht alleine. Der Speicher ist groß, Jacob. Ich weiß nicht, wo ich nachsehen soll.«

»Daniel Lapp kann die furchtbare Tat nicht begangen haben«, sagt er.

»*Jemand* hat das Mädchen getötet. Jemand, der sich mit Einzelheiten dieser Morde auskennt, die damals nicht veröffentlicht wurden. Wie erklärst du dir das?«

»Kann ich nicht. Aber ich habe die … Leiche gesehen. Und all das Blut … zu viel, um zu überleben.«

»Hat er noch geblutet, als *Datt* ihn begraben hat?« Tote Menschen bluten nicht. Wenn Lapp zu dem Zeitpunkt noch geblutet hatte, lebte er noch. Er hätte sich aus dem flachen Grab befreien können und überleben …

»Ich weiß es nicht. Ich möchte nichts damit zu tun haben.«

»Das hast du aber.« Ich mache einen Schritt auf meinen Bruder zu, dringe in seinen Schutzraum ein. Das überrascht ihn so sehr, dass er zurückweicht und mich ansieht wie einen räudigen Hund. Ich hebe die Hand und halte ihm den Zeigefinger dicht vor die Nase. »Ich brauche deine Hilfe, verdammt noch mal. Ich muss die Gebeine finden, es führt kein Weg daran vorbei.«

Er starrt mich an, stoisch und schweigsam wie eine Statue.

»Wenn ich diesen Mistkerl nicht aufhalte, tötet er weiter.«

Jacob zuckt bei meinem Sprachgebrauch zusammen, was mir kurzfristig ein wenig Befriedigung verschafft. »Bring deine englische Art nicht in mein Haus.«

»Das hat nichts mit englisch oder amisch zu tun«, fahre ich ihn an. »Es geht darum, Menschenleben zu retten. Wenn du deinen Kopf in den Sand steckst, sterben vielleicht noch mehr Menschen. Willst du das?«

Mein Bruder senkt den Blick zu Boden, die Wangenmuskeln angespannt. Als er mich schließlich wieder ansieht, sind seine Augen um Jahre gealtert. »Seit sechzehn Jahren bitte ich Gott um Vergebung. Ich habe versucht zu vergessen, was wir getan haben.«

»Du meinst, was *ich* getan habe.«

»Was wir alle getan haben.«

In der Scheune wird es totenstill, wie aus Ehrfurcht vor dem Geheimnis, das gerade enthüllt wurde. Ich wusste, dass er zögern würde und dass ich ihn drängen muss. Doch eine Weigerung hatte ich nicht erwartet. Die Worte, die ich sagen muss, stecken mir wie stumpfe Rasierklingen im Hals. Ich spüre meinen Puls genau dort schlagen. Meine Wangen sind heiß. Ich bin Polizistin, ich habe einen Fall zu lösen, gemahne ich mich. Doch tief im Inneren bin ich ein Kind, das sich angesichts unfassbarer Brutalität wegduckt. Ein Mädchen, erdrückt von einem Geheimnis, das zu schwer wiegt, um es überhaupt einem Menschen aufzubürden. Ein Teenager, entsetzt von der eigenen Fähigkeit zur Gewalt.

»Wenn du in die Hölle kommst, dann nicht wegen dem, was du an jenem Tag getan hast.« Meine Stimme zittert. »Sondern wegen dem, was du heute nicht tust.«

»Allein Gott wird über mich richten, nicht du.«

Wut steigt in mir auf, ich knirsche mit den Zähnen und in meinem Kopf rauscht das Blut lautstark wie ein Güterzug. Ich mache noch einen Schritt auf ihn zu. »Wenn er wieder mordet, hast du eine weitere Tote auf dem Gewissen. Eine unschuldige Frau wird entsetzliche Qualen leiden, bis er ihr schließlich die Kehle durchschneidet. Denk darüber nach, wenn du heute Abend schlafen gehst.«

Ich wirbele herum und gehe zur Tür. Finstere Gedanken bevölkern mein Hirn, am liebsten würde ich die hübschen Briefkästen und Vogelhäuser zerschmettern, die mein Bruder mit viel Sorgfalt gebaut hat. Ich will ihm weh tun, genauso wie er mir weh tut. Doch ich reiße mich zusammen, sage mir, dass ich es auch alleine schaffen werde.

Ich stoße das Scheunentor mit beiden Handballen auf und bin schon auf halbem Weg zum Auto, als ich Jacobs Stimme hinter mir höre.

»Katie.«

Normalerweise wäre ich weitergegangen. Oder ich hätte ihn mit ein paar geschliffenen Worten beschimpft, die ihm klarmachen würden, wie weit ich mich von meinen amischen Wurzeln entfernt habe. Doch ich bleibe stehen, weil ich verzweifelt bin. Weil ich Angst habe. Weil ich nicht will, dass noch jemand stirbt.

»Ich komme mit.« Er stößt die Worte aus, doch seine Augen verraten den Widerwillen, mit dem er es tut. »Ich helfe dir.«

Tränen füllen meine Augen, und ungewollte Gefühle überwältigen mich. Weil ich nicht will, dass er meine Verletzlichkeit sieht, gehe ich weiter den Fußweg entlang.

»Ich hole dich nach Einbruch der Dunkelheit ab«, rufe ich ihm über die Schulter hinweg zu, und er starrt weiter hinter mir her.

6. KAPITEL

Als ich in den Explorer steige, wird die Küchengardine bei-
seitegeschoben. Irene steht am Fenster, mit schlichtem Kleid
und *Kapp* im überhitzten Raum, und ich muss an meine Neffen denken und bin plötzlich deprimiert. Irene winkt, doch
ich fahre ohne Abschiedsgruß davon. Ich möchte zwar zu-
rückwinken, kann es aber nicht.

Erst als ich viel zu schnell die unbefestigte Straße entlang-
brettere, bekomme ich wieder Luft. Und mir wird das ganze
Ausmaß meines Dilemmas bewusst. Ich habe Angst vor meinen Geheimnissen und dem Balanceakt, der nötig sein wird,
um sie zu hüten. Ich habe Angst davor, was mein Bruder
und ich heute Abend in dem Getreidespeicher finden werden oder auch nicht. Grauen erfasst mich bei der Vorstellung, dass der Mörder wieder zuschlägt, weil ich ihn nicht
gefasst habe.

Auf dem Weg zu Connie Spencers Wohnung rufe ich T. J.
an. Er antwortet mit einem knappen: »Ja?«

»Ich bin's.« Offensichtlich habe ich ihn geweckt. »Haben
Sie geschlafen?«

»Ein bisschen. Was gibt's?«

»Doc Coblentz meint, der Mörder hat ein Kondom mit
Gleitbeschichtung benutzt. Klappern Sie alle Lebensmittelläden, Drogerien und auch die Tankstelle am Highway 82 ab
und befragen Sie die Angestellten, ob jemand solche Kondome gekauft hat.«

»Warum krieg ich immer die schönen Aufgaben?« T. J.
klingt wenig erfreut.

Ich ertappe mich beim Lächeln, was mich überrascht und

zugleich daran erinnert, dass ich Polizistin bin und kein hilfloses vierzehnjähriges Mädchen. »Finden Sie raus, ob mit Kreditkarte bezahlt wurde.« In und um Painters Mill gibt es zwei Lebensmittelläden, zwei Drogerien und eine Tankstelle. »Ich glaube, die Tankstelle hat eine Überwachungskamera. Wenn in der letzten Woche Kondome verkauft wurden, lassen Sie sich eine Kopie des Videos geben.«

»Ich kümmere mich drum, Chief.«

»Wir sehen uns auf dem Revier«, erwidere ich und lege auf.

* * *

Connie Spencers Wohnung liegt in der Main Street über einem Möbelgeschäft. Auf dem Weg in den ersten Stock knarren die uralten Stufen unter meinen Stiefeln. Ich klopfe, doch niemand antwortet, und während ich in dem feuchtkalten Flur stehe und den Geruch von altem Holz und abgestandener Luft einatme, wird mir klar, dass sie wahrscheinlich auf der Arbeit ist.

Zurück im Explorer, rufe ich Glock an. »Gab's irgendwas in der Bar?«

»Amanda Horners Mustang steht auf dem Parkplatz.«

Mein Herz schlägt schneller. »Haben Sie reingesehen?«

»Ja, aber da war nichts.«

»Mist.« Frustriert schlage ich mit den Handballen aufs Lenkrad. »Lassen Sie den Wagen von der Spurensicherung auf den Kopf stellen, vielleicht finden die ja doch etwas.«

»Okay.«

»Haben Sie mit dem Barkeeper gesprochen?«

»Er erinnert sich, ihr mehrere Cosmopolitans gemixt zu haben.«

»Weiß er noch, ob jemand bei ihr war?«

»Dafür war zu viel los, meinte er.« Glock stößt einen Seufzer aus. »Und was ist mit der Freundin?«

»Ich stehe vor ihrem Haus, aber sie ist nicht da.«

»Versuchen Sie es im LaDonna's Diner. Als ich das letzte Mal da war, hat sie meine Bratkartoffeln verbrannt.«

Auf der Fahrt zum Diner rufe ich auf dem Revier an. Lois, die morgens in der Telefonzentrale arbeitet, hebt nach dem zweiten Klingeln ab und bittet mich zu warten, bevor ich etwas sagen kann. Als sie schließlich wieder drankommt, koche ich vor Wut.

»Tut mir leid, Chief, aber das Telefon läutet nonstop.« Sie klingt geschafft. Nichts lässt die Leitungen so heißlaufen wie ein Mord. »Irgendwelche Nachrichten für mich?«

»Viele rufen wegen des Mordes an.«

Mir fällt ein, dass ich am Nachmittag eine Stellungnahme aufsetzen wollte. Die Zeit läuft mir weg, ich würde am liebsten die Uhr anhalten. »Sagen Sie allen, die nachfragen, dass ich noch heute eine Stellungnahme abgebe.«

»Norm Johnston hat schon dreimal angerufen. Er klingt stinksauer.«

»Sagen Sie ihm, ich melde mich später. Im Moment habe ich zu tun.«

»Mach ich.« Ich lege auf, weiß, dass ich Norm nicht mehr lange hinhalten kann.

Als ich vor LaDonna's parke, ist es laut Armaturenbrett fünfzehn Uhr, also schon lange nach der Mittagsessenszeit. Aber hier, im Zentrum der Painters-Mill-Gerüchteküche, ist es immer noch rappelvoll.

Gleich in der Tür schlägt mir der Geruch von altem Fett und verbranntem Toast entgegen. Lautes Stimmengewirr wird von klapperndem Geschirr untermalt, und aus dem Radio neben der Kasse lamentiert George Strait über Verzweiflung. Auf dem Weg zur Theke spüre ich die Blicke auf mir. Eine Frau in rosa Kellnerinnenuniform und mit aufgedonnerter Frisur lächelt mir entgegen. »Hallo, Chief. Kann ich Ihnen einen Kaffee bringen?«

Ich kenne sie vom Sehen. »Ja, gern.«

»Wollen Sie die Karte oder das Tagesgericht?«

Ich bin total ausgehungert, aber wenn ich was esse, werden sich die Leute hier auf mich stürzen wie Hyänen auf Aas. »Bloß einen Kaffee.«

Ich schiebe mich auf einen Stuhl an der Theke, sehe ihr beim Einschenken zu und hoffe, dass der Kaffee frisch gekocht ist. »Arbeitet Connie Spencer heute?«

Sie schiebt mir die Tasse hin. »Sie macht gerade Pause. Das arme Kind ist völlig von der Rolle. Der Mord an Amanda setzt ihr furchtbar zu. Haben Sie schon was rausgefunden?«

Ich schüttele den Kopf. »Wo ist sie?«

»Draußen, hinterm Haus. Qualmt wie ein Schlot, schon den ganzen Morgen.«

»Danke.« Ich lasse den Kaffee stehen und gehe um die Theke herum in die Küche. Der Koch blickt mich durch eine Rauchwolke vom offenen Grill an, und ein Junge mit schlimmer Akne, der vor einem riesigen Geschirrspüler steht, hebt den Blick und senkt ihn schnell wieder. Ich entdecke die Hintertür und marschiere hinaus.

Connie Spencer sitzt auf der Treppe. Sie ist sehr dünn, mit schmalen Schultern und schlanken, flinken Händen. Ihre braunen Augen sind mit blauem Eyeliner umrandet, die nicht vorhandenen Wangenknochen rosa gepudert. Das Fieberbläschen im Winkel ihres ungeschminkten Mundes ist nicht zu übersehen. Sie ist in einen Kunstpelzmantel gehüllt und zieht gerade an einer langen braunen Zigarette.

Die Tür schlägt hinter mir zu, sie dreht sich um und sieht mich böse an, einen trotzigen Ausdruck im Gesicht. Diese Taktik kenne ich, gewöhnlich wollen toughe Typen so ihre Nervosität vertuschen. Ich frage mich, warum sie wohl so angespannt ist.

»Ich hab mich schon gewundert, wo Sie bleiben.« Sie blickt auf die Uhr. »Hat ja ganz schön lange gedauert.«

Ihre Haltung missfällt mir sofort. »Warum glauben Sie, dass ich mit Ihnen reden sollte?«

»Weil ich Samstagabend mit Amanda zusammen war und sie jetzt tot ist.«

»Das scheint Sie nicht allzu sehr mitzunehmen.«

Sie berührt mit der Zungenspitze die Fieberblase. »Wahrscheinlich stehe ich noch unter Schock. Amanda war so … *lebendig*. Ich kann es einfach nicht glauben.«

»Wann haben Sie sie das letzte Mal gesehen?«

»Samstagabend. Wir sind ausgegangen. Hatten ein paar Drinks.«

»Wo?«

»Im Brass Rail.«

»Auch noch woanders?«

»Nein.«

»Ist dort irgendwas Ungewöhnliches passiert?«

»Was meinen Sie mit ›ungewöhnlich‹?«

»Hat ein Mann zu viel Interesse an ihr gezeigt, hat ihr jemand, den sie nicht kannte, einen Drink spendiert, hat sie mit jemandem gestritten?«

»Nicht dass ich wüsste.« Ihr Lachen ist freudlos. »Ich war stockbesoffen.«

»Ist Ihnen jemand bekannt, der Amanda Schaden zufügen wollte? Hatte sie Feinde?«

Zum ersten Mal habe ich ihre Aufmerksamkeit. Ihre Abwehrhaltung bröckelt, und unter dem abgebrühten Getue scheint die junge Frau durch, die sie wirklich ist. »Genau das verstehe ich nicht«, sagt sie. »Alle mochten Amanda. Sie war … ein netter Mensch, immer gut drauf. Hat viel gelacht, wissen Sie?« Sie verzieht den Mund zu einem Lächeln, das so gar nicht zu einer Einundzwanzigjährigen passt. »Mich mag gewöhnlich keiner.«

Am liebsten würde ich ihr sagen, dass sie mal ihre Haltung überprüfen sollte, aber ich bin nicht hier, um einer Klugscheißerin auf die Sprünge zu helfen. Ich bin hier, um den Mörder von Amanda Horner zu finden. »Hatte sie einen festen Freund?«

Connie Spencer hebt die Schultern, senkt sie wieder. »Sie ist mal mit Donny Beck gegangen, aber vor ein paar Monaten haben sie Schluss gemacht.«

Ich horche auf. Der Name fällt jetzt schon zum zweiten Mal. »Wie ist die Trennung abgelaufen?«

»Amanda hatte keinen Bock auf den Ich-Tarzan-du-Jane-Scheiß. Sie hat gesagt, was Sache ist, und er hat's akzeptiert.«

»Erzählen Sie mir von Donny Beck.«

»Da gibt's nicht viel zu erzählen. Er arbeitet bei Quality Implement. Mag Cocktails und Budweiser und Blondinen mit großen Titten. Sein höchstes Ziel im Leben ist es, den Laden irgendwann mal selbst zu managen. Amanda ist zu clever, um sich auf Dauer mit so einem einzulassen. Sie weiß, dass es im Leben mehr gibt als Kuhscheiße und Korn.«

Mir fällt auf, dass sie von Amanda in der Gegenwart spricht. »Irgendwelche unschönen Trennungen in der Vergangenheit?«

»Ich glaube nicht.«

»Gibt es jemanden, der aus irgendeinem Grund wütend auf sie ist?«

»Nicht dass ich wüsste.«

Ich bewege mich im Kreis und wir beide wissen das. Eine Windböe fegt ums Haus, mit Schnee im Gepäck. »Um wie viel Uhr haben Sie Amanda zuletzt gesehen?«

Ihre viel zu stark gezupften Augenbrauen kräuseln sich. »Elf Uhr dreißig, vielleicht zwölf.«

»Haben Sie die Bar zusammen verlassen?«

Sie stößt Rauch aus, schüttelt den Kopf. »Wir hatten beide unser Auto dabei. Ich bin nicht gern von anderen abhängig. Wenn ich gehen will und sie bleiben …« Sie zuckt die Schultern, lässt den Satz unvollendet. »Das kann echt blöd sein.«

Ihre Emotionslosigkeit stört mich. Amanda war angeblich eine gute Freundin. Warum ist diese junge Frau nicht völlig fertig?

Sie steht auf und streicht sich hinten über den Mantel. »Ich muss zurück an die Arbeit.«

»Ich bin noch nicht fertig.«

»Bezahlen Sie mir den Arbeitsausfall, oder was?« Sie setzt sich in Bewegung. »Die hier nämlich ganz bestimmt nicht.«

»Wir können die Befragung hier und jetzt fortsetzen oder auf dem Polizeirevier«, erwidere ich. »Ihre Entscheidung.«

Sie runzelt die Stirn wie ein gereizter Teenager, plumpst zurück auf die Treppenstufe. »Das ist alles eine große Scheiße.«

»Erzählen Sie mir, was Samstagabend passiert ist, jedes auch noch so kleine Detail.«

Mit Sarkasmus in der Stimme rekapituliert sie einen Abend mit Trinken, Tanzen und Flirten. »Wir haben eine Pizza bestellt und einen Krug Bier und geredet.« Ihre Hand zittert, als sie an ihrer Zigarette zieht und tief inhaliert. »Danach haben wir ein bisschen Billard gespielt und uns mit Leuten unterhalten, die wir kennen. Ein paar Typen haben uns angemacht. Ich wollte Sex haben, aber das waren alles nur beschissene Loser.«

»Was meinen Sie mit ›Loser‹?« Ich stelle mir darunter trinkfeste, mit Drogen handelnde Männer vor, die Ärger suchen.

Sie sieht mich an, als wäre ich unterbelichtet. »Bauern. Ein Haufen ›Ich bleib in Scheißhausen für den Rest meines Lebens‹-Flaschen. Ich konnte den Schweinemist an ihren Stiefeln geradezu riechen.«

»Was ist dann passiert?«

»Ich bin gegangen.«

»Ich brauche die Namen von allen, mit denen Sie und Amanda geredet haben.«

Seufzend zählt sie mehrere Namen auf.

Ich hole mein Notizbuch raus und schreibe sie auf. »Um wieviel Uhr sind Sie gegangen?«

»Das habe ich doch schon gesagt. Elf Uhr dreißig oder zwölf.« Sie lächelt bitter. »Wollen Sie, dass ich mich in Widersprüche verwickle?«

»In Widersprüche verwickeln sich nur Lügner. Lügen Sie, Connie?«

»Ich hab keinen Grund zu lügen.«

»Dann hören Sie auf, sich wie ein Arschloch zu benehmen, und beantworten Sie meine Fragen.«

Sie rollt die Augen. »Für 'ne Amische haben Sie 'nen ziemlich derben Sprachgebrauch.«

Unter anderen Umständen hätte ich vielleicht darüber gelacht, doch diese junge Frau geht mir auf die Nerven. Mir ist kalt, ich bin müde und brauche dringend eine Spur, die mich zum Mörder führt. »War Amanda noch in der Bar, als Sie gingen?«

»Ich hab sie gesucht, um ihr zu sagen, dass ich gehe, hab sie aber nirgends gefunden. Wahrscheinlich war sie auf dem Klo oder hat draußen mit jemandem geredet. Die Pizza war mir auf den Magen geschlagen, deshalb bin ich früh gegangen.«

»Haben Sie sie noch mit jemandem gesehen, bevor Sie gegangen sind?«

»Zuletzt habe ich sie beim Billardspielen gesehen, mit 'ner Tussi und zwei Typen.«

»Sind die auf der Liste?«

»Ja.« Sie leiert die drei Namen runter.

Ich kreise sie mit dem Stift in meinen steif gefrorenen Fingern ein. »Gibt es sonst noch etwas, das wichtig sein könnte?«

Sie schüttelt den Kopf. »Es war ein ganz normaler langweiliger Abend, wie immer.« Sie zieht an ihrer Zigarette, wirft sie auf die Treppe und zermalmt sie mit dem Fuß. »Wie ist sie gestorben?«

Ich ignoriere die Frage, stecke das Notizbuch in die Jackentasche und sehe Connie Spencer durchdringend an. »Verlassen Sie nicht die Stadt.«

»Warum? Ich hab alles gesagt, was ich weiß.« Sie sieht bestürzt aus, zum ersten Mal. Ich mag sie nicht, und das weiß sie. Als ich zur Tür gehe, steht sie auf. »Sie verdächtigen mich doch nicht, oder?«, ruft sie hinter mir her.

Ohne ihr zu antworten, schlage ich die Tür hinter mir zu.

* * *

Es schneit, als ich LaDonna's Diner verlasse. Der dunkle Himmel hängt tief, was so ziemlich genau meine Stimmung widerspiegelt. Connie Spencers Gleichgültigkeit sollte mir eigentlich egal sein, doch auf dem Weg zum Auto bin ich ganz schön sauer. Es ist zwar unwahrscheinlich, dass sie mit dem Mord etwas zu tun hat, doch das kaltschnäuzige Getue würde ich ihr gern austreiben.

Ich schiebe mich hinters Lenkrad, ziehe dabei das Handy aus der Jackentasche und rufe Lois auf dem Revier an. »Ich muss Sie um einen Gefallen bitten«, beginne ich, denn ihre Hilfsbereitschaft wächst stets merklich, wenn ich nett zu ihr bin. Lois ist nicht gerade meine diensteifrigste Mitarbeiterin, doch ihre Arbeitsmoral und ihr Organisationstalent sind gut. Außerdem tippt sie wie der Teufel.

»Glock hat mich gerade mit Tipparbeit zugeknallt, und das Telefon läuft heiß.« Ein Stöhnen zischt durch die Leitung. »Was gibt's?«

»Ich brauche einen Raum für Besprechungen mit allen, die an dem Fall arbeiten. Ich denke an den Aktenraum neben meinem Büro. Was halten Sie davon?«

»Der ist total vollgestellt und ziemlich klein«, erwidert sie. Doch ihre Stimme sagt mir, dass sie sich freut, mitentscheiden zu dürfen.

»Könnten Sie vielleicht trotzdem jemanden finden, der

hilft, ihn auszuräumen und den Klapptisch und Stühle rein-
zustellen?« Als sie zögert, füge ich hinzu: »Rufen Sie Pickles
an. Sagen Sie ihm, er hat ab sofort Dienst. Er kann Ihnen mit
dem Aktenraum helfen.«

Roland »Pickles« Shumaker ist vierundsiebzig Jahre alt
und der einzige Hilfspolizist im Revier. Vor zwei Jahren wollte der Stadtrat, dass ich ihn feuere, weil er Mrs Offenheimers
preisgekrönten Bantam-Hahn erschoss, als der ihn angriff.
Doch Pickles ist seit fünfzig Jahren Polizist in Painters Mill.
In den achtziger Jahren hat er im Alleingang eines der größten Methamphetamin-Labore im ganzen Staat hochgenom-
men. Da konnte ich doch seinen Polizeidienst nicht wegen
eines toten Hahns beenden. Ich fragte ihn, ob er als Hilfspolizist auf Abruf arbeiten will, und da er die Alternative kannte,
willigte er ein. Er ist ein mürrischer alter Bock, qualmt wie
ein Schlot, färbt sich die Haare in einem komischen Braun
und lügt unbeirrt, was sein Alter betrifft. Aber er ist ein guter Polizist, und da ich einen Mord aufzuklären habe und mir
die Zeit davonläuft, brauche ich ihn.

»Pickles wird sich über den Anruf freuen, Chief. Er fragt
immer noch jeden Tag nach, ob's Arbeit für ihn gibt, und
treibt Clarice in den Wahnsinn, seit er rausgeflogen ist. Sie
hält es nicht aus, wenn er nur zu Hause rumhängt.«

»Wir werden ihn gut beschäftigen.« Mir fallen ein paar
Dinge ein, die wir für den Besprechungsraum brauchen. »Bestellen Sie eine Weißwandtafel, ein Flipchart und eine Kork-
pinnwand, okay?«

»Sonst noch was?«

Ich höre ihr Telefon läuten. »Im Moment nicht. Ich bin in
zehn Minuten auf dem Revier, dann gibt's für alle ein Briefing. Halten Sie die Stellung, okay?«

»Das ist zwar so, als wollte ich meinen Hut in einem Tornado aufbehalten, aber ich versuch's.«

Als Nächstes rufe ich Glock an. Er soll überprüfen, ob

Connie Spencer ein Strafregister hat. Doch er wäre nicht Glock, hätte er nicht damit schon angefangen.

»Letztes Jahr ist sie in Westerville wegen Trunkenheit am Steuer und wegen Besitz von Betäubungsmitteln festgenommen worden, wurde aber nicht verurteilt.«

»Welche Art Betäubungsmittel?«

»Hydrocodone, ein Schmerzmittel. Gehörte ihrer Mutter. Der Richter hat sie gehen lassen.«

»Suchen Sie weiter, vielleicht finden Sie ja noch mehr.« Ich erzähle ihm von Donny Beck und gebe ihm die Liste der Namen durch, die Spencer mir genannt hat. »Alle müssen überprüft werden.«

»Bin schon am Einloggen.«

Ich lege auf und wähle die Kurzwahlnummer für T. J., um herauszufinden, wie es an der Kondom-Front aussieht. »Wie läuft's?«

»Ich komme mir vor wie 'n beschissener Perverser.« Sein Tag scheint nicht besser zu laufen als meiner.

»Sie sind ein Polizist mit Dienstmarke, der an einem Mordfall arbeitet«, erinnere ich ihn.

Besänftigt, kommt er zur Sache. »Die Kasse im Super Value Grocery benutzt SKU-Nummern zur Inventarisierung. Der Manager hat die Aufzeichnungen durchgesehen. Am Freitag wurden zwei Schachteln Kondome mit Gleitbeschichtung verkauft, am Samstag eine.«

»Haben Sie die Namen der Käufer?«

»Einer hat bar bezahlt, die beiden anderen mit Scheck. Ich hab also zwei Namen und bin gerade auf dem Weg zu einem von denen.«

»Gute Arbeit.« Bleibt noch der Barzahler. »Kennt einer der Angestellten den Typ, der bar bezahlt hat?«

»Nee.«

»Gibt's Überwachungskameras im Laden?«

»Ja, zwei. Eine innen über dem Büro und eine draußen

auf dem Parkplatz. Die drinnen filmt keine Kunden, aber die Aufnahmen von draußen sollten wir uns ansehen.«

»Kann man rausfinden, wann der Barzahler die Kondome gekauft hat?«

Ich höre Papierrascheln. »Freitag um zwanzig Uhr.«

Die Zeit passt; der Mord war Sonntag. »Lassen Sie sich das Video geben. Vielleicht können wir ihn ja identifizieren.«

»Wird gemacht.«

»Ich bin auf dem Weg zum Revier; können Sie für ein kurzes Meeting reinkommen?«

»Bin in zehn Minuten da.«

»Bis gleich.« Ich lege auf und schleudere das Handy auf den Beifahrersitz. Die Uhr am Armaturenbrett zeigt vier an. Die Zeit rast, treibt Spott mit mir. Vierzehn Stunden sind vergangen, seit Amanda Horners Leiche gefunden wurde, und ich weiß nicht mehr als am Anfang.

Auf der Fahrt zum Polizeirevier verbiete ich mir, an meinen Bruder und unseren Plan für heute Nacht zu denken. Ich weiß wirklich nicht, ob ich hoffen soll, in dem alten Getreidespeicher eine Leiche zu finden – oder besser nicht.

7. KAPITEL

Als John Tomasetti das Büro von Special Agent Supervisor Denny McNinch betrat und Deputy Superintendent Jason Rummel am Fenster stehen sah, war ihm klar, dass es ihm an den Kragen ging. Das letzte Mal hatte er Rummel vor sechs Monaten gesehen, als ein Ermittler des FBI, Field Agent Bryant Gant, in Toledo bei einer Hausdurchsuchung erschossen worden war. Es hieß, der stellvertretende Dienststellenleiter würde sich nur aus seinem Eckbüro herausbemühen, wenn es um Einstellungen, Rauswürfe oder Todesfälle ging. John musste nicht lange rätseln, auf welcher der drei Varianten sein persönliches Erscheinen hier beruhte.

Am Konferenztisch saß bereits die Leiterin der Personalabteilung, Ruth Bogart, wie immer in einem Kostüm von Kasper und dem obligatorischen Starbucks-Becher in Reichweite. Sie blätterte in einer braunen Akte, die dick angeschwollen war von zu vielen Formularen und zerfleddert von zu vielen Bürokratenfingern, die darin gewühlt hatten. Und diese Akte, das war ihm klar, trug garantiert Johns Namen.

Eigentlich müsste er Angst um seinen Job haben oder zumindest fürchten, sein Gehalt und seine Krankenversicherung zu verlieren. Ganz zu schweigen von der Tatsache, dass er möglicherweise dem Ende seiner Polizeikarriere, die er sich zwanzig Jahre lang aufgebaut hatte, entgegensah.

Doch das war John egal, genau genommen ging ihm derzeit so ziemlich alles am Arsch vorbei. Dass das selbstzerstörerisch war, wusste er. Aber im Moment ärgerte ihn bloß, dass man ihn von seinem Cranberry-Muffin und Kaffee weggeholt hatte.

»Sie wollten mich sprechen?«, sagte er in die Runde.

»Nimm Platz.« Denny McNinch zeigte auf einen der vier schicken Lederstühle am Tisch. Er war ein massiger Mann, trug immer zu kleine Anzüge und zog nie das Jackett aus, wahrscheinlich weil er unter den Armen triefte. John fragte sich, ob er ahnte, dass ihn alle FBI-Agenten und Verwaltungsangestellte hier hinter seinem Rücken Sumpfarsch nannten.

Als John vor zwei Jahren hierher ins Ohio Bureau of Criminal Identification and Investigation versetzt wurde, war Denny noch Field Agent gewesen. Er hatte Gewichte gestemmt und lief eine Meile mit fünfzig Pfund Gepäck auf dem Rücken in fünf Minuten. Er war ein ziemlich guter Schütze und hatte den schwarzen Gürtel in Karate – also ein echt tougher Kerl, mit dem sich keiner anzulegen wagte. Doch dann war er die politische Leiter hochgeklettert und auf diesem beschwerlichen Weg vom Vorgesetzten zum bloßen Amtsträger mutiert. Er hörte mit dem Schießen auf, dem Laufen. Durch die viele Schreibtischarbeit wurde aus dem muskulösen Mann ein schwabbeliger, und der Respekt der Kollegen verwandelte sich in gnädige Geringschätzung. Doch John empfand kein Mitleid mit Denny; es war dessen eigene Entscheidung gewesen. Außerdem gab es schlimmere Schicksale.

Rummel hingegen war von Anfang an ein Bürohengst gewesen. Er war klein, von schmächtiger Statur und hatte einen Schnauzer, der an Hitler erinnerte, was schon einigen Field Agents zu unpassender Zeit ein Lächeln entlockt hatte – in der Regel ihr letztes als Polizist. Rummel kompensierte sein körperliches Defizit mit Kotzbrockenverhalten. Als Vorgesetzter hatte er echt soziopathische Züge. Der Mann mit der Axt. Ein Raubtier mit Reißzähnen und scharfen Klauen, die er gern benutzte. Mit fünfzig spielte er bereits in der obersten Etage des BCI mit und hatte bloß aus Spaß an der Freude so mancher Karriere ein Ende gesetzt.

Als John einen Stuhl unterm Tisch hervorzog, ging er davon aus, dass auch er jetzt die Klauen zu spüren bekam. »Was gibt's zu feiern?«, fragte er. »Hat jemand Geburtstag?«

McNinch setzte sich schweigend und ohne ihn anzusehen auf den Stuhl neben ihn. Kein gutes Zeichen.

»Spiel nicht den Klugscheißer«, murmelte er.

Rummel blieb stehen. Der kleine Mann, der gern groß wäre. Er ging zum Tisch und sah zu John hinab. »Agent Tomasetti, Sie haben eine bemerkenswerte Karriere im Polizeidienst gemacht.«

»›Bemerkenswert‹ wird in diesem Zusammenhang eher selten bemüht«, erwiderte John.

»Sie kamen mit der Empfehlung von ganz oben zum BCI.«

»Was Sie garantiert vom ersten Tag an bedauert haben.«

Rummel lächelte. »Durchaus nicht.«

John sah die drei nacheinander an. »Hört mal, wir alle hier wissen doch, dass ihr mich nicht herbeordert habt, um mir auf den Rücken zu klopfen und zu erzählen, wie bemerkenswert ich bin.«

McNinch seufzte. »Du hast den Drogentest nicht bestanden, John.«

»Ich nehme Medikamente. Das wisst ihr auch.« Es stimmte; er nahm verschreibungspflichtige Pillen, sogar mehrere Sorten. Zu viele, ehrlich gesagt, aber nach Ehrlichkeit stand ihm momentan nicht der Sinn.

Ruth Bogart ergriff zum ersten Mal das Wort. »Warum haben Sie das bei der Abgabe Ihrer Urinprobe nicht auf dem Formblatt vermerkt?«

John blickte sie düster an. »Weil es verdammt noch mal keinen was angeht, welche Medikamente ich nehme.«

Unter der Estée-Lauder-Make-up-Schicht lief Bogart rot an.

McNinch rutschte nervös auf seinem Stuhl herum. »Gut, John. Kann dein Arzt das mit den Medikamenten bestätigen?« Eine vernünftige Frage vom Hüter des Friedens. Dem Mann in der Mitte. Einem Mann, der früher wie John gewesen war, bis der ganze Papierkram ihn in einen nutzlosen fetten Kerl im Anzug verwandelt hatte.

»Sicher kann er das.« Das war zwar gelogen, verschaffte ihm aber Zeit. Mehr konnte er für sich in dieser heiklen Situation nicht rausholen.

Bogart ergriff wieder das Wort. Sie war sauer, weil er sie vor ihren Kollegen in Verlegenheit gebracht hatte. »Ich brauche den Namen und die Telefonnummer Ihres Arztes.«

»Von welchem? Ich hab mehrere.«

»Der Ihnen die Pillen verschreibt.«

»Sie verschreiben mir alle Pillen.«

Bogart schüttelte den Kopf. »Den Namen, John.«

Er sah ihr an, dass sie ihn gern als Arschloch tituliert hätte, sich aber nicht traute. Ruth Bogart war viel zu politisch-korrekt, um zu sagen, was sie dachte. Doch sobald er ihr den Rücken zudrehte, würde sie ihm freudig das Messer reinstoßen.

John nannte ihr die Namen von drei Ärzten und deren Telefonnummern. Es gab noch mehr – er war bei seiner Ärzte-Tour ziemlich herumgekommen –, doch er beließ es dabei, da in vielen Staaten die Beschaffung von Rezepten bei mehreren Ärzten illegal war.

John lehnte sich im Stuhl zurück. »Wenn ihr mich beim Arsch kriegen wollt, dann beordert mich wegen meiner Leistungen oder Fehlzeiten her, aber nicht wegen 'nem Drogentest. In Anbetracht meines Werdegangs beim BCI und der Polizei in Cleveland wird es nicht einfach, mich aufgrund einer Urinprobe zu feuern.« Er senkte die Stimme. »Die Leute mögen es nicht, wenn die Guten unfair behandelt werden. Ich kann mir nicht vorstellen, dass ihr so 'ne negative PR braucht. Und wenn es zum Rechtsstreit kommt …« Er zuckte die Schultern.

McNinch sah ihn alarmiert an. »John, niemand will dich loswerden.«

»Wir gehen nicht davon aus, dass es zu einem Rechtsstreit kommt«, fügte Bogart hinzu.

John glaubte keinem von beiden.

Rummel legte sein ledergebundenes Notizbuch auf den Tisch und setzte sich. »Gibt es einen Zusammenhang zwischen den Medikamenten und den Fehlzeiten?«

John konnte nicht anders, er musste einfach lachen. Dabei hatte er wirklich keinen Grund dazu, seine Karriere war im Eimer und sein Leben schon längst den Bach runtergegangen. Aber es gab ja immer noch Rummels ulkigen Schnauzer. Der Deputy Superintendent sah Bogart kurz an, woraufhin diese ihm ein Blatt Papier reichte. Rummel legte es auf den Tisch, ohne einen Blick darauf zu werfen. »Sie haben dieses Jahr schon zehn Tage gefehlt, und wir haben erst Januar.«

»Ich hatte Grippe.«

»Zehn Tage lang?«

»Es war 'ne schlimme Grippe.«

Aus dem Augenwinkel sah John, wie Bogart die Augen rollte.

Rummel runzelte die Stirn. »John, Sie müssen sich an den Leitfaden für Angestellte genauso halten wie alle anderen auch.«

Bogart stimmte ihm zu. »Wir brauchen eine Krankmeldung von Ihrem Arzt.«

»Ich war im Krankenhaus.«

»Dann die Rechnung«, sagte sie. »Für unsere Unterlagen.«

Als Johns Blick über ihre Gesichter glitt, schlug sein Herz plötzlich schneller. Vor zwei Jahren hatte er mit großen Erwartungen die Stelle als Field Agent beim BCI angetreten. Ein neuer Job in einer neuen Stadt sollte ihm einen frischen Start ermöglichen und aus dem schwarzen Loch helfen, in dem er seit dem Fiasko von Cleveland saß. Oder vielleicht sollte der Wechsel ihn auch vor sich selbst retten. BCI war eine erstklassige Behörde und die Arbeit als Field Agent des FBI etwas ganz anderes als sein voriger Job als Drogenfahnder; seine Aufgaben waren abwechslungsreicher. Er war nicht mehr so viel auf der Straße, es gab weniger Stress und die Leute waren okay – von Rummel einmal abgesehen.

Doch wie ein Wanderer mit einem Rucksack voller Steine hatte auch John seine Probleme mit nach Columbus gebracht. Die Wut. Die Trauer. Die Empörung über die Ungerechtigkeit des Lebens. Seinen Ruf und sein Stigma.

In Columbus, abgeschnitten von den wenigen Freunden, die er noch hatte, war er dann ganz zum Einsiedler geworden. Der hoffnungsvolle Neuanfang wurde zum hoffnungslosen Albtraum. Andere Ärzte, dieselben Probleme. Die gleichen Pillen. Die gleichen Flaschen Chivas. Der neue Job wurde ein neuer Misserfolg. Die Namen hatten sich geändert, doch der Umzug selbst nichts.

Und jetzt wollten ihn die hohen Tiere beim BCI loswerden, im Alter von zweiundvierzig Jahren sah er sich mit dem Vorruhestand konfrontiert. Oder vielleicht könnte er als Wachmann im örtlichen Supermarkt arbeiten. Doch John wollte noch nicht aufhören. Denn wenn er ehrlich war, gab es da draußen kaum etwas für einen ehemaligen Polizisten mit Psychoakte, dem Ruf eines Raubeins und dem beruflichen Werdegang eines kiffenden Studenten. Zwar hatte es in Cleveland letztlich nicht zu einer Anklage gereicht, doch das Stigma würde ihm bis ans Lebensende anhaften.

Rummel sah John seelenruhig in die Augen. »Haben Sie schon mal über einen Vorruhestand nachgedacht? Unter Berücksichtigung Ihres Dienstes bei der Polizei in Cleveland könnten wir Ihnen einen Deal anbieten.«

John wusste, dass er das Angebot annehmen sollte. Der Gnadenschuss, wie bei einem verletzten Pferd. Aber mein Gott, er wollte seine Laufbahn nicht beenden, dann könnte er genauso gut gleich sterben. Selbst das hatte er schon in Betracht gezogen, war jedoch zu feige dazu.

»Was für einen Deal?«, fragte er.

Mit leuchtenden kleinen Nageraugen lehnte sich Rummel auf dem Stuhl vor. »Für den Fall, dass Sie nicht zwischen den Zeilen lesen gelernt haben: Das ist keine Bitte.«

»Akzeptier den Deal«, sagte McNinch ruhig.

»Das Angebot ist mehr als fair«, fügte Bogart hinzu. »Die kompletten Sozialleistungen und einen Dienstwagen.«

John krümmte sich innerlich. Seine Verachtung für diese Menschen hier war wie eine Schlange, die sich unter seiner Haut wand und jeden Moment hervorschießen und zubeißen konnte. »Fair ist wohl nicht das richtige Wort, oder?«

»Wir wissen, was Sie durchgemacht haben«, lenkte Bogart ein.

»Das möchte ich doch sehr bezweifeln«, stieß John zwischen zusammengebissenen Zähnen hervor.

»Wir verstehen ja Ihre … Situation.« Rummels Beitrag.

John sah ihn an, fragte sich, wie oft er diese leeren Worte schon zu anderen Ermittlern gesagt hatte, die ihren Partner oder einen anderen nahestehenden Menschen verloren hatten. Falscher Hund. Wahrscheinlich machte ihm die Heuchelei sogar Spaß. Am liebsten hätte er ihn über den Tisch hinweg am Kragen gepackt und so lange mit dem Gesicht aufs Rosenholz geschlagen, bis seine Nase ein blutiger Brei war. John fühlte, wie seine Schläfen pochten und ihm das Blut in den Ohren rauschte.

Er zählte stumm bis zehn, so wie es ihm ein Pillendoktor geraten hatte, doch es half nichts. »Ich denke darüber nach«, stieß er hervor.

Denny stöhnte laut auf. »John, verdammt noch mal …«

John stieß sich vom Tisch weg und stand auf. »Wenn ihr mich loswerden wollt, schlage ich vor, ihr legt eure Karten auf den Tisch und redet Tacheles.« Ohne auf eine Antwort zu warten, ging er zur Tür.

»John!«, schrie McNinch.

John blieb nicht stehen, blickte nicht einmal zurück.

»Lassen Sie ihn gehen«, sagte Rummel ungerührt.

Als John die Tür mit beiden Händen aufriss, knallte sie so heftig gegen die Wand, dass im Flur der gerahmte Justizminister wackelte. Tastaturen verstummten, Gesichter wandten sich ihm zu: hübsche Verwaltungsangestellte, ein Field Agent mit einem Krispy-Creme-Donut in der Hand, der Typ aus der Poststelle mit seinem Wagen voller Briefumschläge. Sie alle blickten argwöhnisch drein, als könnte er jeden Moment seine Pistole ziehen und Amok laufen. Ein bisschen nachmittägliche Unterhaltung zu Milchkaffee und Cola light. Eine Tragödie im vierzehnten Stock. Wo bleibt das Popcorn?

Auf dem Weg zu seinem Büro spürte John die bohrenden Blicke im Rücken. Er ging hinein, sah sich um und fragte sich, was in ihn gefahren war. Er hätte das Angebot annehmen sollen. Er hätte ruhig bleiben sollen. Wenn es jetzt nach Rummel ging, würden sie ihn feuern. Genug Gründe hatte er ihnen ja geliefert: flüssige Nahrung zum Lunch, benebelte Nachmittage – und das auch nur, wenn er überhaupt im Dienst erschienen war. Seine Schwäche für verschreibungspflichtige Medikamente war nur das Tüpfelchen auf dem i.

Aber er hätte nicht gewusst, was er ohne die Pillen machen sollte. Wie er ohne sie durch den Tag oder – schlimmer noch – durch die Nacht kommen sollte. Im Prinzip war alles ein einziges Desaster.

Er trat ans Fenster hinter seinem Schreibtisch und starrte auf die Autos, die vierzehn Stockwerke tiefer auf der Broad Street fuhren. Der Gedanke, allem ein Ende zu setzen, kam ihm nicht zum ersten Mal. Er könnte nach Hause gehen, sich Mut antrinken – und es hinter sich bringen. Doch John war zwar ganz unten, aber nicht so weit, sich das Hirn wegzublasen.

Noch nicht.

Mit einem Seufzer wandte er sich vom Fenster ab und ließ sich auf dem Schreibtischstuhl nieder. Er dachte an Nancy und Donna und Kelly und schämte sich, was aus ihm geworden war. Der Drang, die Fotos hervorzuholen, war stark, doch er widerstand ihm. Ihr Anblick würde ihm nicht helfen, sich besser zu fühlen. Er konnte sich nicht mehr erinnern, wie sie aussahen. Wenn er an seine Frau und seine beiden kleinen Mädchen dachte, hatte er immer die Bilder jener schrecklichen Nacht vor Augen, als er sie gefunden hatte …

Ein leises Klopfen an der Tür riss ihn aus seinen düsteren Gedanken. »Es ist offen.«

McNinch trat sichtlich zerknirscht ein. »Tut mir leid, was gerade passiert ist.«

»War nicht anders zu erwarten.«

»Rummel weiß, dass du ein guter Polizist bist.«

»Rummel weiß absolut nichts über mich.«

McNinch setzte sich auf den Besucherstuhl und tat, als interessiere er sich für die Gedenktafeln, Belobigungen und gerahmten Diplome an der Wand. »Es war ein guter Deal«, sagte er nach einer Weile.

»Ich bin noch nicht reif für die Rente.«

»Es gibt eine Menge Dinge, die du machen könntest, John. Mit weniger Stress.«

Sein Lächeln wirkte gequält. »Meinst du so was in der Art von ›Miete dir einen Polizisten‹?«

McNinch runzelte die Stirn. »Verdammt, was weiß ich. Werd Privatdetektiv. Ein Freund von mir in Houston, ein ehemaliger Cop, arbeitet beim Sicherheitsdienst einer großen Pizza-Kette. Verdient nicht mal schlecht. Ein anderer ist Friedensrichter.«

»Schön für sie.«

»Du musst was machen, John. Rummel will dich loswerden. Er ist wie ein Hund und du bist ein verdammter Knochen. Im Moment kannst du noch selbst bestimmen, wie du aus der Tür rausgehst. In sechs Monaten hast du den Luxus vielleicht nicht mehr.«

John sah ihn düster an. »Als Luxus würde ich das nicht gerade bezeichnen.«

»Ach Mann, ich weiß, du hast Schlimmes durchgemacht –«

»Ich hab nichts Schlimmes durchgemacht«, fuhr er ihn an. »Herrgott noch mal, sprich es aus. Hör mit der beschissenen Schönrederei auf.«

Verdrossen sah Denny auf seine Hände. »Ich bin auf deiner Seite.«

»Du bist auf der Seite, die für dich gerade am bequemsten ist. Aber ich hab's kapiert, Denny. Ich bin lang genug dabei, um zu wissen, wie's läuft.«

»Tut mir leid, dass du so denkst.«

»Yeah, mir auch.«

McNinch erhob sich und ging zur Tür.

Auf dem Stuhl zurückgelehnt, sah John hinter ihm her. Als die Tür zufiel, zog er die Schreibtischschublade auf und holte den Flachmann raus, die Silberschicht schon ganz matt vom vielen Gebrauch. Die Ironie, dass die Flasche ein Geschenk seiner Frau gewesen war, ließ ihn jedes Mal wieder innehalten, bevor er einen Schluck daraus nahm.

Er griff seine Aktentasche, legte sie auf den Schoß und ließ sie aufschnappen. Erleichterung durchflutete ihn, als er in der Seitentasche das Pillenfläschchen ertastete. Er hasste sich dafür, was aus ihm geworden war – die kranke Parodie des Mannes, den er einmal dargestellt hatte. Ein verdammter Junkie. Er war alles, was er verachtete: schwach, abhängig, pathetisch. Er würde gern die Ärzte verantwortlich machen. Immerhin waren sie es, die ihm so eifrig die Pillen verschrieben hatten. Aber vor zwei Jahren war John ein totales Wrack gewesen, so fertig, dass er mit Selbstmordgedanken spielte. Einmal hatte er sich sogar schon den Pistolenlauf in den Mund gesteckt, hatte das Pistolenöl geschmeckt und die Angst, als seine Zähne auf den kalten Stahl klapperten.

Er drückte den Plastikverschluss auf und nahm zwei Xanax

und eine Valium raus. Der Arzt hatte zwar gesagt, dass er sie nicht zusammen nehmen dürfe, doch mit der Trial-and-Error-Methode hatte er herausgefunden, welche Pillenkombination ihm am besten durch den Tag half.

Er zog die gerahmte Fotografie aus der Aktentasche und blies den Papierstaub und die Bleistiftspäne ab. Seine verstorbene Frau Nancy und seine zwei kleinen Mädchen, Donna und Kelly, lächelten, als könnte ihnen nichts auf der Welt etwas anhaben. Der Blick auf das Foto war auch nach all der Zeit nicht leichter geworden. Er hätte sie beschützen müssen.

John stellte es auf den Schreibtisch, schob sich die Pillen in den Mund und hob den Flachmann hoch. »Der ist für dich, Nancy«, flüsterte er und spülte sie mit hochprozentigem Whisky hinunter.

8. KAPITEL

Als ich auf dem Polizeirevier eintreffe, sind alle sechs Parkplätze belegt, auch meiner. Am liebsten würde ich dem Besitzer einen Strafzettel verpassen, doch er hat Glück, weil ich nämlich Wichtigeres zu tun habe. Ein Ford Crown Victoria mit allen polizeilichen Extras verrät mir, dass die Leute vom Holmes County Sheriff's Department eingetroffen sind. Ich kann Hilfe gut gebrauchen, habe aber keine Lust, um irgendwelche Zuständigkeiten zu konkurrieren, nur weil Sheriff Nathan Detrick im Herbst wiedergewählt werden will.

Ich parke neben dem Feuermelder und gehe zur Eingangstür. Der Geräuschpegel, der mir von drinnen entgegenschlägt, kann mit dem einer Highschool-Cafeteria während der Mittagspause problemlos konkurrieren. In der Zentrale sitzt Lois und sieht genauso gestresst aus wie ihr malträtiertes Haar. Über sie gebeugt steht eine Frau mittleren Alters in einem rosa Parka und mit großen Perlenohrringen. Ich stöhne innerlich, als mir klar wird, dass die Frau Janine Fourman ist.

Janine ist die Vorsitzende des Painters Mill Ladies Club, ihr gehören der Carriage Stop Country Store am Verkehrskreisel sowie der Tea and Candle Shop in der Sixth Street. Sie ist Mitglied des Stadtrats, Gründungsmitglied der Historischen Gesellschaft, eine professionelle Wichtigtuerin und Quelle vieler Gerüchte.

Glock und der Deputy des Sheriffs von Holmes County sehen von ihrem Gespräch auf. Glock gibt mir zu verstehen, dass er dem Deputy mein Anliegen vermittelt hat: Helfen Sie uns, aber versuchen Sie nicht, uns die Show zu stehlen.

Der Deputy mustert mich von oben bis unten, als hätte

er eine unscheinbare Frau mit *Kapp* und bequemen Schnür-schuhen erwartet. Als ich auf ihn zutrete, hält er mir die Hand hin. »Deputy Hicks«, stellt er sich vor.

Hicks ist ein gedrungener, vor Muskeln strotzender Mann mit einem Hals so dick wie ein Telefonmast. Irgendwo bin ich ihm schon mal begegnet, kann mich aber nicht mehr er-innern wann und wo. Ich schüttele seine Hand. Sie ist feucht und sein Händedruck ist zu fest. »Danke, dass Sie gekom-men sind.«

»Ich soll Ihnen von Sheriff Detrick ausrichten, dass Sie auf unsere Unterstützung zählen können, falls Sie sie brauchen.«

»Danke für das Angebot.«

Er blickt Glock an, als wären sie schon gute Freunde. »Offi-cer Rupert hat mich gerade über den Fall informiert. Ist ja 'ne üble Sache.«

Ich denke an Belinda Horner. »Besonders für die Familie.«

»Gibt's schon einen Verdächtigen?«

»Wir überprüfen ein paar Leute und warten auf die Autop-sie- und Laborergebnisse.«

»Glauben Sie, es ist derselbe wie damals?«

Da es hinter mir ganz still geworden ist, drehe ich mich um. Alle im Raum haben die Ohren gespitzt, in den Augen ein erwartungsvolles Glühen. Sie wollen Einzelheiten wissen, zur Anregung der dunklen Seiten ihrer Phantasie, aber auch Beruhigendes zur Besänftigung ihrer Ängste, damit sie sich keine Gedanken über einen Verrückten machen müssen, der in ihrer Stadt Amok läuft.

Ich schüttele den Kopf. »Wir haben nichts Konkretes, was die Annahme erhärtet.«

»Aber es sieht doch ganz danach aus, oder?« Er blickt mich neugierig an, ein Polizist, der einen rätselhaften Mord mit unerwarteter Wendung zu schätzen weiß. »Ich meine, die Wahrscheinlichkeit, dass in einer so kleinen Stadt zwei Mör-der auf identische Weise töten, ist doch sehr gering.«

Ich antworte nicht. Stattdessen sehe ich ihn eindringlich an, wie einen Verdächtigen, der sich zu weit vorgewagt hat. Hicks versteht den Wink und fragt nicht weiter.

Da ich ihn nicht verärgern will, erzähle ich ihm von dem bevorstehenden Briefing und dass er gern dazukommen kann.

Ich kann sehen, dass ihn die Einladung freut. Er wird auf dem Laufenden gehalten, gehört dazu. »Ich muss wieder zurück. Der Sheriff wollte Sie nur wissen lassen, dass wir zur Verfügung stehen, falls Sie mehr Leute brauchen.«

Normalerweise hätte ich das Angebot sofort angenommen. Ich hätte eine Sonderkommission gebildet, in der die Kräfte mehrerer Behörden gebündelt würden und neben dem Büro des Sheriffs auch die State Highway Patrol und das Ohio Bureau of Criminal Identification and Investigation involviert. Doch das geht jetzt nicht. Ein halbes Dutzend übereifrige Polizisten im Nacken hätte mir gerade noch gefehlt.

Ich nehme mir vor, Detrick später anzurufen, um ihm persönlich zu danken und alle Vorwürfe, dass zu wenig gemacht wird, zurückzuweisen. »Wenn wir mehr Erkenntnisse haben, melde ich mich bei euch. Wir werden jede Hilfe brauchen, die wir kriegen können.«

»Klingt gut.« Er nickt kurz und geht.

Ich schenke Glock ein Lächeln. »Danke.«

»Keine Ursache.«

»Das Briefing ist in zwei Minuten.« Im Gehen füge ich hinzu: »Mein Büro, sagen Sie allen Bescheid, ja?«

Glock salutiert grinsend und eilt an seinen Schreibtisch.

Ich will mir noch schnell die Telefonnachrichten aus der Zentrale abholen, als Janine Fourman sich mir in den Weg stellt. »Chief Burkholder, ich würde gern kurz mit Ihnen sprechen.«

Der Wunsch, sie zu ignorieren, ist stark, doch ich widerstehe ihm. Sie ist eine gewichtige Frau, sowohl körperlich als auch hinsichtlich ihres Ansehens in der Gemeinde. Ich bin lange genug hier, um zu wissen, dass ich für jede Unhöflichkeit ihr gegenüber büßen müsste. Letztes Jahr hatte Janine bei der Bürgermeisterwahl kandidiert und verloren, aber nur, weil ein paar Leute herausfanden, dass sich hinter der Nette-Tante-Fassade eine Kreatur mit scharfen Krallen verbirgt. Auch mir gegenüber hat sie diese Krallen schon ein oder zwei Mal ausgefahren, und ich verspüre nicht den Wunsch, mich verbal misshandeln zu lassen, wenn ich einen Mord aufzuklären habe.

»Janine, ich habe gleich ein Meeting mit meinen Mitarbeitern.«

Sie ist etwa Mitte fünfzig, hat gefärbte schwarze Haare, kleine braune Augen und die kompakte Statur eines milchgefütterten Mastrinds. »Dann komme ich gleich zur Sache. In der ganzen Stadt redet man nur noch von dem Mord. Es heißt, der Serienmörder aus den frühen neunziger Jahren ist zurück. Stimmt das? Ist es der gleiche Kerl?«

»Ich werde nicht irgendwelche Vermutungen anstellen.«

»Haben Sie einen Verdächtigen?«

»Im Moment noch nicht.« Das Opfer scheint sie nicht zu interessieren.

»Und warum in aller Welt haben Sie Sheriff Detricks Hilfsangebot ausgeschlagen? Sie wollen doch nicht etwa versuchen, allein damit klarzukommen?«

Normalerweise kann ich mit aggressiven Strohköpfen wie Janine gut umgehen. Aber nach allem, was ich an diesem scheinbar endlosen Tag gesehen habe, gepaart mit meiner Müdigkeit und dem Gewicht der Verantwortung gegenüber dieser Stadt – und meines eigenen Geheimnisses –, bin ich mit meiner Geduld ziemlich am Ende.

»Ich habe Detricks Angebot nicht ausgeschlagen«, erwidere ich unwirsch. »Ich habe dem Deputy lediglich gesagt, dass ich das Büro des Sheriffs anrufe, sobald ich mich mit meinen Mitarbeitern zusammengesetzt habe und wir wissen, wo wir stehen.« Sie reißt die Augen auf, weil ich einen Schritt auf sie zumache, und ein Gefühl von Befriedigung durchströmt mich, als sie zurückweicht. »Und falls Sie vorhaben, mich zu zitieren, dann bitte korrekt.«

»Ich bin Mitglied des Stadtrats und habe ein Recht auf Antworten«, erwidert sie wütend.

»Sie haben ein Recht auf vieles, aber Sie haben *kein* Recht, Informationen auszuschmücken, die Sie zufällig mit angehört haben. Das gilt auch für falsches Zitieren, ist das klar?«

Ihr Mund wird zu einem dünnen Strich. Ihr Hals und ihre Wangen laufen rosarot an. »Es würde Ihnen zugute kommen, Chief Burkholder, wenn Sie mit den Menschen, die Sie bezahlen, besser kooperierten.«

»Ich werde es mir merken.« Da abzusehen ist, wo das Gespräch hinführt, will ich es beenden und werfe einen Blick zu meinem Büro. »Wenn Sie mich jetzt bitte entschuldigen, ich muss arbeiten.«

Ich lasse sie stehen und marschiere zur Zentrale. »Nachrichten?«

Lois schiebt mir ein Bündel rosa Zettel hin, legt die Hand auf die Sprechmuschel des Telefons und flüstert verschwörerisch: »Gut gemacht, Chief.«

»Wenn sie versucht, in mein Büro zu kommen, erschießen Sie sie.«

Ein Prusten unterdrückend, wendet sie sich wieder ihrem Gesprächspartner am Telefon zu.

»Chief Burkholder!«

Als ich mich umdrehe, kommt Steve Ressler auf mich zugeeilt. Er ist der Verleger des *Advocate*, ein hochgewachsener, drahtiger Mann mit gesunder Gesichtsfarbe und vollem, rotblondem Haar.

Ich bleibe stehen, weil er wahrscheinlich der einzige mir wohlgesinnte Journalist ist, mit dem ich in nächster Zeit zu tun haben werde. »Machen Sie es kurz, Steve.«

»Sie haben für heute Nachmittag eine Presseerklärung versprochen.«

»Die kriegen Sie auch noch.«

Er wirft einen Blick auf seine Armbanduhr. »Um fünf gehen wir in Druck.«

Normalerweise erscheint der *Advocate* nur freitags. Heute ist Montag, sie wollen also eine Extraausgabe drucken. »Geben Sie mir eine Stunde, okay?«

Er verzieht das Gesicht. Die Verzögerung gefällt ihm gar nicht, aber er ist klug genug, um zu wissen, dass ich nicht alles fallen lassen kann, um seinem Zeitplan zu genügen.

Steve mag zwar aussehen wie die ältere Version des gemütlichen Opi aus der *Andy Griffith Show,* doch er hat eine Typ-A-Persönlichkeit, wie sie im Buche steht.

Er blickt wieder auf die Uhr. »Können Sie sie faxen? Bis spätestens sechs?«

Um die Zeit ist es bereits dunkel. Ich ertappe mich dabei, die Dunkelheit zu fürchten. »Es gibt auch Sicherheitshinweise für die Bewohner, die ich abgedruckt haben möchte.«

»Das ist gut.« Ich sehe ihm an, dass er Fragen zu dem Mord stellen will, komme ihm aber zuvor und öffne die Tür zu meinem Büro.

Eine seltsame Erleichterung erfüllt mich beim Betreten des Raums. Ich knipse das Licht an und fühle mich getröstet angesichts meines kleinen, vollgestopften Refugiums. Den Mantel hänge ich an den Haken und schließe die Tür. Ich brauche ein bisschen Zeit, um mich zu sammeln. Schlagartig verlässt mich die Energie, die mich seit den frühen Morgenstunden angetrieben hat, und ich sinke auf den Stuhl, schließe die Augen und massiere sie mit den Handballen. Ich träume von einem Kaffee und was zu essen, brauche eine kurze Atempause, bevor ich mich mit den Fragen befasse, auf die ich keine Antworten habe. Dieser Fall ist ein Albtraum.

Doch vor meinen geschlossenen Augen sehe ich Amanda

Horners geschundenen Körper, die tiefen Furchen an ihren Fußgelenken, das dunkle Blut im Schnee. Ich sehe die Qual in den Augen ihrer Eltern, die anders ist als die in meinem Herzen.

Während der Computer hochfährt, hole ich die »Schlächter«-Akte aus dem Hängeschrank und lege sie vor mich. Dann schreibe ich die Punkte auf meinen Notizblock, die ich mit meinen Mitarbeitern durchgehen will.

Aufgaben: T. J. – Kondome? Glock – Schuhabdrücke? Reifenprofilabdrücke? Mona – leerstehende Immobilien. Ich – ähnliche Verbrechen. Überprüfen – Connie Spencer, Donny Beck? Leute aus der Bar. Liste von Verdächtigen.

Ich stelle mir vor, was im Kopf des Mörders vorgeht, und notiere:

Motiv. Hilfsmittel. Gelegenheit. Warum tötet er? Sexuelle Befriedigung. Sexuell motivierter Sadismus? Wo tötet er? Ein Ort, an dem er sich sicher fühlt – entlegen, das heißt kein Knebel. Keine Angst vor Schreien des Opfers. Keller? Schalldichter Raum? Leerstehendes Haus?

Bei dem Punkt »Gelegenheit« frage ich mich, ob er berufstätig ist, und schreibe:

Arbeitet er?

Ein Klopfen unterbricht mich beim Denken. »Es ist offen.«

Die Tür geht ein Stück auf, und eine Hand mit einer Papiertüte von Ellis's Burger Palace wird durchgeschoben.

»Ich komme mit Geschenken.«

»Wenn das so ist, treten Sie näher.«

T. J. kommt herein und stellt die Tüte auf den Schreibtisch.

»Hamburger mit Gewürzgurke, keine Zwiebeln. Große Portion Pommes und eine Cola light.«

Der Duft entlockt meinem Magen ein Knurren. Lächelnd ergreife ich die Tüte. »Wenn Sie nicht schon vergeben wären, würde ich glatt um Ihre Hand anhalten.«

»Reiner Eigennutz, Chief. Damit Sie nicht umfallen.« Doch er wird ganz rot.

Hinter ihm erscheint Glock mit einem Papptablett, auf dem er vier große Pappbecher mit Kaffee balanciert. »Ich liefere das nötige Koffein.«

Als Skid schließlich mit einem Klappstuhl hereinkommt, packe ich gerade mein Mittagessen aus. Ich nehme ein paar Happen, während die Männer sich setzen. »Wir müssen den Kerl schnappen«, beginne ich.

Glock stellt seinen Kaffee auf die Schreibtischkante. »Ist es nun der von damals oder nicht?«

Ich schüttele den Kopf. »Davon können wir bei unseren Ermittlungen nicht ausgehen.«

»Warum nicht?«

»Weil uns das zu sehr einschränkt.« Das glaube ich zwar selbst nicht, aber ich kann ihnen nicht sagen, dass der Mörder aus den frühen Neunzigern tot ist – falls das wirklich der Fall ist. Mir bleibt keine andere Wahl, als mein Team anzulügen, doch ich fühle mich mies dabei. »Wir könnten es mit einem Nachahmer zu tun haben.«

»Das wäre aber echt seltsam«, sagt Skid und beißt in seinen Hamburger.

»Allerdings können wir davon ausgehen, dass es sich wahrscheinlich um einen Serienmörder handelt. Das war kein Verbrechen aus Leidenschaft. Er hat alles sorgfältig geplant und durchorganisiert.«

Im Zimmer wird es ganz still. Ich höre das Summen der Neonröhren an der Decke.

»Sie glauben also, er wird wieder töten?«, fragt T. J.

»Das ist sein Ding. Er tötet, und er ist gut darin. Es gefällt ihm.« Ich trinke einen Schluck Cola. »Und es wird wieder hier in Painters Mill passieren, es sei denn, er zieht weiter in eine andere Stadt.«

»Oder wir erwischen ihn vorher«, fügt Glock hinzu.

Ich stelle die Cola auf den Schreibtisch. »Wir müssen alle Hebel in Bewegung setzen. Was eine Menge Überstunden bedeutet.«

Drei Köpfe nicken. Es beruhigt mich, dass ich die volle Unterstützung meines kleinen Teams habe. Ich blicke auf die eilig hingekritzelten Notizen. »Mona stellt bereits eine Liste aller leerstehenden Immobilien in beiden Countys zusammen. T. J., was haben Sie über die Kondome herausgefunden?«

»Der Manager vom Super Value hat mir die Namen der beiden Männer gegeben, die mit Scheck bezahlt haben.« Er blickt auf seinen handtellergroßen Notizblock. »Justin Myers und Greg Milhauser. Sobald wir hier fertig sind, rede ich mit ihnen.«

»Gut. Und was ist mit dem Typ, der bar gezahlt hat?«

»Der Manager besorgt gleich morgen früh eine Kopie des Videos.«

»Wir brauchen sie sofort.«

T. J. sieht betreten drein. »Seine Tochter gibt heute Abend irgendeine Geburtstagsparty.«

»Rufen Sie ihn an. Sagen Sie ihm, wir brauchen das Video gestern. Wenn er sich anstellt, kommen wir mit einem Durchsuchungsbeschluss, und dann kann er sein Gemüse vom Boden abkratzen.«

»Kapiert.«

»Sobald Sie das Video haben, muss der Typ darauf identifiziert werden. Unsere Stadt ist klein, es sollte also nicht so schwer sein.« Ich wende mich an Glock. »Was ist mit den Reifen- und Schuhabdrücken?«

»Ich hab sie per Kurier ans BCI geschickt und bin noch dabei, Vergleichsabdrücke von den Dienstautos und Schuhen zu machen. Das kostet dann noch mal einen Kurier, Chief.«

»Kosten spielen keine Rolle. Wann sind Sie damit fertig?«

»Heute. Wenn ich nach dem Meeting bei Ihnen und T. J. einen Abdruck nehmen kann.«

»Haben Sie die Sachen dazu hier?«

»Ich nehme einfach eine Tintenwalze und mache sie auf Papier, wenn das okay ist.«

»Zum Abgleich sollte das reichen.« Ich denke kurz nach. »Hat das BCI Ihnen einen zeitlichen Rahmen genannt?«

»Zwei Tage, höchstens drei.«

»Sagen Sie denen, wir haben absolute Priorität, sonst rufe ich den Justizminister an, damit der ihnen Feuer unterm Hintern macht.«

Glock nickt. »Okay.«

Ich bin bereits beim nächsten Punkt. »Haben Sie schon die anderen aus der Bar überprüft?«

»Auf ein paar Anfragen habe ich schon Antworten.« Glock schlägt eine zerfledderte Mappe auf. »Außer Connie Spencer gibt es nur noch einen Treffer, ein Typ namens Scott Brower.«

»Erzählen Sie mir von ihm.«

»Zweiunddreißig Jahre alt. Ohne Schulabschluss. Hat in der Ölfilterfabrik in Millersburg gearbeitet, sich aber mit seiner Chefin angelegt und gedroht, ihr die Kehle durchzuschneiden.«

»Netter Kerl«, bemerkt T. J.

»Hat bestimmt keine Lohnerhöhung gekriegt«, kommentiert Skid.

Glock sieht mich an. »Jedenfalls war sein Boss eine Frau. Momentan arbeitet er als Autoschlosser bei *Mr Lube.*«

»Wurde wegen der Drohung Anzeige erstattet?«, frage ich.

»Sie haben ihn gefeuert, aber nicht angezeigt.«

»Festnahmen?«

»Vier. Zwei wegen häuslicher Gewalt. Eine, weil er einen Mann in einer Bar in Columbus verprügelt hat, und einmal hat er einen Mann in einer Bar in Kingsport, Tennessee, mit dem Messer bedroht.«

»Klingt ganz so, als hätte Mr Brower eine Schwäche für Messer.«

»Und Bars«, wirft Skid ein.

»Nicht zu vergessen sein Problem mit Frauen«, fügt Glock hinzu.

Ich nicke. »Gibt es eine aktuelle Adresse?«

Laut Glocks Recherchen wohnt er in einem runtergekommen Mietshaus im Westen der Stadt.

»Hat er jemals im Schlachthof gearbeitet?«, frage ich.

»Laut Personalabteilung nicht.«

»Überprüfen Sie, ob er als Jugendlicher straffällig geworden ist. Ich statte ihm einen Besuch ab.«

Glock wirkt leicht beunruhigt. »Allein?«

»Wir haben nicht genug Leute, um in Teams zu arbeiten.«

»Chief, bei allem Respekt, aber der Typ scheint Probleme mit Frauen in Machtpositionen zu haben.«

»Deshalb nehme ich zur Unterstützung meine .38er mit, falls er mich irrtümlich für das schwächere Geschlecht hält.«

Skid lacht schallend.

Ich klopfe mit dem Stift ungeduldig auf die Notizen. »Was ist mit Donny Beck?«, frage ich Glock.

»Blitzsauber.«

»Reden Sie mit Freunden und Familie. Ich werde ihm ein bisschen auf den Zahn fühlen. Mal sehn, ob er ein Alibi hat.«

Er nickt zustimmend.

Ich wende mich Skid zu, der auf seinem Stuhl hängt wie ein übernächtigter Zehntklässler in der Freistunde. Er ist unrasiert, hat blutunterlaufene Augen und die Haare seit Tagen nicht gewaschen. Als ich ihn anspreche, setzt er sich gerade hin. »Ich möchte, dass Sie noch die restlichen Leute aus der Bar befragen. Und ich will mehr über die Horners wissen.«

»Sie glauben, dass –«

»Nein«, unterbreche ich ihn. »Aber wir werden jeden Stein umdrehen.«

Skid nickt.

»Lois und Mona können helfen, die Berichte zu tippen«, sage ich. »Alles muss dokumentiert werden.«

Ich betrachte mein Team. Alle drei Männer sind gute Polizisten, aber nur zwei haben Erfahrung. Ich selbst habe zwar viel Praxis, aber in meiner Zeit in Columbus habe ich hauptsächlich als Streifenpolizistin gearbeitet und insgesamt erst in vier Mordfällen ermittelt. *Gott steh uns bei,* denke ich nur.

»Also noch mal die wesentlichen Punkte.« Ich lehne mich auf dem Stuhl zurück. »Wen sollten wir alles genauer unter die Lupe nehmen?«

»Scott Brower«, sagt Glock.

»Die drei Kondom-Typen«, sagt Skid.

»Donny Beck«, sage ich.

»Den Schlächter«, sagt T. J.

Wenn ich den alten Fall total ignoriere, riskiere ich, als inkompetent dazustehen. »Ich habe mir die Akte rausgeholt«, sage ich. »Doc Coblentz schickt mir die kompletten Autopsieberichte. Ich möchte, dass Sie drei sich mit den Einzelheiten des Falls vertraut machen.«

Glock kaut an seiner Kulikappe. »Angenommen, es ist der Schlächter. Wieso dann die lange Pause zwischen den Morden? Und war nicht die römische Zahl IX in das letzte Opfer geritzt?«

»Was ist dann mit Nummer zehn bis zweiundzwanzig passiert?«, fragt Skid in die Runde.

»Vielleicht war er irgendwo anders tätig«, mutmaßt Glock.

»Oder er will, dass die Cops genau das denken«, wirft T. J. ein.

Ich schalte mich ein, bevor die Unterhaltung eine Richtung nimmt, die mir nicht passt. »Ich habe Datenbankanfragen für Verbrechen mit ähnlicher Täterhandschrift laufen. Wenn er umgezogen ist und auf die gleiche Weise weitergetötet hat, sind wir ein Stück weiter.«

»Vielleicht wurde er wegen was ganz anderem verhaftet«, sagt Skid. »Hat seine Zeit abgesessen und ist vor kurzem entlassen worden.«

Ich sehe ihn an. »Überprüfen Sie das. Setzen Sie sich mit DRC in Verbindung.« DRC ist die für Gefängnisse und Wiedereingliederung zuständige Behörde. Ich verschwende seine Zeit nur ungern, aber mir bleibt nichts anderes übrig. »Besorgen Sie eine Liste mit allen Häftlingen im Alter zwischen fünfundzwanzig und fünfundvierzig, die in den letzten sechs Monaten entlassen wurden.«

Skid sieht aus, als hätte er plötzlich furchtbare Blähungen. »Das sind 'ne Menge Namen.«

»DRC soll die Liste für Sie eingrenzen. Es gibt dort eine Statistik über alle, die auf Bewährung entlassen sind. Überprüfen Sie sämtliche männlichen Personen mit zwei oder mehr gewalttätigen Straftaten, besonders Sexualverbrechen und Stalking. Fangen Sie mit den fünf umliegenden Counties an, dann erweitern Sie den Radius und nehmen Columbus, Cleveland und Wheeling in West Virginia mit dazu. Ich rufe Sheriff Detrick an, um Unterstützung für Sie zu bekommen. In der Zwischenzeit dürfen Mona und Lois Überstunden machen.«

Er nickt, wirkt aber überwältigt von all der Arbeit, die ich vor ihm aufgetürmt habe.

Ich sehe mich im Zimmer um. »Die Kleidung des Opfers war nicht am Fundort. Das heißt, dass er sie entweder weggeworfen, sie am Tatort zurückgelassen oder aber behalten hat.«

»Etwa wie eine Trophäe?«, fragt T. J.

»Schon möglich«, erwidere ich. »Sollten wir jedenfalls bedenken.«

Der Blick auf meine Notizen sagt mir, dass alles besprochen wurde, was ich aufgeschrieben hatte. »Mona und Lois werden den alten Aktenraum zu unserer Kommandozentrale umfunktionieren. Aber wahrscheinlich kommen wir alle so schnell nicht wieder zusammen, unsere Kommunikation läuft also größtenteils übers Telefon. Ich bin wie immer rund um die Uhr erreichbar, sieben Tage die Woche. Bis wir diesen Scheißkerl haben, erwarte ich das Gleiche von Ihnen.«

Alle nicken. »Gibt es noch irgendetwas zu bereden, bevor wir uns an die Arbeit machen?«

T. J. ergreift als Erster das Wort. »Haben Sie schon überlegt, an irgendeinem Punkt das BCI oder FBI um Hilfe zu bitten, Chief?« Alle Blicke sind auf ihn gerichtet, und er errötet. »Ich will damit nicht sagen, dass wir das nicht auch selber hinkriegen, aber unsere Mittel hier in Painters Mill sind doch ziemlich beschränkt.«

»Yeah, wer zum Beispiel treibt die verdammten ausgebrochenen Kühe wieder zusammen, während wir an dem Fall arbeiten?«, bemerkt Skid grinsend.

T. J. bleibt standhaft. »Wir sind nur zu viert.«

Ich habe absolut keine Lust, andere Behörden zu involvieren. Aber die Polizeirichtlinien schreiben das vor. Mein Team erwartet es, und ich brauche seine Achtung, um effektiv zu sein. Meine Glaubwürdigkeit hängt davon ab, wie clever ich mich verhalte.

Trotzdem kann ich in diesem Stadium keine Hilfe anfordern. So ungern ich mein Team anlüge, ich kann einfach nicht riskieren, dass irgendein Deputy oder Field Agent herausfindet, dass ich vor sechzehn Jahren einen Mann erschossen habe, dass meine Familie das Verbrechen gedeckt und die ganze schmutzige Geschichte unter den Teppich gekehrt hat.

»Ich telefoniere mal rum«, sage ich absichtlich vage. »Bis

sich in der Richtung etwas tut, wird Hilfspolizist Roland Shumaker uns unterstützen.«

»Ich hab Pickles nicht mehr gesehen, seit er den Hahn erschossen hat«, sagt Glock.

»Ob er sich noch immer die Haare kakaobraun färbt«, überlegt Skid laut.

»Ich möchte, dass Sie Officer Shumaker respektvoll behandeln«, sage ich. »Wir brauchen ihn.«

Im Moment sind sie mit der Handhabung des Falls zufrieden, das sehe ich ihnen an. Noch vor zwei Jahren wäre das anders gewesen. Ich bin der erste weibliche Chief of Police in Painters Mill. Die Begeisterung darüber war anfangs ziemlich verhalten, was die ersten Monate schwer gemacht hatte. Doch jetzt sind alle Hindernisse überwunden. Ich habe mir im Lauf der Zeit ihren Respekt verdient.

Ich weiß aus Erfahrung, dass Polizisten sich ihr Territorium nicht gern streitig machen lassen. Diese Männer hier wollen nicht, dass sich eine andere Behörde in ihre Arbeit einmischt. Doch wenn der Mörder wieder zuschlägt, habe ich eine weitere Tote auf dem Gewissen, weil ich meinen Job nicht ordentlich gemacht habe. Ein Dilemma, das nur schwer auszuhalten ist.

Mir fällt die Presseerklärung ein, die ich noch schreiben muss, und ich kämpfe gegen die Angst an, die mich beschleicht. Steve Ressler ist nicht der einzige Journalist, mit dem ich in den nächsten Tagen zu tun haben werde. Sobald die Nachricht von dem Mord durch den Äther ist, werden aus der ganzen Gegend Presseleute mit Aufnahmegeräten und Fotoapparaten hier auftauchen, sogar von so weit her wie Columbus.

»Auf geht's, fangen wir die Bestie«, sage ich.

Als die Männer mein Büro verlassen, kann ich nur hoffen, dass keiner von ihnen je die ganze Wahrheit herausfinden wird.

9. KAPITEL

Als Denny McNinch das Büro von Deputy Superintendent Jason Rummel betrat, saß dieser zurückgelehnt in seinem ledernen Chefsessel wie ein König, der über seinen ehrfürchtigen Hofstaat präsidiert. Die Leiterin der Personalabteilung, Ruth Bogart, saß neben dem Schreibtisch. Denny hoffte, dass es nicht lange dauern würde, denn er war in fünfzehn Minuten mit seiner Frau zum Abendessen verabredet.

»Denny.« Rummel zeigte auf den freien Besucherstuhl. »Tut mir leid, dass ich Sie so kurzfristig herbemühen muss.«

Kurzfristig war leicht untertrieben. Denny war schon mit dem Autoschlüssel in der Hand auf dem Weg zum Wagen gewesen, als Rummel ihn rufen ließ. »Kein Problem.«

»Wir haben heute Nachmittag ein AE aus einer Stadt namens Painters Mill bekommen«, sagte Rummel. AE war das BCI-Kürzel für »Amtshilfeersuchen«.

Denny blickte nervös auf die Uhr.

»Der Stadtrat glaubt, bei ihnen geht ein Serienmörder um.«

Denny horchte auf. »Ein Serienmörder?«

»Anscheinend hatten sie es schon mal mit solchen Mordfällen zu tun. Es ist zwar eine Weile her, fünfzehn oder sechzehn Jahre, aber die Stadträtin, die mich angerufen hat, sagt, die vorherrschende Meinung sei, dass der Mörder von damals zurück sei.«

Denny beugte sich vor, hatte das Abendessen vergessen.

Rummel fuhr fort. »Painters Mill liegt in einer ländlichen Gegend. Es hat etwas über fünftausend Einwohner, inklusive einer Gemeinde Amische, wie mir gesagt wurde. Die kleine

Polizeitruppe ist überfordert, die weibliche Leiterin ist selbst aus dem Ort und unerfahren.«

Normalerweise kontaktierten die örtlichen Polizeidienststellen Denny direkt, da er die Polizisten für ein AE auswählte. Wenn trotzdem mal ein AE auf Rummels Schreibtisch landete, leitete der es gewöhnlich an ihn weiter. Er fragte sich, warum Rummel das auf einmal selbst in die Hand nahm und warum Ruth Bogart hier war, wo doch Fälle, zu denen der FBI-Agent vor Ort hinzugezogen wurde, nicht in ihren Zuständigkeitsbereich fielen. Er fragte sich auch, warum zum Teufel *er* hier war, wo man das genauso gut übers Telefon hätte besprechen können.

»Ich übertrage den Fall an John Tomasetti«, sagte Rummel.

Damit hatte Denny nun wirklich nicht gerechnet. »Tomasetti ist noch nicht so weit, wieder als Ermittler zu arbeiten.«

»Er ist Field Agent und bezieht jede Woche einen Gehaltsscheck.«

»Bei allem Respekt John gegenüber, aber er ist ein ziemliches Wrack.«

»Wir sind hier keine Kindertagesstätte. Wir haben ihm eine zuckersüße Vorruhestandsregelung angeboten, die er abgelehnt hat. Wenn er weiter hier arbeiten will, muss er seinen Beitrag leisten.«

»Um ehrlich zu sein, ich mache mir Sorgen um seine emotionale Belastbarkeit.«

»Laut Bescheinigung der Ärzte ist er vollkommen gesund.«

Denny fragte sich, ob er ihn auf John Tomasettis Tablettenabhängigkeit oder, noch wichtiger, auf dessen Ruf hinweisen sollte. Auch wenn die Anklagejury in Cuyahoga County ihm einen Freifahrtschein ausgestellt hatte, war Denny selbst lange genug Cop gewesen, um zwischen den Zeilen lesen zu können. Außerdem hatte er die Gerüchte über Tomasettis Verhalten in Cleveland gehört. Zwar war nie etwas bewiesen worden, aber unter seinen Polizeikollegen dort herrschte die Meinung vor, dass er nach dem Mord an seinem Partner und seiner Familie das Gesetz in die eigenen Hände genommen hatte.

»Er war zwei Wochen in der Psychiatrie«, sagte Denny. »Ich glaube nicht, dass Sie ihn schon auf die Öffentlichkeit loslassen sollten.«

Rummel stand auf und schloss die Tür. »John Tomasetti ist zur Bürde geworden, eine Belastung für die Behörde. Eine Belastung für diese Dienststelle. Eine Belastung für mich. Er ist überhaupt nur noch hier, weil er mit Klage droht, wenn ich ihn feuere.«

Denny fing an, eins und eins zusammenzuzählen. Und was dabei rauskam, gefiel ihm gar nicht. »Tomasetti ist noch nicht so weit, an so einem Fall zu arbeiten.«

Rummel beugte sich vor. »Was ich jetzt sage, Denny, ist inoffiziell. Wenn irgendwas davon nach außen dringt, krieg ich Sie am Arsch. Haben Sie das verstanden?«

Rummel sah Ruth Bogart durchdringend an. »Ruth?«

Sie schlug die Beine übereinander und blickte hinab auf ihre Notizen. »Wir wissen alle, was John mitgemacht hat«, fing sie an. »Er hat unser ganzes Mitgefühl. Wie Sie wissen, haben wir ihm einen Deal angeboten, bei dem auch seine Krankenversicherung weiterbezahlt wird. Er hat abgelehnt. Wenn wir ihn entlassen, verklagt er uns und wird wahrscheinlich gewinnen.«

Rummel unterbrach sie. »Wir wollen ihn loswerden, Denny. Wir haben alles Mögliche versucht. Wir waren mehr als fair. Das ist der einzige Weg.«

Denny konnte kaum fassen, was er da hörte. Aber eben nur kaum. Er kannte Rummel seit drei Jahren und wusste, dass der Mann auch mal falsch spielte, um zu kriegen, was er wollte. Wenn man auf Rummels Abschussliste stand, konnte man sich getrost schon mal nach einem neuen Job umsehen.

»Wenn Sie ihm wirklich den Fall übertragen, wird es mit

großer Wahrscheinlichkeit Kollateralschäden geben.« Denny blickte von Rummel zu Ruth Bogart. »Tomasetti wird der Stadt keine große Hilfe sein. Wenn die es dort wirklich mit einem Serienmörder zu tun haben, muss ich Ihnen sicher nicht noch sagen, dass weitere Menschen sterben könnten.«

Bogart ergriff das Wort. »Im günstigsten Fall wird ihn das AE veranlassen, sich doch für den Vorruhestanddeal zu entscheiden. Doch wenn er den Einsatz akzeptiert, wird er es nicht lange machen. Die örtliche Polizei wird sich beschweren, was uns wiederum die Möglichkeit gibt, ihn ohne rechtliche Probleme zu entlassen.«

»Alle gewinnen«, fügte Rummel hinzu.

Alle, außer John Tomasetti und die Bürger von Painters Mill, dachte Denny.

»Ich möchte, dass Sie ihn, so schnell es geht, dorthin schicken«, sagte Rummel. »Alles soll streng nach Vorschrift laufen, haben Sie verstanden?«

Denny konnte sich nicht vorstellen, John Tomasetti einen großen Fall zu übertragen. Der Mann stand am Abgrund, ein Stoß genügte und er war für immer verloren. »Wenn Sie Tomasetti diesen Fall übertragen, wird er psychisch daran zerbrechen.«

Bogart sah auf ihre Notizen.

Rummel, das Gesicht unbeweglich, hielt seinem Blick stand. »Davon gehen wir aus.«

* * *

Als ich schließlich das Polizeirevier verlasse, ist es stockdunkel. Der Nachthimmel ist so klar, dass ich den Großen Wagen sehen kann. Laut Wetterbericht soll die Temperatur bis morgen früh auf minus zwanzig Grad fallen. Keine gute Nacht, um in einem alten Getreidespeicher nach einer Leiche zu suchen.

Die Presseerklärung hatte ich geschrieben und Lois gegeben, die netterweise gewartet hatte, bis ich mit den letzten Korrekturen fertig war. Sie würde sie an Steve Ressler faxen, bevor sie nach Hause zu Mann und Kindern ging – zu einem normalen Leben, wie ich es mir nur vorstellen kann.

Ich muss duschen und ein paar Stunden schlafen. Eigentlich hätte ich noch Donny Beck verhören sollen, doch das muss warten, bis ich mit Jacob den Getreideheber im fünfzehn Meilen entfernten Coshocton County abgesucht habe. Wenn wir Daniel Lapps Gebeine finden, ist klar, dass wir es mit einem Nachahmer zu tun haben. Wenn es keine Gebeine gibt, hat er damals überlebt. Das würde meine Betrachtungsweise des Falls und somit die Herangehensweise vollkommen ändern.

Ich biege auf die Schotterstraße zu Jacobs Farm ein und sehe von weitem, dass alle Fenster dunkel sind. Als ich den Wagen an der gleichen Stelle parke wie heute Nachmittag und mich zum Haus aufmache, kommt Jacob mir auf halbem Weg entgegen, mit einer Laterne in der Hand.

»Ich habe Taschenlampen dabei«, sage ich.

»Leise«, zischt er auf Pennsylvaniadeutsch, macht die Laterne aus und stellt sie in den Schnee.

Ich frage mich, ob er sich heimlich fortgeschlichen hat. »Du hast Irene nichts gesagt?«

Er dreht mir ruckartig den Kopf zu, und mir wird klar, dass er den Sinn meiner Frage nicht versteht. »Sie weiß nichts davon.«

Auf dem Weg zum Explorer denke ich über seine Worte nach. Ich habe mich schon immer gefragt, ob er ihr erzählt hat, was vor so vielen Jahren passiert ist. Manchmal sieht sie mich so seltsam an …

Wir steigen in den Wagen, und als ich ihn anlasse und losfahre, ist die Anspannung fast greifbar. Die Gefühle meines Bruders mir gegenüber sind vielschichtig, aber am stärksten ist sicher sein Groll. Er dürfte nicht mit mir in einem Auto sitzen, schon gar nicht, weil ich unter *Bann* gestellt wurde. Aber das ist wahrscheinlich nicht der Hauptgrund für seinen Missmut. Er will mir nicht helfen und nimmt es mir übel, dass ich ihn darum gebeten habe. Ich verstehe das nicht. Früher waren wir einmal innige Freunde gewesen. Er hat mich geliebt und beschützt und hätte alles für mich getan. Doch das hatte sich an dem Tag geändert, an dem ich Daniel Lapp erschossen habe.

»Ich habe Sarah heute gesehen«, sagt er nach einer Weile.

Sarah ist unsere Schwester, das mittlere Kind. Sie ist verheiratet und schwanger und lebt auf einer Farm ein paar Meilen entfernt. »Wie geht es ihr?«, frage ich.

»Sie fürchtet sich.« Er sieht mich eindringlich an.

»Hast du ihr von Lapp erzählt?«

»Sie hatte schon in der Stadt davon gehört. Sie hat Angst, Katie. Sie glaubt, dass Lapp lebt und wütend auf uns ist.«

Eigentlich hatte ich es Sarah sagen wollen, denn ich wusste, dass ihr der Mord Angst machen würde. Aber ich hatte noch keine Zeit gehabt, sie zu besuchen. »Ich rede mit ihr.«

»Sie hat Angst, dass er uns was antut. Sie hat Angst um das ungeborene Kind.« Er verzieht das Gesicht zu einer Grimasse. »Und um dich.«

Ich wusste, dass sie sich Sorgen um mich machen würde. Vor sechzehn Jahren hat sie mitbekommen, wie ich beinahe verrückt geworden wäre. »Du weißt, dass es mir gutgeht«, sage ich.

Jacob nickt. »Sie will, dass du deiner *englischen* Polizei erzählst, was passiert ist.«

Um ein Haar wäre ich in den Graben gefahren. »Nein!«

»Sie müssen ja nicht alles wissen. Nur dass Lapp noch leben und wieder morden könnte.«

»Nein, Jacob. Das werden wir niemandem erzählen.«

»Sie hat Angst, Katie.«

»Ich rede mit ihr.«

Er sieht aus dem Fenster, dann wieder zu mir. »Ich glaube nicht, dass Daniel lebt. Aber falls doch …« Er zuckt mit den Schultern, lässt den Satz unvollendet. »Vielleicht hat Sarah recht.«

»Ich komme damit klar«, stoße ich hervor.

»Wie denn, wenn du nicht einmal weißt, wo er ist.«

»In ein paar Stunden weiß ich das hoffentlich.«

Dreißig Minuten später halte ich an einem einsamen Straßenabschnitt, wo Eisenbahnschienen den schneebedeckten Asphalt durchziehen. Fünfzig Meter zu meiner Linken erhebt sich der massive Getreidespeicher wie eine urzeitliche Felsformation. Ich sehe drei Betonsilos und einen bedenklich zur Seite geneigten Wasserturm, dessen hintere Holzkonstruktion sich langsam mit dem vordringenden skelettartigen Wald vereinigt. Davor steht genau in der Mitte das Hauptgebäude aus Wellblech, doppelstöckig und spitz zulaufend. Diese krasse Unproportionalität verleiht dem Ganzen das Aussehen eines hässlichen Wasservogels.

Der 1926 von der Wilbur Seed Company errichtete Getreidespeicher und die Silos wurden in den frühen Siebzigern, nach dem Bau der Eisenbahnstrecke durch Painters Mill, dem Verfall anheimgegeben. Ein paar Jahre später hatte man im Westen der Stadt einen moderneren Getreidespeicher errichtet, und die Wilbur Seed Company schloss ihre Tore. Die alten Bauten sind ein Wahrzeichen, ein Schandfleck von historischer Bedeutsamkeit, ein Ort, an dem die Leute ihren Müll abladen und Teenager Bier trinken und knutschen. Sie eignen sich auch vorzüglich, eine Leiche verschwinden zu lassen …

Die Stille wird jetzt nur noch vom Motoren- und Heizungsgeräusch meines Wagens durchbrochen. Mein Bruder starrt aus dem Beifahrerfenster. Ich werfe ihm einen Blick zu, sollte ihm danken, dass er mitgekommen ist, kann es aber nicht. Nachdem ich mir viele Jahre lang selbst die Schuld gegeben hatte, war mir schließlich klar geworden, dass auch andere an jenem Tag Fehler gemacht haben: meine Eltern, die sich weigerten, das Verbrechen zu melden, meine Geschwister, die stillschweigend einverstanden waren. All das hat mich mein Leben lang verfolgt und dazu geführt, dass ich Dinge mache, die ich mir nie zugetraut hätte. So gesehen schuldet mir Jacob etwas.

Ich stelle auf Allradantrieb um und biege in die Einfahrt, benutze die Telefonmasten am Weg zur Orientierung.

Jacob umklammert die Armlehne. »Du wirst im Schnee stecken bleiben.«

»Ich weiß, was ich mache.« Ich lenke den Geländewagen durch Schneeverwehungen, wobei die Räder abwechselnd durchdrehen und wieder greifen. Der Motor heult auf, als wir am Wellblechgebäude vorbeischlittern, ich reiße das Lenkrad herum und wir rutschen um die Ecke zur Rückseite des Hauses. Von der Straße aus ist der Wagen jetzt nicht mehr zu sehen. Das Letzte, was ich gebrauchen kann, ist ein wohlmeinender Cop – von meiner eigenen Truppe oder einen Deputy vom Büro des Sheriffs –, der zufällig vorbeifährt und uns entdeckt. Für die nächtliche Fahrt hierher werde ich wohl kaum eine glaubhafte Erklärung finden.

Ich stelle den Motor ab, streife die Handschuhe über und steige aus. Die eisige Luft beißt mir ins Gesicht und kriecht mir in den Kragen, als ich unter dem gewaltigen Rolltor durchgehe. In dem gigantischen Bauwerk heult der Wind wie ein verwundeter Hund. Mein Blick fällt auf eine fleckige Matratze und zwei Fünfzig-Gallonen-Kanister voller Einschusslöcher. An der hinteren Wand der Lastwagenzufahrt stehen ein halbes Dutzend Müllsäcke, von denen die Hälfte von streunenden Hunden oder Waschbären aufgerissen wurde.

Ein paar Meter entfernt baumelt ein Vorhängeschloss an der Bürotür. Der betonierte Fußweg ist voller Risse wie nach einem Erdbeben. Winterbraunes Gras sprießt daraus hervor – die Natur holt sich zurück, was ihr einmal gehört hat. Die LKW-Waage ist etwa dreißig Zentimeter tief in den Boden gesunken. Am Ende der Lastwagenzufahrt gibt es ein zweites, von Vandalen oder vom Wind teilweise aus der Halterung gerissenes Rolltor, das gefährlich schief herunterhängt. Jenseits davon durchschneiden Stahlrohre, die früher einmal die wartenden Lastwagen mit dem Getreide der Silos füllten, den Nachthimmel.

Die vor uns liegende Aufgabe ist makaber und beängstigend. Ich weiß nicht, wo wir anfangen sollen, und frage mich, was von der Leiche übrig sein wird. Knochen? Kleider? Ist das notdürftige Grab noch als solches erkennbar? Ich blicke nach unten, stampfe auf den gefrorenen Boden und bin froh, dass ich an die Spitzhacke gedacht habe.

Neben mir verschwindet Jacob noch tiefer in seiner Jacke. »Ich bin seit jener Nacht nicht mehr hier gewesen.«

Und ich bin tausendmal hier vorbeigefahren, und jedes Mal ist es mir eiskalt den Rücken hinuntergelaufen, aber angehalten habe ich nie. Wenn wir auf dem Revier einen Anruf bekommen, dass hier draußen seltsame Dinge vor sich gehen, schicke ich immer jemand anderen hin.

Die Hände auf den Hüften blickt mein Bruder sich um, als versuche er, sich zu orientieren.

»Wo graben wir?«, will ich wissen.

»Ich bin mir nicht sicher.«

»Was soll das heißen, du bist dir nicht sicher?«

»Ich war draußen bei der Kutsche geblieben. *Datt* hat das Grab gegraben, nicht ich.«

Ich könnte vor Frustration schreien, doch ich halte den Mund. Ich lasse ihn einfach stehen, gehe zum Wagen, öffne die Hecktür und hole zwei Schaufeln, einen Bolzenschneider und die Spitzhacke heraus und lehne alles an den Kotflügel.

Jacob durchmisst das Gebäude, studiert den Boden, wobei er den Kopf hin und her bewegt, als hätte er etwas verloren.

Ohne das Werkzeug gehe ich zu ihm. »Wir müssen das Grab finden«, sage ich.

Er zuckt mit den Schultern. »Vielleicht sollten wir nach aufgewühlter Erde suchen.«

Doch Erde, die vor sechzehn Jahren aufgewühlt wurde, ist sicher längst wieder dem Boden gleichgemacht. Gegen die aufkommende Hoffnungslosigkeit ankämpfend, blicke ich mich um, suche irgendetwas, das einen Anhaltspunkt geben könnte. »Von wo aus habt ihr in der Nacht das Gebäude betreten?«

Jacob zeigt auf das kaputte Rolltor am anderen Ende. »Damals war es noch intakt. Ich stand mit der Kutsche davor. *Datt* hatte die Leiche ...« Er lässt den Satz unvollendet. »Es war dunkel und hat geregnet. Das Pferd hat gescheut. Wir waren nass bis auf die Knochen. Hatten Angst. Um uns selbst«, er wirft mir einen Blick zu, »und um dich. Ich hatte *Datt* noch nie so verstört gesehen. Er hat mit sich selbst geredet und Gott um Vergebung gebeten.«

Es ist das erste Mal, dass Jacob über jene Nacht spricht. Seine Worte beschwören Erinnerungen herauf, die ich mein halbes Leben lang zu vergessen versucht habe: Meine Schwester wischt kniend Blut vom Küchenboden. *Mamm* wäscht die Gardinen in rosafarbenem Wasser. Ich sitze in der kochend heißen Badewanne, schrubbe meinen Körper wund – aber nicht sauber. Ein kleiner, verhasster Teil in mir wünschte, selbst auch tot zu sein.

Ich schüttele den Kopf, schiebe die Vergangenheit beiseite. Ich bin jetzt eine erwachsene Frau, gemahne ich mich. Ich bin Polizistin und fest entschlossen, das hier durchzuziehen, auch wenn es noch so schwer ist. »Wir machen uns besser getrennt auf die Suche.«

Ich warte nicht auf seine Antwort. Für mich steht fest, dass diese grausige Exkursion nur ein paar Stunden dauern darf, weil ich die dringenderen Aspekte des Falls bearbeiten muss.

Wenn wir das Grab heute Nacht nicht finden, muss ich noch mal wiederkommen.

Jacob geht zum Rolltor am anderen Ende des Gangs. Ich lasse den Blick schweifen, versuche, wie mein Vater zu denken. Es war Sommer. Stürmisch. Dunkel. Er war vollkommen verstört, entsetzt über das, was seiner Tochter passiert war, vielleicht sogar noch mehr darüber, was sie getan hatte. Er musste eine Leiche verschwinden lassen. Seine Familie beschützen. Wo würde er den Beweis vergraben?

Mein Blick bleibt an der LKW-Waage hängen. Die Holzbretter sind bedeckt mit Jahrzehnte altem Dreck, Schotter und schmutzigem Öl. Der Geruch von Kerosin vermischt sich mit der Kälte, die mir das Atmen schwermacht. Ich lege die Taschenlampe auf den Boden, nehme eine Schaufel und stoße das Blatt zwischen Stahlrahmen und Waagenbrücke. Ich stemme mich mit dem ganzen Gewicht auf die Schaufel, die Brücke knarrt, gibt aber keinen Zentimeter nach.

»Katie! Komm her.«

Mein Bruder steht an der hinteren Tür, den Blick auf einen kleinen Erdhügel gerichtet. »Ich habe was gefunden.«

Ich schnappe mir die Spitzhacke, gehe hin und reiche sie ihm. »Grab.«

Ohne mich anzusehen, legt Jacob seine Taschenlampe hin, schwingt die Hacke bis über den Kopf und fängt an, den gefrorenen Boden aufzuhauen, ächzt bei jedem Hieb.

Ich leuchte auf die Stelle, die langsam zum Loch wird, je mehr gefrorene Erdbrocken er heraushaut.

»*Mein Gott.*« Jacob fällt auf die Knie, gräbt mit den Händen, die in Handschuhen stecken. »Das muss es sein.«

Hoffnung durchströmt mich. Ich knie neben ihm, wühle wie ein Hund. Als mein Blick auf dunkles Haar fällt, dreht sich mir der Magen um.

Er setzt sich zurück auf die Fersen, die Augenbrauen zusammengezogen. »Es ist sehr flach.«

»Das muss es sein.« Ich grabe weiter, zu getrieben, um über seine Worte nachzudenken. »Der Boden kann sich bewegt haben. Hier sind bestimmt nicht *zwei* Leichen vergraben.«

»Katie …«

Erst dann merke ich, dass wir ein Tier freigeschaufelt haben. Ich blicke auf verfilztes Fell, das stumpfe Weiß alter Knochen. Ein glänzendes Würgehalsband sagt mir, dass es sich um einen Hund handelt. Enttäuschung überfällt mich. Ich starre auf den Kadaver, will es nicht glauben. Ich sehe meinen Bruder an, schlucke die wütenden Worte hinunter. »Verdammt, Jacob, wir müssen die Leiche finden.«

»Sprich nicht in deiner *englischen* Sprache mit mir.«

Ich ringe um Geduld, die mir zunehmend abhandenkommt. »Kannst du mal aufhören, Amisch versus Englisch zu denken? Dieser Mörder macht keinen Unterschied. Das nächste Opfer könnte genauso gut ein Amisch-Mädchen sein!«

»Ich versuch's ja.«

»Dann gib dir eben mehr Mühe!« Mir ist klar, dass niemandem geholfen ist, wenn ich wütend werde, aber ich kann nicht anders. »Verdammt, Jacob, das bist du mir schuldig.«

Mein Bruder sieht mich mit zusammengekniffenen Augen an. In dem trüben Schein der Taschenlampe haben sie etwas Eulenhaftes. »Ich bin dir nichts schuldig.«

»Also wirklich! An dem Tag ist ein Verbrechen geschehen! *Datt* hat die ganze verfluchte Scheiße unter den Teppich gekehrt. So hätte man nicht damit umgehen dürfen, das weißt du genau!«

»*Datt* hat gemacht, was er für richtig hielt.«

»Richtig für wen?«

»Für die Familie.«

»Und wieso zählt nicht, was für mich richtig ist?« Ich schlage mir mit der flachen Hand auf die Brust. »Ich darf für den

Rest meines Lebens nicht darüber reden, weil *Datt* bestimmt hat, dass die ganze Familie so tut, als wäre es nie passiert! Was glaubst du, hat das für mich bedeutet?«

Seine Augen glühen. »Du bist nicht die Einzige, die unter der Sünde leidet, die wir in jener Nacht begangen haben.«

»Aber ich bin die Einzige, die vergewaltigt und fast umgebracht wurde! Ich allein war gezwungen, jemandem das Leben zu nehmen!« Die Wut in meinen Worten erschreckt mich. Eine Stimme, die ich nicht wiedererkenne, hallt in dem Gebäude wider, auf seltsame Weise im Gleichklang mit dem heulenden Wind.

»Wir alle haben Blut an den Händen!«, faucht Jacob mich an. »Wir alle haben die gleiche Sünde begangen.«

»Für mich war es nicht das Gleiche! Seitdem siehst du mich anders an!« Ich kriege kaum noch Luft, kann nicht fassen, was mit mir passiert. Anscheinend hat die ganze Zeit ein emotionaler Dampfkochtopf unbemerkt in mir gebrodelt. Ich will die Worte aufhalten, doch sie spritzen wie Blut aus einer Wunde. »Du hast nicht zu mir gehalten. Du hast mich nicht unterstützt bei der Entscheidung, die Glaubensgemeinschaft zu verlassen.«

»Ich billige deine Entscheidung noch immer nicht.« Er starrt mich an, das Gesicht seltsam bleich. »Aber eines kann ich dir sagen. Wenn ich an dem Tag ein Gewehr in der Hand gehabt hätte, hätte ich für dich getötet. Ich hätte mich Gottes Willen widersetzt und ein Leben genommen, weil es schlimmer gewesen wäre, dich nicht in dieser Welt zu haben. Es ist auch meine Sünde, Katie.«

Ich kämpfe gegen die Tränen an. Atemwölkchen bilden sich vor meinem Mund, während ich um Fassung ringe. »Und warum hasst du mich dann?«

»Ich hasse dich nicht.«

»Du gibst mir die Schuld. Warum gibst du mir die Schuld an dem, was passiert ist?«

Mein Bruder sagt nichts.

»Warum?«, schreie ich.

Sein Blick brennt sich in meinen. »Ich hab gesehen, wie du Daniel Lapp angelächelt hast.«

Das Blut gefriert mir in den Adern. Vollkommene Ruhe erfüllt mich, als mein Verstand versucht, die Bedeutung seiner Worte zu verstehen. »*Was?*«

»Wir waren auf der Weide. Daniel und ich haben Löcher für die Zaunpfosten gegraben. Es war heiß. Du hast uns Limonade gebracht. Er hat dich angesehen, wie ein Mann eine Frau ansieht. Katie, du hast ihn angelächelt.«

Mir ist, als hätte mir jemand eine Faust in den Magen gerammt. Ich starre meinen Bruder an und weiß, was er denkt – was er die ganzen Jahre von mir gedacht hat. Ich fühle mich krank. Die alte Scham kommt wieder hoch, gräbt sich wie Säure in meine Grundfesten. »Wie kannst du es wagen, auch nur anzudeuten, es sei meine eigene Schuld gewesen.«

»Ich gebe dir nicht die Schuld. Aber ich kann nicht ändern, was ich gesehen habe.«

»Herrgott noch mal, Jacob, ich war ein Kind.«

Das Gesicht meines Bruders verschließt sich, er will nicht darüber reden, will meine Erklärung nicht hören. Doch mich erfüllt das Bedürfnis, mich zu verteidigen, mit Scham. Ich habe an jenem Tag getan, was ich tun musste, um mein Leben zu retten. Aber ein tief verwurzelter Glaube lässt sich schwer auslöschen, auch wenn man es noch so sehr versucht. Ich halte mich für eine aufgeklärte Frau, doch ich bin nun mal als Amische aufgewachsen, und einige ihrer alten Werte werden für mich immer Gültigkeit haben.

Ich blicke mich um, kämpfe mich zurück in die Gegenwart, zum Grund warum wir hier sind. Dabei sage ich mir erneut, dass ich Polizistin bin und einen Mord aufzuklären habe. Langsam ziehen sich meine düsteren Gedanken in ihr Versteck zurück.

Den Kopf gesenkt, reibe ich die schmerzende Stelle zwischen meinen Augen. »Ich kann jetzt nicht darüber reden. Ich muss Lapps Leiche finden.«

Jacob starrt mich lange wortlos an, dann dreht er sich um und geht weg.

Meine Füße schmerzen vor Kälte, meine Finger sind taub. Ich weiß nicht, ob ich wegen der Temperatur zittere oder ob meine Gefühle mich innerlich gefrieren lassen. Aber eines ist sicher: Ich habe meinen Bruder verloren. Eine vernichtende Erkenntnis, und doch nur eine mehr in meinem Leben. Am liebsten würde ich losheulen, aber stattdessen nehme ich die Schaufel, platziere die Taschenlampe auf einem durchgebrochenen Betonblock und fange an, den gefrorenen Boden aufzugraben.

10. KAPITEL

Es war ein Fehler, in die Kneipe zu gehen. John wusste, er würde sich betrinken und zur Sperrstunde um zwei Uhr hinausgeworfen werden. Aber wie all die anderen Abende, die er hier verbracht hatte, war das immer noch besser, als sich allein zu Hause volllaufen zu lassen.

Avalon Bar & Grill war eine schäbige Kneipe. Der Barkeeper war unfreundlich, die Gläser waren nie richtig sauber und der Besitzer panschte die Getränke. Aber die Burger schmeckten. Und selbst wenn er sich bis zur Besinnungslosigkeit betrank, fand er immer noch den Weg nach Hause. Inzwischen wusste er die kleinen Dinge im Leben zu schätzen.

Er bestellte einen doppelten Chivas und ein dunkles Bier, dann spielte er eine Runde Billard. Doch aus einem Spiel wurden sechs, aus einem Doppelten wurden viele Doppelte, und John Tomasetti war wieder betrunken. Die Welt ging langsam den Bach runter.

Er stand an der Theke, sah dem Barkeeper zu, wie er ihm das Glas nachfüllte – und leerte es dann in einem Zug. Der Alkohol brannte in seiner Speiseröhre und landete wie ein Feuerball in seinem Magen. Er hatte sich noch nie etwas aus Whiskey gemacht, nicht mal aus den besten Sorten. Aber es ging ihm nicht um Genuss. Es ging ihm allein darum, diesen Tag zu überstehen, ohne dass er sich das Hirn wegpustete.

Irgendwann war ihm sein Billardpartner abhandengekommen, und Kids aus dem College hatten sich am Billardtisch breitgemacht. Es war also an der Zeit, den Prozess zu beschleunigen, dachte John und machte sich auf zur Toilette. Dort fischte er eine Xanax aus der Hosentasche, kaute darauf herum und genoss den bitteren, kalkigen Geschmack, den er kurz darauf mit einem weiteren Bier wegspülte.

Er wusste, dass Pillen und Alkohol sich nicht miteinander vertrugen und er eines Tages dafür bestraft würde. Aber er konnte sich nicht vorstellen, dass es noch schlimmer kommen konnte, was sein krankes Hirn durchaus als beruhigend empfand.

Noch vor zwei Jahren hätte er jeden ausgelacht, der ihm eine Zukunft prophezeit hätte, in der ihm seine Familie genommen und er allein zurückbleiben würde, in der er einen Mann kaltblütig erschießen und nichts weiter als eine flüchtige Befriedigung empfinden und sogar seine Polizeierfahrung nutzen würde, um die Tat einem anderen anzuhängen. Dass er einmal Alkohol und Pillen brauchen würde, um durch den Tag zu kommen.

Zum tausendsten Mal wünschte John, es hätte ihn anstatt seiner Familie erwischt. Ohne zu zögern, hätte er sein Leben gegeben, wenn sie dadurch gerettet worden wäre. Aber das Schicksal folgte eigenen Gesetzen: Es machte weder Tauschhandel, noch gewährte es eine zweite Chance.

Zurück im Schankraum, bestellte er einen weiteren Doppelten und sah sich im Fernseher hinter der Theke eine merkwürdige Gameshow an, die er nicht verstand. Er trank noch ein Bier und versuchte an nichts anderes zu denken als an den Alkohol, der wie Nitroglyzerin durch seine Adern floss. Das Xanax fing gerade an zu wirken …

»John.«

Die vertraute Stimme riss ihn aus seinem umnebelten Zustand. Er drehte sich um und hatte Denny McNinch vor Augen, der aussah, als käme er gerade von einer Beerdigung.

»Hübscher Anzug«, sagte John, um sein Erstaunen zu überspielen.

»Nordstrom's«, erwiderte Denny. »War grade runtergesetzt.«

Der Raum um John schwankte, doch er hielt Dennys Blick stand und hoffte, dass er nicht so fertig aussah, wie er sich fühlte. »Ich würde ja fragen, ob das ein Freundschaftsbesuch ist, aber deinem Gesicht nach zu urteilen, ist es das nicht.«

»Stimmt.«

Der Barkeeper stellte ein Bier auf die Theke und Denny nahm einen großen Schluck.

»Bist du hier, um mich zu feuern, oder was?«

»Schlimmer.«

John konnte nicht anders, er musste lachen.

Denny griff in die Brusttasche seines Anzugs, zog das Amtshilfeersuchen heraus und legte es auf die Theke. »Rummel will dich da hinschicken.«

»Ist das ein Witz?« John zog das Blatt zu sich und warf einen Blick darauf.

ART DES VERBRECHENS:
Möglicherweise Serienmörder. Örtliche Polizeidienststelle überfordert.

ORT:
Painters Mill, Ohio.

KONTAKT:
Janine Fourman, Stadträtin. Norm Johnston. Bürgermeister Auggie Brock.

»Nicht gerade mein Spezialgebiet«, sagte John.

»Als hättest du zurzeit ein Spezialgebiet.«

»Ich bin ziemlich gut im Scheißebauen.«

Denny hob sein Glas. »Das zählt nicht.«

John blickte mit zusammengekniffenen Augen auf das Formular, konnte nicht glauben, dass sie ihm einen Fall übertrugen. Er war nicht gerade ein Kandidat für die Wahl zum besten Agenten des Jahres. »Warum ich?«

»Vielleicht hast du das kürzere Streichholz gezogen.«

Beide wussten sie, dass Rummel nie etwas grundlos tat. Der Mann verfolgte einen Plan, und der diente niemandem außer ihm selbst.

Denny zuckte die Schultern. »Vielleicht findet er, es ist an der Zeit, dass du deinen Arsch in Bewegung setzt und das Geld verdienst, das du kriegst.«

»Oder das kleine Arschloch möchte dabei zusehen, wie ich draufgehe.«

»Dann beweis ihm das Gegenteil, John. Du warst mal ein guter Polizist, du hast es drauf.«

Selbst durch den lilafarbenen Schleier seines Rauschs bemerkte John die Nöte seines Gegenübers, und er glaubte, sie zu kennen. Denny mochte zwar auch nur einer von den anderen Bürokraten sein, aber er war aufrichtig. Irgendetwas an der Sache stank, das wussten sie beide.

»Du könntest in Rente gehen«, erinnerte Denny ihn.

John faltete das Amtshilfeersuchen zusammen und steckte es in die Innentasche seiner Jacke. »Ich übernehme den Fall.«

»Wirklich?«

John nickte. »Tu mir nur einen Gefallen, ja?«

»Was immer du willst.«

»Sag Rummel, er kann mich am Arsch lecken.«

Lachend nahm Denny sein Glas hoch. »Darauf stoßen wir an.«

11. KAPITEL

Leise wie ein sich anschleichendes Raubtier bricht die Mitternachtsstunde herein. Frierend und mutlos packe ich das Werkzeug hinten in den Explorer. In den letzten fünf Stunden haben wir acht Löcher an verschiedenen Stellen gegraben, aber keine menschlichen Überreste gefunden. Ich weiß noch immer nicht, ob der Mann meine Schrotkugeln überlebt hat und diese Stadt wieder in Angst und Schrecken versetzt oder ob wir einfach nur das Grab nicht gefunden haben.

Jacob und ich schweigen auf der Fahrt zu seiner Farm. Er entschuldigt sich weder für seine Unfähigkeit, die sterblichen Überreste zu finden, noch für seine Anschuldigung, doch das erwarte ich auch nicht. Ich würde ihn gern bitten, mir morgen wieder zu helfen, verkneife es mir jedoch. Die Bürde, Lapps Leiche zu finden, trage ich ganz allein.

Die vierundzwanzig Stunden, die der Fall jetzt alt ist, waren ein Wettlauf gegen die Zeit, doch erreicht habe ich fast nichts. Dafür schmerzen mein Rücken und meine Schultern von der anstrengenden Graberei, und die Konfrontation mit meinem Bruder hat mir den letzten Rest Zuversicht geraubt. Trotzdem werde ich von dem Drang beherrscht, den Mörder zu fassen.

Nachdem ich Jacob abgesetzt habe, fahre ich nach Hause. Painters Mill schläft wie ein unschuldiges Kind. Die Läden sind geschlossen und gut verriegelt, die schönen Geschäftsfassaden dunkel. Eine erwartungsvolle Stille liegt über der Stadt. Ich muss an die tote Amanda Horner denken und kann die ungeheure Brutalität der Tat nicht in Einklang bringen mit dieser Bilderbuchstadt, die mir ans Herz gewachsen ist.

Ich halte vor meinem Haus, lasse den Motor aber laufen. Eigentlich müsste ich Schluss machen für heute und schlafen, denn der morgige Tag wird sicher noch länger. Doch mein Kopf läuft auf Hochtouren, obwohl ich physisch schon lange am Ende bin. Falls Daniel Lapp damals wirklich überlebt hat, wen hätte er dann um Hilfe gebeten?

In Zeiten der Not wendet ein Mann der Amisch sich an seine Familie.

Ich schlage das Lenkrad ein, trete aufs Gas und fahre aus der Stadt. Dass ich Benjamin Lapp um diese Zeit nicht aufsuchen sollte, ist mir klar. Auch Polizisten müssen sich an Vorschriften und Regeln halten, und eine davon lautet, nicht um ein Uhr morgens an die Tür eines Bürgers zu klopfen. Doch wenn jemand etwas über den Verbleib von Daniel Lapp weiß, dann sein Bruder. Und da er ein Amisch ist, bin ich mir ziemlich sicher, dass er nicht morgen früh zum Stadtrat rennt und laut »Polizeigewalt« schreit.

Östlich der Stadt biege ich in die Miller-Grove Road ein, eine lange, gewundene Straße, die in einer Sackgasse endet. Auf halbem Weg liegt die Farm der Lapps, die im Unterschied zu den meisten amischen Gehöften verwahrlost ist, was ein durchhängendes Scheunendach und aus dem Schnee ragendes hüfthohes Gras belegen. Ich parke neben der Werkstatt, nehme die Taschenlampe vom Beifahrersitz und marschiere zur Eingangstür.

Obwohl ich nicht glaube, in Gefahr zu sein, öffne ich den Druckknopf meines Pistolenhalfters. Ein Polizist kann nie vorsichtig genug sein, auch nicht unter Pazifisten. Ich ziehe die Sturmtür auf, klopfe laut und warte. Als Lapp sich nicht rührt, hämmere ich mit der Taschenlampe ans Holz, was in der Stille hier draußen wie Donnerschläge hallt.

Kurz darauf flackert im Inneren des Hauses gelbes Licht auf. Ich trete zurück und zur Seite, die Hand auf der .38er. Die Tür geht auf. Lapp hält die Laterne hoch und sieht mich mit zusammengekniffenen Augen an, als wäre ich gerade von einem anderen Stern hergebeamt worden.

»Katie Burkholder?«

Selbst in dem düsteren Licht ähneln sich die beiden Brüder so sehr, dass ich augenblicklich stutze. Gänsehaut überzieht meine Arme. Ich sehe hellblaue Augen und braunes, unregelmäßig geschorenes Haar. Der gleiche schmallippige Mund, das gleiche ausladende Kinn. Eine Erinnerung blitzt auf. Ich will instinktiv zurücktreten, kämpfe aber mit aller Macht gegen die aufkommende Abscheu an.

»Ich muss dir ein paar Fragen stellen, Benjamin.«

Er ist unverheiratet und somit glatt rasiert. Sein Hemd steckt nur teilweise in der Hose, die Hosenträger hängen herab. An den Füßen trägt er Wollsocken.

»Gibt es ein Problem? Es ist sehr spät.«

Ich halte ihm meine Dienstmarke hin. Er starrt sie an, als könne er plötzlich nicht mehr lesen. »Es ist wichtig.«

Er kneift wieder die Augen zusammen. »Worum geht's?«

»Deinen Bruder.«

»Daniel?« Er reißt die Augen auf. »Hast du Neuigkeiten?«

»Und du?« Ich trete an ihm vorbei ins Haus.

Er bleibt an der Tür stehen und beobachtet mich, als wäre ich ein gefährliches Tier, das sich aus den Wäldern hierher gewagt hat. Es riecht nach nassem Hund und Kuhscheiße. Die dunkle Küche liegt geradeaus, der düstere Flur zu meiner Rechten. Weiter hinten führt eine Treppe in den ersten Stock.

»Wann hast du Daniel das letzte Mal gesehen?«, frage ich.

Wieder sieht er mich aus halb offenen, verschlafenen Augen an. »Vor sehr langer Zeit.«

»Wie lange?«

»Ich hab ihn seit dem Sommer, in dem er verschwunden ist, nicht mehr gesehen. Also über fünfzehn Jahre.«

Ich sehe ihm fest in die Augen. »Bist du sicher? Er war nicht hier oder in der Stadt?«

»Ganz sicher.«

»Hat er Kontakt mit dir aufgenommen?«

»Nein.«

»Hast du ihm Geld geschickt?«

Er runzelt die Stirn.

»Lüg mich nicht an, Benjamin. Ich kann das überprüfen.«

»Warum fragst du mich das alles? Hast du Neuigkeiten von Daniel?«

Ich ignoriere seine Frage, trete auf ihn zu. »Du weißt, dass man Polizisten nicht anlügt«, sage ich mit drohendem Unterton.

»Ich lüge nicht.«

»Wo ist dein Bruder?«

»Ich weiß es nicht.«

»Erzähl mir von dem letzten Mal, als du ihn gesehen hast.«

»Das hab ich schon der *englischen* Polizei –«

»Erzähl es noch mal«, fahre ich ihn an.

Er kratzt sich mit zwei Fingern an der Schläfe. »In dem Sommer hat er für deinen *Datt* gearbeitet. Und er hat Dwayne Bargerhauser geholfen, einen Viehzaun aufzustellen. Er ist morgens weggegangen und nicht wieder zurückgekommen.«

»Weißt du, was mit ihm passiert ist?«

»Nein, das weiß ich nicht. *Datt* und ich haben mit allen geredet, für die Daniel gearbeitet hat, aber nach dem Tag hat ihn keiner mehr gesehen. Wir wissen nicht, wohin er gegangen ist oder warum.«

Ich trete in die Küche und leuchte mit der Taschenlampe umher. Auf dem Unterschrank steht eine Tasse, am Holzhaken hängt ein flachkrempiger Hut, daneben ein Mantel. Zwar herrscht ein ziemliches Durcheinander, doch Anzeichen einer zweiten Person gibt es nicht. Vom Flur aus werfe ich einen Blick in die Toilette, dann gehe ich ins Schlafzimmer, sehe unterm Bett und im Schrank nach.

Als ich die Treppe hocheile und immer zwei Stufen auf

einmal nehme, steht Benjamin unten und ruft: »Warum machst du das?«

Mit der Taschenlampe leuchte ich durch alle Zimmer im Obergeschoss: Das Erste ist vollkommen leer, im zweiten stehen ein Einzelbett, ein Nachttisch und eine Kommode. Der Schrank enthält schlichte Kleidung für einen einzelnen Mann. Das Handtuch im Bad ist feucht, auf dem Waschbecken liegt eine Zahnbürste.

Als ich die Treppe wieder herunterkomme, erwartet mich Benjamin mit der Laterne in der Hand. »Wonach suchst du?«

Ich ziele mit dem Strahl meiner Taschenlampe genau in sein Gesicht und sehe, wie sich seine Pupillen zusammenziehen. »Wenn sich herausstellt, dass du lügst, ist es egal, dass du amisch bist. Ich werde dich so in die Mangel nehmen, dass du wünschtest, im Gefängnis zu sein.«

»Ich habe keinen Grund zu lügen.« Er wirkt beleidigt.

»Dann erzähl mir was von deinem Bruder. Warum ist er weggegangen? Und wohin?«

Meine Schnellfeuertaktik wirkt. Zum ersten Mal ringt er um Fassung. »Vielleicht wollte Daniel das einfache Leben nicht mehr.«

»Und warum?«

Er senkt den Blick. »Vielleicht konnte er den Grundsatz der Gelassenheit nicht mehr befolgen.«

Das Wort »Gelassenheit« umfasst die Lebensphilosophie der Amischen: Gottergebenheit, andere immer wichtiger zu nehmen als sich selbst, ein zufriedenes und bescheidenes Leben zu führen.

Ich will ihm nicht glauben; nichts wäre mir lieber, als dass Daniel Lapp aus dem Schrank springen würde und ich ihm ein paar Kugeln in den Kopf jagen könnte. Doch instinktiv weiß ich, dass der Mann hier die Wahrheit sagt. Noch eine Sackgasse.

Obwohl ich nicht erwartet hatte, fündig zu werden, ist meine Enttäuschung groß. »Wenn Daniel Probleme gehabt hätte, wohin wäre er dann gegangen?«, frage ich. »Hatte er andere Freunde oder Familienmitglieder, denen er vertraute?«

Benjamin schüttelt den Kopf. Unsere Blicke treffen sich. »Warum stellst du all diese Fragen?«

»Ich gehe Hinweisen nach.«

Er glaubt mir nicht, der Argwohn in seinen Augen ist offensichtlich. Doch daran kann ich nichts ändern.

»Wenn er hier auftaucht, sag mir Bescheid. Egal zu welcher Tageszeit, Benjamin. Es ist wichtig.«

Er nickt.

Ich gehe zur Tür.

»Ist mein Bruder in Schwierigkeiten?«, ruft er hinter mir her.

Ich reiße die Tür auf und trete hinaus auf die Veranda. »Wir sind alle in Schwierigkeiten«, flüstere ich und eile zu meinem Wagen.

* * *

Zu Hause werde ich vom Duft des Vanille-Potpourri empfangen, vermischt mit dem Geruch des gestrigen Abfalls. Ich bin nicht die tollste Hausfrau der Welt, aber bei mir ist es gemütlich und sauber. Nach diesem höllischen Tag bin ich heilfroh, wieder in meinen eigenen vier Wänden zu sein.

Ich knipse das Wohnzimmerlicht an, ziehe die Stiefel aus und lasse sie neben der Tür stehen. Die Jacke werfe ich aufs Sofa, schnalle im Gehen das Pistolenhalfter auf und lege es zusammen mit der .38er auf die Flurkommode. Im Schlafzimmer steige ich aus der Uniformhose, streife die Bluse ab und lasse beides auf den Boden fallen. Zum Schluss landet der BH auf dem Bett, ich schlüpfe in Bademantel und Hausschuhe und gehe ins Arbeitszimmer. Mein Laptop ist uralt und der Online-Verbindungsaufbau schrecklich langsam, aber ich kann mich damit ins Ohio-Law-Enforcement-

Gateway-System – OHLEG – einloggen. OHLEG wurde vom Generalstaatsanwalt von Ohio ins Leben gerufen und bietet örtlichen Polizeidienststellen Zugang zu den Datenbanken von neun polizeilichen Ermittlungsbehörden. Während der Rechner hochfährt, gehe ich in die Küche. Ich sollte etwas essen, doch mir ist mehr nach einem Drink zumute, und so hole ich die Flasche Wodka aus dem Hängeschrank über dem Kühlschrank, stelle sie auf den Tisch, fülle Eiswürfel in ein Glas und schenke mir ein. In so einer düsteren Stimmung ist es gefährlich, alleine zu trinken, doch wider besseren Wissens nehme ich den ersten Schluck.

Der Alkohol brennt bis hinunter in den Magen, doch ich leere das Glas und schenke mir ein zweites ein. Die Bilder des heutigen Tages gehen mir nicht aus dem Kopf: Amanda Horners geschundener Körper, das Leid in den Augen ihrer Mutter; Jacob und ich, wie wir in der Erde graben auf der Suche nach der Leiche des Mannes, den ich umgebracht habe – oder es zumindest ein halbes Leben lang geglaubt hatte. Ich weiß, dass Alkohol meine Probleme nicht löst, doch mit etwas Glück hilft er mir durch die Nacht.

Zurück im Arbeitszimmer logge ich mich bei OHLEG ein. Das System ist mir nicht vertraut, doch ich klicke mich so lange durch, bis ich an der richtigen Stelle lande. Die Suchmaschine kann von einer einzelnen Schnittstelle aus zahlreiche Datenquellen abfragen, und ich gebe den Namen ein – Daniel Lapp –, das County, und drücke die Return-Taste. Zwar sind die Erfolgsaussichten gering, aber falls er schon einmal verhaftet oder verurteilt wurde, falls man seine Fingerabdrücke genommen oder ihn auf die Liste der Sexualstraftäter gesetzt hat, wird mein Computer das morgen früh wissen.

Als ich in der Küche mein Glas nachfülle, lässt mich ein Kratzen am Fenster zusammenzucken. Ich wirbele herum, taste gleichzeitig nach meiner Waffe, die natürlich im Flur liegt, und muss dann lachen, als ich draußen auf der Fensterbank die orange getigerte Katze entdecke. Ich mache mir nichts aus Katzen, schon gar nicht aus verwahrlosten, umherstreunenden Katern, aber dieser hier hat sich geschickt mein Mitgefühl erschlichen. Er ist dreist, laut und hat nicht die leiseste Ahnung, dass er das Hässlichste ist, was Painters Mill seit Norm Johnstons Foto auf dem Wahlplakat gesehen hat. Seit Weihnachten taucht er regelmäßig auf, und weil er so erschreckend mager ist, stelle ich ihm ab und zu eine Schale Milch raus – und gelegentlich was zum Fressen. Heute Nacht sind die Temperaturen weit unter null, was mich zweifellos verpflichtet, ihn ins Haus zu lassen.

Ich gehe zur Hintertür und mache sie auf. Der getigerte Kater schießt herein, eiskalte Luft mit ihm, und sieht mich an, als wolle er fragen: Warum hat das so lange gedauert?

»Gewöhn dich lieber nicht dran«, murmele ich.

Der Kater schnurrt beim Klang meiner Stimme, und ich frage mich, warum er den Menschen noch immer traut, die ihn doch offensichtlich den Großteil seines Lebens ignoriert und misshandelt haben.

Ich bücke mich und hebe ihn hoch. Der Kater macht einen halbherzigen Versuch, mich zu beißen, was ich zu verhindern weiß, und wird dann ruhiger. Er ist nur Haut und Knochen unter dem verfilzten Fell. Beim Blick in meine Augen miaut er laut.

»Heute gibt's nur Milch, Kumpel.«

Seine Ohren sind voller alter Kampfspuren, über die gefleckte Nase zieht sich längs eine Narbe und auf einer Seite fehlen die Schnurrhaare. Ein Überlebender, der trotz aller Unbilden seiner Existenz nicht aufgibt. Sollte mich das etwas lehren?

Ich gieße Milch in eine Schale, schenke mir selbst noch einen Wodka ein, setze den Kater auf den Boden und proste ihm zu. »Der ist auf eine gute Nacht.«

12. KAPITEL

Die Vögel vor dem Fenster klingen wie plappernde Kinder. Ich backe gerade Brot. Über der Spüle bauschen sich in einer Brise die gelben Gardinen. Draußen rascheln die Blätter des Ahornbaums, und ich weiß, dass es später einen Sturm geben wird. Es riecht nach frisch geschnittenem Heu, Petroleum vom Küchenherd und warmer Backhefe. Ich möchte rausgehen, doch wie immer habe ich noch zu tun.

Ich grabe meine Hände in den warmen Teig. Das Brotbacken langweilt mich, ich hätte gern ein Radio, doch das hat Datt *ausdrücklich verboten. Also summe ich eine Melodie, die ich in der Stadt im Carriage Shop gehört habe. Ein Lied über New York, und ich frage mich, wie die Welt jenseits der Kornfelder und Weiden von Painters Mill wohl aussieht. Verbotene Gedanken, aber es sind meine und ich muss sie verheimlichen.*

Ich spüre, dass jemand hinter mir ist, drehe mich um und sehe Daniel Lapp in der Tür stehen. Er trägt dunkle Hosen mit Hosenträgern und ein graues Arbeitshemd. Ein breitkrempiger Strohhut bedeckt seinen Kopf. Er sieht mich an, wie ein Mann eine Frau ansieht. Ich lächele, obwohl ich weiß, dass ich es nicht sollte.

»Gott wird dir nicht vergeben«, sagt er.

Da bemerke ich den größer werdenden roten Fleck auf seinem Hemd. Blut, wird mir klar. Ich will weglaufen, doch meine Füße sind wie festgenagelt. Ich blicke nach unten und sehe, dass ich in einer Blutlache stehe. Rote Flecken sind an den Gardinen, rote Handspuren auf der Ablage, rote Spritzer auf meinem Kleid.

Vor dem Fenster krächzt eine Krähe und fliegt weg. Ich spü-

re Daniels Atem an meinem Ohr. Ich höre schmutzige Worte, deren Sinn ich nicht verstehe.

»Mörderin«, flüstert er. »Mörderin.«

Schweißnass gebadet wache ich auf. Einen Moment lang bin ich vierzehn Jahre alt, hilflos, panisch und voller Scham. Ich werfe die Decke zurück, setze mich auf und stelle die Füße auf den Boden. In der Stille des Schlafzimmers höre ich meinen keuchenden Atem. Übelkeit steigt in mir auf, doch ich kämpfe gegen sie an. Langsam verflüchtigt sich der Traum.

Das Gesicht in die Hände vergraben, bleibe ich einen Moment auf der Bettkante sitzen. Ich hasse diesen Albtraum, hasse vor allem, dass er noch immer die Macht besitzt, mich auf eine verängstigte Jugendliche zu reduzieren. Ich atme tief ein, rufe mir ins Gedächtnis, wer ich bin. Eine erwachsene Frau. Eine Polizistin.

Der kalte Schweiß lässt mich frösteln. Ich stehe auf, um mich anzuziehen, und schwöre dem Gott, den ich verlassen habe – der mich verlassen hat –, dass ich mich nie wieder schämen und so hilflos sein werde.

* * *

Der Tag eines Farmers in Painters Mill beginnt früh. Um Punkt sieben stehe ich vor der Doppelglastür von *Quality Implement and Farm Supply* und mache mir Gedanken über das Gespräch, das ich gleich mit Donny Beck führen werde. Auf dem Schild an der Tür steht, dass der Laden um sieben Uhr öffnet. Montags bis samstags. Jemand hat sich verspätet. Ich klopfe mit dem Schlüssel an die Tür.

Eine kleine Frau im roten Kittel mit einem Namensschild, auf dem »Dora« steht, lächelt mich durch die Glastür an. Die Schlüssel in ihrer Hand klimpern beim Aufschließen. »Guten Morgen«, sagt sie. »Sie sind die erste Kundin heute.«

Ich zeige ihr meine Dienstmarke. »Ich muss mit Donny Beck sprechen. Ist er hier?«

Ihr Lächeln verschwindet. »Er ist im Pausenraum und trinkt Kaffee.«

»Wo?«

»Hinten im Laden.« Sie zeigt in die Richtung. »Soll ich Sie hinführen?«

»Ich finde es schon selbst.« Ich setze mich in Bewegung. Es ist ein schöner Laden, in dem ich ab und zu Blumen, Töpfe oder Handwerkszeug kaufe, und unsere Polizeidienststelle bezieht von hier die Autoreifen für die Dienstfahrzeuge. Aber hauptsächlich verkauft Quality Implement Farmbedarf: Pflugscharen, Traktorreifen, Zäune, Bohrer.

Im hinteren Teil des Ladens steigt mir der Gummigeruch neuer Reifen in die Nase. Ich gehe nach rechts, zwischen massiven, bis zur Decke reichenden Regalen mit Reifen aller Art und Größe hindurch. Aus der offenen Tür am Ende des Gangs dringt Gelächter. Ich bin extra zu Geschäftsbeginn gekommen, damit Beck sich die Antworten auf meine Fragen über Amanda Horner nicht schon vorher zurechtlegen kann.

Donny ist im Pausenraum und verschlingt gerade ein Frühstückssandwich aus dem Diner. Ihm gegenüber sitzt eine zierliche junge Blondine in einem Quality-Implement-Kittel und schlürft Cola durch einen Strohhalm. Beide blicken auf, als ich eintrete. Beck vergisst, in das Sandwich vor seinem Mund zu beißen – er weiß, warum ich hier bin.

Ich blicke die junge Frau an. »Können Sie uns einen Moment allein lassen?«

»Okay.« Sie nimmt die Cola und verlässt den Raum.

Ich schließe die Tür hinter ihr und bin allein mit Donny Beck.

»Sie wollen bestimmt mit mir über Amanda reden«, sagt er und schluckt heftig.

Ich nicke. »Ich bin Kate Burkholder, Chief of Police.«

»Ich weiß, wer Sie sind. Sie haben meinem Dad mal 'nen Strafzettel für zu schnelles Fahren gegeben.« Er steht auf und hält mir über den Tisch die Hand hin. »Ich bin Donny Beck. Aber das wissen Sie ja.«

Als ich seine Hand schüttele, ist sie schweißnass, doch sein Händedruck ist fest. Er wirkt wie ein anständiger junger Mann. Ein Junge vom Land, der wahrscheinlich mit dem Geld, das er hier verdient, seinen Wagen frisiert und samstagnachts mit einem Höllenlärm durch die Gegend kurvt. »Wann haben Sie Amanda das letzte Mal gesehen?«, frage ich.

»An dem Abend, als wir Schluss gemacht haben. Vor ungefähr sechs Wochen.«

»Wie lang waren Sie zusammen?«

»Sieben Monate.«

»War es ernst?«

»Das dachte ich jedenfalls.«

»Wer hat mit wem Schluss gemacht?«

»Sie mit mir.«

»Und warum?«

»Sie wollte aufs College gehen. Sie wollte frei sein.« Er verzieht das Gesicht. »Sie hat gesagt, sie würde mich nicht lieben.«

»Waren Sie wütend, als sie Sie fallengelassen hat?«

»Nein, ich meine, ich war wie vor den Kopf gestoßen, aber nicht wütend.«

»Tatsächlich? Warum nicht?«

Ein erstickter Laut kommt aus seinem Mund. »So bin ich nicht.«

»Haben Sie sie geliebt?«

Leidenschaft blitzt in seinen Augen auf, und er sieht hinab auf sein halb gegessenes Sandwich. »Yeah, ich glaube schon.«

»Haben Sie mit ihr geschlafen?«

Zu meiner Überraschung wird Donny rot. Er nickt.

»Hat sie noch mit anderen geschlafen?«

»Ich glaube nicht.«

»Haben Sie sich gestritten?«

»Nein.« Als hätte er sich selbst bei einer Lüge ertappt, sieht er mich an. »Na ja, schon. Manchmal, aber nicht oft. Sie war ziemlich unbekümmert.« Er zuckt die Schultern. »Ich war verrückt nach ihr.«

»Hatte sie Feinde?«

Er schüttelt den Kopf. »Alle mochten Amanda. Sie war nett. Es hat Spaß gemacht, mit ihr zusammen zu sein.«

»Wo waren Sie Samstagabend?«

»Ich war mit meinem Dad und meinem jüngeren Bruder in Columbus.«

»Was haben Sie da gemacht?«

»Wir waren bei einem Basketballspiel. Special Olympics. Mein Bruder ist behindert.«

»Haben Sie dort übernachtet?«

»Yeah.«

»Und wo?«

»Im Holiday Inn an der Interstate 23.«

»Sie wissen, dass ich das überprüfe.« Ich schreibe alles auf.

»Kein Problem. Wir waren dort.«

»Als Amanda Ihnen sagte, sie wolle keine feste Bindung, waren Sie da eifersüchtig?«

»Nein – na ja, ein bisschen. Wenn ich mir vorgestellt habe, dass sie mit anderen ausgeht. Aber nicht so.«

»Wie meinen Sie das?«

»Ich könnte Amanda niemals weh tun. Lieber Gott, nicht auf diese Weise.« Er schaudert beim letzten Wort.

»Auf diese Weise?«

»Ich hab gehört … was er mit ihr gemacht hat.«

»Von wem haben Sie das gehört?«

»Die Kellnerin vom Diner hat gesagt, er … Sie wissen schon.« Auf seiner Stirn und Oberlippe stehen Schweißperlen. Er wickelt das Sandwich in eine Serviette und wirft es in den Mülleimer. »Macht mich krank.«

»Ich möchte, dass Sie jetzt scharf nachdenken, Donny. Ist es möglich, dass Amanda einen neuen Freund hatte?«

Er schüttelt den Kopf. »Kann ich mir nicht vorstellen. Sie war nicht verrückt nach Männern oder so. Amanda war vernünftig.«

»Sie glauben also nicht, dass sie Sie angelogen hat?«

»Sie wollte, dass wir Freunde bleiben.« Er hebt eine Schulter, lässt sie wieder sinken. »Das war meiner Meinung nach immer noch besser, als sie gar nicht mehr zu sehen.« Seine Augen werden feucht. »Aber das ist jetzt auch egal. Ich sehe sie sowieso nie wieder.«

Ich stecke meinen Notizblock in die Jackentasche. »Verlassen Sie nicht die Stadt, okay?« Unsere Blicke treffen sich. In seinen Augen sehe ich einen Schmerz, den ein zweiundzwanzig Jahre alter Junge vom Land wohl kaum vortäuschen kann. Ich habe das für mich untypische Bedürfnis, ihn zu trösten.

»Glaubt die Polizei, dass ich es war?«, fragt er.

»Ich möchte einfach nur, dass Sie gegebenenfalls für weitere Fragen zur Verfügung stehen.«

Er lehnt sich auf dem Stuhl zurück und wischt sich mit dem Handrücken über die Augen. »Ich hab sowieso nicht vor, irgendwo hinzugehen.«

Ich gebe ihm meine Visitenkarte. »Falls Ihnen noch was einfällt, rufen Sie an.«

Er blickt auf die Karte. »Ich hoffe, Sie erwischen den Drecksack, der ihr das angetan hat. Amanda hat es nicht verdient, so zu sterben.«

»Das stimmt.« Beim Gehen streiche ich Donny Beck im Geiste von der Liste der Verdächtigen.

* * *

Als ich im Polizeirevier eintreffe, ist es noch nicht mal acht Uhr. Glocks Streifenwagen steht auf seinem Stammplatz, daneben Monas Ford Escort, bedeckt mit einer dünnen Schneeschicht. Ich bin gespannt, welche neue Katastrophe mich drinnen erwartet.

Mona sieht bei meinem Eintreten vom Telefon auf. »Hallo, Chief, es gibt Nachrichten für Sie.«

»Damit hatte ich jetzt nicht gerechnet.« Sie reicht mir ein Dutzend Zettel.

Ihr hoch zusammengebundenes Haar ergießt sich in Ringellöckchen um den Kopf. Sie trägt einen Lippenstift, der beinahe so schwarz ist wie ihr Nagellack, und der rotbraune Eyeliner lässt ihre Augen pinkfarben erscheinen. »Norm Johnston ist sauer, weil Sie auf seine Anrufe nicht reagieren, Chief. Und ich krieg's ab.«

»Hat er gesagt, was er will?«

»Ihren Kopf auf einem Silbertablett, vermute ich mal.«

Ich sehe sie fragend an.

»Ist nur so eine Ahnung.«

Ich lache. »Wo ist Glock?«

Sie blickt hinab auf die Telefonanlage, wo ein einzelnes rotes Licht leuchtet. »Am Telefon.«

»Wenn er auflegt, sagen Sie ihm, er soll mich anrufen.« Ich gehe zur Kaffeemaschine und schenke mir die größte Tasse ein, die ich finde. In meinem Büro mache ich den Computer an und hänge die Jacke über den Stuhl. Ich bin gespannt, ob OHLEG einen Treffer bei Daniel Lapp gelandet hat.

Sobald ich mich eingeloggt habe, wird meine Hoffnung zunichtegemacht. Falls Lapp noch lebt, ist er sehr vorsichtig und benutzt wahrscheinlich auch einen anderen Namen. Vielleicht hat er sogar die Identität eines anderen angenommen oder benutzt eine gefälschte Sozialversicherungsnummer. Normalerweise würde ich anfangen, sein Foto im Ort rumzuzeigen. Aber ich kann nicht riskieren, Fragen aufzuwerfen. Die Leute würden wissen wollen, warum ich mich nach einem Mann erkundige, der seit sechzehn Jahren nicht mehr hier gesehen wurde. Sie würden zwei und zwei zusammenzählen, und Daniel Lapp würde aus der Versenkung auftauchen wie ein amischer Jack the Ripper.

Ich wähle Norm Johnstons Nummer. Millers Teich wäre ein geeignetes Grab, schön groß und mit schlammigem Grund.

Johnston nimmt nach dem ersten Klingeln ab. »Seit fast zwei Tagen versuche ich, Sie zu erreichen, Chief Burkholder.«

»Der Mordfall hält mich auf Trab. Was kann ich für Sie tun?«

»Der Stadtrat und der Bürgermeister wollen sich mit Ihnen treffen. Heute.«

»Norm, das passt mir wirklich schlecht, ich muss –«

»Bei allem Respekt, Kate, Sie sind verpflichtet, uns auf dem Laufenden zu halten. Wir wollen wissen, wie die Ermittlungen vorangehen.«

»Wir verfolgen mehrere Spuren.«

»Gibt es einen Verdächtigen?«

»Ich gebe eine Pressemitteilung heraus –«

»Darin steht doch nur Wischiwaschi.«

Ich seufze. »Um ehrlich zu sein, ich hab nicht viel.«

»Dann wird das Meeting nicht lange dauern. Ich bestelle alle für zwölf Uhr in mein Amtszimmer. Nach zwanzig Minuten können Sie gehen.«

Er legt auf, ohne meine Antwort abzuwarten und ohne mir zu danken. Er ist immer noch sauer, weil ich ihn wegen Trunkenheit am Steuer drangekriegt habe. Selbstsüchtiger Mistkerl.

»Chief?« Ich bin so in Gedanken versunken, dass ich Mona nicht habe kommen hören. »Jemand möchte Sie sprechen.«

Etwas in ihrem Blick lässt meine Alarmglocken läuten. *Und jetzt?*, denke ich. Plötzlich taucht meine Schwester in der Tür auf. Ich bin seit über zwei Jahren Polizeichefin von Painters Mill, und in der ganzen Zeit haben mich weder Sarah noch mein Bruder hier besucht. Im ersten Moment traue ich meinen Augen nicht. Dann fällt mir das Gespräch mit Jacob letzte Nacht ein.

»Hallo, Katie.« Sarah trägt ein marineblaues Kleid mit einer schwarzen Schürze und einen schweren Winterumhang. Unter der traditionellen amischen *Kapp* ist ihr blondes Haar streng in der Mitte gescheitelt und im Nacken zu einem Knoten gebunden. Sie ist zwei Jahre älter als ich, hübsch und erwartet in etwas über einem Monat ihr erstes Kind.

Ich stehe auf, gehe um den Schreibtisch herum, ziehe den Besucherstuhl hervor und schließe die Tür. »Setz dich.« Nach einem kurzen, unbehaglichen Schweigen frage ich: »Wie fühlst du dich?« Es ist eine heikle Frage, denn es ist nicht Sarahs erste Schwangerschaft. Ich weiß von drei anderen. Jedes Mal hatte sie Ende des zweiten Trimesters eine Fehlgeburt.

Sie lächelt. »Ich glaube, Gott will, dass ich dieses Baby bekomme.«

Ich lächele ebenfalls. Sie wird bestimmt eine gute Mutter; hoffentlich bekommt sie die Chance. »Bist du ganz allein mit der Kutsche in die Stadt gefahren?«

Sie nickt, wendet kurz den Blick ab, und ich bin sicher, dass sie gegen den Willen ihres Mannes gekommen ist. »William ist auf der Pferdeauktion in Keene.«

»Verstehe.« Schweigend beobachte ich, wie sie mit sich kämpft – weshalb ist mir nicht ganz klar.

»Ich habe mit Jacob gesprochen«, beginnt sie schließlich. »Er hat gesagt, ihr seid zum Getreidespeicher gefahren. Dass Daniel Lapp vielleicht noch lebt.«

»Das ist nur eine Theorie.« Mein Blick wandert immer wieder zur Tür, um sicherzustellen, dass niemand etwas mitbekommt.

Sie fährt fort, als hätte sie meine Worte nicht gehört. »All die Jahre haben wir geglaubt, er ist bei Gott.«

Gott. Dieses Wort bringt meinen Geduldsfaden fast zum Reißen. Ich will ihr sagen, dass der Mistkerl, der mich vergewaltigt hat, in der Hölle schmort, wo er hingehört. »Selbst wenn er tot ist, bezweifle ich, dass er bei Gott ist.«

»Katie.« Sie sieht mir in die Augen. »Jemand war in der Scheune. Vor drei Tagen.«

Meine Nackenhaare stellen sich auf. »Wer?«

»Ich weiß es nicht.«

»Erzähl mir, was passiert ist.«

»Ich war gerade beim Melken, da hab ich die Klappe der Heurutsche zufallen hören. Als ich nachgesehen habe, war niemand da. Aber im Schnee gab es Schuhspuren.«

»Stammten sie von einem Mann?«

»Ich glaube schon. Die Schuhe waren groß.«

»Warum hast du mir das nicht schon früher gesagt?«

»Zu der Zeit kam es mir nicht wichtig vor. Aber jetzt ...« Sie wendet den Blick ab. Als sie mich wieder ansieht, ist sie nervös. »Glaubst du, es könnte Daniel gewesen sein? Ist er zurück und bringt wieder Menschen um?«

Die Möglichkeit, dass Lapp nicht nur am Leben, sondern auch eine Bedrohung für meine Familie sein könnte, fügt dem Ganzen eine neue, beängstigende Dimension hinzu.

»Und wenn er wütend auf uns ist und auf Rache sinnt?« Sie senkt die Stimme. »Katie, ich möchte dich nicht mit meinen Ängsten belasten, aber ich finde, es ist an der Zeit, dass du deiner *englischen* Polizei von Lapp erzählst.«

Ich zucke zusammen. »Nein.«

»Du musst ja nicht ... alles sagen.«

»*Nein.*« Das Wort kommt schärfer heraus als beabsichtigt, doch ich nehme es nicht zurück. »Bitte mich nicht darum.«

Sarah hält meinem Blick stand. »Und wenn Daniel zurückkommt? Wenn er versucht, mich oder William zu verletzen?« Sie legt die Hand auf ihren dicken Bauch. »Ich muss an dieses Kind denken.«

In meinen Eingeweiden gerinnt die Angst wie saure Milch. Ich überlege, wie ich sie beruhigen kann. Worte fallen mir keine ein, und so beuge ich mich zu ihr hin, nehme ihre Hand und senke die Stimme. »Sarah, hör mir zu. Jacob glaubt, dass Daniel damals gestorben ist. Und ich auch.«

»Aber warum hast du dann seinen Leichnam gesucht?«

Mein Verstand sucht verzweifelt nach Antworten, die es nicht gibt. »Ich kann dir nur sagen, dass ich eine gute Polizistin bin. Bitte, vertraue mir. Lass mich das auf meine Weise handhaben.«

Mein Telefon klingelt wieder. Die Lämpchen von drei Leitungen blinken um die Wette, doch ich konzentriere mich weiter auf meine Schwester. »Du weißt, dass ich alles tue, damit ihr in Sicherheit seid.«

»Wie kannst du alles für unsere Sicherheit tun, wenn du nicht einmal weißt, wo er ist?«

Es schmerzt mich, ihr nicht die Antworten geben zu können, die sie braucht. Ein Klopfen an der Tür rettet mich. »Sarah, es tut mir leid.« Ich lasse ihre Hand los. »Ich muss wieder an die Arbeit. Wir reden später weiter.«

»Ich glaube nicht, dass das warten kann.«

»Bitte, gib mir einfach nur etwas Zeit.«

Die Tür geht auf und Mona kommt herein. »Tut mir leid, Chief. Ich wollte nur sagen, dass der Sheriff angerufen hat.« Sie reicht mir die rosa Telefonzettel.

»Können Sie T. J. bitten, Sarah nach Hause zu begleiten?«, frage ich Mona.

Sarah sieht mich betreten an. »Das ist nicht notwendig.«

»Es wäre mir aber lieber. Die Straßen sind teilweise vereist.«

Mona grinst Sarah an. »Kommen Sie, Schwester Sarah, wir gehen T. J. suchen.«

Ich sehe meiner Schwester hinterher und versuche, ruhig zu bleiben, doch es gelingt mir nicht. Wer war in ihrer Scheune und warum? Hat sie recht, was Lapp angeht? Nimmt er meine Familie aufs Korn? Ist sie in Gefahr? Die möglichen Antworten auf diese Fragen jagen mir Angst ein.

... es ist an der Zeit, dass du deiner englischen Polizei von Lapp erzählst.

Sarahs Worte hallen in meinem Kopf wider wie Hammerschläge auf Blech. Sie versteht die Auswirkungen nicht, die mein Geständnis haben würde, sage ich mir. Meiner Karriere würde irreparabler Schaden zugefügt. Meinem Ruf, meiner Glaubwürdigkeit. Diesem Fall. Vielleicht würde ich sogar ins Gefängnis kommen. Und nicht zu vergessen das Leid meiner Familie. Wenn Lapp wirklich tot ist, wäre mein Geständnis zudem völlig nutzlos.

Die Vergangenheit wachzurufen würde nichts bringen.

Überhaupt nichts.

* * *

Als ich zehn Minuten später bei Glock vorbeischaue, sitzt er, den Telefonhörer ans Ohr gedrückt, am Schreibtisch und gibt mir mit der Hand zu verstehen, nicht wegzugehen. Als er dann auflegt, schüttelt er den Kopf. »Das war das BCI-Labor in London.«

»Irgendwas Positives bei den Reifen- oder Schuhabdrücken?«

»Sie haben den Teilabdruck eines Reifens, der mit keinem von unseren Fahrzeugen, die am Tatort waren, übereinstimmt.«

Mein Herz schlägt schneller. »Können sie schon was über den Hersteller sagen?«

»Der Reifenspezialist arbeitet daran.« Er zuckt die Schultern. »Die Chancen stehen fifty-fifty, dass sie das Profil identifizieren können.«

Das ist zwar keine berauschende Neuigkeit, aber im Moment bin ich für alles Positive dankbar. »Ich fahre zu Scott Brower.«

Brower war an dem Abend, als Amanda Horner verschwand, im Brass Rail. Er ist von besonderem Interesse, weil er schon öfter verhaftet wurde, einmal war auch ein Messer im Spiel. »Wollen Sie mitkommen?«

»Auf jeden Fall. Laden Sie mich zum Frühstück ein?«

»Wenn's schnell geht.«

Zehn Minuten später sind wir mit dem Explorer auf dem Weg zu Mr Lube, der Autowerkstatt, wo Brower als Schlosser arbeitet. Neben mir hat Glock gerade seinen Frühstücks-Burrito aufgegessen und stopft die Serviette in die Tüte.

»Und wie lief es mit Donny Beck?«, fragt er.

Ich erzähle ihm von meiner Unterhaltung mit dem Jungen. »Ich glaube nicht, dass er's war.«

»Hat er ein Alibi?«

»Ich muss es noch überprüfen, aber ich glaube, es ist hieb- und stichfest.«

»Vielleicht haben wir mit Brower mehr Glück.«

Mr Lubes Autowerkstatt befindet sich in einem baufälligen Gebäude im Gewerbegebiet an der Bahnstrecke. Der dazugehörige Parkplatz ist teils geteert, teils mit Schotter aufgeschüttet und nur notdürftig vom dreckigen Schnee geräumt. Ein blauer Chevy Nova, Baujahr zirka 1969, thront auf Betonblöcken. Daneben steht ein Mann im braunen Overall, den Kopf über einen Lastwagenmotor gebeugt.

Ich parke den Wagen neben dem Rolltor und wir steigen aus, wobei Glock noch tiefer in seine Uniformjacke versinkt. »Ich hasse Schnee«, murmelt er.

Beim Öffnen der Tür erklingt eine Glocke. Hinterm Tresen steht ein dicker Mann mit schlimmer Akne, der sich gerade über eine Schachtel Donuts hermacht. »Kann ich helfen?«

»Ich suche Scott Brower.« Ich zeige ihm meine Dienstmarke, wobei ich das klebrige Zeug in seinem Mundwinkel zu ignorieren versuche.

»Was hat er jetzt wieder angestellt?«

»Ich will nur mit ihm reden. Wo ist er?«

»In der hinteren Werkstatt.«

Glock und ich drehen uns gleichzeitig um.

»Wenn er was angestellt hat, will ich's wissen!«, schreit er uns nach.

Ohne zu antworten, schließe ich die Tür hinter uns. Wir folgen einem Pfad aus plattgetrampeltem Schnee. Das Gebäude sieht aus, als hätte es nur knapp einen Tornado überstanden. Eine Platte der Blechabdeckung hat sich teilweise gelöst und baumelt geräuschvoll im Wind. Drinnen rattert irgendein Elektrowerkzeug. In der Hoffnung, dass Brower allein ist, schiebe ich das Tor auf und gehe hinein.

Aus einem Heizgerät schlägt mir heiße Luft entgegen, die nach Motorenöl und Dieselbenzin stinkt. Drei Wände sind mit Stahlregalen gesäumt, Neonröhren an der Decke sorgen für Licht. Über der Werkbank hängt ein Kalender von 1999 mit einem Foto von zwei nackten Frauen beim Oralsex. Jeder Zentimeter in diesem Raum ist entweder mit Werkzeug oder Gerümpel vollgestellt. In der Mitte steht Brower an einer Tischsäge und schiebt mit aller Kraft ein Stück Stahl durchs Sägeblatt, wobei heftig Funken sprühen.

Ich warte, bis er fertig ist, und spreche ihn dann an. »Scott Brower?«

Er hebt den Kopf, und ich bin überrascht, wie freundlich er aussieht. Er hat das Gesicht eines Kindes, die Augen eines kleinen Hundes, eine Stupsnase und einen ausgesprochen weiblichen Mund. Er ist zweiunddreißig Jahre alt, wirkt aber jünger. Sein Blick wandert von mir zu Glock und wieder zu mir. »Wen interessiert das?«

»Die Polizei.« Ich halte meine Dienstmarke hoch. »Ich muss Ihnen ein paar Fragen stellen.«

»Worum geht's?«

»Waren Sie Samstagabend im Brass Rail?«

»Genau wie ein paar Hundert andere auch. Ich wusste nicht, dass das ein Verbrechen ist.«

Ich knirsche mit den Zähnen, doch meine Stimme bleibt ruhig. »Haben Sie sich mit einer Frau namens Amanda Horner unterhalten?«

»Ich hab mit 'ner Menge Puppen geredet, aber an eine Amanda kann ich mich nicht erinnern.«

»Dann werde ich Ihr Gedächtnis auffrischen.« Ohne meinen Blick von ihm zu wenden, halte ich ihm das Foto der toten Amanda Horner auf dem Seziertisch vor die Nase. »Erinnern Sie sich jetzt?«

Er zeigt keinerlei Regung beim Anblick der toten Frau. »Darum geht's also. Die Puppe, die umgebracht wurde.«

»Worüber haben Sie mit ihr geredet?«

»Weiß ich nicht mehr.«

»Vielleicht hilft eine Fahrt zum Polizeirevier Ihrem Gedächtnis auf die Sprünge.«

Er blickt panisch zur Tür. »He, Mann –«

»Ich bin kein Mann«, fahre ich ihn an. »Ich bin Polizistin. Und hören Sie auf, sich wie ein Idiot zu benehmen, und beantworten Sie meine Fragen.«

»Okay.« Er hebt beide Hände. »Also gut, ich hab sie angemacht. Wir haben geflirtet, aber mehr nicht, ich schwör's.«

Glock sieht sich derweil in der Werkstatt um, wirft einen Blick in die Mülltonne und öffnet einen Werkzeugkasten. Ich bin dankbar, dass er mitgekommen ist. Scott Brower gefällt mir nicht, ich misstraue ihm. Und ich könnte wetten, dass sich hinter diesem Kindergesicht ein widerliches Ekel verbirgt.

»Haben Sie manchmal Wutanfälle, Scotty?«

Sein Blick signalisiert Vorsicht. »Manchmal. Wenn mich jemand verarschen will.«

»Hat Amanda Sie verarscht?«

»Nein.«

»Hat Ihre Chefin bei Agri-flo Sie verarscht?«

Sein Gesicht verdüstert sich. »Ich hab keine Ahnung, wovon Sie reden.«

»Sie haben gedroht, ihr die Kehle durchzuschneiden. Kommt Ihnen das irgendwie bekannt vor?«

»Ich hab's nicht gemacht, Mann.«

»Ich hab Ihnen gesagt, reden Sie mich nicht so an.«

Sein Kindergesicht verzieht sich zu einer hässlichen Fratze, lässt seinen wahren Charakter durchscheinen. Er wird unruhig. Ich hab ihn da, wo ich wollte. »Was soll das alles?«, fragt er.

»Um wie viel Uhr haben Sie das Brass Rail Samstagabend verlassen?«

»Ich weiß es nicht. Mitternacht. Vielleicht eins.«

»Besitzen Sie ein Messer?«

Er blickt sich um, ein Fuchs, der gleich von Jagdhunden zerrissen wird. »Ich glaube ja.«

»Was soll das denn heißen? Sie wissen es nicht? Sie erinnern sich nicht? Sie müssen doch wissen, ob Sie ein Messer besitzen oder nicht.«

Glock geht dicht hinter ihm vorbei. »Vielleicht versuchen Sie's mal mit Ginkgopillen, Kumpel, soll gut fürs Gedächtnis sein.«

Brower grinst höhnisch. »Ist ja gut. Ich hab eins … bloß 'ne Weile nicht gesehen.«

»Haben Sie's verloren? Oder vielleicht entsorgt?«

»Also wahrscheinlich liegt's irgendwo bei mir zu Hause rum.«

Ich sehe Glock an. »Wir brauchen wohl einen Durchsuchungsbeschluss.«

»Sieht so aus«, erwidert er.

Brower blickt von mir zu Glock und wieder zu mir. »Warum behandelt ihr mich so beschissen?«

»Weil ich das darf. Weil Sie schlecht riechen. Weil ich glaube, dass Sie ein lügendes Stück Scheiße sind. Brauchen Sie noch mehr Gründe?«

Er starrt mich an, das Gesicht jetzt tiefrot. »So dürfen Sie nicht mit mir reden.«

Ich blicke über meine Schulter hinweg Glock an. »Hab ich irgendwas Unangemessenes gesagt?«

»Vielleicht ist er sensibel, Chief.«

»Leck mich«, zischt Brower in Glocks Richtung. »Scheiß Niggerbulle.«

Glock lacht nur. Doch mir reicht's. Ich hasse nichts mehr als Rassisten. Selbst wenn der Typ Amanda Horner nicht umgebracht hat, ist er ein übler Scheißkerl. Ich werde ihm den Tag versauen. Die Woche. Den ganzen Monat, wenn ich's schaffe. »Tragen Sie irgendwelche Waffen bei sich, Scotty?«

»Nein.« Er versenkt die Hände in den Hosentaschen.

»Lassen Sie die Hände da, wo ich sie sehen kann.«

Er ignoriert meine Anweisung, tritt stattdessen einen Schritt zurück, um Raum zwischen uns zu schaffen. Ich lege die Hand auf den Schlagstock an meinem Gürtel, würde ihm gern einen kleinen Stromschlag verpassen, aber Elektroschockpistolen sind im Budget von Painters Mill nicht drin. »Ich sage es nicht noch mal.«

Als mir klar wird, dass er meiner Aufforderung nicht nachkommt, fängt mein Herz an zu rasen. Adrenalin durchflutet meinen Körper mit solcher Gewalt, dass ich bebe. Ich trete auf ihn zu und er haut ab.

Glock und ich rennen gleichzeitig los wie zwei Sprinter nach dem Startschuss. Brower ist beweglich und schnell. Er fegt durch die Hintertür, kippt uns dabei ein Regal vor die Füße und spurtet auf eine Gasse zu.

Ich mache einen Satz über das Regal und folge ihm durch die Tür. Aus dem Augenwinkel sehe ich, wie Glock stolpert und hinfällt, doch mein Blick bleibt auf Brower geheftet: blauer Overall, die Arme angewinkelt, ab und zu ein Blick über die Schulter. Der Boden ist glitschig vom Schnee, ich rutsche aus, fange mich aber wieder und laufe weiter. Hinter mir schreit jemand, doch ich konzentriere mich zu sehr auf die Verfolgungsjagd, um es zu verstehen.

Zu meiner Überraschung hole ich auf. Ich stelle mir vor, wie ich ihn niederwerfe, die Knie in seinen Rücken ramme und ihm Handschellen anlege. Aber ich habe schon genug Verfolgungsjagden hinter mir, um zu wissen, dass so was nie nach Plan läuft.

Nach fünfzehn Metern teilt sich die Gasse. Brower wendet sich nach rechts. Ich laviere mich zwischen Mülltonnen durch und hole weitere drei Meter auf. »Stehen bleiben!«, schreie ich.

Er rennt weiter.

Noch vier Meter und ich bin nahe genug, um ihn zu packen. Mein Herz hämmert. Adrenalin rauscht wie eine Propellermaschine in meinen Ohren. Er rutscht mit dem linken Fuß aus, wird langsamer. Ich hechte auf ihn, schlinge die Arme um seine Hüften und bohre meine Schulter in seinen Rücken.

Ein undeutlicher Laut entweicht seinem Mund. Im Fallen macht er eine Drehung und packt mich so hart bei den Schultern, dass ich bestimmt blaue Flecken kriege. Seine Finger umschließen mich wie ein Schraubstock. »Lass verdammt noch mal los, du amische Schlampe.«

Wir knallen auf den Boden und schlittern über den Schnee. Der Aufprall nimmt mir den Atem, ich habe Schnee in Augen und Mund. Instinktiv und blind schaffe ich es auf die Knie, ziehe den Schlagstock aus der Schlinge und hole aus. Doch ich bin zu langsam. Sein Schlag trifft mich voll ins Gesicht, meine Nase macht Bekanntschaft mit seiner hammerharten Faust, mein Kopf dröhnt höllisch und kippt nach hinten, Brower entgleitet mir.

Mein Schlagstock schnellt pfeifend durch die Luft und landet auf seinem Schenkel. »Bullenschlampe«, knurrt er wie ein Tier und holt aus zum nächsten Schlag, den ich mit hochgehaltenem Knüppel erwarte.

Glock kommt von der Seite wie ein 40-Tonner, der einen Käfer niederwalzt. Ich robbe aus der Kampfzone. Schnee fliegt. Ein sehr unmännlicher Schrei durchschneidet die Luft. Mit dem Geschick eines Schwergewicht-Wrestlers dreht Glock Brower auf den Bauch, stößt ihm die Knie in den Rücken und packt sein Handgelenk.

»Hör auf, dich zu wehren!«, schreit Glock.

Ich blinzele die Tränenreste vom Schlag auf die Nase weg, krieche mit den Handschellen in der Faust zu den Männern und lasse sie um Browers Handgelenke zuschnappen.

Auf seinem Rücken ist Blut. Als mir klar wird, dass es meins ist, wische ich mit dem Ärmel über meine Nase und stelle entsetzt fest, dass sie leckt wie ein kaputtes Rohr.

»Alles okay, Chief?«

Ich blicke auf den Boden. Blut tropft in den Schnee. Ich nehme wieder den Ärmel, verschmiere aber alles nur noch schlimmer. »Sobald ich meine Augäpfel wiedergefunden habe, lasse ich Sie's wissen.«

»Ich hab ihn fest im Griff, Sie können sich um Ihr Nasenbluten kümmern.«

Weil ich feuchte Augen habe und nicht will, dass er das falsch interpretiert, stapfe ich zurück zur Werkstatt. Hinter mir höre ich, wie Glock Brower befiehlt aufzustehen.

Blut läuft mir in den Mund, ich spucke es vor der Werkstatt aus. Drinnen sehe ich mich nach etwas um, womit ich das Blut stillen kann, und entdecke einen Papierhandtuchhalter mit blauen, groben Papiertüchern. Ich ziehe ein paar raus und drücke damit die Nasenlöcher zusammen.

»Du meine Güte, Chief, Sie sehen aus, als wären Sie gerade Mike Tyson in die Quere gekommen.«

Das ist T. J., der da in der Tür steht.

»Yeah, Sie sollten erst mal den anderen sehen«, murmele ich. »Was machen Sie hier?«

»Glock hat per Funk Hilfe angefordert.« T. J. tritt zu mir, zieht ein Taschentuch aus der Hose und hält es mir hin. »Hier, nehmen Sie.«

»Das können Sie hinterher wegschmeißen.«

»Ich hab noch mehr davon. Meine Mutter schenkt mir jede Weihnachten neue.«

Ich werfe die blutigen Papiertücher in den Mülleimer und halte mir das Taschentuch unter die Nase. »Danke.«

Glock und Brower kommen durch die Hintertür herein. Eine birnengroße Schürfwunde ziert Browers Stirn. Seine Haare sind nass vom Schnee. Er guckt wie ein Pitbull, der gerade von einer Horde wilder Zwergpinscher die Hucke vollgekriegt hat.

Glock stößt ihn vorwärts. »Hat Ihnen niemand beigebracht, dass man Mädchen nicht schlägt?«

Der Akne-Mann steht bei der Tür und reckt den Hals, um uns besser sehen zu können. »Hat der Scheißkerl etwa 'ne Polizistin geschlagen?«

Ich habe mich wieder im Griff, gehe zu den beiden Männern rüber und sehe Brower in die Augen. »Wollen Sie uns sagen, warum Sie weggerannt sind?«

»Ich scheiß dir was.«

»Egal, ins Gefängnis kommen Sie sowieso.« Ich sehe T. J. an. »Durchsuchen und dann ab mit ihm, okay?«

»Mit Vergnügen.« T. J. ist normalerweise ziemlich gelassen, doch als er sich Brower nähert, wirkt er wütend.

Er tastet ihn schnell ab, dann durchsucht er seine Taschen und zieht ein Plastiktütchen heraus. »Sieht aus wie Methamphetamin.« T. J. hält die Tüte hoch.

Ich sehe Brower in die Augen. »Hätten Sie einfach nur unsere Fragen beantwortet und sich nicht wie ein Idiot aufgeführt, hätten wir das Zeug hier wahrscheinlich nie gefunden.«

»Ich will meinen Anwalt anrufen«, sagt er.

»Sie werden mehr als einen Anwalt brauchen, um da wieder rauszukommen.« Ich blicke auf das Taschentuch in meiner Hand und sehe erleichtert, dass die Nase nicht mehr blutet. »Lesen Sie ihm seine Rechte vor, buchten Sie ihn ein – Besitz unerlaubter Substanzen; Absicht, sie zu veräußern; tätlicher Angriff auf eine Polizistin; Versuch, sich der Verhaftung zu entziehen. Ich rufe an, wenn mir noch mehr einfällt.«

»Schlampe«, faucht Brower.

Glock gibt ihm einen Klaps auf den Hinterkopf. »Halt den Mund, Loser.«

Ich lächele. »Ach ja, und lassen Sie ihn den Anruf machen.«

»Wahrscheinlich will er mit seiner Mami sprechen«, murmelt Glock.

T. J. kommt auf mich zu, wobei er betroffen das Blut auf meiner Jacke anstarrt. Ich weiß nicht warum, aber die Besorgnis in seinem Gesicht ist mir peinlich. »Ich bin okay«, sage ich barsch.

»Es ist nur, weil … äh …« Er läuft rot an.

Ein Blick an mir hinunter verrät mir, dass meine Bluse aufklafft und der BH zu sehen ist. Ein rotes Spitzenteil, das ich aus einer Laune heraus im Katalog bestellt hatte. Schnell knöpfe ich die Uniformbluse zu und ziehe den Jackenreißverschluss bis unters Kinn. »Danke.«

T. J. hält das Plastiktütchen hoch. »Ich fahre ins Revier, mache hiervon einen Vermerk im Dienstbuch und schicke es ans BCI.«

»Sind Sie mit den Kondomen schon weitergekommen?«

»Hab den Namen des Typs, der bar bezahlt hat.« Wieder ganz Polizist, holt er seinen Notizblock aus der Tasche. »Patrick Ewell. Wohnt in der Parkersburg Road.«

»Das ist nicht weit weg vom Fundort der Leiche.«

»Ist mir auch gleich aufgefallen.«

Mein Herz schlägt schneller, eine andere Adrenalinwirkung als vorhin. »Wenn Sie im Revier sind, finden Sie raus, ob er eine Akte hat und ob es irgendeine Verbindung zwischen Ewell und Amanda Horner gibt. Überprüfen Sie, ob er Samstagabend im Brass Rail war.« Das ist viel für T. J., aber ich habe andere Dinge zu tun und Zeit ist ein wichtiger Faktor.

»Wird gemacht, Chief.« Er macht sich auf zur Tür.

In dem Moment entdecke ich Pickles neben dem Fenster. Er raucht eine Zigarette und beobachtet die Szene mit dem gelangweilten Ausdruck eines altgedienten Cops, dem nichts mehr fremd ist. Ich frage mich, wie mehr als die Hälfte meines kleinen Teams so schnell herkommen konnte.

Ich gehe auf ihn zu. Er nimmt Blickkontakt mit mir auf, rührt sich aber nicht vom Fleck. Er ist ein kleiner Mann – nicht viel größer als ein Meter fünfzig –, hat gräuliche Haare und einen Ein-Tage-Bart. Seine Augen haben die Farbe von Wanderdrosseleiern und sein Gesicht ist von tiefen Falten durchzogen. In dem altmodischen Trenchcoat und den spitzen Cowboystiefeln sieht er aus wie eine Mischung aus *Columbo* und Gus aus *Der Ruf des Adlers*.

Ich halte ihm die Hand hin, und er schüttelt sie. »Schön, dass Sie wieder da sind, Pickles.«

Er zieht an der Zigarette, dann schnippt er sie auf den Boden, doch das kurze Aufleuchten in seinen Augen entgeht mir nicht. »Ruhestand ist was für alte Leute.«

»Hat man Ihnen schon alle Informationen gegeben, die wir über den Mord haben?«

Er nickt, sein Gesicht ist ernst. »Wirklich bestialisch, was dem jungen Mädchen passiert ist. Genau wie damals. Kaum zu glauben.«

»Hatten Sie in den Neunzigern viel mit dem Fall zu tun?«

»Eher wenig. Einen Fundort hab ich gesehen. Einfach grauenhaft, kann ich nur sagen. Ich hab nie wieder so gekotzt.«

»Was hat man denn allgemein so geglaubt?« Pickles ist klug genug zu wissen, dass ich nur an Informationen interessiert bin, die nicht in den Akten stehen. Nicht verifizierbare Verdachtsmomente oder Intuitionen. Man weiß nie, wo solche Dinge hinführen.

»McCoy war sich immer sicher, dass der Typ im Schlacht-hof arbeitet, also direkt vor unserer Nase. Diese Mädchen waren geschlachtet worden wie Vieh.«

Meine Nase fängt an zu schmerzen, doch ich widerstehe der Versuchung, sie zu berühren.

»Rufen Sie J. R. Purdue von Honey Cut Meat an und las-sen Sie sich eine Liste der Leute geben, die in der Schlachterei und im Büro arbeiten. Setzen Sie sich mit Glock zusammen und vergleichen Sie die mit der Liste der Brass-Rail-Besucher vom Samstagabend.«

Zum ersten Mal wirkt Pickles aufgeregt. Wie ein alter Hund, der durch einen jungen ersetzt wurde und endlich wieder mit seinem Ball spielen darf. Er macht seine Jacke auf, zieht die Hose hoch und legt seine Waffe frei. »Ich fange sofort damit an.«

Ich berühre seine Schulter. »Danke, Pickles.«

»Wo gehen Sie jetzt hin, Chief?«

»Ins Rathaus. Krieg wahrscheinlich die Hölle heiß-gemacht.«

Pickles verzieht mürrisch das faltige Gesicht. »Lassen Sie sich nichts gefallen.«

Das ist wahrscheinlich leichter gesagt als getan, denke ich auf dem Weg zum Explorer.

13. KAPITEL

Beim Aufwachen hatte Ronnie Stedt nur einen Gedanken: Er würde zum ersten Mal mit einer Frau schlafen. Heute sollte es passieren. Nach siebzehn Jahren würde er endlich das große Geheimnis kennenlernen. Seine Freundin, Jess, war keine Jungfrau mehr. Sie hatte ihm gestanden, es letztes Jahr mit Mike Sassenhagen gemacht zu haben, im zweiten Jahr auf der Highschool. Aber nur ein Mal, wie sie behauptete, doch das glaubte Ronnie ihr nicht. Die ganze Painters Mill Highschool redete darüber, dass Jess und Sassenhagen auf Speed gewesen wären und es wie die Kaninchen getrieben hätten.

Ronnie kümmerte das nicht. Es war ihm egal, dass seine Mom sie nicht mochte und sein Dad sie für ein leichtes Mädchen hielt. Jess' Ruf war ihm gleichgültig, und ebenso die Tatsache, dass er heute die Chemiearbeit versäumen würde. Er war verliebt, und nur das Zusammensein mit ihr zählte.

Anstatt mit dem Bus in die Schule zu fahren, hatte Ronnie sich von seinem Bruder den Pick-up geliehen, um Jess zu Hause abzuholen. Sie wollten zur alten Huffman-Farm in der Thigpen Road fahren, miteinander schlafen und danach in die Mall nach Millersburg kutschieren, wo sie erst ein bisschen bummeln und dann den Nachmittagsfilm ansehen wollten.

Seine morgendlichen Pflichten erledigte Ronnie hastig: Pferde und Kühe füttern und den Wassertrog für die Schweine auffüllen. Er duschte, benutzte reichlich Polo-Aftershave seines Vaters und zog sein bestes Hemd und die beste Hose an. Um Viertel nach acht stand er vor Jess' Haus. Sie trug die Jeans, die tief unten auf den Hüften saß und ihm so gut gefiel. Er wusste, wenn er ihren Pullover hochhob, würde ihn der Goldring in ihrem Nabel anfunkeln.

Sie kletterte in den Pick-up, gehüllt in den Duft von Obsession und Zigaretten, den er so anziehend fand. »Hallo.«

»Mein Gott, riechst du gut«, sagte er.

Sie grinste. »Hattest du Probleme wegzukommen?«

»War 'n Kinderspiel.« Er beugte sich zu ihr und küsste sie, schob die Zunge in ihren Mund. »Und du?«

»Nee.« Sie zog den Kopf zurück. »Hast du Bier dabei?«

»Und 'nen Joint.« Er fischte das Marihuana aus der Tasche, warf einen Blick in den Rückspiegel und fuhr los.

»Das wird bestimmt klasse«, sagte sie mit dem Feuerzeug in der Hand.

Der Joint war halb geraucht, als er den Pick-up in die Einfahrt der Huffman-Farm lenkte. Seit dem Tod des alten Mannes vor einem Jahr stand das Haus leer. Es gab weder Strom noch fließendes Wasser. Kein Mensch weit und breit. Der ideale Ort für ein Dienstagmorgen-Stelldichein.

Ronnie parkte hinterm Haus, holte Decke und Heizgerät vom Rücksitz und stieg aus dem Wagen. Jess nahm das Bier und das Radio und rutschte vom Sitz. »Und du bist sicher, dass uns niemand stört?«

»Machst du Witze?« Er nahm ihre Hand. »Sieh dich doch mal um.«

Sie betraten das Haus durch die unverschlossene Hintertür, die in eine Küche mit schmuddeligen weißen Wänden, kaputten Wandfliesen und brüchigem Linoleum führte. In der Ecke stand ein rostiger Warmwasserboiler.

»Kein Wunder, dass niemand herkommt«, sagte Jess. »Ist ja total gruselig hier.« Sie machte das Radio an, riss den Verschluss der Bierdose ab und ging ins Wohnzimmer, wo hohe Fenster mit schmutzigen Stores den Blick auf eine öde Schneelandschaft freigaben. »Was riecht denn hier so komisch?«, fragte sie und rümpfte die Nase.

Ronnie schlang von hinten die Arme um sie. »Ich nicht, Süße, ich hab geduscht.« Er knabberte an ihrem Ohrläppchen. »Komm her.«

Jess drehte sich um, streckte ihm den Mund entgegen, und er küsste sie leidenschaftlich. Hitze durchströmte seinen Körper, als er mit der Hand unter ihre Jacke fuhr und ihre Brust umfasste. Sein einziger Gedanke war, dass zu viele Kleidungsstücke sie voneinander trennten.

»Komm, wir gehen ins Schlafzimmer«, flüsterte er.

Während Ronnie überlegte, ob er ihr vorher oder nachher sagen sollte, dass er sie liebte, gingen sie durchs Wohnzimmer zum Flur. Würde sie ihn für einen Trottel halten oder ihm die gleichen Worte sagen …

Vier Türen mit altmodischen Knäufen gingen von dem schmalen Flur ab, in dem der Gestank noch schlimmer war. »Riecht nach toter Ratte«, sagte Ronnie.

»Oder einem toten Stinktier.« Jess trank ihr Bier auf ex.

Vom Marihuana sanft berauscht und mit einer Erektion, die gegen seine Hose presste, ergriff er ihre Hand, drückte sie und stieß die Tür auf.

Jess' Schrei ging ihm durch Mark und Bein. Er stolperte rückwärts. »Omeingott!« Sie ließ die Bierdose fallen, die schaumspritzend über den Boden rollte, wirbelte herum, stieß ihn weg wie eine Katze, die sich aus einem Sack befreite, und rannte los.

Ronnie trat einen Schritt vor. Von der Zimmerdecke hing etwas, das entfernt an einen Menschen erinnerte, mit grünlichbrauner Haut, einem furchtbar aufgedunsenen Unterleib und blondem Haar. Darunter eine riesige Blutlache. Vage erinnerte er sich, dass sein Dad irgendwas von einem Mord erzählt hatte, doch er war mit seinen Gedanken woanders gewesen, was er jetzt bereute.

»O Gott!« Jess war zurückgekommen und umklammerte seinen Arm so fest, dass er durch die Winterjacke hindurch den Druck ihrer Finger spürte. »Komm, lass uns verschwinden!«

Ronnie stolperte zurück. Das Bier, das er getrunken hatte, kam ihm hoch und er erbrach es. Er wischte sich den Mund ab und zog sein Handy aus der Tasche.

»W... Was machst du?«, wimmerte Jess.

»Ich ruf die Polizei an«, sagte er. »Hier ist was Schlimmes passiert.«

* * *

Das Rathaus von Painters Mill befindet sich in der South Street nahe dem Verkehrskreisel. Es ist ein zweistöckiges Backsteingebäude, wurde 1901 erbaut und seither ein Dutzend Mal renoviert. In den fünfziger Jahren fungierte es als Postamt, in den Sechzigern als Grundschule und seit dem Brand 1985 als Rathaus. Hier bekommt man städtische Genehmigungen, man kann Stadtratssitzungen beiwohnen und seine Strafzettel bezahlen. Alles unter einem Dach.

Der Ringkampf mit Scott Brower ist mir noch deutlich anzusehen, und ich bin, aufgehalten durch den Papierkram wegen seiner Verhaftung, zehn Minuten zu spät dran, als ich schließlich die Doppeltür passiere. Im Gehen versuche ich, die Blutflecken von meiner Uniform zu kratzen. Mein Nasenbein schmerzt, während ich mit dem Aufzug in den ersten Stock fahre und zum Sitzungssaal des Stadtrats gehe. Vor der Tür atme ich tief durch, dann trete ich ein.

Sieben Personen sitzen um den Konferenztisch aus Kirschbaumholz, die bei meinem Eintreten alle den Blick auf mich richten. Der dienstälteste Stadtrat, Norm Johnston, sitzt am Kopfende des Tisches wie ein König, der seine Schoßhunde mit Kuchen füttert. Neben ihm ist Bürgermeister Auggie Brock damit beschäftigt, seinen Bagel dick mit Frischkäse zu bestreichen. Auch die anderen Gesichter kenne ich. Dick Blankenship ist Farmer und baut Soja und Korn an. Bruce Jackson besitzt eine Baumschule am Stadtrand. Ron Zelinski ist ein pensionierter Fabrikarbeiter. Neil Stubblefield ist Mathematiklehrer an der Highschool und Coach des Footballteams. Janine Fourman ist die einzige Frau, doch ich halte sie für gefährlicher als alle Männer zusammen. Ihr gehören mehrere Touristenläden, sie tritt überzeugend und aggressiv auf und hat ein Mundwerk so groß wie ihr aufgetürmtes Haar. In Janines Welt geht es nur um Janine selbst, alle anderen können zum Teufel gehen.

Einen Seufzer ausstoßend, blicke ich aus dem mit Eisblumen überzogenen Fenster auf die nackten Zweige der Platane, die in der Kälte zittern. Ich verspüre den Wunsch, dort draußen zu sein, weil es da bestimmt wärmer ist.

»Chief Burkholder.« Norm Johnston erhebt sich.

Alle im Raum starren mich an, wahrscheinlich mehr daran interessiert zu erfahren, wie ich zu dem blauen Auge und den Blutflecken auf meiner Uniform gekommen bin, als an dem vorliegenden Fall.

Auggie Brock zieht den einzigen freien Stuhl unterm Tisch vor. »Ist alles in Ordnung, Kate?«

»Mir geht es gut.« Ich blicke Norm an. »Ich habe nicht viel Zeit, fangen Sie gleich an.«

Der dienstälteste Stadtrat blickt in die Runde, als wolle er sagen: *Seht ihr, ich hab doch gesagt, dass sie nicht kooperativ ist.* »Als Erstes wollen wir einen Bericht, wie die Ermittlungen in dem Mordfall vorangehen.«

Ich halte seinem Blick stand. »Alle Mitarbeiter der Dienststelle arbeiten an dem Fall und sind verpflichtet, Überstunden zu machen. Wir ermitteln rund um die Uhr. Wir nutzen das BCI-Labor sowie mehrere Polizeidatenbanken.«

Janine unterbricht mich. »Gibt es schon einen Verdächtigen?«

»Nein.« Ich wende mich ihr zu. »Der Fall ist erst zweiunddreißig Stunden alt.«

»Wie ich höre, haben Sie Scott Brower verhaftet«, sagt Norm.

Wieder einmal bin ich überrascht, wie schnell Neuigkeiten in dieser Stadt die Runde machen. »Er ist für uns von Interesse.«

Norm Johnston rollt die Augen. »Heißt das, er ist ein Verdächtiger?«

Mit so wenig Aufhebens wie möglich erzähle ich die Einzelheiten von Browers Verhaftung.

Janine Fourman steht auf. »Chief Burkholder. Diese Stadt kann es sich nicht leisten, Touristen zu verlieren. Wenn die Leute hier nicht einkaufen gehen, tun sie's in Lancaster County. Ist Ihnen überhaupt klar, wie lange und hart wir daran gearbeitet haben, aus Painters Mill eine Touristenstadt zu machen?« Sie blickt sich im Kreise ihrer Amtskollegen um, die alle wie hirnlose Wackelkopfhunde nicken. »Die Einwohner von Painters Mill zu schützen heißt auch, für eine stabile Ökonomie zu sorgen.«

Norm Johnston hebt beide Hände, ein Dirigent, der seine Musiker zum Schweigen bringt. »Kate, wir wissen, dass Ihre Mittel aufgrund des beschränkten Etats und Personalkontingents limitiert sind. Aber ehrlich gesagt sind wir nicht überzeugt, dass Sie genügend … Erfahrung für so einen Fall haben.«

Seine Worte schwingen in meinem Kopf wie eine Stimmgabel, die an ein Mikro gehalten wird. Ich hatte gewusst, dass dieser Moment kommen würde, und doch verknotet sich mein Magen bei seinen Worten.

Janines Augen leuchten wie die einer Ratte, die gerade den Käse aus der Falle geklaut hat, ohne zerquetscht zu werden. »Nehmen Sie es nicht persönlich, aber wir haben für Unterstützung durch eine andere Behörde gesorgt.«

Mein Herz schlägt wie wild und meine Achseln sind triefnass. Die Furcht sitzt mir wie ein Eisblock im Bauch. Ich habe die Kontrolle über den Fall verloren, etwas anderes kann ich momentan nicht denken. »Was heißt das?«

Wie aufs Stichwort geht die Tür hinter mir auf. Ich drehe mich um und sehe einen dunkelhaarigen Mann eintreten, dessen langer schwarzer Mantel verrät, dass er nicht aus dieser Gegend stammt. Von der Presse kommt er auch nicht, denn ein Blick in seine Augen verrät mir, dass er ein Cop ist.

Einen Moment lang fühle ich mich wie nackt, als würden die Gefühle, die in mir toben, für alle sichtbar sein. Ich frage mich, von welcher Behörde. Der konservative Anzug deutet auf das FBI, aber er könnte genauso gut von einer staatlichen Dienststelle kommen. Beides ist gleich schlecht.

»Kate.« Der Bürgermeister reißt sich von seinem Bagel los und steht auf. »Ich möchte Ihnen Agent John Tomasetti vom BCI vorstellen.«

Ich mache keine Anstalten, auf ihn zuzugehen und seine Hand zu schütteln.

Der Bürgermeister wendet sich leicht errötend dem Mann zu. »Agent Tomasetti, das ist die Leiterin unserer Polizeidienststelle, Kate Burkholder.«

Er kommt mit ruhigem Blick auf mich zu. Sofort fallen mir mehrere Dinge auf: Die Augen unter den dicken Brauen sind dunkel und hart wie schwarzer Granit; er hat das emotionslose Gesicht eines Pokerspielers, ist schätzungsweise um die vierzig und sieht mich an wie einen Kabarettisten, dessen Witze beim Publikum nicht ankommen. Ich will ihn nicht hier haben, und er weiß das. Aber ich kann absolut nichts dagegen tun, und diese Machtlosigkeit bereitet mir Angst.

»Chief Burkholder.« Er hält mir die Hand hin. »Klingt ganz so, als hätten Sie jede Menge zu tun.«

Ich schüttele seine warme, trockene und etwas raue Hand. Sein Händedruck ist kräftig, aber nicht zu fest. »Es ist ein schwieriger Fall«, höre ich mich sagen.

Die schwarze Reisetasche über seiner Schulter sagt mir, dass er gerade erst in der Stadt eingetroffen ist. Unter diesen Umständen sollte ich ihm danken, dass er gekommen ist, und anbieten, ihn zum Revier zu fahren. Dort sollte ich ihn meinem Team vorstellen und kurz über den Fall informieren. Und um der polizeilichen Etikette Genüge zu tun, sollte ich ihn danach zum Abendessen einladen, ein paar politisch unkorrekte Witze machen und Kriegsgeschichten erzählen, ein bisschen zu viel trinken. Ich weiß, es ist kleinkariert, unprofessionell und letztlich ein Eigentor, aber nichts dergleichen werde ich tun.

»Ich bin hier, um Sie, so gut es geht, zu unterstützen«, sagt er.

»Der Stadtrat weiß das sicher zu schätzen.«

Ein winziges Lächeln huscht über sein Gesicht.

»Ich muss arbeiten.« Ich entziehe ihm meine Hand, drehe mich um und gehe zur Tür. Als ich sie aufreiße, schlägt mein Herz wie ein Kolbenmotor. Ich kann die Stimme in meinem Kopf, die mir sagt, dass ich gerade alles falsch gemacht habe, nicht zum Schweigen bringen. Ich hätte diplomatischer sein sollen, professioneller. Und vor allem cooler.

Jemand ruft hinter mir her, aber ich gehe weiter. Ich bin zu wütend, um vernünftig zu sein. Am wütendsten bin ich auf mich selbst. Ich hätte es nicht so weit kommen lassen sollen und selbst Unterstützung von einer anderen Behörde anfordern müssen.

Im Flur marschiere ich zum Aufzug, wo ich mit der Faust auf den Knopf schlage. Es dauert mir alles zu lange. Auf dem Weg zum Treppenhaus höre ich meinen Namen, drehe mich um und sehe Auggie auf mich zueilen. »Kate! Warten Sie!«

Ich will nicht mit ihm reden, doch weglaufen geht nicht. Also bleibe ich stehen und warte.

»Tut mir leid, was da drinnen gerade passiert ist.« Sein Gesichtsausdruck erinnert mich an einen kleinen Hund, der auf den Teppich gepinkelt hat und weiß, dass er dafür bestraft wird.

»Waren Sie auch involviert?« Mehr muss ich nicht sagen.

»Ich weiß ja, dass Sie das BCI nicht sofort um Hilfe bitten wollten, aber …«

»Eine Vorwarnung wäre nett gewesen, Auggie.«

Er läuft dunkelrot an. »Kate, es lag nicht in meiner Hand.«

Ich bin stinksauer, aber jetzt ist keine Zeit für eine politische Diskussion. Der Schaden ist angerichtet. Außerdem muss ich ein noch viel gefährlicheres Tier zur Strecke bringen.

Mit einem Blick zum Sitzungssaal sagt er leise: »Hüten Sie sich vor Norm. Er will Sie zu Fall bringen.«

Mein Handy klingelt, doch ich ignoriere es. »Vielleicht hat das damit was zu tun, dass er betrunken Auto gefahren ist und ich ihn erwischt und verhaftet habe.«

»Er will auch das Büro des Sheriffs einschalten, Kate.«

Mistkerl, denke ich und hole mein Handy aus der Gürteltasche. »Was ist?«

»Chief!« Monas Stimme ist schrill. »Ich hab gerade einen Anruf von Bob Stedts Sohn gekriegt. Er und seine Freundin haben eine Tote in der alten Huffman-Farm gefunden.«

Die Worte lassen mein Blut zu Eiswasser gefrieren. Ich sehe Auggie an, der mich mit einer Mischung aus Panik und Sorge betrachtet.

»Rufen Sie Glock an.« Ich drehe Auggie den Rücken zu, wünschte, ich hätte das Gebäude verlassen, als ich noch eine Chance dazu hatte. »Sagen Sie ihm, wir treffen uns dort. Sagen Sie den Jugendlichen, sie sollen sich in ihr Auto setzen und die Türen verschließen. Und dass sie nichts anrühren dürfen. Sie sollen am Tatort bleiben, es sei denn, es besteht Gefahr. Sagen Sie Doc Coblentz, er soll sich bereithalten. Ich bin auf dem Weg.«

Mit zittriger Hand schiebe ich das Handy in die Tasche

zurück. Ich sehe Auggie an, fühle mich krank, als hätte ich etwas Schlimmes getan.

»Was ist passiert?« Doch sein bleiches Gesicht verrät mir, dass er die Antwort schon kennt.

»Noch eine Tote.« Ich reiße die Tür zum Treppenhaus auf und renne los.

14. KAPITEL

Sterben ist schlimm, doch Sterben von Mörderhand ist schlimmer. Ganz gleich, wie oft ich das gesehen habe, trifft mich seine Hässlichkeit und Sinnlosigkeit mit elementarer Gewalt. Ich rase mit hundertdreißig über den Highway, doch als ich die schneeglatte Thigpen Road erreiche, nehme ich den Fuß vom Gas. Die Huffman-Farm liegt am Ende eines kurzen Feldwegs, umgeben von nackten Bäumen, deren Äste sie wie knochige Finger umschließen.

Ich lenke den Explorer in die Einfahrt und folge den Reifenspuren hinters Haus.

Robbie Stedt und ein junges, mir unbekanntes Mädchen im Teenageralter sitzen aneinandergedrängt in einem Pick-up.

Ich parke den Wagen und öffne die Tür. Die Jugendlichen verlassen ihr Auto und kommen angelaufen.

»Was ist passiert?«

Stedt ist kreidebleich. Er hat Tränen in den Augen. Einen halben Meter vor mir bleibt er stehen, und ich rieche Erbrochenes. »Da drinnen ist eine Tote.«

Mein Blick wandert zu dem Mädchen. Ihre roten Wangen sind mit Wimperntusche verschmiert. Sie sieht wesentlich tougher aus als Robbie Stedt. »Wie heißt du?«, frage ich sie.

»J… Jess Hardiman.«

»Ist sonst noch jemand im Haus?« Ich ziehe die .38er aus dem Holster.

»Nur die … Tote.«

»Wo?«

»Schl… Schlafzimmer.«

»Bleibt hier. Wenn ihr jemanden seht oder Angst bekommt, steigt in den Pick-up und hupt, okay?«

Beide nicken.

Ich laufe zur Hintertür und stoße sie auf. Der Geruch von Tod und Marihuana schlägt mir entgegen. Aus dem Radio auf der Küchenablage dröhnt ein alter Led-Zeppelin-Song. Meine Nerven kribbeln wie Würmer unter der Haut. Die Angst durchströmt mich, als ich das Wohnzimmer betrete. Ich glaube zwar nicht, dass noch jemand im Haus ist, fürchte mich aber vor dem, was mich erwartet.

Ich gehe weiter zum Flur, der eng und dunkel ist. Hier riecht es strenger, nach Blut, Kot und Verwesung. Ich umgehe eine Pfütze von Erbrochenem. Die Schlafzimmertür links von mir steht offen. Ich will nicht hineinsehen, kann aber nicht anders, und eine entsetzlich aufgedunsene Leiche kommt in mein Blickfeld. Braune, bis zum Zerreißen gespannte Haut. Schlaff herabhängendes Haar. Brüste runzlig wie Dörrobst. Schwarze Füße, am Deckenbalken festgekettet. Eine feuchte, schwarze Zunge, die zwischen geschwollenen Lippen hervorquillt.

Ein Laut entfährt meinem Mund, als ich rückwärts in den Flur stolpere. Mein Atem ist schnell und flach, mein Magen ein fester Knoten. Ich schmecke bittere Galle. Plötzlich sind Schritte hinter mir. Ich wirbele herum, die Pistole im Anschlag.

Glock bleibt stehen, hebt langsam die Hände. »Herr im Himmel, ich bin's.«

»O Mann, beinahe hätte ich Sie umgepustet.«

Er blickt in den Flur. »Haben Sie das Haus gecheckt?«

Ich schüttele den Kopf, kann meine Stimme nicht finden und bin verflucht nahe am Kotzen.

Er geht an mir vorbei und sieht ins Schlafzimmer. »Heilige Scheiße.«

Während Glock den Rest des Hauses absucht, versuche ich

mühsam, mich wieder zu fangen. Als er schließlich zurück in den Flur kommt, ist mein Polizeipanzer wieder intakt.

»Alles sauber«, sagt er.

Mir gefällt nicht, wie er mich ansieht, als würde ich gleich durchdrehen. »Verdammt noch mal, Glock, ich hätte Detrick um Unterstützung bitten sollen«, bringe ich mühsam hervor. »Ich hätte eine SoKo bilden sollen.«

»Damit hätten Sie das hier auch nicht verhindert. Sie ist schon eine Weile hier. Hinterher ist man immer schlauer.«

Als Glock ins Funkgerät spricht, gehe ich in das Wohnzimmer. Durchs Fenster sehe ich Robbie Stedt und seine Freundin, die immer noch an derselben Stelle stehen wie vorhin.

Glock stellt sich neben mich. »Pickles und Skid sind auf dem Weg.«

Ich deute mit dem Kopf zu den Teenagern. »Wir müssen mit ihnen reden. Ich übernehme den Jungen.«

»Die Kleine sieht tough aus.«

»Sie sind tougher.«

»Ich bin eben ein Marine«, sagt er, als erkläre das alles.

Ich gehe durch die Hintertür hinaus auf Robbie zu. Die Luft ist von unglaublicher Frische, und ich trinke sie wie Wasser. Robbie sieht mich kurz an, dann senkt er den Blick. »Komm her«, sage ich.

Glock geht mit dem Mädchen zum Streifenwagen. Robbie sieht hinter ihnen her, plötzlich verängstigt wie ein kleiner Junge.

»Ist alles okay?«, frage ich.

Er schüttelt den Kopf. »So was hab ich mein ganzes Leben noch nicht gesehen.«

Ich zeige auf den Explorer. »Komm, wir setzen uns ins Warme.«

Er wirft einen letzten Blick auf seine Freundin und folgt mir dann zum Wagen, wo er sich auf den Beifahrersitz setzt, während ich mich hinters Lenkrad schiebe. »Willst du eine rauchen?«, frage ich.

»Ich rauche nicht.«

Er holt Luft. »Jedenfalls keine Zigaretten.«

»Über Pot sehe ich ausnahmsweise mal hinweg.«

»Danke.«

Ich lasse den Motor an und drehe die Heizung auf. »Was habt ihr hier draußen gemacht?«

»Nichts.«

Ich suche Blickkontakt mit ihm, doch er wendet den Kopf ab. »Du hast nichts zu befürchten«, sage ich. »Ich muss nur wissen, wie ihr die Tote gefunden habt.«

Robbie, fix und fertig, schüttelt den Kopf. »Wir haben die Schule geschwänzt. Wollten nur ein bisschen hier rumhängen.« Er zuckt die Schulter. »Ich fasse es einfach nicht, dass das passiert ist.«

»War jemand hier, als ihr ankamt?«, frage ich.

»Nein.«

»Habt ihr was angefasst? Rumgeschoben?«

»Wir sind nur reingegangen, haben Bier getrunken. Dann haben wir das … Ding im Schlafzimmer gesehen. Himmel …«

Die beiden Jugendlichen haben mit der Tat nichts zu tun, so viel ist klar. »Wissen deine Eltern, dass du hier bist?«

Er schüttelt den Kopf. »Mein Dad bringt mich um.«

»Ich überlasse es dir, es ihnen zu erklären.« An seinem Gürtel steckt ein Mobiltelefon. »Du musst sie jetzt anrufen.«

Er stößt einen Seufzer aus und zieht das Telefon aus der Hülle.

Ich rufe Doc Coblentz an, dessen Nummer ich inzwischen auswendig kenne. »Wir brauchen Sie auf der Huffman-Farm an der Thigpen Road«, erkläre ich ohne Umschweife.

»Sagen Sie mir, dass es sich um einen Autounfall oder Herzinfarkt handelt.«

»Ich wünschte, es wäre so.«

»Großer Gott.« Ein tiefer Seufzer dringt an mein Ohr. »Ich bin in zehn Minuten da.«

* * *

Ich stehe mit Doc Coblentz und Glock im Schlafzimmer des alten Hauses, wo wir versuchen, die Überreste der Frau nicht anzustarren, die vom Deckenbalken hängt. Coblentz greift in seine Arzttasche und holt ein verschweißtes Päckchen Mentholsalbe heraus. »Hier, das hilft.«

Ich reiße es auf und tupfe mir etwas davon unter die Nase, halte es Glock hin, doch er schüttelt den Kopf. »Meine Mutter hat mir das Zeug immer als Kind gegeben. Ich kann den Geruch nicht ausstehen.«

Unter anderen Umständen hätte ich vielleicht gelacht, doch heute Morgen knicke ich nur das obere Ende des Päckchens um und stecke es in die Jackentasche.

Wir haben Plastikhüllen über die Schuhe gestreift und Plastikschürzen umgebunden, um den Tatort nicht zu kontaminieren, aber auch, um uns vor Infektionen zu schützen. »Dem vielen Blut nach zu urteilen«, beginnt der Arzt, »würde ich sagen, er hat sie hier umgebracht.«

»Warum hat er seine Vorgehensweise geändert?«, frage ich mich laut.

Glock hat eine Theorie auf Lager. »Maximale Wirkung.«

Der Doktor und ich sehen ihn an. Ich bin keine Expertin für Serienmörder, doch ich stimme mit Glock überein. Wer immer das getan hat, will Angst und Schrecken verbreiten. Er will uns zeigen, zu welchen Blutbädern er fähig ist. Ich habe gelesen, dass viele Serienmörder erwischt werden wollen. Nicht weil sie gern im Gefängnis sitzen, sondern weil sie so das Urheberrecht an ihren Werken beanspruchen können.

»Er wusste, dass er hier ungestört ist«, sage ich.

»Der nächste Nachbar ist acht Meilen weit weg«, fügt Glock hinzu.

Ich will die Leiche nicht ansehen, doch mein Blick wird wie magisch von ihr angezogen. Die Verwesung hat eingesetzt. In ihrem Körper haben sich Gase gebildet, die ihn fast bis zur Unkenntlichkeit aufblähen. Die Haut ist größtenteils schwarz, mit kleinen grünen Flecken. Doch das Gesicht ist am schlimmsten. Die Augen sind vollkommen verschwunden, die feuchte, schwarze Zunge hängt zwischen abgebrochenen Zähnen heraus.

»Wir brauchen Fotos, bevor wir sie abhängen«, sage ich zu Glock.

»Ich hole die Polaroid.« Er verschwindet ein wenig zu hastig.

Vor zehn Minuten sind die Eltern der beiden Teenager angekommen, um ihre Kinder abzuholen. Robbie Stedts Vater wollte sich Zutritt ins Haus verschaffen, doch glücklicherweise war Glock da, um ihn aufzuhalten. Ich erklärte ihm, dass es sich hier um einen Tatort handelt und es hilfreich wäre, wenn er seinen Sohn aufs Polizeirevier brächte, wo T. J. ihm Fingerabdrücke abnehmen und seine Aussage protokollieren könnte. Falls wir hier doch Fingerabdrücke finden, was ich bezweifle, können wir die beiden wenigstens ausschließen.

Doch verängstigte Eltern und traumatisierte Jugendliche sind mein geringstes Problem. Eine Viertelstunde zuvor hatte ich das Sheriffbüro von Holmes County angerufen und offiziell um Amtshilfe ersucht. Ich bin sicher, dass der Anzugmann bald hier eintreffen wird, und spüre schon jetzt, wie mir die Kontrolle über den Fall entgleitet.

Skid und Pickles sind draußen und sichern den Ort mit Absperrband. Wenn sie damit fertig sind, werden sie die Scheunen und Nebengebäude inspizieren sowie nach Schuhabdrücken und Reifenspuren suchen. Aber bei dem Schnee, der jetzt in dicken Flocken vom Himmel fällt, stehen die Chancen schlecht, dass sie irgendwas Brauchbares finden.

Glock kommt mit der Polaroidkamera zurück. Ein Gemisch von Schnee und Graupel klatscht an die Fenster, als er zu knipsen beginnt. Das Surren des winzigen Motors scheint übermäßig laut in der Stille des eiskalten Hauses. Ich trage mehrere Schichten Kleidung und lange Unterhosen, doch ich friere bis auf die Knochen.

»Was glauben Sie, wie lange sie schon hier ist?«, frage ich.

Doc Coblentz schüttelt den Kopf. »Schwer zu sagen, Kate. Die Temperatur ist ein wichtiger Faktor.«

»Sie sieht steifgefroren aus.«

»Das trifft für jetzt zu. Aber wenn Sie sich erinnern, vor zwei Wochen gab es Tage, an denen die Temperatur weit über dem Gefrierpunkt lag.«

Das stimmt. Fast eine Woche lang hatten wir über zehn Grad, bevor eine arktische Kaltfront Einzug hielt. »Dann ist sie also schon eine ganze Weile hier.«

»Ich würde sagen, dass diese Leiche die dritte Verwesungsstufe erreicht hat. Es gibt eine starke Gasaufblähung. Die anfänglich grünliche Färbung geht bereits in Schwarz über. Dieser Abschnitt dauert normalerweise vier bis zehn Tage.« Er zuckt die Schultern. »Aber bei den derzeitigen Temperaturen muss der zeitliche Rahmen wesentlich weiter gesteckt werden. Zudem gibt es in dieser Jahreszeit nur wenige oder keine Aktivitäten von Insekten, was ebenfalls eine große Rolle beim Verwesungsprozess spielt.«

»Was halten Sie für am wahrscheinlichsten?«

»Zwei Wochen, vielleicht drei.«

Zwei Frauen in drei Wochen, denke ich nur. Dass ein Mörder aus dem Nichts kommt und in so einem Tempo tötet, ist selten. Wodurch wurde die Eskalation ausgelöst?

Ich trete näher an die Tote heran. Ihre Haare sind blutverklebt. Irgendwann hatte sich ihr Darm entleert, und Kot war ihren Rücken hinuntergelaufen und auf den Boden gefallen. Mein Herz hämmert und mein Kopf dröhnt. »War sie noch am Leben, als er sie aufgehängt hat?«

»Dem vielen Blut auf dem Boden nach zu urteilen, hat ihr Herz noch geschlagen.«

»Was ist mit den Wunden?«, frage ich

Der Doktor sieht Glock an. »Haben Sie Fotos von dem Blut auf dem Boden gemacht?«

Glock nickt. »Ja.«

Coblentz tritt in den mit Blut kontaminierten Bereich, hinterlässt einen Schuhabdruck. Obwohl er zwei Paar Latexhandschuhe trägt, zucke ich zusammen, als er die Tote am Kiefer anfasst, um die Wunde zu betrachten. »Ich werde mehr wissen, wenn ich sie im Leichenschauhaus habe, aber auf den ersten Blick sieht die Wunde hier der des ersten Opfers sehr ähnlich. Sehen Sie das? Sie ist kurz und tief, mit glatten Rändern. Sieht nicht so aus, als hätte die Messerschneide Zähne gehabt.«

Ich versuche, mir die Tote mit dem unbeteiligten Blick einer Polizistin anzusehen. Das bin ich der jungen Frau schuldig. Dieser Stadt. Und mir selbst. Aber meine Gefühle und der Ekel, den ich verspüre, sind wie ein wildes Tier, das an der Käfigtür rüttelt.

In düsterem Schweigen suchen wir den Tatort eine Stunde lang nach Spuren ab. Ich hülle gerade die Hände des Opfers in Plastiktüten, als ich ein Geräusch an der Tür wahrnehme. Ich blicke auf und sehe Sheriff Nathan Detrick im Zimmer stehen. Er sieht aus wie vom Blitz getroffen.

»Allmächtiger Gott«, sagt er mit Blick auf die Leiche.

In meinen zwei Jahren als Chief of Police bin ich ihm erst einmal kurz begegnet.

Er ist ein kräftiger Mann von ungefähr fünfzig Jahren, stemmt Gewichte und joggt wahrscheinlich auch. Aber selbst sein Körper, der früher sicher den Neid aller Männer über vierzig geweckt hat, die sich in Bodybuilding-Läden Muskeln angezüchtet haben, zeigt Spuren des Alters. Er hat eine Glatze, was ihm gut steht. Ich ertappe mich jedoch bei der Frage, ob er den Schädel rasiert, um die kahlen Stellen zu vertuschen, oder ob er bereits von Natur aus glatzköpfig ist.

Er lässt mir keine Zeit, darüber nachzugrübeln. »Da haben Sie ja einen Riesenschlamassel am Hals.«

Ich ziehe die Latexhandschuhe aus, als er mit ausgestreckter Hand auf mich zukommt. Obwohl ich gerade eine grausige Arbeit verrichte, schüttelt er, ohne zu zögern, meine Hand. »Nathan Detrick zu Ihren Diensten.«

Er hat einen festen, aber nicht schmerzhaften Händedruck, was ich ihm hoch anrechne. Seine Augen sind stahlblau, sein Blick ist offen und direkt. Ich empfinde seine Gegenwart als beruhigend, was mich überrascht, und zum ersten Mal wird mir klar, dass ich die Last dieses Falles nicht alleine tragen will.

»Danke fürs Kommen.« Er scheint ein intelligenter Mann zu sein und ich sehe an seinen Augen, dass er mich abschätzt und sich ein Urteil bildet.

»Wir sind uns schon mal begegnet.« Er hört auf, meine Hand zu schütteln, lässt sie aber nicht los.

»Die Benefizveranstaltung im Fairlawn-Altersheim letzte Weihnachten«, erwidere ich.

»Natürlich. Jetzt fällt es mir wieder ein. Das Fleisch war zäh wie Leder.«

»Und der Weihnachtsmann betrunken.«

Er antwortet mit einem herzhaften Lachen. »Aber wir haben Geld für einen guten Zweck gesammelt, oder?«

Ich nicke, beschränke so unseren Smalltalk angesichts der Umstände auf ein Minimum.

Er lässt meine Hand los und wendet sich der Toten zu. »Ich habe Ihre Pressemitteilung gelesen. Ich kann es nicht fassen, der Schlächter ist zurück.«

»Die letzten Tage waren hart.«

»Wir sind froh, dass Sie uns angerufen haben.« Er senkt die Stimme. »Nur zu Ihrer Information. Dieser ganze Zuständigkeitenquatsch interessiert mich nicht. Das hier ist Ihr Baby.«

Ich frage mich, ob er das wirklich so meint – und ob der Anzugmensch vom BCI genauso denkt. »Das weiß ich zu schätzen.«

Es ist offensichtlich, warum dieser Mann bei seiner Kandidatur fürs Sheriffsamt haushoch gewonnen hat. Geradeheraus und charismatisch, besitzt er Führungsqualitäten, die ich bewundere. Ein großer Teddybär, der uns alle vor unserer eigenen Unfähigkeit rettet. Doch über die Jahre habe ich viele Arten von Gesetzeshütern kennengelernt und weiß, dass sich ein Teddy ganz schnell in einen menschenfressenden Grizzlybär verwandeln kann, wenn man ihn gegen den Strich bürstet. Erst letzte Woche hat mir T. J. erzählt, dass Detrick mitten in einem hässlichen Scheidungskrieg steckt. Außerdem geht das Gerücht um, er sei jähzornig.

»Ich brauche Hilfe, um sie runterzuholen«, meldet sich der Doktor.

Um am Tatort nicht übermäßig Spuren zu vernichten, habe ich angeordnet, dass nur Glock, ich, der Coroner und nun auch Detrick sich im Haus aufhalten dürfen. Deshalb müssen wir dem Doktor helfen, sie herunterzunehmen und in den Leichensack zu legen.

Doc Coblentz tritt ein paar Schritte von der Toten zurück, hinterlässt dickflüssige, ölige Spuren auf dem Boden. Ich hole die dreisprossige Aluminiumtrittleiter, die Glock mitgebracht hat, und obwohl meine Stiefel durch Plastikhüllen vor Blut geschützt sind, schaudert mir, als ich sie abstelle und dabei auf den verschmutzten Boden trete.

»Ich mache das.« Glock schiebt die Leiter näher zur Leiche und stellt sich auf die oberste Sprosse. »Wenn ihr sie anhebt und die Spannung von der Kette nehmt, kann ich sie abhängen.«

»Vorsicht«, sagt Doc Coblentz schnell. »Das Fleisch kann sich ablösen, passen Sie auf, dass sie Ihnen nicht aus den Händen gleitet.«

Ich zucke zusammen, als Detrick mir die Hand auf die Schulter legt. »Sie ist bestimmt schwer. Lassen Sie mich das machen.«

Ich will mich über ihn ärgern, ärgere mich aber mehr über mich selbst: Zum ersten Mal seit langem möchte ich zur Seite treten und einen anderen meinen Job machen lassen.

Doc Coblentz zeigt Detrick die Schutzkleidung. Nachdem er die Hüllen über die Schuhe gezogen, die Schürze um den Anorak gebunden und die Latexhandschuhe angezogen hat, nickt der Sheriff. Der Doktor steht auf einer Seite der Toten und Detrick auf der anderen, als Glock oben auf der Leiter nach dem Haken am Ende der Kette greift. »Hebt sie an«, sagt er.

Die beiden Männer hieven sie gleichzeitig hoch, Glock löst sie vom Haken, und sie legen die Tote behutsam auf den Boden, wobei ihr Kopf zur Seite rollt und schwarze Flüssigkeit über den Holzboden läuft. Am liebsten würde ich die Augen schließen, um dem Anblick zu entfliehen. Stattdessen hole ich die Kamera und mache Fotos. Irgendwie verschafft mir die Linse den Abstand, den ich jetzt brauche, und so nehme ich den Deckenbalken und die Kette auf.

Dann lasse ich die Kamera sinken. Keiner spricht. Alle Blicke sind auf die Tote gerichtet. Mir ist kalt, doch mein Rücken ist schweißnass. »Wir müssen die Kette eintüten.« Dass meine Stimme total normal klingt, überrascht alle, mich eingeschlossen.

Ich hole einen Müllbeutel aus der Kiste, die ich mitgebracht habe, halte ihn auf, und Glock legt die Kette hinein. »Wenn wir den Kettenhersteller rausbekommen«, sage ich, »finden wir vielleicht den Laden, in dem er sie gekauft hat.«

»Wahrscheinlich ist es das Beste, sie ans BCI-Labor zu schicken«, schlägt Detrick vor.

»Ja, denke ich auch.«

Auf der anderen Seite des Zimmers öffnet der Doktor den Reißverschluss des Leichensacks und klappt ihn auf. Er kommt zurück und geht neben der Toten in die Hocke, einen zutiefst sorgenvollen Ausdruck im Gesicht. »Sie hat Schnitte auf dem Unterleib. Wie die anderen.«

Meine Füße tragen mich näher heran. Ich hebe die Kamera und mache schnell hintereinander vier Fotos.

»Sieht wie die römische Zahl XXII aus«, sagt Glock.

»Er ist es«, flüstert Detrick. »Er ist zurück. Nach all den Jahren.«

Ich will fluchen und schreien, dass das unmöglich ist. *Ich hab ihn erschossen. Er ist tot.*

Doc Coblentz stößt einen Seufzer aus. »Helfen Sie mir, sie umzudrehen.«

Glock hockt sich neben ihn, legt beide Hände sanft, fast ehrfürchtig auf die Hüften der Frau. Der Doktor fasst sie an der Schulter und gemeinsam drehen sie sie auf den Bauch. Ich mache mehr Fotos.

»Herr im Himmel.«

Der Schock in der Stimme des Arztes reißt mich aus meinen Gedanken. Ich lasse die Kamera sinken, wobei ich ein schmales Objekt zwischen den Gesäßbacken der Frau sehe.

Detrick tritt zurück. »Gütiger Gott.«

Glock erhebt sich zu voller Größe.

Coblentz berührt das Objekt, das zuvor nicht sichtbar war, zieht es aber nicht heraus. »Irgendein Fremdkörper.«

Ich werde von Ekel geschüttelt.

»Lassen Sie uns das arme Kind wegbringen.« Er legt den Sack neben die tote Frau, streicht ihn glatt und rollt sie mit Glocks Hilfe hinein.

Als er den Reißverschluss zuzieht, bricht etwas in mir los.

Ich bin normalerweise nicht zimperlich, aber mein Magen rebelliert heftig. Mir ist bewusst, dass mich alle anstarren, als ich Latexhandschuhe, Schuhhüllen und Schürze ausziehe und in den Sondermüllsack werfe, den jemand an den Türknauf gehängt hat. Ich spüre Detricks Blick, eile aber, ohne ihn anzusehen, an ihm vorbei aus dem Zimmer. Mir wird schwarz vor Augen, als ich den Flur entlang in die Küche taumele. Ich sehe John Tomasetti im langen schwarzen Mantel und den gewienerten Schuhen auf der hinteren Veranda stehen. Innerlich fluchend stoße ich die Tür auf, er sieht mich merkwürdig an und sagt etwas, als ich an ihm vorbeieile, doch ich bin zu erschüttert, um ihn zu verstehen.

Kalte Luft beißt sich durch den Schweiß auf mein Gesicht. Vage nehme ich den Krankenwagen wahr, der mit laufendem Motor in der Einfahrt steht. Am Ende des Wegs befindet sich ein Übertragungswagen von ProNews16, dessen Abgase Wölkchen in der eisigen Luft bilden. Glocks Dienstwagen wird von einem Streifenwagen aus Holmes County flankiert. Ich weiß nicht, wohin ich gehe, bis ich die Tür des Explorers aufreiße und mich hinters Lenkrad schiebe. Mein Atem geht stoßartig, ich möchte weinen, habe mir dieses Ventil aber schon vor Jahren versagt, so dass ich nicht mehr weinen kann. Ich habe heute noch nichts gegessen, doch die Magensäure kommt mir hoch, und ich stoße die Tür auf und übergebe mich in den Schnee.

Nach einer Weile lässt die Übelkeit nach. Ich ziehe die Tür zu, umfasse das Lenkrad und lege die Stirn auf beide Hände. Ein Klopfen an der Fensterscheibe erschreckt mich fast zu Tode. Der Anzugmann vom BCI steht neben dem Explorer, das Gesicht unergründlich wie ein Stein. Er ist der Letzte, mit dem ich jetzt reden will, aber wie es aussieht, habe ich keine andere Wahl.

Anstatt das Fenster runterzulassen, mache ich die Tür auf und zwinge ihn so einen Schritt zurück.

»Ist alles okay?«

»Klar. Kotzen macht mir Spaß.« Ich gleite vom Sitz und werfe die Tür zu. »Was glauben Sie denn?«

Er ist amüsiert, was mir total stinkt. Einen Moment lang sind nur die Graupel zu hören, die aufs Dach meines Wagens klopfen. Ich friere und zittere, und es kostet mich einige Mühe, nicht mit den Zähnen zu klappern.

»Sie bringen die Tote in die Leichenhalle«, sagt er. »Ich dachte, Sie wollen das vielleicht wissen.«

Ich nicke, finde meine Beherrschung wieder. »Danke.«

Er blickt über die Schulter zurück zu dem Nachrichtenauto. »Die Aasgeier riechen Blut.«

»Wenn die Meldung von dem zweiten Mord erst einmal durch den Äther rauscht, werden wir noch viel mehr davon zu sehen bekommen.«

»Vielleicht sollten Sie überlegen, eine Pressekonferenz zu geben. So können Sie bestimmen, wie Sie mit denen umgehen. Und Gerüchte sofort im Keim ersticken.«

Das ist eine gute Idee. Ich bin so sehr auf den Fall konzentriert, dass ich die Problematik mit den Medien völlig ignoriert habe. »Ich werde etwas in die Wege leiten.«

Er sieht mich mit dem typischen Böser-Bulle-Blick an, der bestimmt schon manchen bockigen Täter veranlasst hat, ihm das Herz auszuschütten. »Ich weiß, dass Sie mich nicht hier haben wollen –«

»Es hat nichts mit Ihnen persönlich zu tun«, unterbreche ich ihn.

»Genau das Gleiche haben die über Sie gesagt.« Er sieht wieder amüsiert aus. »Diplomatie stinkt, oder?«

»Sieht so aus.«

Er starrt mich noch immer an, und zwar mit einer solchen Intensität, dass mir langsam unwohl wird. »Ich bin ein ziemlich guter Polizist«, sagt er. »Und ich bin hier. Also warum nutzen Sie das nicht aus? Vielleicht kann ich sogar helfen.«

Er hat natürlich recht. Aber die Vorstellung, dass dieser Mann seine Nase in den Fall steckt, lässt mich schaudern. Ich schweige, und das ist alles, was er braucht.

Tomasetti wirft mir einen letzten Blick zu, dreht sich um und geht zu dem schwarzen Tahoe, der an der Straße parkt. Während ich ihm hinterhersehe, klingen seine Worte in meinen Ohren nach. *Ich bin ein ziemlich guter Polizist.* Ich frage mich, ob er gut genug ist, einen sechzehn Jahre alten Fall aufzuklären – mit all den Geheimnissen, die er birgt.

15. KAPITEL

Es ist fast drei Uhr nachmittags, als ich die Huffman-Farm verlasse. Ich fühle mich, als hätte ich den Morgen in der Hölle verbracht. Die drei Stunden am Tatort haben mir total zugesetzt. Von unterwegs rufe ich Lois an. Sie klingt gestresst. »Die Presse rennt uns die Tür ein, Chief. Ich schwöre, mir stehen die Haare zu Berge.«

Ich sage ihr nicht, dass sicher noch mehr auf dem Weg sind. »Ich möchte, dass Sie eine Pressekonferenz organisieren.«

»Sie wollen noch *mehr* von denen hier haben?«

»Sie haben doch sicher auch schon gehört, dass man die Feinde um sich scharen soll.«

»Sie sind 'ne echte Masochistin.«

»Wir nehmen das Highschool-Auditorium. Sechs Uhr.«

»Ich kümmere mich drum.«

»Rufen Sie alle meine Officer an und sagen Sie ihnen, wir treffen uns um vier Uhr. In dem Raum, den Sie dafür eingerichtet haben. Das wird unsere Kommandozentrale.« Ich nenne die Namen aller Mitglieder meiner kleinen Truppe, einschließlich ihren. »Benachrichtigen Sie auch Detrick und Tomasetti.«

»Den Tomasetti, der wie ein Mafioso aussieht?«

Ihr Kommentar entlockt mir ein Lächeln. »Und überprüfen Sie, ob es Vermisstenanzeigen gibt. Weiblich, weiß, zwanzig bis dreißig Jahre alt, blond. Fangen Sie mit den fünf Countys an. Wenn da nichts ist, beziehen Sie Columbus, Wheeling, Massillon, Canton, Newark, Zanesville ...«

»Nicht so schnell.«

»… Steubenville mit ein. Fragen Sie jeweils bei der Bezirks- und bei der städtischen Behörde nach.«

»Mache ich.«

»Stellen Sie mich zu T. J. durch, ja?«

Es klickt in der Leitung, und kurz darauf meldet sich T. J. »Hallo, Chief.«

»Haben Sie die Aussagen der Teenager?«

»Lois tippt sie gerade.«

»Gibt's schon was über Patrick Ewell?« Ewell ist der Mann, der die Kondome im Super Vale Grocery bar bezahlt hatte.

»Ich hab ihn überprüft: Ewell, Patrick Henry. Sechsunddreißig Jahre alt. Wohnt mit seiner Frau Martha und seinen zwei Teenagern in der Parkersburg Road. Keine Eintragung im Polizeiregister, keine Festnahmen, nicht mal 'n Strafzettel für zu schnelles Fahren.« Die Tonlage von T. J.'s Stimme verändert sich. »Aber jetzt kommt's: Er arbeitet im Schlachthof.«

Es ist eine dürftige Spur, aber in meiner Verzweiflung gehe ich allem nach. »Finden Sie heraus, was er dort arbeitet. Und auch, ob er Samstagabend im Brass Rail war.«

»Wird gemacht.«

Ich würde lieber selber mit Ewell reden, aber zuerst muss ich die Identität des zweiten Opfers herausfinden. »Überprüfen Sie, ob es eine Verbindung zwischen Ewell und Amanda Horner gibt.«

»Okay.«

Ich denke darüber nach, was wir von Ewell wissen. »Warum kauft ein verheirateter Mann mit zwei großen Kindern Kondome?«

»Na ja, hm … zur Verhütung?«

»Man sollte meinen, dass ein Paar, das so lange verheiratet ist, bessere Methoden hat.«

T. J. räuspert sich. Dass ein vierundzwanzig Jahre alter Mann bei so einem Gespräch verlegen wird, gibt mir Hoff-

193

nung, dass die Welt noch nicht ganz so verkommen ist, wie es mir gerade vorkommt. »Danke, T. J.«

»Nicht der Rede wert.«

Als ich auf den Parkplatz vom Pomerene Hospital einbiege, fühle ich mich schon fast wieder wie ein menschliches Wesen. Ich parke in der Nähe des Eingangs in der zweiten Reihe und eile zur Drehtür, weil mir Graupeln auf Kopf und Schulter trommeln. Die Rothaarige am Informationsschalter beäugt mich etwas zu interessiert. Im Vorbeigehen schenke ich ihr ein ziemlich nettes Lächeln, doch sie ignoriert es und wendet sich wieder ihrem Computer zu.

Im Kellergeschoss des Krankenhauses ist es ruhig und nicht so hell wie in den oberen Stockwerken. Meine Stiefelschritte klingen dumpf auf dem gefliesten Boden, als ich das gelbschwarze Symbol für Biogefährdung passiere, durch mehrere Schwingtüren gehe und schließlich zu Doc Coblentz komme, der in seinem Büro am Schreibtisch sitzt. »Doc?«

»Ah, Chief Burkholder. Ich habe Sie erwartet.« Er kommt in seinem weißen Laborkittel und der marineblauen Hose auf mich zu. »Wissen Sie schon, wer die Tote ist?«

»Wir überprüfen gerade Vermisstenanzeigen.« Ich atme tief ein, versuche, mich auf das vorzubereiten, was gleich kommt. »Gibt es schon einen ersten Autopsiebericht?«

Er schüttelt den Kopf. »Ich habe sie gesäubert und gerade die Voruntersuchung abgeschlossen. Kommen Sie mit.«

Dazu habe ich zwar gar keine Lust, aber ich muss diese junge Frau identifizieren. Irgendwo da draußen gibt es Menschen, die ihr nahestehen, die sich Sorgen machen. Vielleicht hat sie Kinder. Menschen, deren Leben sich durch ihren Tod unwiderruflich verändert.

Ich gehe zuerst zu der Nische, hänge meine Jacke auf und ziehe die Schutzkleidung über. Als ich zurückkomme, erwartet mich der Doktor bereits. »Die Schnitte auf ihrem Unterleib scheinen die römische Zahl XXII zu sein.«

»Nach Eintritt des Todes?«

»Vor Eintritt des Todes.« Wir passieren die zweite Schwingtür und kommen in den grau gekachelten Raum, der mir
inzwischen verhasst ist.

Entlang der hinteren Wand befinden sich drei stählerne
Seziertische, ein vierter steht unter dem grellen Licht einer
großen Deckenlampe. Ich erkenne die menschliche Silhouette unter dem blauen Tuch und atme tief durch.

Doc Coblentz nimmt das Klemmbrett von der Ablage,
zieht einen Stift aus der Brusttasche seines Laborkittels, sieht
durch den Leseteil seiner Bifokalbrille, notiert etwas auf dem
Blatt und legt das Brett zurück auf die Ablage. »Ich bin seit
fast zwanzig Jahren Arzt, und nun seit acht Jahren Coroner.
Das hier ist das Beunruhigendste, was ich je gesehen habe.«

Behutsam zieht er das Tuch weg. Beim Anblick der bräun-
lichgrünen Haut trete ich bestürzt einen Schritt zurück.
Ihr Unterkiefer hängt runter und offenbart so die Zunge
im Mundinneren. Die Wunde an ihrem Hals gleicht einem
schwarzen, aufklaffenden Schlund.

Mein Blick wird angezogen von der römischen Zahl auf
ihrem Unterleib. Die Schnitte sind ungelenk, aber die Ähnlichkeit mit der Wunde auf Amanda Horners Körper ist
unverkennbar. »Todesursache?«

»Wie gehabt: Ausblutung. Er hat ihr die Kehle durchgeschnitten und sie ist verblutet.«

Ich muss sie mir genauer ansehen, ihre Haare, ihre Fingernägel, ihre Zehen – alles was hilft, um sie zu identifizieren.
Doch meine Füße weigern sich, näher heranzutreten.

»Er hat sie vergewaltigt, auch anal.«

»DNA?«

»Ich habe Abstriche gemacht, aber es gab keinerlei Flüssigkeit.«

»Er hat ein Kondom benutzt?«

»Wahrscheinlich. Ich weiß mehr, wenn die Ergebnisse vorliegen.« Der Arzt stößt einen Seufzer aus. »Er hat das Mädchen gefoltert, Kate. Sehen Sie sich das hier an.«

Er geht um den Seziertisch herum und holt vom Unterschrank ein rostfreies Tablett so groß wie ein Backblech. »Das war in ihrem After.«

Ich kann mich nicht überwinden, einen Blick auf das Ding zu werfen. Ich kann nicht mal dem Doktor in die Augen sehen, senke nur den Kopf und reibe mir die schmerzende Stelle zwischen den Augen. »Nach Eintritt des Todes?«

»Davor.«

Ich atme tief durch und zwinge mich, auf das Tablett zu sehen. Der Gegenstand ist ein Metallrohr, ungefähr eineinhalb Zentimeter Durchmesser und zwanzig Zentimeter lang. An einem Ende ist ein winziger Ösenhaken befestigt, das andere läuft spitz zu. Es sieht selbst gemacht aus und ist offensichtlich mit irgendetwas zurechtgeschliffen worden.

»Vergewaltigung mit einem Fremdkörper?« Ich frage mich, ob der Mörder vielleicht impotent ist. Eventuell war er bei einem Urologen wegen Erektionsstörungen. Ich nehme mir vor, das zu überprüfen.

»Das war meines Erachtens nicht der Grund, warum und wie er den Gegenstand benutzt hat.«

»Wie meinen Sie das?«

»Ich glaube, er ist Bestandteil eines selbst gebastelten Stromkreises.« Der Doktor nimmt das Teil in die Hand. »Das hier ist Kupfer, sehen Sie?« Er fährt mit dem durch Handschuhe geschützten Finger das Rohr entlang. »Als ich auf der Highschool war, habe ich stundenweise bei einem Elektriker gearbeitet. Kupfer ist einer der besten Stromleiter, die es gibt.«

Ich kenne mich mit Strom kaum aus. Aber ich weiß, dass er als Folterinstrument benutzt wird. Auf der Polizeiakademie hatte ich einmal gelesen, dass mexikanische Drogenkartelle mit Strom foltern, um Exempel zu statuieren.

Die Augen des Doktors drücken die gleiche Fassungslosigkeit und das Entsetzen aus, die auch mir den Hals zuschnüren. »Der Mörder hat also möglicherweise Erfahrung mit Elektrizität. Oder ist zumindest ein Bastler.« Das ist ein viel zu nettes Wort für einen Mann, der ein Folterinstrument gebaut hat. Väter basteln sonntagnachmittags in der Garage. Monster basteln nicht.

»Das erklärt auch die Brandwunden, die Amanda Horner erlitten hat.«

»Ja.«

»Warum hat er es zurückgelassen«, frage ich mich laut. Doch ich kenne die Antwort bereits: Er ist stolz auf sein grausames Instrument. Er wollte, dass wir es finden.

Der Doktor schüttelt den Kopf. »Das ist Ihr Gebiet, Kate, nicht meins. Ich kann nur definitiv sagen, dass er sie damit gefoltert hat und dass es wahrscheinlich elektrisch geladen war.«

Eine ganze Minute lang sind nur die surrenden Neonlampen und die brummenden Kühlaggregate zu hören. Ich versuche, meine Gedanken zu sammeln, meine Fragen zu formulieren, doch mein Verstand weigert sich. »Ich nehme das ins Täterprofil mit auf.«

Ich starre auf die tiefen Furchen an ihren Gelenken. Den aufgeblähten Unterleib. Ihre Hände und Füße. Ich versuche mir vorzustellen, wie sie zu Lebzeiten ausgesehen hat. Da fällt mir plötzlich auf, dass sie weder Finger- noch Fußnägel lackiert hat. Diese Frau ist vollkommen ungeschminkt. Keine Strähnchen in den Haaren, keine Löcher in den Ohrläppchen. Kein Schmuck.

Sie ist *schlicht.*

* * *

Als ich am Polizeirevier eintreffe, säumen schon ein Dutzend Fahrzeuge die Straße. Auf meinem reservierten Platz steht ein Übertragungswagen von ProNews16, so dass ich gezwungen bin, einen halben Block entfernt zu parken. Auf dem Weg ins Gebäude klemme ich eine Vorladung unter den Scheibenwischer des Wagens.

Drinnen geht es zu wie im Irrenhaus. Lois und Mona sind beide in der Zentrale, wo sie versuchen, die pausenlos klingelnde Telefonanlage in den Griff zu bekommen. T. J. sitzt mit dem Rücken zum Raum an seinem Arbeitsplatz, den Telefonhörer am Ohr. Glock hämmert in seiner Box auf die Computertastatur ein. Ich frage mich, wo Skid und Pickles stecken, bis mir klar wird, dass sie wahrscheinlich noch auf der Huffman-Farm sind.

Steve Ressler entdeckt mich und kommt mit hochroten Wangen auf mich zu. »Stimmt es, dass eine zweite Tote gefunden wurde?«

»Ja«, antworte ich im Gehen.

Er läuft neben mir her. »Wer ist das Opfer? Ist sie schon identifiziert? Ist die Familie benachrichtigt? Ist es der gleiche Mörder?«

»Ich muss arbeiten, Steve«, sage ich. »Die Pressekonferenz ist um achtzehn Uhr.«

Er bombardiert mich mit einem Dutzend weiterer Fragen, doch ich ignoriere sie alle und laufe weiter in Richtung meines Büros.

»Chief!« Monas Haare sind noch wilder als sonst. Der Eyeliner ist etwas zu dick geraten, passt aber zu dem rosa Lidschatten und dem knallroten Lippenstift. Sie ist sozusagen kameratauglich.

»Wie lange geht das schon so?«, frage ich.

»Ein paar Stunden. Ich bin geblieben, um Lois zu helfen.«

»Ich weiß das zu schätzen.« Von der anderen Seite des Raums wirft Steve Ressler mir einen bösen Blick zu. »Benehmen die sich wenigstens anständig?«

»Ressler ist ein penetranter Arsch. Norm Johnston ist jenseits von Gut und Böse.«

»Sagen Sie allen, die fragen, dass es heute um achtzehn Uhr eine Pressekonferenz im Highschool-Auditorium gibt.«

»Geht klar.«

In meinem Büro stelle ich den Computer an und besorge mir einen Kaffee, während er hochfährt. Mein Telefon klingelt, und ich sehe, dass alle vier Leitungen blinken. Ich ignoriere es und rufe Lois an.

»Haben Sie die Vermisstenanzeigen überprüft?«, frage ich.

»Da war nichts, Chief.«

Meine Gedanken wandern zu der jungen Frau in der Leichenhalle. Ich sollte überrascht sein, dass es noch keine Vermisstenanzeige gibt, bin es aber nicht. »Erinnern Sie die anderen an unser Meeting um vier.«

»Also das, das vor zehn Minuten anfangen sollte.«

»Und schicken Sie mir Glock her, ja?«

»Klar, mach ich.«

Ich denke noch über das zweite Opfer nach, als Glock eintritt. »Was gibt's?«

»Schließen Sie die Tür.«

Er greift hinter sich und stößt die Tür ins Schloss.

»Ich möchte, dass Sie alles stehen und liegen lassen«, beginne ich.

Er geht zum Besucherstuhl und setzt sich. »In Ordnung.«

»Was ich jetzt sage, muss unter uns bleiben. Niemand darf wissen, was Sie machen oder warum. Und ich kann Ihnen nicht alles verraten.«

»Dann sagen Sie mir, was Sie können, und ich kümmere mich drum.«

Ich bin heilfroh, dass er gewillt ist, mir blind zu vertrauen. »Ich möchte, dass Sie alles, wirklich alles über einen Mann namens Daniel Lapp herausfinden.«

»Wer ist er?«

»Er ist von hier. Amisch. Seit sechzehn Jahren hat ihn niemand mehr gesehen.«

Die Bedeutung der Zeitspanne entgeht ihm nicht, und zum ersten Mal wirkt Glock überrascht. »Er ist *amisch*?«

»Damals haben die Leute geglaubt, er hätte das amische Leben hinter sich gelassen.«

»Hat er Familie hier?«

Ich nicke. »Einen Bruder. Ich habe schon mit ihm gesprochen.«

»Hat er helfen können?«

»Nein.«

Glock sieht mich ein wenig zu eindringlich an. »Kann ich erfahren, warum wir uns für ihn interessieren?«

»Nein. Sie müssen mir einfach vertrauen, ja?«

Er nickt. »Okay. Mal sehn, was ich ausgraben kann.«

Einfach so. Keine Fragen. Kein Vorwurf, im Dunkeln gelassen zu werden. Ich habe ein wenig Gewissensbisse. Vielleicht weil ich dieses Vertrauen nicht verdiene?

»Hat das Priorität?«, fragt er kurz darauf.

»Höchste«, erwidere ich und hoffe inständig, er findet das, was ich nicht finden konnte.

16. KAPITEL

Der Lagerraum am Ende des Flurs von meinem Büro hat sich von einer Rumpelkammer in eine Kommandozentrale verwandelt. In der Mitte befindet sich ein zwei Meter fünfzig langer Klapptisch mit acht bunt zusammengewürfelten Stühlen drum herum. Vorn steht ein wackeliger Kartentisch mit Tischpult darauf, daneben ein Tafelständer mit einem Flipchart, und an die Wand hat jemand eine Weißwandtafel genagelt. Das Telefon steht auf dem Boden neben der Anschlussbuchse, weil die Leitung wohl nicht bis zum Tisch reicht.

Glock und ich sind die Ersten, was mir recht ist, denn ich brauche ein paar Minuten, um meine Gedanken zu sortieren und mich vorzubereiten. Es ist wichtig, dass ich mich souverän und kompetent präsentiere, zumal verschiedene Behörden an den Ermittlungen beteiligt sind.

»Nicht schlecht«, kommentiert Glock die Raumgestaltung von Mona und Lois.

»Als Notlösung gut genug.« Ich ringe mir ein Lächeln ab. »Wie sieht mein Auge aus?«

»Ist in voller Blüte, Chief. Aber Lila steht Ihnen gar nicht schlecht.«

In dem Moment betreten Detrick und zwei uniformierte Deputys den Raum. Ich zeige auf den Tisch und die Stühle. »Freie Platzwahl.«

Detrick kommt auf mich zu, hält mir die Hand hin. »Hat der Rechtsmediziner schon was gehabt?«

Sein Händedruck ist fest und trocken. Ich wünschte, ich wäre so gelassen. »Die Todesursache ist die Gleiche wie beim ersten Opfer. Über die Einzelheiten informiere ich bei der Besprechung.«

Er nickt und weist auf die beiden Deputys. »Ich habe Ihnen noch Unterstützung mitgebracht. Das ist Deputy Jerry Hunnaker.«

Hunnaker ist leicht übergewichtig und hat ein großspuriges Grinsen, das mir sofort schlecht aufstößt. Als wir die Hände schütteln, quetscht er meine Finger und ich frage mich, ob Detrick mir seinen Ballast überlässt.

Der zweite Deputy ist lang und hager und sieht eher wie ein Highschool-Stabhochspringer als wie ein Polizist aus. Doch er blickt mich offen an, wirkt natürlich, und obwohl ich ihn schon als unerfahren abgestempelt habe, wird er mir sicher eine größere Hilfe sein als das grinsende Arschloch mit dem Schraubstockhändedruck.

»Deputy Darrel Barton.« Detrick legt seine Hand auf die Schulter des Deputys wie ein stolzer Vater, der seinen Lieblingssohn vorstellt.

Während ich mit Detrick zugange war, hat sich der Raum gefüllt. Ich sehe Steve Ressler bei der Tür stehen und gehe zu ihm hin. »Die Pressekonferenz ist immer noch um sechs«, sage ich leicht genervt.

»Ich würde gern hier dabei sein, um zu hören, was die Polizei unternimmt.«

»Das ist eine interne Besprechung, Steve. Einiges von dem, was hier gesagt wird, ist nicht für die Öffentlichkeit bestimmt.«

»Oder die Öffentlichkeit soll nicht erfahren, dass Sie immer noch im Dunkeln tappen.«

Ihm scheint seine eigene Unverfrorenheit zu gefallen, und ich frage mich, wie er es fände, wenn ich spontan meinem Gefühl nachginge und ihn bewusstlos schlagen würde. Ich zeige mit dem Kopf zur Tür. »Sie können Ihre Bedenken bei der Pressekonferenz vorbringen.«

Ressler dreht auf dem Absatz um und stapft aus dem Zimmer.

Ich stelle mich ans Pult, lasse den Blick über die Anwesenden schweifen. Detrick thront am Tisch, flankiert von seinen beiden Deputys. Ihnen gegenüber sitzen – getrennt nach Behörde und Loyalität – Glock und T. J., während Skid und Pickles hinten am Tisch Platz genommen haben. Bürgermeister Auggie Brock sitzt allein und sieht aus wie der neue Schüler am ersten Schultag. Hinter ihm steht John Tomasetti an den Türrahmen gelehnt, die Reisetasche bei den Füßen. Der ganze Trupp ist hier.

Ich atme tief durch und beginne. »Wir sind jetzt eine Sonderkommission, die vom Bürgermeister und Stadtrat aus mehreren Behörden zusammengestellt wurde.«

Ein Raunen geht durch den Raum, und meine Leute fragen sich bestimmt, warum ich ihnen nicht schon vorher etwas über die Bildung der Sonderkommission gesagt habe.

Den Blick auf Auggie geheftet, fahre ich fort. »Wir arbeiten also mit dem Sheriff von Holmes County, Nathan Detrick, zusammen.« Der Sheriff erhebt sich kurz und setzt sich wieder. »Und mit John Tomasetti, einem Agenten vom Bureau of Criminal Identification and Investigation in Columbus.«

Alle Augen richten sich auf Tomasetti, der kurz nickt, und ich finde, dass er wirklich wie ein Mafioso aussieht.

In den nächsten zehn Minuten fasse ich die Einzelheiten der beiden Morde zusammen. Als ich fertig bin, gehe ich zu der Weißwandtafel, schreibe *Verdächtige Personen* darauf und ziehe einen Strich darunter. Alle erwarten, dass ich *Schlächter* schreibe, doch ich beginne mit einem anderen Namen. *Scott Brower.* »Er war Samstagabend im Brass Rail. Ein Zeuge hat ihn zusammen mit Amanda Horner gesehen.« Nachdem ich die Einzelheiten über ihn und auch von seiner Verhaftung heute Morgen berichtet habe, komme ich zum nächsten Verdächtigen.

»Patrick Ewell.« Ich schreibe den Namen an die Tafel.
»T. J.?«

Der junge Officer blickt auf seine Notizen. »Der Hinter-
grund … Ewell hat am Freitag, äh … Gummis im Super Value Grocery in Painters Mill gekauft. Die mit Gleitbeschichtung, die auch der Täter benutzt hat. Ewell hat bar bezahlt,
aber wir konnten ihn anhand der Überwachungskamera
identifizieren. Er arbeitet im Schlachthof. In der Lohnbuch-
haltung. Ich habe ihn verhört. Seine Frau gibt ihm ein Alibi.«

Ich unterbreche ihn. »Es ist bekannt, dass Ehefrauen oft
lügen, um ihre Männer zu schützen. Er bleibt somit ein Verdächtiger.« Ich sehe T. J. an. »Was ist mit den anderen Kon-
domkäufern?«

»Wir haben sie identifiziert. Willie Stegmeyer und Bo
Gibbas.«

»Haben Sie mit ihnen geredet?«

»Noch keine Zeit gehabt, Chief. Aber sie stehen als Nächste auf meiner Liste.«

Ich notiere die Namen auf der Tafel, zögere kurz, dann
schreibe ich *Schlächter*. »Die Bezeichnung gefällt mir nicht,
aber da sie den meisten von Ihnen bekannt ist, bleibe ich dabei.« Ich lasse den Blick kurz durchs Zimmer schweifen. »Wie
Sie alle wissen, gleichen die Morde, mit denen wir es zu tun
haben, den vier Mordfällen Anfang der neunziger Jahre. Ich
bin nicht davon überzeugt, dass wir es mit demselben Täter zu tun haben, und möchte Sie bitten, in einem so frühen
Stadium nicht davon auszugehen. Wir könnten es mit einem
Nachahmer zu tun haben. Ich begründe das mit der großen
Zeitspanne zwischen den Fällen.«

Die Gesichter meiner Zuhörer sagen mir, dass sie anderer
Meinung sind, und ich füge hinzu: »Es ist natürlich möglich,
dass der Mörder inhaftiert oder verletzt war oder den Wohn-
sitz gewechselt hat. Aber seien Sie offen für andere Möglichkeiten und scheuen Sie sich nicht, um die Ecke zu denken.«

Ich blicke auf das Blatt mit der Aufgabenverteilung. »Nun zum Stand unserer Ermittlungen. Officer Skidmore arbeitet mit dem DRC an einer Liste mit den Namen aller Häftlinge, die in den letzten sechzehn Jahren im Gefängnis waren.« Ich blicke Skid an. »Ihr Bericht?«

Er richtet sich auf, doch das täuscht nicht über seinen derangierten Zustand hinweg. Von meinem Platz aus sehe ich, dass seine Augen blutunterlaufen sind. Etwas zittrig nimmt er ein Blatt in die Hände. »Ich habe gestern mit den offiziellen Erkundigungen begonnen.« Er nennt verschiedene Countys und Städte in Ohio. »Das DRC hat meinen Anfragen Priorität gegeben, ich sollte also heute Nachmittag oder spätestens morgen früh von ihnen hören.«

Tomasetti meldet sich von seinem Stehplatz an der Tür. »Ich kann dafür sorgen, dass das DRC den Prozess beschleunigt.«

Skid nickt. »Das klingt gut.«

Ich fahre fort. »Weiten Sie die Suche auf Krankenhäuser aus, und auf Nervenkliniken. Ich will wissen, ob sie Männer zwischen zwanzig und vierzig mit schweren Verletzungen behandelt haben, wie zum Beispiel nach einem Autounfall, oder jemanden mit so schweren psychischen Problemen, dass eine Einweisung notwendig war.«

Skid pfeift. »Kann 'ne Weile dauern. Es gibt 'ne Menge Verrückte da draußen.«

Einige kichern.

Als Nächstes schreibe ich »Ähnliche Verbrechen« auf die Tafel. »Pickles, ich habe Anfragen bei OHLEG laufen, aber ich weiß, dass aus irgendwelchen Gründen manchmal Daten nicht eingegeben werden. Ich möchte, dass Sie die örtlichen Polizeidienststellen anrufen. Fragen Sie nach Mordfällen, bei denen ein Messer im Spiel war, den Opfern die Kehle durchschnitten oder ihnen etwas auf den Unterleib geritzt wurde. Sexualverbrechen, wo Messer eine Rolle gespielt haben, sind ebenfalls von Bedeutung. Beginnen Sie mit den umliegenden acht Countys, und nehmen Sie sich dann die Großstädte vor, einschließlich Columbus, Massillon Newark, Zanesville und Cambridge.«

Pickles sieht mich an, als hätte ich ihm gerade die Nachricht von seinem Lottogewinn überbracht. »Wird gemacht, Chief.«

Ich blicke Detricks großspurigen Deputy an. »Hunnaker, Doc Coblentz sagt, dass beide Opfer mit einem Fremdkörper vergewaltigt wurden. Es besteht die Möglichkeit, dass der Täter impotent ist. Ich möchte, dass Sie alle Urologen in der Gegend befragen und eine Liste von Männern zusammenstellen, die wegen Erektionsstörungen behandelt wurden.«

Hunnaker rutscht auf seinem Stuhl herum und versucht, nicht verlegen auszusehen.

Der zweite Deputy, Barton, flüstert: »Keine Angst, Hun, du musst dich nicht mit draufsetzen.«

Gelächter erfüllt den Raum. Ich lache zwar nicht mit, doch der Humor vermindert die allgemeine Anspannung.

Sheriff Detrick nickt zustimmend. »Und wie steht's mit dem Arztgeheimnis? Ist das nicht ein Problem?«

»Nicht mit richterlicher Anordnung«, erwidere ich und sehe dabei Auggie Brock an. »Spielen Sie nicht Golf mit Richter Seibenthaler?«

Auggie weicht meinem Blick aus. »Der Richter kann nicht mal ein 4er Eisen von einem Putter unterscheiden«, sagt er.

Das bringt ihm ein paar Lacher ein, doch die Stimmung bleibt düster. »Rufen Sie ihn an«, sage ich. »Finden Sie raus, ob wir richterliche Anordnungen bekommen, falls wir sie brauchen.«

Ich wende mich an Barton. »Ich will eine Liste mit allen registrierten Sexualstraftätern in den Countys und Städten, die ich vorhin genannt habe. Die meisten Polizeidienststellen haben sie online.«

Er nickt und schreibt es in seinen kleinen Notizblock. »Pädophile auch?«

»Ja, die auch.« Ich sehe Glock an. »Reifen- und Schuhabdrücke.«

Der ehemalige Marine lehnt sich auf seinem Stuhl zurück und spricht wie ein Vorstandsvorsitzender zu einer Gruppe Oberstufenschüler. »Ich habe gerade mit dem BCI telefoniert. Die zweite Lieferung der von uns gesicherten Spuren ist im Labor angekommen und wird derzeit bearbeitet. Wir haben absolute Priorität.« Er blickt Tomasetti an, und wir alle wissen, dass unser Superermittler seinen Zauberstab erhoben und ein Feuer entfacht hat. »Beim Vergleich der ersten Reifen- und Schuhabdrücke konnte der Teilabdruck von einem Reifen nicht zugeordnet werden. Sie versuchen gerade, den Hersteller herauszufinden. Wenn das gelingt, ermitteln sie die Einzelhändler, die die Marke verkaufen.«

»Und ein Einzelhändler kann uns vielleicht einen Namen nennen«, sagt Detrick und spricht das Offensichtliche aus.

»Besonders wenn er mit Scheck oder Kreditkarte bezahlt hat«, fügt Glock hinzu.

»Oder wenn es Überwachungskameras gibt.« Mein Blick wandert zu Mona, die mit den Knöpfen an ihrem Pullover spielt. »Mona?« Sie hebt ruckartig den Kopf, glücklich, mit einbezogen zu werden. Sie ist keine Polizistin, doch zum ersten Mal ist das unwichtig. Ich habe die perfekte Aufgabe für sie.

»Ich möchte, dass Sie eine Liste der Beweisstücke zusammenstellen«, beginne ich, »und sämtliche Fotos, die wir von den Tatorten und Opfern haben, hier an eine Wand heften. Im Internet gibt es Beispiele, wie so etwas üblicherweise aussieht.«

»Das weiß ich aus einer Folge von *Murder Files.*« Gedämpftes Kichern erklingt, und sie beißt sich auf die Lippe.

Ich lächle sie an. »Wie weit sind Sie mit der Liste aller leerstehenden Immobilien?«

»Bis jetzt habe ich zwölf Wohnhäuser und zwei Geschäftshäuser«, erwidert sie.

Auggie ergreift das Wort. »Sie sollten sich mit der County-Steuerbehörde in Verbindung setzen. Eventuell auch mit dem Konkursgericht.«

»Okay.« Mona schreibt alles schnell auf. »Geht in Ordnung.«

»Das hat absolute Priorität.« Ich wende mich Mona zu. »Geben Sie alles, was Sie haben, Sheriff Detrick.« Ich sehe den Sheriff an. »Kann das Sheriffbüro mit der Überprüfung dieser Immobilien gleich beginnen?«

»Kein Problem.«

T. J. hebt langsam die Hand, merkt dabei, dass wir hier nicht in der Schule sind, und lässt sie wieder sinken.

»Chief, haben Sie daran gedacht, einen Profiler hinzuzuziehen?«

Mein Blick wandert zu Tomasetti, doch sein Pokergesicht verrät nichts. Ich ertappe mich bei dem Wunsch, seine Gedanken lesen zu können.

»Ich arbeite gerade an einem Profil«, erwidert er. »Bis heute Abend sollte es fertig sein.«

Ich blicke auf meine Notizen, beschreibe als Nächstes das Folterinstrument, das Doc Coblentz im zweiten Opfer gefunden hat, wobei einige unruhig mit den Füßen scharren oder sich räuspern.

»In der Akte befindet sich ein Foto davon. Es sieht selbstgemacht aus, so als hätte der Typ es in seiner Garage oder seinem Betrieb gebastelt. Wahrscheinlich kennt er sich mit Stromkreisen aus.«

Detrick lehnt sich auf seinem Stuhl zurück, die Arme über der Brust verschränkt. Er beobachtet mich genau. »Wir müssen diesen kranken Mistkerl kriegen, Leute. Ich glaube, jeder hier weiß, dass er nicht aufhören wird, wo er jetzt gerade auf den Geschmack gekommen ist.«

Ich sehe Detrick an. »Wir könnten mehr Polizeistreifen in der Gegend gebrauchen.«

»Geht in Ordnung.«

Ich wende mich wieder den anderen zu. »Ich habe für achtzehn Uhr eine Pressekonferenz angesetzt. Im Highschool-Auditorium. Sie sollten auch alle dabei sein.«

Ich sehe sie nacheinander kurz an. »Ich möchte die Anwesenden hier im Raum eindringlich daran erinnern, dass wir die Tatsache, dass der Mörder römische Zahlen auf den Unterleib seiner Opfer ritzt, nicht bekannt geben. Sprechen Sie mit niemandem darüber, was wir heute besprochen haben. Weder mit der Ehefrau noch mit der Freundin oder dem Freund oder dem Hund. Haben das alle verstanden?«

Alle nicken. Zufrieden, dass ich mich klar ausgedrückt habe, trete ich vom Pult weg. »Machen wir uns an die Arbeit.«

17. KAPITEL

Zwei Minuten vor achtzehn Uhr treffe ich in der Highschool ein. Eigentlich hatte ich vor den Presseleuten da sein wollen, aber dafür bin ich nun zu spät. Mehrere Pressefahrzeuge parken im hinteren Bereich nahe der Bushaltestelle, wo ich im düsteren Licht der Straßenlampen den Übertragungswagen von ProNews16 erkenne.

Ich stelle mein Auto auf den Lehrerparkplatz und betrete das Gebäude durch einen weniger benutzten Seiteneingang. Der Korridor ist warm und riecht nach Papierstaub sowie einem gewerblichen Reinigungsmittel, das wohl nach Fichte duften soll. Das Auditorium liegt geradeaus, ich höre die Menschen, bevor ich sie sehe. Als ich aber beobachte, wie eine Fernsehcrew aus Columbus Scheinwerfer und Kameraausrüstung hineinträgt, überkommt mich Beklemmung.

Ich biege in einen Seitengang, der zum rückwärtigen Teil des Auditoriums führt. Detrick steht vor dem Bühneneingang und liest in einem kleinen Spiralblock – ein Schauspieler, der seine Sätze auswendig lernt, kurz bevor sich der Premierenvorhang hebt.

Als er mich entdeckt, lässt er den Block sinken. »Sie kommen gern in letzter Minute, hab ich recht?«

»So was hier ist nicht mein Ding.« Das ist eine Untertreibung. Ich würde mir lieber den kleinen Zeh abschießen, als mich den Presseleuten zu stellen.

»Eine Menge Kameras«, kommentiert er. »Und auch ein paar Radiosender.«

Dazu fällt mir nur eins ein: Verdammter Mist. Detrick hingegen sieht aus wie ein Star vom Nachmittagsfernsehen, der gleich seinen Emmy-Award entgegennehmen wird. Der Hauch von Puder auf seiner Glatze und die Erwartung, die in seinen Augen leuchtet, machen mir noch einmal bewusst, dass er in erster Linie Politiker und dann erst Gesetzeshüter ist.

Er schenkt mir einen weisen Blick. »Ich war lange Zeit Polizist, und zwar ein guter. Aber ich bin auch ein guter Politiker, und mich hat bis jetzt noch jede Kamera geliebt.« Sein Lächeln hat etwas sympathisch Selbstironisches. »Wenn Sie wollen, dass ich mich um die Presse kümmere, mache ich das gern. Ich weiß, Sie haben alle Hände voll zu tun und können nicht an zwei Orten gleichzeitig sein.«

Das ist sein erster Schritt, den Fall an sich zu reißen, denke ich sofort. Es klingt zwar paranoid, aber in der Öffentlichkeit ist Wahrnehmung alles. Vor den Fernsehkameras wird Detrick mich überstrahlen wie die Sonne den Mond. Doch er hat recht. Es ist wichtiger, an diesem Fall zu arbeiten, als mit ein paar Fünfundzwanzigjährigen, die sich den großen Karrieredurchbruch erhoffen, Frage und Antwort zu spielen.

Aber diesen Gedanken verwerfe ich gleich wieder, als Norm Johnston und Auggie Brock auf uns zusteuern und Detrick die ausgestreckte Hand schütteln. Auggie blickt zwar in meine Richtung, doch schnell wieder weg. Norm nimmt mich erst gar nicht wahr. Ich ziehe die Jacke aus, hänge sie über den Klappstuhl und versuche, mich zu beruhigen.

»Es geht los«, sagt Norm.

Wir betreten die Bühne als einträchtiges Team, doch während die Blitzlichter und grellen Lampen meine Augen malträtieren, frage ich mich, wie lange unsere fragile Demonstration von Geschlossenheit wohl halten wird. Dieser Fall ist geeignet, auch die beste Beziehung einer Zerreißprobe auszusetzen, und meine Beziehung zu Bürgermeister und Stadtrat ist nicht einmal gut.

Wir gehen zu dem Tisch hinter dem Stehpult. Das warme

Blitzlichtgewitter hier drinnen steht im scharfen Kontrast zu der dunklen Kälte draußen. Auggie tritt an das Stehpult und klopft mit dem Finger ans Mikrophon. »Können Sie mich hören?«

Die Presseleute antworten mit Ja-Rufen und Kopfnicken.

Der Bürgermeister wendet sich mir zu. »Chief of Police Kate Burkholder«, stellt er mich vor.

Ich gehe zum Stehpult, lasse den Blick über die vielen Gesichter schweifen und spüre die Verantwortung gegenüber diesen Menschen, denen zu dienen und die zu schützen ich geschworen habe. In diesem Moment hoffe ich inständig, meinem Diensteid Genüge tun zu können, ohne dabei meine Familie zu entehren oder mein eigenes Leben zu zerstören.

Zunächst fasse ich die wesentlichen Informationen über die Fälle zusammen, wobei ich die Einritzungen auf dem Unterleib der Opfer unerwähnt lasse. »Ich möchte Ihnen allen versichern, dass das Sheriffbüro von Holmes County, das Bureau of Criminal Identification and Investigation und die Polizei von Painters Mill rund um die Uhr arbeiten, um den Täter dingfest zu machen. Doch in der Zwischenzeit muss ich alle Bürger um ihre Mithilfe bitten. Ich möchte, dass Sie Ihre Türen abschließen, die Alarmanlagen einschalten und jeden ungewöhnlichen oder verdächtigen Vorgang der Polizei melden, auch wenn er noch so trivial erscheint. Ich bitte Sie ebenfalls, Nachbarschaftswachen einzurichten und Kontakt mit Nachbarn, Familienmitgliedern und Freunden zu halten. Frauen und Mädchen sollten besondere Vorsicht hinsichtlich ihrer eigenen Sicherheit walten lassen und nicht allein ausgehen.«

Kaum halte ich kurz inne, schlägt mir ein Trommelfeuer von Fragen entgegen.

Ist es der Schlächter?

Gibt es einen Verdächtigen?

Wie wurden die Frauen ermordet?

Die Aufdringlichkeit der Presseleute ärgert mich. »Einer nach dem anderen«, rufe ich, doch niemand scheint meine Bitte zu hören. Ich sehe Steve Ressler in der ersten Reihe und spreche ihn mit Namen an, wobei ich hoffe, dass das mein schroffes Verhalten im Polizeirevier wiedergutmacht. In so einem frühen Stadium will ich auf keinen Fall die Presse gegen mich aufbringen.

»Chief Burkholder, haben Sie schon Kontakt mit dem FBI aufgenommen?«

»Nein.«

Missbilligendes Gemurmel von allen Seiten.

»Warum nicht?«

»Weil wir schon mit dem Bureau of Criminal Identification and Investigation in Columbus zusammenarbeiten.«

Ein Dutzend Hände schießen in die Luft. Ich zeige auf einen dünnen Mann mit dicker, schwarz gerandeter Brille. »Können Sie uns sagen, wie die Frauen umgebracht wurden?«, fragt er.

»Laut der vorläufigen Ergebnisse des Coroners wurde beiden Opfern die Kehle durchgeschnitten. Todesursache ist Verbluten.«

Schock und Angst sorgen für eine momentane Stille. Ich zeige auf einen Mann mit Cincinnati-Reds-Baseballmütze. »Auf die gleiche Weise hat der Schlächter Anfang der neunziger Jahre seine Opfer getötet«, beginnt er. »Ist es derselbe Mann?«

»Das lässt sich nicht mit Gewissheit sagen, aber wir sehen uns die alten Akten an.« Ich ignoriere das einsetzende Stimmengewirr und deute auf eine Frau, die ich in den Fernsehnachrichten gesehen habe.

Die Fragen sind brutal und regnen wie Steine auf mich herab. Die Antworten kosten mich viel Kraft. Ich tue mein Bestes, aber nach zwanzig Minuten Sperrfeuer fühle ich mich ausgelaugt. Noch immer wedeln Hände in der Luft, doch ich habe genug. »Wenn Sie mich jetzt bitte entschuldigen, ich muss arbeiten.« Beim Verlassen des Stehpults wende ich mich Detrick zu. »Sheriff Detrick?«

Jetzt müsste ich mich eigentlich zu Auggie und Norm setzen, doch ich war noch nie ein Fan von politischem Kabarett und begebe mich zum Ausgang.

Hinter mir tönt Detricks Stimme durchs Auditorium. Er strotzt nur so vor Selbstvertrauen und Charisma, und ich weiß, dass die feindlich gesinnten Presseleute ihm in wenigen Minuten aus der Hand fressen werden. Das sollte mir egal sein, ist es aber nicht. In der Öffentlichkeit zählt nur die Wahrnehmung, selbst wenn sie manipuliert wird.

Ich könnte mir in den Hintern beißen, dass ich mich nicht besser verkauft habe, nicht geduldiger und direkter gewesen bin. Ich hätte stärker zeigen müssen, dass ich die Führung in der Hand habe. Doch ich bin Polizistin, keine öffentliche Rednerin. Ich schnappe mir meinen Anorak vom Stuhl und gehe durch die Bühnentür hinaus, will schnell zurück aufs Revier, wo ich mir meiner Fähigkeiten wenigstens sicher bin.

Als ich den von Spinden gesäumten Flur entlanggehe, kann ich Detricks Stimme noch immer hören. Selbst aus dieser Entfernung vermittelt sie ein beneidenswertes Selbstbewusstsein. Und es wird Detrick sein, nicht ich, der den Bürgern von Painters Mill heute Abend ein Gefühl von Sicherheit gibt.

»Chief!«

Ich drehe mich um und sehe Glock auf mich zueilen. Neben ihm marschiert John Tomasetti, einen grimmigen Ausdruck im Gesicht. Ihnen folgt ein amischer Mann mit schlecht geschnittenen Haaren, blauen Augen und rotem Vollbart; sein schwarzes Wolljackett kommt mir für diese Jahreszeit viel zu dünn vor. Die plumpe Frau hinter den drei Männern trägt eine schwarze Jacke über einem wollenen Trägerkleid und knöchelhohe Lederstiefel.

»Das sind Ezra und Bonnie Augspurger«, beginnt Glock.

Es ist fünfzehn Jahre her, dass ich die Augspurgers gesehen oder gesprochen habe. Aber ich erkenne sie wieder, denn als Kind habe ich mit meinen Eltern viele Sonntage beim Gottesdienst in ihrem Haus verbracht. Ich erinnere mich, mit ihrer Tochter Ellen gespielt zu haben, und mit einem Bruder namens Urie, der sich einen Spaß daraus gemacht hatte, mir die *Kapp* vom Kopf zu ziehen. Aber er hatte mich nicht verpetzt, als ich ihn einmal in einen Haufen Pferdeäpfel gestoßen habe. Das jüngste Kind der Augspurgers, Mark, leidet unter dem Ellis-van-Creveld-Syndrom, einer Form des Minderwuchses, die bei Amischen gehäuft auftritt. Als Kind wusste ich natürlich nur, dass Mark klein war, aber Ellen hatte mir irgendwann verraten, dass er einen Zeh zu viel und ein Loch im Herz hat.

Als Ezra und Bonnie jetzt vor mir stehen, frage ich mich, ob der kleine Mark noch lebt.

Ich reiche zuerst Ezra die Hand. Als sich unsere Blicke treffen, sehe ich Angst in seinen Augen – die gleiche Angst, die an die Tür meiner Psyche hämmert. Ich weiß, warum sie hier sind, wie diese Begegnung enden wird.

»Ellen ist verschwunden«, sagt Ezra mit zittriger Stimme.

»Wir haben das mit dem englischen Mädchen gehört und machen uns Sorgen«, fügt Bonnie hinzu. »Bitte hilf uns, sie zu finden.«

Ich denke an die teilweise verfaulte Tote auf der Bahre in der Leichenhalle des Krankenhauses – die unlackierten Finger- und Fußnägel –, und eine so große Traurigkeit überkommt mich, dass ich einen Moment lang nicht sprechen kann. Ich wünsche mir so sehr, dass es nicht Ellen ist, weiß aber, dass mein Wunsch nicht in Erfüllung gehen wird. Zudem fühle ich mich schuldig, dass ich sie nicht erkannt habe, und obwohl ich sie fünfzehn Jahre lang nicht gesehen habe, ist das keine Entschuldigung.

Noch bevor es mir bewusst wird, spreche ich auf Pennsylvaniadeutsch. »Wie lange vermisst ihr sie schon?«

Ezra blickt zu Boden, doch die Scham in seinem Gesicht ist mir nicht entgangen.

»Zweieinhalb Wochen.« Bonnie verknäult nervös die Finger.

Ich sehe Ezra scharf an. »Warum bist du nicht früher gekommen?«

»Es ist eine amische Angelegenheit, die wir unter uns regeln mussten.«

Das Argument kommt mir so furchtbar bekannt vor, dass sich mir die Nackenhaare sträuben.

»Wir dachten, sie wäre weggelaufen«, sagt Ezra. »In den letzten Monaten war Ellen … schwierig geworden … aufsässig.«

»Sie hat gesagt, sie wollte mit dem Bus nach Columbus fahren und ihre Cousine Ruth besuchen«, erklärt Bonnie. »Als sie verschwand, dachten wir, sie hätte es wirklich getan. Gestern Abend haben wir aber von Ruth gehört, dass sie nie in Columbus angekommen ist.«

Am liebsten würde ich die beiden mit aufs Polizeirevier nehmen, wo wir ungestört reden können, denn hier gibt es zu viele Menschen, zu viele Kameras. Da entdecke ich in der Nähe eine offene Klassenraumtür. »Wir gehen wo hin, wo es ruhiger ist.«

Ich lasse die Augspurgers kurz stehen und wende mich Glock und Tomasetti zu. »Finden Sie heraus, wo es hier ein Faxgerät gibt«, sage ich ruhig. »Bitten Sie Mona, uns vom zweiten Opfer das beste Foto, das sie hat, zu faxen.«

Beiden Männern steht das Wissen um die Tragödie, die sich bald vor uns entfalten wird, in den Augen geschrieben. Glock wendet sich ab und eilt auf der Suche nach einem Schulangestellten zum Auditorium.

Ich wünschte, ich könnte das Ganze ohne Tomasetti handhaben, denn zwischen den Amischen und der englischen Polizei herrscht ein tiefes Misstrauen, das bei den konservativen Amischen, zu denen die Augspurgers gehören, besonders stark ausgeprägt ist. Doch die Vorschrift besagt, dass ich ihn mit einbeziehen muss. Ob es mir gefällt oder nicht, er gehört zum Team.

Ich wende mich wieder Bonnie und Ezra zu, und wir gehen zum Klassenzimmer, gefolgt von Tomasetti. Als ich das Licht einschalte, fällt mein Blick auf Schulbänke, eine grüne Schiefertafel, auf die jemand »Scheiße« geschrieben hat, und ein mit Papieren bedecktes Lehrerpult. Ich ziehe ein paar Plastikstühle unter den Bänken hervor und wir setzen uns.

»Weißt du etwas von Ellen?«, fragt Ezra mich auf Pennsylvaniadeutsch.

»Hast du ein neueres Foto von ihr?«, frage ich, doch ich kenne bereits die Antwort. Die meisten Amischen lassen sich nicht fotografieren, weil Fotos für sie ein Ausdruck von Stolz sind. Einige glauben sogar, dass Fotos und selbst Gemälde, auf denen ein Gesicht abgebildet ist, das biblische Gebot »*Du sollst dir kein Bildnis noch irgendein Gleichnis machen*« verletzen. Es gibt noch Amische der alten Ordnung, die glauben, ein Foto stehle die Seele des Fotografierten.

»Wir haben kein Foto«, erwidert Ezra.

Ich ziehe mein Notizbuch aus der Jackentasche. »Wann hast du sie das letzte Mal gesehen?«

»Am Tag, als sie verschwunden ist. Ich habe sie in der Scheune erwischt, wie sie eine Zigarette geraucht hat. Wir haben gestritten …« Ezra zuckt mit den Schultern. »Sie sagte, sie würde ihre Cousine Ruth besuchen.«

»Als Ellen dann verschwunden war, habt ihr da irgendeinen Fremden in der Gegend gesehen? Ein Auto oder eine Kutsche?«

Ezras dicke Brauen ziehen sich zu einer Linie zusammen.

»Ich erinnere mich an Schuhabdrücke im Schnee. Ich wusste nicht, von wem die waren.«

»Wo?« Mein Herz schlägt schneller. Das wäre unser erster Anhaltspunkt gewesen, hätte dieser Mann nicht entschieden, die Polizei außen vor zu lassen.

»Sie führten zur Straße.«

Die Fußspuren sind jetzt zweifellos alle verschwunden. Trotzdem, wenn der Mörder dort war, hat er vielleicht irgendetwas anderes hinterlassen. Ich sehe Tomasetti an. »Sorgen Sie dafür, dass Pickles und Skid rausfahren.«

»Wie lautet die Adresse?«, will er wissen.

Bonnie nennt eine ländliche Anschrift. »Glauben Sie, jemand hat Ellen mitgenommen?«, fragt sie.

Tomasetti steht auf, zieht sein Handy vom Gürtel und geht zum Telefonieren in den hinteren Teil des Raums.

Ich wende mich wieder Ezra zu. »Kannst du mir Ellen beschreiben?«

Der Mann ist total durcheinander, so dass ich Bonnie ansehe, aus der die Worte herauspurzeln. »Sie ist siebenundzwanzig Jahre alt, blaue Augen, dunkelblondes Haar.«

»Größe? Gewicht?«

»Sie ist etwa einen Meter sechzig groß und wiegt siebenundfünfzig Kilo.«

Die Beschreibung passt auf das zweite Opfer. »Irgendwelche Besonderheiten? Narben?«

»Sie hat einen braunen Leberfleck am linken Fußknöchel.«

Ich schreibe alles auf, bin sicher, dass Tomasetti mich nicht aus den Augen lässt. Mein Handy klingelt und ich sehe aufs Display. Glock. Ich nehme ab.

»Ich stehe mit dem Fax vor der Tür«, sagt er.

Mit Blick auf Bonnie und Ezra erhebe ich mich. »Ich bin gleich wieder da.«

Glock läuft im Korridor auf und ab. Ich schließe die Tür hinter mir und gehe zu ihm. Er gibt mir das Fax. Ich starre auf das Schwarzweißfoto, das in der Leichenhalle aufgenommen wurde. Im Leben hat Ellen sicher ganz anders ausgesehen als die Leiche auf dem Obduktionstisch. Doch es ist noch genug von ihr da, dass ihre Eltern sie wiedererkennen werden.

»Glauben Sie, es ist ihre Tochter?«, fragt er.

»Ja.« Ich nehme mein Handy und drücke die Kurzwahltaste für Doc Coblentz' Arbeitsnummer. Als der Anrufbeantworter anspringt, wähle ich die Privatnummer. Seine Frau nimmt nach dem ersten Klingeln ab, dann warte ich ungeduldig, bis er selbst drankommt.

»Ich glaube, wir kennen jetzt die Identität des zweiten Opfers«, sage ich. »Können Sie sich erinnern, ob sie einen braunen Leberfleck am linken Fußknöchel hat?«

Der Doktor seufzt. »Ich habe einen großen Leberfleck innen am linken Knöchel gesehen und vermerkt.«

Ich schließe kurz die Augen, dann erzähle ich ihm von den Augspurgers.

»Gott stehe ihnen bei«, sagt er.

»Sie wollen sie bestimmt gleich sehen und mit nach Hause nehmen. Sind Sie mit der Autopsie fertig?«

»Ich tippe gerade den Bericht.«

»Können wir uns treffen?«

»Sicher. Ich brauche eine halbe Stunde.«

Ich lege auf, stehe einfach nur da und starre das Telefon an. Es ist egoistisch von mir, aber ich will nicht zurück in das Klassenzimmer und Ezra und Bonnie Augspurger die furchtbare Nachricht überbringen.

»Sie ist es«, sage ich zu Glock.

»Verdammt.« Sein Blick schweift über den Korridor, dann zurück zu mir. »Soll ich mit reinkommen?«

Ich schüttele den Kopf. »Fahren Sie raus zu den Augspurgers, vielleicht finden Sie ja was. Pickles und Skid müssten schon dort sein.«

»Und was ist mit dem Anzugträger?«

Als mir klar wird, dass er Tomasetti meint, muss ich ein Lächeln unterdrücken. »Den nehme ich mit.«

»Behalten Sie ihn im Auge. Der Typ hat einen verschlagenen Blick.«

»Mach ich.« Ich atme tief durch und gehe zurück ins Klassenzimmer.

18. KAPITEL

Als ich das Zimmer betrete, stehen die Augspurgers verängstigt am hinteren Fenster und starren mich an, als hielte ich den Schlüssel zur Welt in der Hand. Auch Tomasetti sieht mir erwartungsvoll entgegen.

Ezras Blick ist flehentlich. Bonnie bricht amische Verhaltensregeln und drängt sich an ihren Mann. In ihren hellen Augen erkenne ich Verzweiflung und Hoffnung, verbunden mit einer Angst, die jeder Mutter erspart bleiben sollte.

»Heute Morgen wurde die Leiche einer jungen Frau gefunden.« Ich reiche Ezra das Foto. »Sie hat einen Leberfleck am linken Knöchel.«

Zitternd nimmt er das Blatt Papier. Bonnie legt die Hand auf den Mund, doch der schmerzvolle Laut, der ihm entfährt, wird dadurch nicht gedämpft. Ezra starrt das Foto auf dem zitternden Blatt an.

Ein Mord ist selten in der amischen Gemeinde. Die meisten Mitglieder sterben eines natürlichen Todes, wobei der Tod als endgültige Hingabe zu Gott betrachtet und mit Würde angenommen wird. Kummer findet leise und in der Privatsphäre seinen Ausdruck. Doch der Laut, der jetzt aus Ezra Augspurgers Mund bricht, erinnert mich daran, dass nicht alle Amischen stoisch sind. Es sind Menschen wie andere auch, und der Verlust eines Kindes bereitet unerträglichen Schmerz. Sein grimmiger, kummervoller Schrei durchdringt mich wie kalter Stahl. Er neigt den Kopf und presst das Foto an seine Wange.

»Es tut mir leid.« Ich berühre Ezras Schulter, doch er reagiert nicht.

Bonnie sinkt auf einen Stuhl und vergräbt ihr Gesicht in den Händen. Ich spüre, wie mich meine eigenen Gefühle übermannen, und wende mich ab, nur um festzustellen, dass Tomasetti mich eindringlich ansieht. Sein Gesicht ist ernst, doch er ist lange nicht so erschüttert, wie ich es bin. Aber er weiß auch nicht, wie freundlich Ellen Augspurger gewesen ist. Er kennt diese Gemeinde nicht. Die Gutherzigkeit der Amischen, die ich auch selbst erlebt habe, ist ihm vollkommen fremd.

Ich stelle mir vor, wie dieses vom Kummer überwältigte Ehepaar ins Leichenschauhaus fährt, male mir ihre Fragen aus und weiß bereits, wie schwer mir die Antworten fallen werden. Sie werden Ellens Leichnam mit nach Hause nehmen wollen, sie weiß einkleiden und in einen einfachen Holzsarg legen. Ich werde sie darüber informieren müssen, dass man eine Autopsie vorgenommen hat, eine Maßnahme, die elementare amische Werte verletzt, doch sie werden sich nicht beklagen.

»Wie ist sie gestorben?« Ezras leidvoller Blick bohrt sich in meine Augen.

»Sie wurde ermordet«, antworte ich.

Bonnie ringt um Luft. »Mein Gott.«

Ezra starrt mich an, als würde ich lügen. Ich kenne ihn fast mein ganzes Leben lang, er ist ein anständiger, hart arbeitender Mann, der bereits mehr als genug Leid erfahren hat. Aber ich weiß auch, dass er zu Jähzorn neigt.

»Das akzeptiere ich nicht.« Obwohl der Raum kalt ist, steht ihm der Schweiß auf der Stirn, und auf seinem Hals breiten sich rote Flecken aus.

»Es tut mir leid«, bringe ich hervor.

Er beugt den Kopf nach vorn, legt die Finger auf die Stirn und drückt so fest, als wolle er sich die Nägel in die Haut graben.

»Ezra, wer ist der Bischof in eurem Bezirk?«, frage ich.

»David Troyers.«

Ein Kirchenbezirk besteht aus zwanzig bis dreißig Familien, in dem sich ein Bischof, zwei oder drei Prediger und ein Diakon die Führungsrolle teilen. Ich kenne David Troyers und weiß, dass er einer der wenigen Amischen ist, die ein Telefon besitzen.

Ezra hebt den Kopf, versucht, sich zusammenzureißen. »Wir wollen Ellen nach Hause bringen.«

»Natürlich«, erwidere ich auf Pennsylvaniadeutsch.

»Wo ist sie?«

»Im Krankenhaus in Millersburg.«

»Ich will sie nach Hause bringen.« Ein Schluchzen entfährt ihm, als er die Schultern aufrichten will, die vom Gewicht unsäglichen Leids nach unten gedrückt werden.

»Ich würde euch gern zum Krankenhaus fahren«, sage ich.

»Nein.«

»Ezra, Millersburg ist fast zehn Meilen weit weg.«

»Nein!« Er schüttelt den Kopf. »Bonnie und ich nehmen die Kutsche.«

Sein Kummer ist so groß, dass ihm wahrscheinlich nicht klar ist, wie viele Stunden er insgesamt unterwegs sein wird. Hilfesuchend wende ich mich Bonnie zu, doch sie starrt mich nur an. Ungeweinte Tränen glitzern in ihren Augen, und sie presst ihre Hand auf den Mund, als wolle sie die Schreie zurückhalten, die in ihrem Inneren wüten.

»Draußen sind es minus sieben Grad«, sage ich. »Es sind besondere Umstände, Ezra. Bitte, lasst mich euch fahren.«

Bonnie steht ruckartig auf. »Wir kommen mit dir.«

»Nein!« Der Amisch-Mann knallt mit der Faust aufs Pult. »Wir nehmen die Kutsche!«

* * *

Ich hatte schon viele schlechte Tage im Leben. Doch meistens habe ich akzeptiert, dass zu den guten Tagen auch schlechte gehören, und geglaubt, dass sie sich am Ende die Waage halten. Ich werde eine Menge gute Tage brauchen, um den heutigen auszugleichen.

Da ich Ezra nicht überreden konnte, sie zum Krankenhaus zu fahren, war mir nichts anderes übrig geblieben, als ihnen im Explorer zu folgen. Insgesamt hatten die Fahrt und die Identifizierung von Ellen über drei Stunden gedauert. Jetzt ist es nach Mitternacht, ich bin müde und mir ist so kalt, dass ich mir nicht vorstellen kann, je wieder warm zu werden. Ich sollte nach Hause gehen und versuchen zu schlafen, doch mein Kopf läuft auf Hochtouren und ich habe keine Lust, wertvolle Stunden zu verlieren, in denen ich mich doch nur unruhig im Bett wälze.

»Die Angehörigen zu benachrichtigen ist immer das Schlimmste.«

Stirnrunzelnd blicke ich Tomasetti auf dem Beifahrersitz an.

Er bemerkt es nicht. »Wenn man ein brutales Bandenmitglied zerfetzt auf der Bahre liegen sieht, glaubt man, die Welt ist nun besser geworden. Aber so etwas …«

»Das ist zynisch«, erwidere ich.

»Yeah, aber auch die Wahrheit.«

»Ich teile Ihre Meinung nicht.«

»Sie sind bloß noch nicht lange genug bei der Polizei.«

Tomasetti ist schon den ganzen Abend lang mein Schatten. Seine Anwesenheit ärgert mich mehr, als es sollte, obwohl er bis jetzt ruhig war. Und die Ironie, dass ausgerechnet ich ihn auf den neuesten Stand des Falls bringe, entgeht mir natürlich nicht.

»Wollen Sie ihnen bis nach Hause hinterherfahren?«, fragt er.

»Die Straßen sind schlecht. Ich will nicht, dass ihnen in dieser Nacht noch mehr passiert.«

Er blickt wieder aus dem Fenster, auf die abgeernteten Kornfelder. Die Nacht ist klar und still, die Temperatur auf ungefähr minus fünfzehn Grad gefallen. Am Himmel spielen Sterne Verstecken hinter vorbeiziehenden hohen Wolken.

Auf dem Weg zum Krankenhaus hatte ich David Troyers, den Bischof der Augspurgers, angerufen. Was mir wirklich bei den Amischen gefällt, ist die Nachbarschaftshilfe, die Familien erfahren, denen das Schicksal übel mitgespielt hat. Es tröstet mich zu wissen, dass Ezra und Bonnie nach Hause kommen und dort eine Familie vorfinden werden, die morgen alle Haushalts- und Farmarbeiten übernimmt, die Tiere füttert, Essen kocht und bei den Vorbereitungen für die Beerdigung hilft.

Ezras Pferd hält den ganzen Weg bis zur Augspurger-Farm einen gleichmäßigen Trab. Als die Kutsche in ihre Straße einbiegt, blinke ich zum Abschied ein paar Mal mit meinen Scheinwerfern und fahre zurück in die Stadt.

»Und wohin geht's jetzt, Chief?«

Ich blicke Tomasetti an, dessen dunkle Augen mich eindringlich fixieren. Einem Blick standzuhalten ist nicht leicht, doch wenn man es dann geschafft hat, ist das Losreißen sogar noch schwerer. Ich erkenne Verletzung in diesen Augen und frage mich kurz, wo sie wohl herrührt. Und auch, ob in meinen das Gleiche zu sehen ist. Polizist zu sein, ohne Schaden zu nehmen, ist schwer.

Ich bin ihm noch nie zuvor begegnet, doch sein Gesicht hat etwas Vertrautes. »Ich kann Sie ins Motel oder zum Bahnhof bringen«, sage ich. »Ihre Entscheidung.«

»Zum Bahnhof bitte.«

»Sind Sie ein Nachtschwärmer?«

Er verzieht den Mund. »Ich leide unter Schlaflosigkeit.«

Obwohl ich mit vielen verschiedenen Menschen zu tun habe, verunsichert mich Tomasetti. Ich möchte mir einreden, gegen seinen seltsam durchdringenden Blick immun zu sein, doch das gelingt mir nicht. Jedenfalls nicht heute Nacht, wo mir die eigenen Geheimnisse durch den Kopf spuken.

»Also, wer hat Sie angerufen?«, frage ich nach einer Weile.

Er antwortet mit der Nonchalance eines Mannes, der an einem sonnigen Tag übers Wetter spricht. »Norm Johnston. Der Bürgermeister. Und die Frau mit dem großen Mund.«

Janine Fourman. Fast hätte mir seine treffende Beschreibung ein Lächeln entlockt. »Die drei Musketiere.«

»Wollen die Sie loswerden?«

»Sie wollen, dass sich die Morde in Luft auflösen.«

»Wurden Sie deshalb nicht über mein Kommen informiert?«

Ich sehe ihn finster an. »Sie haben mich nicht informiert, weil sie Angst haben, dass die Morde die Touristen vertreiben.«

»Ich bin froh, dass Sie mich aufgeklärt haben«, sagt er.

Sein sarkastischer Unterton nervt mich. Im Laufe der Jahre bin ich vielen Polizisten wie ihm begegnet. Meistens Veteranen. Älter. Sie besitzen zwar Erfahrung, doch ihnen ist die Menschlichkeit abhandengekommen, um ein guter Cop zu sein. Je mehr sie sehen, desto weniger fühlen sie. Ihr Job ist ihnen zunehmend egal. Sie werden zynisch, bitter und teilnahmslos. Ihretwegen haben Polizisten einen schlechten Ruf.

»Wie lange leiten Sie die Dienststelle schon?«, fragt er.

»Zwei Jahre.«

»Waren Sie davor auch Polizistin?«

Ich widerstehe dem Drang, die Augen zu rollen. »Ich habe nicht als Friseurin gearbeitet, falls Sie das meinen.«

Ein Mundwinkel geht nach oben. »Ist das Ihr erster Mordfall?«

»Haben Sie das auch von Norm Johnston?«

»Er sagt, Sie sind unerfahren.«

Seine Offenheit überrascht mich. »Was hat er denn sonst noch so erzählt?«

Er wirkt amüsiert. »Wollen Sie mich aushorchen?«

»Ich will nur die Wahrheit wissen.«

»Die Wahrheit zu sagen bringt mir normalerweise Ärger ein.«

»Ich habe das Gefühl, das ist Ihnen egal.«

Er sieht einen Moment aus dem Fenster, dann wieder zu mir. »Und, wie steht's mit Ihrer Erfahrung?«

Ich hebe die Schulter, lasse sie fallen. »Ich hab in Columbus gearbeitet. Sechs Jahre bei der Streife. Zwei als Detective bei der Mordkommission.«

Selbst im düsteren Licht des Armaturenbretts kann ich sehen, wie seine Braue hochgeht. »Davon haben die mir nichts gesagt.«

»Hab ich auch nicht erwartet. Und was haben Sie gemacht?«

»Drogenfahndung, meistens.«

»Detective?«

»Yeah.«

»Seit wann?«

»Seit es Dinosaurier gibt. Und falls es Ihnen noch nicht aufgefallen ist, ich bin einer davon.« Er lächelt, doch ich verkneife es mir.

»Sie kommen mir bekannt vor«, sage ich stattdessen.

»Ich habe mich schon gefragt, wie lange Sie noch brauchen.«

Ich weiß nicht, wie er das meint. »Brauchen wozu?«

»Was Pseudo-Berühmtheiten angeht, sind Sie wohl nicht auf dem Laufenden.«

Eine vage Erinnerung kommt mir, irgendetwas in einer Zeitung oder im Fernsehen über einen Cop in Cleveland oder Toledo, dessen Familie umgebracht wurde. Jemand war gewaltsam in sein Haus eingedrungen. Ein Polizist mit Auszeichnungen, der anscheinend Selbstjustiz geübt hatte …

Als ich Tomasetti jetzt anblicke, kann ich meine Überraschung nicht verbergen.

»Yeah, der bin ich.« Er wirkt belustigt. »Sie haben echt Glück, was?«

Unfähig, ihm in die Augen zu sehen, richte ich den Blick auf die Straße. »Toledo? Letztes Jahr?«

»Cleveland«, korrigiert er mich. »Vor zwei Jahren.«

»Ich habe die Geschichte am Rande verfolgt.«

»Sie und der halbe Staat.«

Ich will ihn fragen, ob er es wirklich getan hat, lasse es aber. Unter Polizisten herrschte damals allgemein die Überzeugung, dass John Tomasetti durchgeknallt war. Er hatte den Mörder seiner Familie gejagt und Rache geübt. Niemand konnte etwas beweisen, doch das hatte den Staatsanwalt nicht davon abgehalten, ihn vor eine Grand Jury zu bringen.

»Und wie sind Sie dann beim BCI gelandet?«, frage ich nach einer Weile.

»Der Commander wollte mich loswerden und hat mich empfohlen, und die Dummköpfe vom BCI sind drauf reingefallen.« Er schenkt mir ein freudloses Lächeln. »Sollen wir uns betrinken und darüber reden?«

»Müssen Sie trinken, um zu reden?«

»Meistens.«

Eine Zeitlang schweigen wir, dann fragt er: »Es ist nicht leicht, die Detective-Prüfung zu schaffen, Chief. Was hat Sie dazu bewogen, so eine ruhmreiche und karriereträchtige Position gegen die Polizeiarbeit in einer Kleinstadt einzutauschen?«

Ich zucke die Schultern, bin leicht verunsichert. »Ich bin hier geboren.«

Er nickt, als würde er das verstehen. »Wieso sprechen Sie fließend deutsch?«

Er meint das Gespräch mit den Augspurgers. »Das ist Pennsylvaniadeutsch.«

»Eine merkwürdige Sprache.«

»Die Amischen sprechen sie.«

»In diesem Teil von Ohio gibt es sehr viele Amische.« Ich spüre, dass er mich prüfend ansieht, sich wundert.

»Inzwischen leben mehr Amische in Ohio als in Pennsylvania.« Eine Statistik, die ihm wahrscheinlich vollkommen egal ist.

»Dann wird hier im College Pennsylvaniadeutsch angeboten, oder was?«

»Meine Eltern haben es mir beigebracht.«

Ich sehe, wie sein Verstand arbeitet. Er weiß nicht, wie er die Information einordnen soll – wie er mich einordnen soll. Unter anderen Umständen hätte ich die Situation genossen. Er will nicht fragen. Aber einem Mann wie John Tomasetti dürfte *political correctness* egal sein. Als er es schließlich ausspricht, steigt er in meiner Achtung: »Sie sind also eine Amische, ja?«

»War.«

»Wow. Johnston hat erwähnt, dass Sie Pazifistin sind.«

»Für den Fall, dass Sie nicht zwischen den Zeilen lesen können, Johnston redet nur Scheiße.«

»Das hab ich schon kapiert.« Er stößt einen Pfiff aus. »Eine waffentragende, fluchende, ehemals amische Polizeichefin. Ich fass es nicht.«

* * *

Zum Glück sind bei unserer Ankunft die Parkplätze vor dem Polizeirevier nicht belegt. Mona sitzt zurückgelehnt in der Zentrale, die hochhackigen Stiefel auf dem Schreibtisch. In der einen Hand hält sie einen halb gegessenen Apfel, in der anderen ein Buch über forensische Wissenschaft mit einem CSI-ähnlichen Cover. Ihr Fuß wippt im Takt eines Pink-Floyd-Remix, den sie so laut aufgedreht hat, dass sie uns nicht kommen hört.

»Sieht so aus, als hätte die Nachtschicht auch ihre Vorteile«, sage ich.

Das Buch klappt zu und der Apfel fällt ihr aus der Hand. Die Stiefel gleiten vom Schreibtisch. »Hallo, Chief.« Zu meiner Überraschung errötet sie. »Von dem Buch krieg ich 'ne Gänsehaut.« Sie hält mir die Telefonzettel hin. »Bis vor ungefähr zwanzig Minuten hat das Telefon nonstop geklingelt.«

»Irgendwann müssen die Leute wohl schlafen.«

»Gott sei Dank. Inzwischen rufen absolut Verrückte an. Ein Medium aus Omaha behauptet, sie wäre in ihrem ersten Leben ein Opfer des Schlächters gewesen. Oh, und so ein Spinner aus Columbus wollte Ihnen sagen, dass Sie als amische Frau nicht Polizistin sein sollten.« Sie zerknüllt den rosa Zettel und wirft ihn in den Papierkorb. »Ich hab ihn geradegerückt.«

»Danke.« Ich nehme die Zettel. »Sind Sie so nett und machen uns Kaffee?«

»Ich kann auch einen gebrauchen.« Ihr Blick fällt auf Tomasetti – und bleibt hängen. Ich sehe, wenn eine Frau Interesse an einem Mann hat, doch jetzt bin ich überrascht. Tomasetti ist nicht gerade ein schöner Mann. Seine Augen sind zu stechend, sein Mund ist zu schmal und die Nase höckerig. Er ist wahrscheinlich nur knapp über vierzig, aber er hat die Falten eines älteren Mannes mit einem harten Leben.

Was finden junge Frauen an Männern, die ihr Vater sein könnten? »Mona, das ist John Tomasetti vom BCI in Columbus.«

Er reicht Mona die Hand. »Es freut mich, Sie kennenzulernen.«

Sie schütteln sich die Hände, wobei Mona übers ganze Gesicht strahlt. »Wir sind froh, Sie bei uns zu haben.«

Ich rolle die Augen und begebe mich in mein Büro, ziehe die Jacke aus und werfe den Computer an. Dann telefoniere ich mit Glock. »Irgendwas über Lapp?«, frage ich.

»*Nix.* Entweder er hält seine Weste sauber oder er ist tot.«

»Graben Sie weiter.« Glock hat das sicher nur so hingesagt,

beschwichtige ich mich; er kann gar nicht wissen, dass Lapp tot ist. Wenn er tot ist. »Habt ihr irgendwas bei den Augspurgers gefunden?«

»Es gab ein paar alte Reifenspuren, die aber durch den Neuschnee und die Verwehungen so gut wie unkenntlich waren.«

»Konnten Sie trotzdem Abdrücke nehmen?«

»Nein, Fehlanzeige. Entweder der Kerl hat Glück oder er kennt sämtliche Tricks von uns.« Er hält inne. »Wir haben Leute befragt, aber keiner hat was gesehen. Der Kerl ist ein verfluchter Geist.«

Tomasetti kommt mit zwei Bechern Kaffee in mein Büro. Ich bedeute ihm, sich zu setzen. »Danke für die Infos, Glock. Machen Sie Schluss für heute.«

»Sie auch.«

Ich lege auf. Tomasetti stellt eine Tasse vor mich auf den Schreibtisch und lässt sich auf dem Stuhl gegenüber nieder. »Wenn Sie versuchen, mich mit Ihrem wunderbaren Kaffee für sich einzunehmen«, sage ich, »haben Sie gerade gepunktet.«

»Ich kann noch eine Kanne machen.«

Ich schenke ihm ein kleines Lächeln.

Er lächelt nicht zurück. »Haben Sie irgendwas gefunden?«

Ich gebe ihm eine Zusammenfassung des Gesprächs mit Glock.

Er reibt sich die Hände wie ein Mann, der sich aufs Essen freut, und fragt: »Haben Sie Zeit, mich auf den neuesten Stand zu bringen?«

»Wir haben nicht viel.« Ich reiche ihm die alte *Schlächter*-Akte. »Das sind die Unterlagen aus den frühen Neunzigern.«

Er zieht eine Lesebrille aus der Brusttasche und schlägt die Akte auf. Während er liest, checke ich das Faxgerät. Doc Coblentz hat tatsächlich einen ersten Autopsiebericht von Ellen Augspurger geschickt. Ich gehe damit raus zum Kopierer, überfliege die Angaben.

Zum Tod führte ein tiefer Schnitt am Hals, der die Hals-
schlagader durchtrennt hat. Todesursache: Verbluten.

Er hat keine Fotos gefaxt, doch das ist auch nicht nötig.
Ich muss nur die Augen schließen, um alles vor mir zu sehen:
ihren teilweise verfaulten Körper, wie er im Huffman-Haus
vom Deckenbalken hängt. Das schmerzverzerrte Gesicht von
Bonnie und Ezra Augspurger, als sie vom Tod ihrer Tochter
erfahren.

Mein eigenes Geheimnis geht mir durch den Kopf und ich
frage mich, was vor all den Jahren passiert wäre, hätte ich
nicht das Gewehr meines Vaters genommen und mich selbst
verteidigt. Vielleicht wäre ich wie Ellen Augspurger oder
Amanda Horner gestorben, mein misshandelter Körper nur
noch ein Beweisstück. Ich starre auf Doc Coblentz' Bericht
und wünschte, ich hätte Daniel Lapp in den Kopf geschossen
und nicht in den Bauch.

Als ich zum Schreibtisch zurückkehre, blickt Tomasetti
von der Akte auf. Er hat sich auf einem Block Notizen gemacht. »Was ist Ihre Theorie?«, fragt er.

»Entweder ist es der Mörder von damals, oder wir haben
es mit einem Nachahmer zu tun.«

»Es ist kein Nachahmer.«

»Wie können Sie so sicher sein?«

»Weil die Tatsache, dass römische Zahlen in den Unterleib
der Opfer geritzt waren, nie öffentlich gemacht wurde.« Mit
einem Blick über den Brillenrand hinweg gibt er mir zu verstehen, dass das doch wohl offensichtlich ist.

»Vielleicht ist die Information durchgesickert.«

»Dann hätte es in den Zeitungen gestanden.«

Er hat recht, doch ich sage nichts.

»Die Ähnlichkeit ist zu offenkundig. Es ist der gleiche
Mann«, sagt er kopfschüttelnd.

»Und wie erklären Sie die zeitliche Lücke?«

»Er hat woanders gelebt. Sehen Sie sich doch die Nummerierung an, wie weit sie auseinanderklafft.« Seine stechenden Augen sind prüfend auf mich gerichtet. »Haben Sie schon irgendetwas davon in VICAP eingegeben?«

VICAP ist das Akronym für Violent Criminal Apprehension Program, eine FBI-Datenbank, mit deren Hilfe man charakteristische Aspekte, Muster und Modi Operandi von schweren Verbrechen abgleichen kann. Wir beide wissen, dass das schon längst hätte geschehen sollen, und Tomasetti fragt sich, warum ich es nicht getan habe.

»Ich hatte gehofft, Sie könnten mir dabei helfen«, erwidere ich.

»Ich gebe diese markanten Tatdetails hier sofort ein.«

»Ich habe auch Anfragen bei OHLEG laufen«, füge ich hinzu.

»Wo wir gerade beim Thema Ressourcen sind, gibt es einen bestimmten Grund, warum Sie das FBI nicht eingeschaltet haben?«

In seiner Frage klingt kein unterschwelliger Vorwurf mit, nur simple Neugier. Als könnte es einen guten Grund geben, dass ich etwas unterlassen habe, das ich hätte tun sollen. Aber den gibt es natürlich nicht. Er hat mich in die Enge getrieben, aus der ich nur mit einer Lüge herauskomme. »Einige Stadtratmitglieder waren besorgt, dass es dem Tourismus schaden könnte. Painters Mill sollte keine negativen Schlagzeilen in der überregionalen Presse machen.«

»Sie kommen mir aber nicht wie jemand vor, der sich solchem Druck beugt.«

Weil ich keine Lust habe, dieses spezielle Loch noch tiefer zu graben, blättere ich in der Akte vor mir. Mein Herz schlägt heftig. Ich spüre seinen Blick und weiß, dass er sich ein Urteil bildet. Über meine Kompetenz. Über mich. »Haben Sie eine Theorie hinsichtlich der Lücke?«, frage ich nach einer Weile.

»Die Nummerierung weist darauf hin, dass es andere Opfer gibt, von denen wir nichts wissen.« Er klopft mit dem

Finger auf den Aktendeckel. »Dieser Typ treibt keine Spielchen mit Cops, und ich glaube auch nicht, dass er aufgehört hat zu töten. Dafür besitzt er nicht die Selbstkontrolle. Ich glaube, in den letzten sechzehn Jahren hat er irgendwo anders weitergetötet. Es sei denn, er war außer Gefecht gesetzt, saß im Gefängnis oder lag im Krankenhaus.«

Ich blicke auf die Papiere vor ihm auf dem Schreibtisch. Mit seiner kleinen, leicht schrägen Handschrift hat er bereits zwei Seiten seines Blocks gefüllt. »Haben Sie schon ein Profil erstellt?«

»Ein vorläufiges.« Er spricht, ohne seine Notizen zu konsultieren. »Es handelt sich um einen Mann, weiß, zwischen fünfunddreißig und fünfzig. Er arbeitet Vollzeit, hat aber keine regelmäßigen Arbeitszeiten. Er gilt als erfolgreich und hat wahrscheinlich eine Führungsposition inne. Er ist ein Kontrollfreak und impulsiv, kann seinen Drang aber bis zu einem gewissen Grad beherrschen. Er ist verheiratet, hat aber Eheprobleme. Vielleicht hat er Kinder, die entweder erwachsen sind oder Teenager. Er gilt als guter Vater. Es ist nicht klar, ob seine Frau von seiner dunklen Seite weiß. Wenn ja, kennt sie nicht das Ausmaß. Sie weiß nicht, dass er tötet. Niemand verdächtigt ihn. Vielleicht ist er impotent und nimmt Medikamente. Gewalt erregt ihn wesentlich mehr als Sex. Das Bereiten von Schmerzen verschafft ihm sexuelle Befriedigung, wobei der Drang zum Foltern vorrangig ist, das Töten selbst zweitrangig. Es sind die Momente, kurz bevor das Opfer sein Leben aushaucht, die ihn erregen.

Als Kind hat er vielleicht Tiere gequält und eventuell Ärger gekriegt, wenn er sie getötet hat. Als Jugendlicher oder Teenager hat er vielleicht psychische Probleme gehabt. Diese Probleme wurden diagnostiziert oder auch nicht. Von seiner Persönlichkeit her ist er ein Sucht-Charakter, was er jedoch geschickt verbergen kann. Er ist ein klassischer Psychopath. Er ist egozentrisch und hat wahrscheinlich eine große Pornosammlung, hauptsächlich S&M-Sachen. Er steht wahrscheinlich auf Bondage und könnte Filme oder Videos auf dem Computer haben. Er verbringt viel Zeit damit, sich die Tat vorzustellen, bevor er sie tatsächlich dann begeht. Er genießt die Planungsphase. Nachdem er den Mord begangen hat, verbringt er ziemlich viel Zeit damit, ihn immer wieder neu zu durchleben.«

Würde es sich hier um einen anderen Fall handeln, könnte ich dem Profil vielleicht zustimmen, wäre vielleicht sogar beeindruckt. Aber keiner seiner Punkte beschreibt Daniel Lapp.

Tomasetti reicht mir die Seiten. »Es ist alles vorläufig und Änderungen sind vorbehalten.«

Ich nicke und konzentriere mich auf das Profil. Beim Lesen der Einzelheiten fröstelt mich.

○ Täter ist körperlich stark. Hat möglicherweise physisch anstrengenden Job oder treibt regelmäßig Sport.
○ Er muss alles unter Kontrolle haben und reagiert möglicherweise wütend, wenn sie ihm entgleitet.
○ Er will als attraktiv wahrgenommen werden. Hinsichtlich seiner äußeren Erscheinung ist er penibel und bemüht sich, auf Frauen zu wirken.
○ Er gibt sich charmant und harmlos.
○ Er fühlt sich in Gesellschaft von Frauen wohl. Er pflegt Umgang mit Frauen und wurde wahrscheinlich von Frauen aufgezogen, z.B. von Mutter und/oder Schwestern.
○ Er lebt in einer festen Beziehung, in der es jedoch Probleme gibt. Er ist wütend, dass die Beziehung nicht mehr funktioniert, hat aber das Gefühl, sie selbst nicht retten zu können.
○ Er kann bei passender Gelegenheit spontan sein, zieht es aber vor zu planen.
○ Er ist immer auf dem neuesten Nachrichtenstand und verfolgt den Fall ganz genau. Er genießt die Aufmerksamkeit der Medien.

Wieder muss ich an Daniel Lapp denken. »Meiner Meinung nach sollten wir die Ermittlung nicht auf Leute beschränken, die diese Kriterien erfüllen, und damit andere Verdächtige ausschließen.«

»Gewöhnlich finden die Leute, dass ich als Profiler ziemlich gut bin.«

»Ich wollte Sie nicht beleidigen.« Ich reiche ihm die Blätter.

»Das haben Sie nicht.« Er nimmt sie. »Womit stimmen Sie nicht überein?«

»Ich halte es lediglich für verfrüht, schon irgendwen auszuschließen.«

Er mustert mich seltsam, als versuche er, mich zu dechiffrieren. Ich weiche seinem Blick aus und konzentriere mich auf meine Notizen. »Der Kerl ist offensichtlich in einer Phase, wo alles eskaliert«, sage ich. »Glauben Sie, es gab einen Auslöser dafür?«

»Ich könnte mir vorstellen, dass etwas in seinem Privatleben passiert ist. Möglicherweise im Zusammenhang mit einer Frau. Einer Ehefrau oder Freundin. Er kann nicht gut mit Ablehnung umgehen und könnte sich rächen.«

»Er hasst Frauen?«

»Er hasst sie, aber er begehrt sie auch. Auf abartige Weise.«

»Wie wählt er seine Opfer aus?«, frage ich.

»Eine Frau fällt ihm ins Auge. Er beobachtet sie eine Zeitlang. Ein paar Tage, vielleicht eine Woche. Dabei lernt er ihren Tagesablauf kennen und findet heraus, wann sie am schutzlosesten ist. Wann er sie kriegen kann.«

»Ich habe die Befragung der Zeugen auf die Stunden vor dem Verschwinden der Opfer begrenzt. Wenn dieser Kerl seine Opfer schon *Tage* vor der Verschleppung belauert hat, sollten wir besser mit allen reden, die mit Amanda Horner und Ellen Augspurger bereits vier oder fünf Tage vor ihrem Verschwinden Kontakt hatten.«

»Da stimme ich zu.«

»Bevorzugt er einen bestimmten Frauentyp?«

»Beide Opfer sind jung, Anfang und Mitte zwanzig. Attraktiv. Zierlich.«

»Das triff auf viele Frauen in dieser Stadt zu.«

Er nickt. »Fragen Sie weiter.«

»Wo tötet er?« Ich denke laut. Was mir gerade in den Sinn kommt. Brainstorming.

»Er braucht Abgeschiedenheit«, sagt er. »Einen Ort, an dem ihn niemand hören kann.«

»Keller.«

»Leerstehende Wohnhäuser oder sonstige Gebäude.«

»Ein schalldichter Raum.«

Er wirft mir eine Hürde hin. »Wenn er eine Frau hat, würde sie von dem Raum oder Keller wissen.«

»Nicht, wenn er woanders ist. Außerhalb. In einem Mietobjekt.« Ich denke einen Moment darüber nach. »Warum glauben Sie, dass die Frau nicht involviert ist?«

»Falls sie eine abhängige Persönlichkeit hat und er sie dominiert, wäre es möglich«, räumt er ein. »Aber ich halte das für unwahrscheinlich. Diese Morde sind zu brutal. Der Kerl hält sich nicht zurück. Er ist allein. Hemmungslos. Er lebt seine Phantasien vollkommen ungestört aus.«

Plötzlich herrscht Schweigen. Wir sehen uns an. Tomasetti wirkt aufgeregt, wie ein Spürhund, der eine Fährte wittert.

»Aufgabenverteilung«, sagt er nach einer Weile. »Ich muss wissen, wer wofür zuständig ist. Ihre Polizisten. Das Büro des Sheriffs. Damit wir keine Kraft verschwenden, weil alles doppelt gemacht wird.«

Ich blättere in meinem Notizblock zu der Seite, wo die Aufgabenverteilung notiert ist. »Mona kann das für Sie tippen.«

»Das Profil wird heute Nacht fertig.«

Ich nicke. »Geben Sie es morgen früh Mona, sie verteilt es dann.«

Er nimmt sich die *Schlächter*-Akte. »Kann ich die haben?«

»Wenn Sie sie morgen wieder mitbringen.« Ich frage nicht, wann er vorhat zu schlafen.

Tomasetti steht auf und streckt sich, wobei die Sig-Sauer-Halbautomatik in seinem Schulterholster zum Vorschein kommt. Mir fällt auf, dass er für einen Cop ungewöhnlich gut gekleidet ist: perfekt sitzendes Oxford-Hemd, teure Krawatte, gut geschnittener Anzug. Details, die mir nicht auffallen sollten.

»Dann bis morgen früh.« Er geht zur Tür.

Ich sehe hinter ihm her, bis er aus meinem Blickfeld verschwunden ist. Wir haben nicht viel erreicht, aber das Profil ist ein Anfang. Und ich habe das Gefühl, ich kann mit ihm zusammenarbeiten. Er ist ein Gewinn für unser Team, ich hoffe nur, das reicht aus.

Ich trete zum Fenster und blicke hinaus auf die menschenleere Straße, den glitzernden Schnee im Schein der Laterne. Meine Gedanken wandern zum Mörder, und ich frage mich, ob ihn gerade sein schauriger Hunger quält. Ob er irgendwo dort draußen Ausschau nach seinem nächsten Opfer hält. Ob er es womöglich schon gefunden hat.

19. KAPITEL

Das Willowdell Motel war ein schäbiges Loch, aber John hatte nichts anderes erwartet. Zwar versuchte die Geschäftsführung, die wunderliche Atmosphäre eines amischen Ambientes zu erzeugen, brachte aber nur eine schäbige Mittlerer-Westen-Variante zustande: zweitklasiger Teppichboden, hässliche Tagesdecke, lose Tapete im Bad und lauwarme, nach Zigaretten und Schimmel stinkende Luft aus dem Heizgerät. Aber das Zimmer war sauber, und mehr als ein Bett und eine Dusche brauchte er nicht. Der Fernseher funktionierte, er stellte den Fox-Nachrichtensender an und machte eine Flasche Chivas auf.

Während sein Laptop das Programm lud, schenkte er sich einen Plastikbecher halbvoll und trank den größten Teil. Es war zu spät, um Harry Graves anzurufen, seinen Kontaktmann bei CASMIRC, dem Child Abduction and Serial Murder Investigative Resources Center des FBI, das eine zentrale Datenbank für alle Fälle von Kindesentführung und Serienmord führte. Also schrieb er Graves eine E-Mail, nahm sich vor, ihn gleich morgen früh zu kontaktieren, füllte sein Glas wieder auf und klickte sich durch die FBI-Website. VICAP war zwar nicht webbasiert, aber er konnte online auf den vierundsechzig Seiten langen Fragebogen zugreifen. Zum jetzigen Zeitpunkt Übereinstimmungen mit anderen Fällen zu finden, hatte wohl kaum Erfolgschancen, aber manchmal machten sich solche Versuche eben doch bezahlt. Falls irgendwo in den Vereinigten Staaten ein ähnliches Verbrechen begangen – und in VICAP eingegeben – worden war, kämen sie vielleicht einen Schritt weiter.

Er brauchte eine ganze Stunde, um das Formblatt aus-zufüllen und die Anfrage abzuschicken. Dann schlug er die *Schlächter*-Akte auf und begann zu lesen, machte Notizen und wollte sich in der Arbeit verlieren. Das war ihm früher so leicht gefallen wie zu atmen, doch jetzt nicht mehr. Es gab Tage, da konnte er den dunklen Gedanken, zu denen es ihn immer wieder hinzog, nicht entkommen.

John nahm die grausigen Details der Verbrechen nicht mit dem Interesse und der Distanz eines Polizisten auf, wie er es früher getan hatte, sondern verspürte das Entsetzen ei-nes Mannes, dem der gewaltsame Tod nur allzu vertraut war. Doch nicht nur die eigene Vergangenheit beschäftig-te ihn heute Nacht. Mehr als einmal ertappte er sich dabei, wie seine Gedanken zu Kate Burkholder abschweiften. Über die Jahre hatte er mit vielen Polizisten zusammengearbeitet, doch weibliche Polizeidienststellenleiter hatte es selten gege-ben, schon gar nicht in einer Kleinstadt. Und von einer ami-schen Polizeidienststellenleiterin hatte er noch nie gehört. Vielleicht fand er sie deshalb so interessant.

Kate war zurückhaltend, was er bei weiblichen Cops zu schätzen gelernt hatte, und auf unprätentiöse Weise attraktiv: dunkles, kurz geschnittenes Haar und Augen so braun wie ein Nerzmantel, was einen wunderbaren Kontrast zu ihrer hellen Haut bildete; eine sportliche Figur, ein schöner Mund. John hatte nichts gegen weibliche Cops, doch wusste er aus vielen Erzählungen, dass sie – wie ihre männlichen Kollegen – für Beziehungen denkbar ungeeignet waren. Nicht, dass er gera-de auf der Suche war. Dafür war er viel zu kaputt, ein Mann, der es mit Müh und Not schaffte, sich nicht vollständig ins Aus zu schießen. So wie er Kate einschätzte, war sie viel zu smart, um sich mit einem Problemfall wie ihm einzulassen.

Er hatte gerade den Laptop ausgeschaltet, als das Tele-fon klingelte. Beim zweiten Mal nahm er mit einem rauen »Yeah« ab.

»Agent Tomasetti?«

Überrascht erkannte er die Stimme des Bürgermeisters. »Was kann ich für Sie tun?«

»Es tut mir leid, dass ich so spät anrufe. Habe ich Sie geweckt?«

»Nein.«

»Gut, sehr gut.« Er räusperte sich. »Es gibt eine neue Entwicklung, über die ich mit Ihnen sprechen möchte.«

»Ich höre.«

»Ich hatte heute Abend ein sehr … beunruhigendes Treffen mit David Troyers. Er ist der amische Bischof.«

John fragte sich, was zum Teufel das mit ihm zu tun hatte.

»Anscheinend hat jemand eine Nachricht vor der Tür des Bischofs hinterlassen.«

»Was für eine Nachricht?«

»Nun, es hat mit Chief Burkholder zu tun und ist ziemlich verstörend.« Am anderen Ende der Leitung hörte er Papier rascheln. »Ich hab sie vor mir. Hier steht: ›Chief Katie Burkholder weiß, wer der Mörder ist‹.«

John ließ sich die Worte mehrmals durch den Kopf gehen. »Das klingt tatsächlich beunruhigend. Was soll ich Ihrer Meinung nach tun?«

»Ich weiß es nicht. Ich dachte nur, ich sollte es einem Gesetzesvertreter erzählen.« Er hielt inne. »Warum schickt jemand so eine Nachricht?«

»Vielleicht ist es ein Scherz.«

»Vielleicht.« Kurzes Schweigen, dann: »Ich habe mich gefragt, ob Sie der Sache vielleicht nachgehen können. Inoffiziell, meine ich.«

Tomasetti dachte darüber nach, spürte, wie seine berufliche Neugier sich regte. »Ich gehöre nicht gerade zu ihren Freunden. Sie wird wohl kaum mit mir reden.«

»Vielleicht können Sie sie einfach … beobachten … und sich über die nächsten Tage ein Urteil bilden.«

»Haben Sie sonst noch mit jemandem über die Nachricht gesprochen?«

»Nein.«

»Gut, das sollte auch so bleiben. Ich will sehen, was ich tun kann.« John warf einen Blick auf die Uhr. Es war schon nach zwei, zu spät, um noch etwas anzufangen. »Wie viele Leute haben die Nachricht gesehen?«

»Bischof Troyers und ich.«

»Stecken Sie sie in eine braune Tüte und versiegeln Sie sie. Ich lasse sie auf Fingerabdrücke untersuchen.«

»Ich lasse sie Ihnen morgen früh sofort zukommen.«

Sie verabschiedeten sich, und John legte auf. Diese neue Entwicklung gefiel ihm gar nicht. Der Fall war schwierig genug, auch ohne dass Polizisten Geheimnisse hatten. Doch wer sollte so eine Nachricht schicken, und warum? Wusste Burkholder mehr über den Fall, als sie verriet? Oder hatte irgendein Idiot beschlossen, die Bullen zu veräppeln?

An letzterer Möglichkeit störte Tomasetti, dass die Nachricht vor die Tür eines amischen Bischofs gelegt worden war. Amische machten nicht solche Scherze. Painters Mill war eine kleine Stadt, wo jeder jeden kannte. Konnte es sein, dass Kate Burkholder den Mörder kannte? War er amisch? Schützte sie ihn deshalb? Doch John konnte sich nicht vorstellen, dass sie Menschenleben riskierte, um einen Psychopathen zu decken. Aber aus eigener Erfahrung wusste er, dass es Umstände gab, in denen Loyalität mehr Gewicht hatte als moralisches Handeln.

Plötzlich fiel ihm auf, dass es doch etwas gab, das ihn an Kate Burkholder störte. Bei einem derart schwierigen Fall von so großem öffentlichem Interesse hätte sie sofort alle verfügbaren Hebel in Bewegung setzen müssen. Anfangs hatte er gedacht, sie wollte verhindern, dass sich jemand von außen in ihren Fall einmischte. Aber nach dem heutigen Zusammensein hatte er nicht den Eindruck, dass es ihr um territoriale

Ansprüche ging. Doch warum hatte sie dann keine Hilfe angefordert? Die Frage nagte an ihm wie eine bohrende Migräne.

Der Bürgermeister hatte das Problem einfach an ihn weitergereicht, und John blieb gar nichts anderes übrig, als der Sache auf den Grund zu gehen. Dieser Fall war seine letzte Chance, da brauchte er keine Polizistin mit Loyalitätsproblemen, die ihn sabotierte. Falls Kate Burkholder Geheimnisse hatte, würde er dafür sorgen, dass sie diese mit ihm teilte.

* * *

Das Telefon reißt mich aus dem Schlaf. Ich schieße hoch, wobei ein kalter, stechender Schmerz meinen Nacken durchzuckt. Im ersten Moment bin ich völlig orientierungslos, dann wird mir klar, dass ich auf dem Polizeirevier bin, eingeschlafen an meinem Schreibtisch …

Wieder klingelt das Telefon, und ich nehme ab. »Yeah.«

»Tut mir leid, Sie zu wecken, Chief.«

Mona. Sie muss mich schlafend vorgefunden und das Licht ausgemacht haben …

»Ich habe gerade einen Notruf entgegengenommen. Der Autofahrer sagt, auf der Dog Leg Road läuft eine Kuh frei herum, nahe der überdachten Brücke.«

Innerlich stöhne ich auf und werfe einen Blick auf die Wanduhr. Kurz vor drei. »Sagen Sie T. J., er soll sich drum kümmern, okay?«

»Er ist draußen bei Nell Ramsom.« Sie zögert. »Wir hatten schon sechs Anrufe wegen Herumtreibern.«

Die Morde machen die Leute nervös. Mit dieser Erkenntnis und dem Wissen, dass mir ein paar Stunden zu Hause im Bett gutgetan hätten, stehe ich auf und ziehe den Anorak über. Ich war zu nachsichtig mit Isaac Stutz gewesen, habe ihn immer mit einer Verwarnung davonkommen lassen. Meine Leute arbeiten auch so schon bis zur Erschöpfung, und ich beschließe, ihn vorzuladen. Ich habe keine Zeit,

Kühen hinterherzujagen, und mir graut vor der Kälte, als ich zur Tür gehe.

Im Explorer drehe ich die Heizung hoch und rase schneller durch die Stadt, als die Polizei erlaubt. Ganz Painters Mill schläft, doch ich habe das Gefühl, es ist der unruhige Schlaf eines Kindes, das zu Albträumen neigt.

Die Dog Leg Road ist eine schmale Straße, an der Nordseite von einem Wald und an der Südseite von einem gepflügten Acker gesäumt. Die einhundert Jahre alte überdachte Holzbrücke über den Painters Creek ist im Sommer eine Touristenattraktion. Jetzt rase ich mit achtzig Stundenkilometer drüber.

Auf der anderen Seite der Brücke entdecke ich die Kuh in dem Wassergraben, ein Jersey-Rind, das an dem hohen Gras herumkaut, das aus der Schneedecke ragt. Ich nehme die MagLite und leuchte den Zaun ab, bis ich die Stelle entdecke, wo das blöde Vieh durchgekommen ist.

Nachdem ich die Notbeleuchtung eingeschaltet habe, melde ich mich bei Mona. »Bin 10-23.«

»Verstanden, Chief. Haben Sie die Kühe gefunden?«

»Eine Kuh.« Ich lasse den Lichtstrahl den Zaun entlangwandern, hinter dem in kaum fünfzig Metern Entfernung Amanda Horners Leiche gefunden worden war. Noch immer wehen dort die Überreste des Absperrbands im Wind. »Ich treibe das blöde Vieh zurück auf die Weide und gehe dann nach Hause.«

»10-4.«

Der kalte Wind nimmt mir beim Aussteigen den Atem. Ein paar Meter von mir entfernt rollt die Kuh die Augen und lässt ein weiteres gelbes Grasbüschel im Maul verschwinden. Ich bin mit Vieh aufgewachsen, aber ich mag es nicht. Es ist größtenteils hirnlos und widerspenstig. Ich habe viele kalte Winter lang jeden Morgen Kühe gemolken und wurde öfter getreten, als mir lieb ist.

Mit dem Seil aus dem Kofferraum nähere ich mich der Kuh. »Komm, du wiederkäuendes Steak in spe.«

Das Tier dreht sich um, doch ich verstelle ihm den Weg. Als es sich noch einmal ein Grasbüschel schnappt, nutze ich die Gelegenheit und werfe ihm aus knapp eineinhalb Metern Entfernung die Seilschlinge um den Hals und ziehe. Jetzt hat die Kuh zwei Optionen: Sie kann mich hinter sich herzerren und damit lächerlich machen, oder sie kann nachgeben und sich zurück auf die Weide führen lassen. Zu meiner Erleichterung entscheidet sie sich fürs Letztere.

Durch eine Schneewehe hindurch stapfe ich zu dem Loch im Zaun, biege den Stacheldraht zur Seite, führe die Kuh hindurch und lasse sie frei. Ich bin gerade mit der Reparatur des Zauns fertig, als ich aus dem Augenwinkel ein Licht aufleuchten sehe. Zuerst denke ich, Isaac Stutz hätte meine Scheinwerfer gesehen und käme, um mir zu helfen. Doch dann wird mir klar, dass der Lichtschein vom Fundort der Leiche kam und nicht von Stutz' Haus. Was zum Teufel tut jemand mitten in der Nacht hier draußen?

Ich laufe zum Explorer, mache das Licht aus und rufe Mona über Funk an. »Ich hab ein 10-88. Schicken Sie T. J. Schnell. Kein Licht, keine Sirene.«

»Verstanden. Seien Sie vorsichtig, Chief, ja?«

»Bin ich immer.«

Ich schnappe mir die MagLite und schließe leise die Autotür. Geduckt überquere ich den Wassergraben, klettere über den Zaun und schleiche zum Wald, wo es noch dunkler ist, aber die Taschenlampe bleibt aus. Meine Augen gewöhnen sich schnell an die Umgebung, meine Schritte sind im Schnee nicht zu hören. Ich gehe zwischen Bäumen durch und steige über abgebrochene Äste, wobei der milchige Mond gerade genug Licht spendet, um mich einen Schatten werfen zu lassen. Dass mir die Kälte ins Gesicht beißt und die Metalltaschenlampe eiskalt in der Hand liegt, nehme ich gern in

Kauf, um herauszufinden, wer sich dort draußen herumtreibt und warum.

Zwanzig Meter vom Fundort der Leiche von Amanda Horner entfernt bleibe ich stehen und lausche. Um mich herum heult der Wind. In der Ferne bellt ein entrüsteter Hund lautstark in die Nacht, weil er bei so einer Kälte draußen bleiben muss. Hinter mir knackt ein Zweig. Erschrocken wirbele ich herum. Zwischen den Bäumen bewegt sich etwas. Ich knipse die Taschenlampe an, lege die andere Hand auf meine Waffe und schnippe mit dem Daumen den Sicherungsriemen auf.

»Stehen bleiben«, schreie ich. »Polizei. Bleiben Sie sofort stehen!«

Mit der Taschenlampe in der Hand renne ich los. Mein Atem bildet weiße Wölkchen in der Luft und mein Adrenalinpegel steigt sprunghaft. Ich folge den Fußspuren im Schnee, an Bäumen vorbei und bin schon fast am Fundort. Links von mir ist das Kornfeld, ich höre die trockenen Halme knistern. Plötzlich trifft der Strahl meiner Lampe auf die Umrisse eines Mannes, nur ganz kurz, aber jetzt weiß ich, dass ich nicht einem Reh hinterherlaufe.

»Stehen bleiben! Polizei!« Ich laufe, die Pistole im Anschlag. »Halt!«

Ich habe einen guten Orientierungssinn und weiß, dass ich immer weiter weg von meinem Auto gelotst werde. Doch ich fühle mich nicht bedroht, Angst zu haben kommt mir nicht einmal in den Sinn. Heute Nacht bin ich das Raubtier.

Halbblind renne ich durch die Dunkelheit, alle meine Sinne auf die Beute konzentriert. Ich höre seine schweren Schritte im tiefen Schnee durch Unterholz brechen, bin noch ungefähr zehn Meter hinter ihm, hole aber auf. Ich bin schneller als er, und das ist ihm bewusst.

»Halt! Polizei!« Ich feuere einen Warnschuss in den Boden. Er bleibt nicht stehen. Hätte ich nicht Angst, irgenddeinen hirnlosen Teenager zu erschießen, würde ich seinen Rücken aufs Korn nehmen.

Der Boden bricht unter mir weg, ich rutsche eine Bachböschung runter und verliere ihn aus den Augen. Schlitternd gelange ich über das gefrorene Eis zum anderen Ufer, hangele mich hoch und bin fast oben angelangt, als sich jemand auf mich hechtet. Ich verliere das Gleichgewicht, falle auf die Seite und rolle wieder nach unten, wobei ich die schwarzen Umrisse eines Mannes erkenne. Er hält etwas in der Hand. Ich richte die Pistole auf ihn, etwas fährt zischend durch die Luft und trifft mich am Handgelenk. Ein Stromstoß durchfährt meinen ganzen Arm, die .38er fliegt mir aus der Hand. Ich schaffe es auf die Knie und schlage mit der Taschenlampe zu, lande einen Treffer.

»Verdammtes Miststück!«

Im Schnee fische ich nach meiner fallengelassenen Waffe, schließe die Finger um den Stahl und wirbele herum, will auf seinen Körper schießen, als mich plötzlich ein Schlag am Kopf trifft, oben auf den Schädel, so schwer, dass mir die Sinne schwinden. Ein zweiter Schlag landet über meinem rechten Ohr, es *knackt* in meinem Kopf, und mir wird schwarz vor Augen. Als ich wieder zu mir komme, liege ich auf der Seite, das Gesicht im Schnee.

Ich habe keine Ahnung, ob ich nur ein paar Sekunden oder minutenlang weg war. Aus Angst, dass der Angreifer sich für eine zweite Runde rüstet, hebe ich den Kopf und blicke um mich. Doch der Scheißkerl ist weg.

»Chief! *Chief!*«

Das Klingeln in meinem rechten Ohr übertönt fast T. J.s Stimme. Als ich mich auf alle viere hieve, entfährt mir unwillkürlich ein Stöhnen.

Er hockt sich neben mich. »Was ist passiert?«

»Irgendein Schweinehund hat mich aus dem Hinterhalt angegriffen.«

Er schießt hoch und zieht die Waffe. »Wie lange ist das her? Haben Sie ihn gesehen?«

»Ungefähr 'ne Minute.« Ich rappele mich auf, hoffe, meine Beine spielen mit. »Männlich, eins achtzig, fünfundachtzig Kilo schwer.«

»Bewaffnet?«

»Mit 'nem beschissenen Knüppel.«

T. J. sieht mich etwas zu genau an, dann spricht er in sein Funkmikro am Kragen. »Mona. Bin 10-23. Haben eine 10-88 hier draußen an der Dog Leg Road.« Er wiederholt meine vage Beschreibung des Angreifers. »Wir brauchen einen Krankenwagen.«

»Keinen Krankenwagen«, sage ich extra laut, damit auch Mona es hört. »Mir geht's gut. Sie soll das Sheriffbüro anrufen und dafür sorgen, dass ein Team zur Schotterstraße bei der überdachten Brücke kommt. Da hat der Mistkerl wahrscheinlich geparkt.«

T. J. gibt die Anweisungen weiter. »Wir sehen uns hier noch um«, sagt er abschließend.

Meine Taschenlampe liegt im Schnee, und ich hebe sie auf. »Haben Sie bei Ihrer Ankunft irgendwas gesehen?«, frage ich.

»Nur Sie. Wie Sie im Schnee lagen.« Er verzieht das Gesicht. »Mein Gott, Chief, das ist schon das zweite Mal in zwei Tagen, dass Sie verprügelt werden.«

»Ich finde nicht, dass wir mit Zählen anfangen sollten.« Ich leuchte den Boden um uns herum ab.

»Was suchen Sie?«

»Meine Pistole. Fußspuren.« Ich finde meine Waffe ein paar Meter entfernt im Schnee und hebe sie auf.

»Hier, sehen Sie mal«, sagt T. J. und leuchtet mit der Taschenlampe auf Fußabdrücke.

»Auf geht's.« Wir folgen den Fußspuren mehrere Meter, als sie plötzlich ein T bilden. »Er muss auf der Schotterstraße geparkt haben und zum Fundort gelaufen sein.«

»Fundort? Sie glauben, es war irgendein krankhaft neugieriges Hirn –« Seine Augen weiten sich, als es ihm dämmert. »Sie glauben, er war es? Der Mörder?«

»Keine Ahnung.« Ich gehe in die Hocke, um mir die Spuren genauer anzusehen. »Er hat uns nette Schuhabdrücke hinterlassen.«

»Größe zehn oder elf.«

»Sagen Sie Glock Bescheid, er soll kommen und Abdrücke nehmen, okay?«

Er schaltet das Mikro am Kragen an und gibt den Auftrag an Mona weiter. Ich stehe wieder auf und leuchte mit der Taschenlampe die Fußspur entlang.

»Warum sollte er an den Fundort zurückkommen?«, fragt T. J.

Mein Blick wandert über die vielschichtigen Schatten um uns herum. In dem bleichen Mondlicht ist der Wald schwarzweiß. »Das habe ich mich auch gerade gefragt.«

20. KAPITEL

»Entweder er durchlebt noch einmal den Tötungsakt, oder er hat etwas vergessen und wollte es holen.«

Für einen Mann, der die Nacht in einem warmen Hotelzimmer mit Bett und Dusche verbracht hat, sieht John Tomasetti ziemlich mitgenommen aus. Er trägt schwarze Dockers, ein weißes Button-down-Hemd und eine Paisley-Krawatte in der Farbe von schmutzigem Schnee. Doch außer seinem Outfit ist nichts unauffällig an ihm: Die Augen unter den dicken Brauen sind blutunterlaufen, und falls er sich überhaupt rasiert hat, dann schlecht; sein starker, dunkler Bartwuchs kontrastiert auffällig mit seinem bleichen Gesicht. Ich frage mich, ob er vielleicht krank wird.

Wahrscheinlich sehe ich heute Morgen aber genauso fertig aus. Der neue Bluterguss auf meiner Stirn schillert in allen Farben, und ich kann nur hoffen, dass er sich mit den farblichen Überresten meines blauen Auges gut verträgt. Und da ich es gestern Nacht nicht nach Hause geschafft habe und jetzt, ohne geschlafen zu haben, wieder arbeiten muss, bin ich hochgradig gereizt.

T. J., Glock, einer von Detricks Deputys und ich haben im Wald drei Stunden lang bei Minustemperaturen nach Hinweisen gesucht. Der Angreifer war natürlich über alle Berge, aber wir haben frische Spuren eines Schneemobils gefunden. Glock konnte sowohl Abdrücke von Schuhen als auch einen guten von den Kufen nehmen. Mit ein wenig Glück kann das BCI den Hersteller und das Modell des Motorschlittens feststellen.

Total übermüdet überfliege ich meinen eilig runtergetippten Bericht über den Vorfall. Mein Schädel brummt von den Schlägen, die ich abgekriegt habe, und mein Handgelenk ist von dem Treffer mit dem Knüppel geschwollen. Ich kann es zwar bewegen, mache mir aber Sorgen, dass ich beim Umgang mit meiner Waffe beeinträchtigt bin.

»Chief?«

Tomasetti hat etwas gesagt, doch ich habe absolut keine Ahnung, was. »Wollen Sie uns nicht auf den neuesten Stand des Falls bringen?«

Es ist gerade mal sieben Uhr an diesem Mittwochmorgen, doch alle sind schon da. Glock sitzt neben mir und hackt auf seinem Laptop herum. Sheriff Detrick hat die Arme vor der Brust verschränkt und sich auf seinem Stuhl zurückgelehnt. Pickles starrt mich an, als wolle er mir beim Sprechen helfen. T. J. und Skid sind scheinbar von ihrem Kaffeebecher fasziniert.

Ich gebe schnell die Einzelheiten des Überfalls wieder. »Wir glauben, der Angreifer war mit einem Schneemobil unterwegs. Glock hat Schuh- und Kufenabdrücke genommen, die vielversprechend aussehen.«

»Um diese Jahreszeit sind viele Motorschlitten unterwegs«, wirft Detrick ein.

»Es ist trotzdem den Versuch wert.« Ich zucke die Schultern. »Wir haben alles per Kurier ins Labor geschickt und sollten in ein paar Tagen mehr wissen.«

»Ich versuche, den Prozess zu beschleunigen«, sagt Tomasetti.

»Es ist schon fast taghell«, fahre ich fort. »Wir müssen zurück und uns dort umsehen.«

Detrick räuspert sich. »Sobald wir hier fertig sind, stelle ich einen Trupp zusammen und fahre raus.«

Tomasetti blickt von seinem Notebook auf. »Wenn der Kerl den Tötungsakt noch mal durchlebt oder fantasiert hat, kann es sein, dass er DNA hinterlassen hat.«

»Samen?«, frage ich.

»Es geht ihm immer nur um sexuelle Befriedigung.«

»Bisschen kalt dafür«, wirft Skid ein. »Ich meine, schrumpft er da nicht?«

Das Kichern verebbt schnell.

»Apropos, wurde der Huffman-Hof nach dieser Art DNA durchkämmt?«, frage ich.

»Ich kann ein Spurensicherungsteam mit Lichtausrüstung hinschicken«, bietet Tomasetti an.

Ich nicke und sehe Skid an. »Haben Sie schon was von DRC gehört?«

»Ja, es gibt einen interessanten Treffer.« Er schlägt den Aktendeckel auf. »Ein Typ von hier, heißt Dwayne Starkey. Hat vierzehn Jahre wegen sexueller Nötigung gesessen. Wurde drei Monate nach dem letzten Mord 1993 inhaftiert und ist vor neun Monaten rausgekommen.«

Ich werde hellhörig. »Gibt es eine Adresse von ihm?«

»Er wohnt in einem gemieteten Farmhaus in der Nähe vom Highway.« Er nennt die Adresse.

»Ich bin mit Starkey zur Schule gegangen«, wirft Glock ein.

Ich sehe ihn an. »Und, was glauben Sie?«

»Schon möglich. Hat eine fiese Ader. Ein Schlägertyp und religiöser Fanatiker. Alles in allem ein ziemliches Arschloch.«

»Haben Sie Einzelheiten über die sexuelle Nötigung?«, fragt Tomasetti.

Skid blickt auf seinen Bericht. »Ein zwölfjähriges Mädchen. Er war achtzehn. Hat jede Schuld bestritten. Hat zwanzig Jahre gekriegt, frühzeitige Freilassung wegen guter Führung.«

»Wo?«

»Strafanstalt in Mansfield.« Skid lacht auf. »Hört euch das an: Er arbeitet im Schlachthof.«

»Volltreffer«, sagt Tomasetti.

Ich schieße so schnell von meinem Stuhl hoch, dass mich alle ansehen. »Ich statte ihm einen Besuch ab«, sage ich, und an Detrick gewandt: »Haben Sie genug Leute, um am Fundort und im Wald nach Spuren zu suchen?«

Er nickt, sieht aber nicht gerade glücklich aus, an einen alten Tatort verbannt zu werden, während ich mir unseren neuesten Verdächtigen vornehme. »Wir überprüfen auch die umliegenden Farmen.«

Ich schnappe mir meine Jacke von der Stuhllehne und wäre fast mit Tomasetti zusammengestoßen. »Ich komme mit«, sagt er.

Er ist nun wirklich der Letzte, den ich dabeihaben will. Ich muss mit Glock unter vier Augen reden, ob er schon irgendwas über Daniel Lapp herausgefunden hat. »Nicht nötig, ich hab schon jemanden.«

Er starrt mich mit unergründlichem Gesicht an. »Sie mögen mich wohl nicht besonders, was?«

»Mögen hat nichts damit zu tun.«

»Dann muss es Ihre Abneigung gegen Unterstützung durch andere Behörden sein.«

Ich würde ihn am liebsten anblaffen, aber zu viele Leute stehen um uns herum. »Glock kennt Starkey, also kommt er mit.«

»Ich habe ein Täterprofil erstellt. Ich weiß, wonach wir suchen. Wenn Sie den Mörder wirklich fassen wollen, schlage ich vor, Sie nutzen meine Hilfsangebote.«

Es liegt so viel Spannung in der Luft, dass man eine Glühbirne zum Leuchten bringen könnte. Ich muss gar nicht erst um mich blicken, um zu wissen, dass alle Augen auf uns gerichtet sind. Zwar kommt es in Fällen mit hohem Stressfaktor häufig zu zwischenmenschlichen Konflikten, besonders wenn mehrere Behörden zusammenarbeiten, aber ich will nicht als Polizeichefin dastehen, die wegen Zuständigkeitsquerelen einen Fall gefährdet. Ich habe schon vor langem gelernt, meine Schlachten mit Bedacht zu wählen. Und diese hier kämpfe ich besser nicht.

»Sie fahren«, sage ich und gehe zur Tür.

* * *

Dwayne Starkey wohnt auf einer kleinen Farm umgeben von sanft geschwungenen Hügeln und hohen, nackten Bäumen. Früher war das Haus sicher einmal hübsch gewesen, doch als Tomasetti jetzt darauf zufährt, bemerke ich, dass sich an vielen Stellen der Putz ablöst und das Dach durchhängt. Hinter dem Haus steht ein alter blauer Pick-up.

»Sieht aus, als ob er zu Hause ist«, sagt Tomasetti.

»Behalten Sie die Tür im Auge.«

Er parkt den Tahoe ein paar Meter hinter dem Pick-up und blockiert so den Weg, falls Starkey einen schnellen Abgang machen will.

»Sollten wir uns nicht zuerst einen Durchsuchungsbeschluss besorgen?«, frage ich.

»Man braucht keinen Durchsuchungsbeschluss, um mit jemandem zu reden.«

»Wenn ich ihn für verdächtig halte, will ich mich auf dem Grundstück umsehen.« Ich blicke an dem Haus vorbei zu einer Scheune, die sich wie ein Schiff im arktischen Eis zur Seite neigt. »Ich habe keine Lust, einen Formfehler zu machen. Wenn er unser Mann ist, tötet er hier vielleicht seine Opfer.«

»Wenn er uns komisch vorkommt, besorgen wir uns einen Durchsuchungsbeschluss.«

Ich blicke zur Hintertür und sehe gerade noch, wie sich die Gardine bewegt. »Er hat uns bemerkt.«

»Ich übernehme die Eingangstür«, sagt Tomasetti.

Beim Verlassen des Wagens schlägt mir eiskalte Luft entgegen. Der Gehsteig ist nicht freigeschaufelt, und ich stapfe durch knöchelhohen Schnee. Aus dem Augenwinkel heraus sehe ich Tomasetti ums Haus herum zur Eingangstür gehen.

Mit dem Daumen schnipse ich den Druckknopf des Holsters auf, als ich die Hintertür erreiche. Die obere Hälfte ist aus Glas und hat einen Sprung in der Mitte, der mit Isolierband zugeklebt ist. Die schmutzigen blauen Gardinen sind einen Spalt breit offen und gewähren einen Blick auf Küchenschränke und einen alten Kühlschrank aus den siebziger Jahren.

Ich klopfe an das Glas. »Dwayne Starkey! Ich bin Kate Burkholder von der Polizei in Painters Mill. Machen Sie auf.«

Ich warte dreißig Sekunden und klopfe noch einmal, fester. »Machen Sie schon, Dwayne, ich weiß, dass Sie da sind. Öffnen Sie die Tür.«

Die Tür wird aufgerissen, ein leicht unangenehmer Geruch weht mir entgegen, und ich sehe mich einem kleinen Mann mit fettigen Haaren, Geheimratsecken und einem senffarbenen Schnauzer gegenüber.

»Dwayne Starkey?«

»Wen interessiert das?«

»Kate Burkholder. Polizeirevier Painters Mill.« Die rechte Hand auf der Waffe, hole ich mit der linken meine Dienstmarke hervor und halte sie ihm hin. Er starrt sie so lange an, dass ich mich frage, ob er lesen kann. »Ich muss Ihnen ein paar Fragen stellen.«

»Geht es um die tote Frau?«

»Wie kommen Sie darauf?«

Er lacht höhnisch auf. »Ich weiß doch, wie ihr Bullen denkt«, sagt er mit zigarettenrauer Stimme. »Wenn irgendwas passiert, wollt ihr es dem erstbesten Knacki anhängen, den ihr in die Finger kriegt.«

»Ich will Ihnen nur ein paar Fragen stellen.«

Er ist unsicher, was er tun soll. »Haben Sie 'nen Durchsuchungsbeschluss?«

»Ich kann in zehn Minuten einen kriegen, wenn Sie darauf bestehen. Es ginge schneller, wenn Sie einfach die Tür aufmachen und mit mir reden.«

»Ohne meinen Anwalt sag ich gar nichts.«

Eine vertraute Baritonstimme ertönt hinter Starkey. »Wenn Sie nichts getan haben, brauchen Sie auch keinen Anwalt.«

Tomasetti steht im Flur hinter Starkey. Ich will ihn fragen, was zum Teufel er da macht, doch Starkey kommt mir zuvor.

»Wer verdammt noch mal sind Sie denn? Und was suchen Sie in meinem Haus?«

»Ich bin der gute Cop, Dwayne, und ich schlage vor, Sie benehmen sich nicht länger wie ein Arschloch und beantworten Chief Burkholders Fragen. Glauben Sie mir, ich würde mich nicht mit ihr anlegen.«

Starkey sieht mich an. »Wie zum Teufel ist er in mein Haus gekommen?«

Da ich mich das auch frage, verzichte ich auf eine Antwort. »Dwayne«, sage ich stattdessen, »wir wollen nur ein paar Minuten mit Ihnen reden.«

Starkey macht einen Schritt zurück. Seine Hose ist schmutzig, sein Hemd voller alter Schweißränder. Er sieht aus, als wolle er abhauen, und ich blicke auf seine Füße, die in dreckigen weißen Socken stecken. Selbst wenn er es nach draußen schafft, wird er nicht weit kommen.

Ich stoße die Tür auf und trete in den Vorraum, der so riecht, wie Starkey aussieht: eine unangenehme Mischung aus Katzenscheiße, Körpergeruch und Zigarettenrauch.

Starkeys Blick wandert von mir zu Tomasetti und wieder zu mir. »Ich kenne meine Rechte, versuchen Sie also keinen Scheiß.«

»Sie haben das Recht, sich auf Ihren Hintern zu setzen.« Tomasetti fasst ihn am Genick, schiebt ihn in die Küche und drückt ihn auf einen Stuhl.

»He!«, beschwert sich Starkey. »Das dürfen Sie nicht!«

»Ich will Ihnen nur zeigen, wie sehr wir Ihre Kooperation zu schätzen wissen.«

Ich betrete die Küche. Der Gestank nach vergammelten

Lebensmitteln und nach Tierkot trifft mich wie eine Faust. Ich gehe zu Starkey, wobei ich gut aufpasse, wo ich hintrete. Die fette Katze oben auf dem 70er-Jahre-Kühlschrank lässt mich nicht aus den Augen.

»Arbeiten Sie noch im Schlachthof, Dwayne?«, frage ich.

»Hab noch nie einen Tag gefehlt.«

»Was machen Sie dort?«

»Also, ich hab da 'ne saubere Akte.« Er zeigt auf Tomasetti. »Ich will nicht, dass ihr Cops mir da was versaut.«

Tomasetti schlägt die Hand weg. »Beantworten Sie die Frage.«

»Ich bin der Stecher.«

»Was macht ein Stecher?«, frage ich.

»Er sticht das Tier in den Hals, wenn es betäubt ist.«

»Sie durchschneiden ihm die Kehle?«

»So kann man es vermutlich sagen.«

»Machen Sie das gern?«, fragt Tomasetti.

»Der Job bezahlt meine Rechnungen.«

Etwas knirscht unter Tomasettis Schuhen, als er Richtung Wohnzimmer geht. »Muss man das in der Schule lernen?«

Starkey starrt ihm böse hinterher. »Fick dich.«

»Dwayne«, fahre ich ihn an. »Hören Sie auf.«

Er sieht mich an, als wäre ich begriffsstutzig. »Der Typ ist ein Arschloch.«

»Ich weiß.« Mir ist klar, dass Tomasetti sich im Wohnzimmer umsieht, doch ich lasse Starkey nicht aus den Augen. »Wo waren Sie Samstagabend?«

»Weiß ich nicht mehr.« Er scheint in Gedanken bei Tomasetti zu sein, und ich frage mich, ob er was zu verbergen hat.

Zum ersten Mal spüre ich Wut in mir aufkommen. Zwei Frauen sind tot, und dieser kleine Dreckskerl macht es uns so schwer wie möglich. Ich beuge mich zu ihm vor und wische ihm eine. Schon habe ich seine Aufmerksamkeit.

»Sie dürfen mich nicht schlagen.«

»Dann hören Sie mir zu, wenn ich mit Ihnen rede. Wo waren Sie am Samstagabend?«

»Ich war hier. Hab das Getriebe vom El Camino zusammengebaut.«

»War jemand bei Ihnen?«

»Nein.«

»Waren Sie die ganze Nacht hier?«

»Yeah.«

»Waren Sie schon mal im Brass Rail?«

»Alle waren schon mal im Brass Rail.«

»Wann waren Sie das letzte Mal da?«

»Keine Ahnung. Vor 'ner Woche.« Er runzelt die Stirn. »Sonntag vor 'ner Woche.«

»Wie gut kannten Sie Amanda Horner?«

»Ich kenne keine Amanda Horner.« Er wird nervös, fängt an, die Sache ernst zu nehmen. »Ihr könnt mir doch keinen Mord anhängen. Ich war's nicht.«

»Vor vierzehn Jahren haben Sie eine Frau vergewaltigt.«

»Das kleine Miststück hat mich angelogen, Mann.«

Wut kocht in mir hoch, und bevor mir klar wird, was ich mache, klebe ich ihm wieder eine. »Passen Sie auf, was Sie sagen.«

Er reibt sich die Wange. »Die Kleine hat mich doch total angemacht. War betrunken und zugekokst. Sie hat's gewollt.«

»Sie war zwölf.«

»Das hab ich nicht gewusst, ich schwör's. Sie hat wie 'ne erwachsene Frau ausgesehen. Solche Titten.« Er hält die Hände dreißig Zentimeter vor sich. »Und sie war keine Jungfrau, wie sie behauptet hat.«

Ekel erfasst mich und ich tobe innerlich, reiße mich aber zusammen. »Wie gut haben Sie Ellen Augspurger gekannt?«

»Die kenn ich auch nicht.«

»Wenn ich herausfinde, dass Sie lügen, nehme ich Sie so in die Mangel, dass Sie sich ins Gefängnis zurückwünschen.«

»Ich schwöre, ich kenne die nicht. Keine von beiden.«

»Sind Sie auf Bewährung raus?«

»Was glauben Sie denn?«

»Mögen Sie Pornos?«, fragt Tomasetti dazwischen.

Starkey dreht den Kopf. »Was für 'ne beschissene Frage ist das denn?«

»Kinderpornos? Haben Sie welche im Haus?«

»Ich hab so 'n Scheiß nicht.«

»Nein? Sie sind also mehr der Sado-Maso-Typ?«

»Was für 'n Scheiß Sie da labern, so können Sie nicht mit mir reden.«

»Dwayne«, schalte ich mich ein, »haben Sie Messer im Haus?«

Er sieht mich aus zusammengekniffenen Augen an, als könne er mit unseren Fragen nicht ganz Schritt halten. »Alle haben Messer.«

»Jagen Sie?«

Er lehnt sich nach hinten, schaukelt auf zwei Stuhlbeinen und lacht höhnisch. »Ich kann kein Blut sehen.«

»Finden Sie das lustig?«, frage ich.

»Irgendwie schon, wo ich ein Stecher bin.«

Meine Kiefer mahlen, ich mache einen Satz nach vorn, packe seine Schultern und gebe ihm einen festen Schubs. Er versucht noch, sich auf dem Stuhl nach vorne zu beugen und seine Balance wiederzugewinnen, doch vergebens. Der Stuhl kippt nach hinten, und er landet krachend auf dem Rücken.

»Verdammte Fotze!«, knurrt er wütend und rappelt sich hoch. »Sie können –«

Ich lege meine Hand an den Schlagstock. »Ein Schritt, und Sie gehen zurück nach Mansfield.«

Die Worte bringen ihn zur Besinnung. Aber er ist stinksauer. Sein Gesicht ist rot angelaufen, und an der linken Schläfe pulsiert eine Ader. Er will mich schlagen, ich sehe es in seinen Augen. Und irgendwie wünsche ich, er würde es versuchen.

»Kate.«

Mein Herz schlägt so laut, dass ich Johns Stimme kaum höre. Ich weiß, dass Ausrasten kontraproduktiv ist. Doch ich will, dass Starkey die Fassung verliert, deshalb packe ich ihn so hart an. Jedenfalls rede ich mir das ein. Das Problem ist nur, dass Dwayne Starkey zwar Abschaum ist, aber wohl nicht der Mann, den wir suchen.

Als Tomasetti mir die Hand auf die Schulter legt, zucke ich zusammen, weiß, dass er das Beben spürt, das meinen ganzen Körper schüttelt. Ich sehe ihn nicht an. »Ruhig bleiben, Chief«, sagt er leise, tritt neben mich und hält Starkey eine CD vor die Nase. »Netter Computer, den du da hast, Dwayne. Riesiger Monitor. Ich wette, die Bildauflösung ist fantastisch. Wie viel Speicherkapazität hat er denn?«

»Was machen Sie in meinem Schlafzimmer, Mann?« Starkey jammert wie ein Schuljunge, der weiß, dass er gleich vermöbelt wird. »Er darf nicht in meinem Scheiß wühlen, das ist nicht erlaubt.«

Ich zucke die Schultern, würde Tomasetti aber am liebsten prügeln. Es reicht, dass sich ein Cop schlecht benimmt.

»Die lag offen rum.« Tomasetti sieht von der CD auf. »Delilahs Doppeldate. Wie schade, ich fürchte, das hab ich verpasst.«

»Es ist nicht verboten, Erwachsenenfilme zu sehen«, erwidert Starkey.

»Das hängt davon ab, wie alt die Stars sind.« Ich sehe mir die CD genauer an. »Delilah kommt mir ziemlich jung vor.«

»Noch ein Kind«, stimmt Tomasetti mir zu.

Starkey greift nach der CD, und man sieht den Dreck unter seinen Fingernägeln. »Die hab ich ganz legal gekauft.«

»Was haben Sie sonst noch auf dem Computer?«, frage ich.

»Nix, was ich nicht haben dürfte. Ich bin resozialisiert.«

Tomasetti schüttelt den Kopf. »Wir wollen nur was über die Frauen wissen.«

»Mann, ich kenne die toten Frauen nicht.«

Ich schiebe ihm den Zeigefinger zwei Zentimeter vors Gesicht. »Ziehen Sie die Jacke an.«

Starkey reißt die Augen auf. »Sie können mich nicht ins Gefängnis bringen! Ich hab nix gemacht!«

»Du zeigst uns jetzt deine Scheune, Dwayne«, blafft Tomasetti ihn an. »Zieh die Jacke über, oder ich nehme dich so mit nach draußen.«

Die Scheune ist dermaßen baufällig, dass ein heftiger Windstoß sie eines Tages in einen Schutthaufen verwandeln wird. Starkey geht mit Tomasetti und mir den Fußweg entlang. Da er nicht freigeschaufelt ist, sehe ich Fußspuren im Schnee und frage mich, warum er in die Scheune geht, wo er doch gar kein Vieh hat.

Er schiebt das Tor auf und ich sehe die Antwort: ein gelber El Camino, der glänzt wie an dem Tag, als er den Verkaufsraum verlassen hat. Der Wagen steht auf vier Betonblöcken, die Motorhaube ist offen. An einem Stützbalken lehnen vier Reifen. Weiter hinten steht ein Gartenstuhl neben einem Fünfzigliterfass, auf dem aus einem Radio ein alter Eagles-Song dröhnt. Der als Aschenbecher dienende Aluminiumbehälter quillt über.

»Schön hier«, sagt Tomasetti.

»Hier war ich den ganzen Samstagabend.« Starkey zeigt auf den El Camino. »Das ist der Wagen, an dem ich gerade arbeite.«

»Stehst wohl auf Schrottkarren«, sagt Tomasetti.

»Das ist kein Schrott, Mann. Das ist 'n Oldtimer.«

Ich gehe tiefer in die Scheune hinein, sehe mich nach einem Schneemobil um, suche auch den Erdboden nach Kufenspuren ab, finde nichts. Die Luft riecht nach modriger Erde und Motoröl. In der Ecke entdecke ich eine Wagenplane, gehe hin und ziehe sie runter. Staub wirbelt auf und ein John-Deere-Traktor, Baujahr etwa 1965, kommt zum Vorschein.

Ich bin total niedergeschlagen, hatte mir so gewünscht, dass Starkey unser Mann ist. Ein verurteilter Vergewaltiger. Ein Pädophiler. Ein Mann, der auf Pornos steht und wer weiß was sonst noch alles. Aber schon von seiner Statur her kann er nicht derjenige sein, der mich letzte Nacht im Wald angegriffen hat. Außerdem entspricht er nicht Tomasettis Täterprofil. Er ist weder gut organisiert noch intelligent. Sosehr ich den Fall auch lösen will, mein Bauch sagt mir, er ist nicht der Mörder.

Ich gehe zurück zu den Männern und zeige auf Starkey. »Verlassen Sie nicht die Stadt.«

»Ich bin auf Bewährung draußen. Was glauben Sie denn? Dass ich 'nen Urlaub auf Hawaii plane?«

»Gehen wir«, sage ich und mache mich auf zum Tor.

Ich erreiche den Tahoe vor Tomasetti und setze mich rein. In dem vergleichsweise warmen Innenraum überkommt mich eine so große Müdigkeit, als hätte ich eine Woche lang nicht geschlafen, und mein Schädel wird von einem dumpfen Schmerz malträtiert.

Tomasetti lenkt den Wagen aus der Einfahrt und fährt Richtung Stadt. Ich starre aus dem Fenster auf die öde Landschaft hinaus und kämpfe dagegen an, von der Wärme und dem leisen Summen der Heizung in den Schlaf gewiegt zu werden.

»Er ist nicht unser Mann«, sagt Tomasetti, ohne mich anzusehen.

»Ich weiß.«

»Die meisten Serienmörder haben einen überdurchschnittlichen IQ.«

»Was Starkey eliminiert.« Ich starre Tomasetti an. »Wenn Sie wieder einmal Dirty Harry spielen wollen, dann bitte nicht im Dienst, okay?«

Er wirkt beleidigt. »Sie sind diejenige, die ihn geschlagen hat.«

»Ein Klaps auf die Backe, damit er mir zuhört.«

»Sie haben die Stuhlbeine unter ihm weggetreten.« Er zuckt die Schultern, konzentriert sich wieder auf die Straße. »Ich war beeindruckt.«

Gegen meinen Willen muss ich grinsen. Unter anderen Umständen hätte ich Tomasetti vielleicht gemocht. Ich bin zwar nicht mit seiner Taktik einverstanden, aber da drinnen hat er mich beschützt. Doch bevor ich weiter analysieren kann, biegt er plötzlich auf den Parkplatz von McNarie's Bar, eines der beiden Lokale in Painters Mill, wo Alkohol ausgeschenkt wird. Es hat Barhocker mit rotem Kunststoffbezug, ein halbes Dutzend Nischen und eine Jukebox von 1978, in der die Platten noch nie ausgetauscht wurden.

»Was zum Teufel soll das?«

»Ich brauche einen Drink.« Er stößt die Tür auf und steigt aus.

»Einen *Drink?*«

Er schlägt die Tür zu.

Ich steige ebenfalls aus. »Es ist zehn Uhr morgens. Wir müssen arbeiten.«

Im Gehen wirft er einen Blick auf seine Uhr. Er macht so große Schritte, dass ich nur joggend mithalten kann. »Verdammt noch mal, John, wir müssen zurück aufs Revier.«

»Es dauert nicht lange.«

Ich bleibe neben einem rostigen Toyota Pick-up stehen und sehe zu, wie er im Pub verschwindet. Der Parkplatz ist fast leer und ich bin dermaßen sauer, dass ich weder die Kälte spüre noch die Wolken bemerke, die sich im Westen zusammenballen.

»Starkey hat recht«, murmele ich und gehe zur Tür. »Er ist ein Arschloch.«

21. KAPITEL

Corina Srinvassen wollte endlich raus aufs Eis. Sie ging in die achte Klasse und hatte schon den ganzen Morgen davon geträumt, während des Geschichtsunterrichts, des Englischunterrichts, der Gesundheitserziehung bei Mr Trump, wo sie über Geschlechtskrankheiten gesprochen hatten, beim Mittagessen mit Lori Jones und in der Stillarbeitsstunde unter den Adleraugen von Mrs Filloon, die alle nur böse Hexe nannten.

Als dann um fünfzehn Uhr zwanzig endlich die Schulglocke ertönte, war sie praktisch schon zur Tür hinaus. Auf der langen Busfahrt nach Hause plante sie die Sprünge. Heute wollte sie eine Doppeldrehung versuchen. Immerhin war sie allein und keiner würde lachen, wenn sie auf den Hintern fiel. Um Viertel nach vier hatte sie sich umgezogen und schlüpfte aus der Tür, noch bevor ihre Mutter sie aufhalten konnte.

Die Wolkendecke hing tief, als sie durch den Wald zum Teich stapfte. Das Eis würde nicht besonders glatt sein, wie immer, wenn Schnee gefallen, geschmolzen und wieder gefroren war. Aber gegen die Mutter Natur war man machtlos. Eines Tages würde Cori genug Geld haben, um auf die Eislaufbahn irgendeiner schicken Mall gehen zu können, wo rundherum tolle Läden waren und das Eis von einer riesigen Maschine geglättet wurde.

Mit Schlittschuhen über der Schulter erklomm Cori den Hügel, um dann mit dem Blick auf Miller's Pond belohnt zu werden, der wie ein mattes Fünf-Cent-Stück vor ihr lag. Sie lief den Hang hinunter zu dem Baumstumpf und zog hastig die Stiefel aus. Die Kälte kroch durch die drei Paar Socken, die sie anhatte, und beim Schnüren der Schlittschuhe zitterte sie von Kopf bis Fuß. Sie zog die Fäustlinge an, stakste zum Uferrand, betrat das Eis und fuhr los. Die raue Oberfläche bremste nicht ihren Lauf. In diesem Moment war sie Michelle Kwan, und die abgestorbenen Rohrkolben am Teichrand waren bewundernde Fans, die beim Anblick der anmutigen und schönen jungen Eiskunstläuferin aus Painters Mill, Ohio, aufgesprungen waren. Die Geschwindigkeit berauschte Cori. Sie hob die Arme wie eine Balletttänzerin und war eins mit dem Eis – ein Vogel im unendlichen Himmel, der sich nach Herzenslust drehte und auf und nieder schwang. Sie wusste nicht, wie lange sie schon so dahinglitt, aber als sie aufblickte, hatte sich der Himmel noch weiter verdüstert. Schnee ist im Anmarsch, dachte sie und lief am Ufer entlang auf der Suche nach der besten Stelle, um ihre Doppeldrehung zu versuchen. Auf einmal hörte sie ein schwaches Motorengeräusch. Neugierig glitt sie zum nördlichen Ende des Teichs und stakste den Erdwall hinauf. Nicht weit von ihr verschwand gerade ein Schneemobil im Wald. Komisch, dachte sie, warum wohl jemand den ganzen Weg hierherkam und dann so schnell wieder verschwand?

Sie wollte gerade wieder zurück aufs Eis, als ihr Blick auf etwas im Schnee fiel, das wie ein schwarzer Müllsack aussah. Der Typ mit dem Schneemobil hatte einfach seinen Müll hier entsorgt. Bescheuerter Abfallsünder. Dann fiel ihr ein, dass ihre Freundin Jenny ihr einmal von Leuten erzählt hatte, die sich so ihrer kleinen Kätzchen entledigen. Tierquäler fand sie noch viel schlimmer als Abfallsünder.

Da sie keine Zeit verschwenden und die Schlittschuhe nicht ausziehen wollte, wackelte Cori über den gefrorenen, buckligen Boden den Erdwall auf der anderen Seite hinunter, wobei die Kufen bei der Berührung mit Steinen klirrten. Ihre Mom würde ihr niemals erlauben, einen ganzen Wurf Kätzchen zu behalten, aber sie konnte vielleicht Lori eins geben, deren Mutter Kätzchen mochte. Ungefähr fünfzehn Meter vor dem Müllsack blieb Cori stehen. Etwas Rotes war da im Schnee, es sah aus wie Farbe, doch plötzlich hatte sie ein komisches Gefühl im Bauch, wie manchmal nachts, wenn sie von einem schlechten Traum aufgewacht war. In dem Moment musste sie ausgerechnet an die schaurigen Geschichten denken, die die Kids im Bus über eine tote Frau erzählt hatten. Und an das ausdrückliche Verbot ihrer Mutter, heute zum Miller's Pond zu gehen, weil sie dort nicht allein Schlittschuh laufen sollte. Aber Cori wusste, dass das nicht der wahre Grund gewesen war, und wünschte, sie hätte sich nicht heimlich fortgeschlichen.

Sie holte ihr Handy aus der Jackentasche und ging weiter. Hin und wieder blickte sie hinüber zum Wald und lauschte, ob sie das Schneemobil hörte. Aber da war nichts. Sie war kaum fünf Meter weit weg, als die Erkenntnis sie traf wie ein Schlag. Noch nie in ihrem jungen Leben hatte sie einen solchen Horror verspürt. Sie schrie auf und wusste in diesem Augenblick ganz sicher, dass der Anblick einer richtigen Toten absolut nichts mit den Leichen im Fernsehen zu tun hatte.

Cori stolperte rückwärts und landete hart auf ihrem Po. »Omeingott!« Sie rappelte sich hoch und drückte mit zitternden Fingern die Kurzwahltaste für zuhause. »Mom! Ich bin am Teich! Hier ist eine tote Frau!«

»*Was?*« Wie aus ganz weiter Ferne hörte sie die Stimme ihrer Mutter. »O mein Gott, Cori, lauf weg, schnell!«

»Ich hab Angst!«

»Lauf, Schatz, auf dem Pfad, lass das Telefon an, Daddy und ich kommen.«

Da sie zu viel Angst hatte, stehen zu bleiben und die Schlittschuhe auszuziehen, lief Cori damit, so schnell sie konnte, ihren Eltern entgegen.

* * *

Ich war schon öfter in McNaries's Bar, als ich gern zugeben möchte. Mit sechzehn hatte ich dort meine erste Begegnung mit Whiskey, Canadian Mist, spendiert von einem Motorradfahrer, der entweder zu dumm oder zu betrunken war, um zu sehen, dass er es mit einer Minderjährigen zu tun hatte. Im gleichen Jahr rauchte ich dort mit Cindy Wilhelm in der Damentoilette meine erste Marlboro, und mit siebzehn bekam ich auf dem Parkplatz von Rick Funderburk auf dem Rücksitz eines Mustangs meinen ersten Kuss. Wahrscheinlich hätte ich in der Nacht Sex gehabt, wäre nicht mein Vater mit der Kutsche aufgetaucht und hätte mich nach Hause gefahren. Als amisches Mädchen auf Selbstzerstörungskurs hatte ich nicht lange gebraucht, um all die Werte zu vergessen, die mir meine Eltern so sorgfältig eingeimpft hatten.

Seit ich erwachsen bin, komme ich noch ab und zu her. Der Barkeeper, ein gorillahafter, rothaariger Mann, den ich nur als McNarie kenne, ist ein guter Zuhörer. Zudem hat er Humor und macht einen Wodka mit Tonic, der es in sich hat.

Ich stoße die Tür auf und warte einen Moment, bis sich meine Augen an die Dunkelheit gewöhnt haben. Wie üblich in solchen Lokalen, riecht es nach Zigarettenrauch und abgestandenem Bier. Tomasetti fläzt sich in einer Sitznische, vor sich ein leeres Schnapsglas und zwei volle. Mich überrascht nichts mehr.

Die beleibte Frau hinter der Bar betrachtet mich wie einen Hund, der eine streunende Katze in seinem Garten gesichtet hat. Ich nicke ihr zu und gehe zu Tomasetti.

Er blickt auf, als ich mich nähere. »Bin froh, dass Sie's geschafft haben, Chief. Nehmen Sie Platz.«

»Was erlauben Sie sich eigentlich?«

»Ich genehmige mir einen Drink. Für Sie hab ich auch einen bestellt.«

»Dafür haben wir keine Zeit.« Ich blicke hinab auf das

Schnapsglas und widerstehe der Versuchung, ihm den Inhalt ins Gesicht zu schütten. »Bringen Sie mich aufs Revier.«

»Wir müssen reden.«

»Das können wir im Büro.«

»Hier sind wir ungestört.«

»Es reicht, Tomasetti.«

»Setzen Sie sich. Die Leute gucken schon alle.«

Obwohl ich es vermeiden wollte, bin ich laut geworden. Die Kombination von Stress, Schlafdefizit und wachsender Angst nagt an meiner Selbstbeherrschung. »Bringen Sie mich aufs Revier. Sofort.«

Er nimmt das Schnapsglas und hält es mir hin.

Ich ignoriere es. »Ich schwöre, ich rufe Ihre Vorgesetzten an. Ich reiche eine Beschwerde ein. Mit diesem Verhalten werden Sie schneller gefeuert, als Sie eins und eins zusammenzählen können.«

»Beruhigen Sie sich«, sagt er. »Ich hab Sandwiches bestellt. Wenn Sie die lieber mitnehmen wollen, ist es auch okay.«

Ich gehe zur Bar, beuge mich vor und rufe laut in Richtung Schwingtür, die zur Küche führt: »Wir wollen die Sandwiches zum Mitnehmen!«

Ein junger Mann, der zu schmutzig aussieht, als dass er auch nur in die Nähe von Lebensmitteln kommen dürfte, tritt heraus und nickt. Ich gehe zurück und setze mich Tomasetti gegenüber in die Nische.

»Mögen Sie Rätsel, Chief?«

»Nicht besonders.«

»Ich kenne eins, bei dem ich Ihre Hilfe gebrauchen könnte.«

Ich sehe auf meine Uhr.

»Da ist also dieser Cop«, sagt er. »Pete.«

Ich ignoriere ihn.

»Pete ist ein guter Polizist. Erfahren, klug. In der Stadt, in der er Cop ist, läuft ein Mörder rum. Der Mörder hat schon zwei Menschen ermordet und Pete weiß, er wird es wieder tun.«

Ich starre ihn an. »Führt das noch irgendwo hin?«

»Jetzt kommen wir zum rätselhaften Teil der Geschichte.« Er nimmt das Schnapsglas, leert es und blickt mich über den Rand hinweg an. »Die Sache ist nämlich die, dass vor sechzehn Jahren in eben jener Stadt vier Frauen auf genau die gleiche Weise ermordet wurden. Und dann, bumm!, der Mörder ist wie vom Erdboden verschwunden. Doch warum weigert sich dieser Polizist, Pete, zu glauben, dass es sich um den gleichen Mörder wie damals handelt? Er ist ein vernünftiger Mann. Wie groß ist die Wahrscheinlichkeit, dass zwei verschiedene Mörder, die auf genau die gleiche Weise töten, die Stadt ein zweites Mal heimsuchen? Und warum zögert Pete, Unterstützung von anderen Dienststellen anzufordern?«

Ich würde ihm gern eine Klugscheißerantwort geben, aber mir fällt ums Verrecken keine ein. »Vielleicht glaubt Pete ja, dass es ein Nachahmer ist.«

Er nickt, als würde er die Möglichkeit in Betracht ziehen, doch ich weiß, er tut es nicht. »Wenn ich dieses Rätsel anderen erzähle, werden die meisten glauben, dass Pete was zu verheimlichen hat.«

»Zum Beispiel?«

»Tja, genau das ist das Rätsel.« Er zuckt die Schultern. »Ich hatte gehofft, Sie könnten mir helfen zu verstehen, was in Petes Kopf vorgeht.«

Meine Schläfen pochen, und ich sage mir, dass er nicht wissen kann, was passiert ist. Doch es hilft nichts. Ich habe John Tomasetti unterschätzt. Er ist nicht einfach nur eine der Figuren, die eine Dienstmarke tragen. Er ist ein Polizist mit der Spürnase eines Polizisten und fest entschlossen, der Sache auf den Grund zu gehen, koste es, was es wolle.

»Rätsel liegen mir nicht besonders«, sage ich.

»Ich glaube, Pete verbirgt etwas.« Wieder zuckt er die

Schultern. »Ich hatte gehofft, der richtigen Person würde er vielleicht reinen Wein einschenken.«

Woher weiß er es?, ist alles, was ich denken kann. »Sie reden nur Scheiße, Tomasetti.«

Er lächelt, doch es ist das gewitzte Lächeln eines Hais mit unergründlichen schwarzen Augen, scharfen Zähnen und einem unfehlbaren Killerinstinkt. Er lehnt sich zurück auf der Bank, betrachtet mich wie einen fehlgeschlagenen Laborversuch. »Erzählen Sie mal, wie haben Sie den Sprung vom amischen Farmgirl zur Polizistin geschafft? Ist ja nicht gerade ein kleiner.«

Der schnelle Themenwechsel verwirrt mich, ich fange mich aber schnell. »Wahrscheinlich wollte ich einfach nur rebellieren.«

»Gab es einen besonderen Anlass?«

Das Klingeln meines Handys rettet mich vor einer Antwort. »Ich muss rangehen«, sage ich und drücke die Taste.

»*Es gibt noch eine Leiche!*« Lois' Stimme hat den Klang eines Nebelhorns.

Ich schieße so schnell hoch, dass ich an den Tisch stoße und ein Glas umfällt. »Wo?«

»Miller's Pond. Petra Srinvassens Tochter war da Schlittschuh laufen und hat sie gefunden.«

Ich haste zur Tür, höre Tomasettis schwere Stiefelschritte hinter mir.

»Sind sie noch am Teich?« Ich stoße die Tür auf und renne zum Tahoe, nehme den dunklen Himmel und die Kälte nur am Rande wahr.

»Ich glaube ja.«

»Sie sollen vorsichtig sein. Nichts anfassen und keine Spuren verwischen. Ich bin auf dem Weg.«

22. KAPITEL

John war seit jeher ein misstrauischer Mensch. Früher hatte das zu den Eigenschaften gehört, die einen guten Cop aus ihm machten. Es war ihm egal, wohin sein Misstrauen ihn führte. Er hätte seine eigene Großmutter verhaftet, wäre sie straffällig geworden. Deshalb war es für ihn so problematisch, sich einzugestehen, wie sehr ihm sein Argwohn gegenüber Kate Burkholder missfiel.

Die Erfahrung hatte ihn gelehrt, dass die Menschen immer nur das preisgaben, was sie wollten. Wie erfolgreich sie in dieser Kunst der Täuschung waren, hing von mehreren Faktoren ab, zum Beispiel, ob sie gute Schauspieler waren und ob sie andere Menschen richtig beurteilen konnten. John hatte sich immer für einen ziemlich guten Menschenkenner gehalten.

Nach allem, was man so hörte, war Kate Burkholder ehrlich und geradeheraus und konnte bei schwierigen Entscheidungen auch mal unkonventionell sein. Doch unter ihrer Fassade des Mädchens von nebenan verspürte John eine gewisse Doppeldeutigkeit. Auch wenn sie äußerlich die Entschlossenheit demonstrierte, alles richtig zu machen, sagte sein Bauch ihm, dass die ehemalige Amisch-Frau und heutige Polizeichefin etwas verbarg. Hätte ihm der Bürgermeister nicht von der Nachricht erzählt, hätte John sein Bauchgefühl vielleicht ignoriert. Doch das ging jetzt nicht mehr. Er war ziemlich sicher, dass sie etwas verheimlichte. Aber was? Die Frage rollte in seinem Kopf herum wie ein einsamer Würfel, während er mit hundertzwanzig Sachen über die Straße raste.

»Am Stoppschild rechts«, sagte sie.

Er trat auf die Bremse und bog ab, warf Kate einen kurzen Blick zu. »Vielleicht sollten Sie ein paar Ihrer Leute hierher bestellen«, sagte er. »Möglicherweise ist unser Mann noch in der Nähe.«

Sie schreckte hoch wie aus einem Traum, drückte aufs Funkmikro am Kragen und gab Anweisungen durch, in welchem Umkreis ihre Leute suchen sollten. »Biegen Sie links ab.« Sie dirigierte ihn zu einer schmalen Nebenstraße, die noch nie einen Schneepflug gesehen hatte. Da John zu schnell fuhr, geriet der Tahoe in der nächsten Kurve ins Schlingern.

»Nicht so schnell.«

»Okay.«

»Ich hab keine Lust, im Graben zu landen«, sagte sie gereizt.

»Geht mir genauso.« John holperte mit dem Wagen über eine Schneewehe, bremste vor der nächsten Kurve, sah ein Sackgassen-Schild und nahm den Fuß vom Gas.

»Hier. Stopp.«

Der Tahoe rutschte bis einen halben Meter vor ein Holzgeländer und kam zum Stehen. Tomasetti blickte sich um. Keine Autos, keine Reifenspuren. »Wie weit ist es zum Tatort?«

»Vierhundert Meter.« Sie zeigte auf den Wald. »Da geht ein Pfad durch.«

»Wir müssen laufen?«

»Ist der kürzeste Weg.«

»Scheiße.«

Sie stiegen aus, blieben kurz stehen und hielten nach Reifenspuren Ausschau. »Sieht nicht so aus, als wäre hier jemand gewesen«, sagte er.

»Auf der anderen Seite des Feldes gibt es noch eine Straße.« Sie drückte aufs Funkmikro. »Glock. Wir sind auf der Hogpath Road. Nehmen Sie die Fokerth Road. Wenn der Kerl noch hier irgendwo ist, können Sie ihn da vielleicht abfangen. Achten Sie auf Reifenspuren.«

Sie gingen zu der Stelle, wo der Pfad durch den Wald führte.

»Gibt's noch einen anderen Weg?«, fragte John.

»Wenn Sie ein Schneemobil und eine Drahtschere haben, können Sie aus allen Richtungen kommen, ohne gesehen zu werden.«

Kate übernahm die Führung, und er joggte hinterher. Es hatte eine Zeit in seinem Leben gegeben, da war er körperlich fit gewesen, hatte Gewichte gestemmt und war jede Woche zehn Meilen gelaufen. Doch sein selbstzerstörerischer Lebensstil der letzten beiden Jahre forderte seinen Tribut. Nach hundert Metern fing er an zu keuchen, und nach weiteren fünfzig bekam er Seitenstiche, die sich anfühlten wie ein Herzanfall. Im Gegensatz dazu schien Kate in ihrem Element zu sein. Gute Ausdauer, große Schritte und die Bewegung der Arme und Beine perfekt aufeinander abgestimmt. Eine Läuferin, dachte er. Und noch etwas fiel ihm auf: Je näher sie dem Tatort kamen, desto schneller wurde sie.

Um sie herum sorgten die Bäume und der Schnee für ein seltsam schwarzweißes Zwielicht. John versuchte zu lauschen – vielleicht hielt sich der Gesuchte hier irgendwo verborgen –, doch er hörte nichts weiter als sein eigenes Blut in den Ohren rauschen und seinen keuchenden Atem. Und gerade als er nicht mehr konnte und anhalten wollte, öffneten sich die Bäume zu einer Lichtung. Dahinter lag ein zugefrorener Teich, in dem sich der schiefergraue Himmel spiegelte. Drei Leute standen dicht aneinandergedrängt am Ufer, ein Mann in Jeansjacke, eine Frau in einer Daunenjacke und ein Mädchen mit Schlittschuhen an den Füßen.

»Das sind sie«, sagte Kate.

»Gibt es einen Grund, ihnen nicht zu trauen?«

Kopfschüttelnd steuerte Kate auf sie zu. »Es ist eine nette Familie.«

John wusste, dass auch nette Familien Geheimnisse hatten. Kate war als Erste bei ihnen. Obwohl in dieser Stadt jeder jeden zu kennen schien, zeigte Kate ihre Dienstmarke und stellte sich vor. Die Frau und das Mädchen weinten, die Wangen rot vor Kälte. Das Gesicht des Mannes war wie versteinert, und er hatte trotz der eisigen Temperaturen Schweißperlen auf der Stirn.

»Wo ist die Tote?«, fragte John.

»Ein M… Mann. Auf einem Schnee…mobil.«

»Wo?«

»Dahinten beim Bach. Zwischen den Bäumen.«

»Kannst du mir sagen, wie er ausgesehen hat?«, fragte Kate.

Das Mädchen klapperte unkontrolliert mit den Zähnen. »Er war zu weit weg.«

»Hat er eine Jacke oder einen Mantel getragen? Erinnerst du dich an die Farbe? Oder vielleicht an seinen Helm? Das Schneemobil?«

»Blau, vielleicht. Ich weiß es nicht. Ich habe ihn nur ganz kurz gesehen.«

Kate wandte sich an die Eltern des Mädchens. »Bleiben Sie hier.« Sie selbst machte sich auf den Weg übers Eis, gab übers Ansteckmikro die Information weiter: »Es gibt Hinweise, dass der Verdächtige ein Schneemobil fährt.«

Obwohl ihre Stimme ruhig und das Auftreten souverän waren, hatte John das untrügliche Gefühl, dass irgendetwas in ihr vorging. Hatte es mit der Entdeckung einer neuen Leiche zu tun? Oder war da noch etwas anderes? War er bloß paranoid? Oder verschwieg ihm Kate Burkholder etwas?

»Warum hat er die Leiche so weit hier rausgebracht?«, fragte sie ihn.

»Kommen viele Leute hierher? Zum Eislaufen?«

Sie sah ihn an. »Um diese Jahreszeit ist an Wochenenden ziemlich viel los.«

»Maximale Schockwirkung.«

Sie erklommen den Erdwall, und John sah die Schlittschuhspuren des Mädchens, die Messerschnitten im Schnee glichen.

»Dort.« Kate zeigte zu den Bäumen. »Wo der Bach ist.«

John erkannte etwas, das wie ein Müllsack aussah, der von streunenden Hunden aufgerissen worden war.

Kate eilte den Wall hinunter und weiter über gefrorene Erdhubbel, die Arme zum Balancieren seitlich ausgestreckt. John folgte ihr, den Blick auf das Ding im Schnee geheftet.

»Achten Sie auf Spuren.«

Sie stapften durch eine tiefe Schneewehe und blieben dann wie von Geisterhand aufgehalten abrupt stehen. Über die Jahre war John schon an vielen Tatorten gewesen. Er hatte Menschen gesehen, die eines natürlichen Todes gestorben waren, und andere, die so verstümmelt und blutig aus dieser Welt geschieden waren, dass selbst altgediente Polizisten in die Knie gegangen waren und sich übergeben hatten. Er kannte den akkuraten, brutalen Exekutionsstil von Drogenhändlern, die unbedingt ein Zeichen setzen wollten. Er hatte unschuldige Kinder im Schussfeuer von Bandenkriegen sterben sehen und getötete Babys, die wie Müll weggeworfen worden waren. Doch auf das, was er jetzt vor Augen hatte, war er nicht vorbereitet.

Die Tote lag neben einem Müllsack. John sah bleiches, blutverschmiertes Fleisch. Einen braunen Haarschopf. Den toten Blick wie bei Glasaugen von ausgestopften Tieren. Der Mund zu einem lautlosen Schrei verzerrt. Überall war Blut, ein furchtbarer Kontrast zu dem weißen Schnee. Im Umkreis von einem Meter lagen mehrere rosa Gegenstände um die Leiche. Im ersten Moment dachte er, es seien Kleiderfetzen, und ordnete sie sofort als mögliche Beweisstücke ein. Doch dann sah er, dass es Organe aus dem Unterleib des Opfers waren.

Und andere Körperteile, einfach abgeschnitten: ein Stück Brust, ein Finger, drei Meter weit weg von dem ausgestreckten Arm. Rosa-grauer Darm, aus dem eine rotgrüne Flüssigkeit in den Schnee sickerte. Er hatte sie ausgeweidet.

»O mein Gott.«

Kate stand neben ihm, schwer atmend wie nach einem Marathon. Ein Laut, halb Keuchen, halb Stöhnen, entwich ihrem Mund. John wusste, dass der gleiche Laut in seinem Inneren widerhallte, ein Ausdruck von Wut und Schock zusammengeballt in einer einzigen Emotion. Er zwang sich, das Ganze nüchtern zu betrachten, doch vergeblich. Denn das, was er hier vor Augen hatte, trug ihn in Gedanken zurück zu jenem Tag, an dem er Nancy und seine Töchter gefunden hatte. Er sah kohlschwarze Körper, groteske Klauenhände. Er roch verbranntes Fleisch, versengtes Haar …

»Irgendeine Spur des Verdächtigen?«

Kates Stimme holte ihn in die Gegenwart zurück. Sie sprach in ihr Funkmikro, den Blick auf Tomasetti gerichtet, doch ohne ihn wirklich zu sehen. »Rufen Sie das Sheriffbüro an. Sagen Sie, wir brauchen jeden Mann, den sie entbehren können. Ich will, dass die ganze Umgebung abgesperrt wird. Und schicken Sie Coblentz her. Er soll alles stehen und liegen lassen und sofort kommen.«

Ihre Hand glitt vom Mikro, und einen Moment lang schloss sie die Augen. »Gottverdammte Scheiße.«

»Erkennen Sie sie?«, fragte er.

»Nein«, sagte sie. »Mein Gott, woran denn?«

Er machte jenen ersten, gefahrvollen Schritt auf die Tote zu. Der Geruch von Blut hing in der Luft. Das Opfer war vom Brustbein bis zum Schambein aufgeschnitten worden. Verschiedene Organe quollen aus der Öffnung, es dampfte aus dem blutigen Inneren und John wusste, dass diese Frau noch vor kurzem gelebt hatte.

»Das ist eine enorme Eskalation.« Sein Herz hämmerte, sein Blut rauschte durch seine Adern. Er wollte den Zustand aufs Laufen schieben, doch er wusste, dass nackte Todesangst seinen Körper erfasst hatte. Und da erst wurde ihm klar, wie groß sein Bedürfnis war zu leben.

Ein Tatort im Freien war immer problematisch. Doch die Kälte und der Schnee und die ungeheuerliche Brutalität machten diesen zu einem einzigen Albtraum.

»Chief!«

John blickte zu dem zwanzig Meter entfernten Erdwall, den T. J. gerade herunterkam. Aus dem Augenwinkel sah er, dass Kate ganz tief durchatmete und ihrem Officer ein paar Schritte entgegenging.

»Er hat noch eine Frau getötet«, sagte sie.

T. J. blickte zu der Leiche und schnell wieder weg. »O Mann, o mein Gott.«

»Ich folge der Kufenspur«, sagte John zu ihm. »Sie beide bleiben hier und sichern den Tatort, bis die Leute von der Spurensicherung –«

»Ich komme mit«, unterbrach Kate ihn scharf.

»Ich würde lieber –«

»Vergessen Sie's.« Sie zog ihre Waffe und ging Richtung Wald.

»Scheiße.« John schüttelte den Kopf, nickte T. J. zu und lief hinter ihr her.

Sie folgten der Spur des Schneemobils in den Wald und achteten darauf, sie nicht zu verwischen. Der Pfad, den der Mörder genommen hatte, war schmal und an beiden Seiten von Bäumen gesäumt. Kate lief rechts neben der Spur, John links, wobei er Ausschau hielt nach etwas, das der Mann in der Eile vielleicht verloren hatte.

Ein paar Minuten lang waren nur ihre gedämpften Schritte im Schnee und das Rascheln der Jacken durch die Bewegung der Arme zu hören. Der Wald selbst schien vollkommen still. Dann das plötzliche Krächzen eines Raben und Flügelschlagen. Sofort danach erregte ein weiteres Geräusch Johns Aufmerksamkeit. Es war zu nahe, um von der Straße zu kommen, und zu schrill für ein Passagier- oder Düsenflugzeug.

Er blieb stehen, bedeutete Kate, das Gleiche zu tun. »Hören Sie das?«

Sie neigte den Kopf zur Seite. »Westlich von hier. Da ist ein abgeerntetes Kornfeld.« Sie sprach ins Mikro. »Ich bin eine Meile nördlich von Miller's Pond. Der Verdächtige ist westlich von uns. Versuchen Sie, ihm den Weg abzuschneiden.«

Sie rannte los, John ihr hinterher, ignorierte das Stechen. Es war jetzt rauf in die Brust gezogen, und bei seinem Glück würde es ihn nicht wundern, wenn er am Arsch der Welt einen Herzinfarkt bekäme.

Sie rannten eine gefühlte Ewigkeit, durch tiefe Schneewehen und über die aufgeworfene Erde eines gepflügten Feldes. Am steilen Ufer eines Baches blieb Kate stehen, bat mit erhobener Hand um Ruhe. John atmete zwar keineswegs leise, doch er gab sich alle Mühe. Die Hände auf die Knie gestützt, schnappte er nach Luft.

»Der Scheißkerl ist verschwunden«, sagte sie.

»Yeah, aber wohin?«

* * *

Das war echt knapp gewesen.

Aus fünfzehn Metern Entfernung betätigte er die Fernbedienung der Garagentür, trat aufs Gaspedal und schoss in die Garage. Die Kufen kreischten über den Betonboden, er trat so fest auf die Bremse, dass sein Fuß über den Boden scharrte und er sich den Knöchel einklemmte. Nur Zentimeter vor der Werkbank kam die große Maschine zum Stehen. Er öffnete den Kinnriemen, nahm den Helm ab und warf ihn auf den Sitz, schüttelte sich von Kopf bis Fuß. Euphorie durchströmte ihn wie eine illegale Droge. Der Drang, auf Messers Schneide zu tanzen, hatte die gefräßige Gier in ihm gestillt und bewiesen, dass er lebendig war und das Leben schön.

Er stieg ab und stand einen Moment lang nur da, nass zwischen den Beinen. Die Unterhose klebte unangenehm auf der Haut. Er hatte den Penisring getragen, was im Nachhinein betrachtet dumm gewesen war. Waghalsig. Zu genussversessen. Seine Erregung war so groß gewesen, dass er sich in die Hose ergossen hatte, als er sie vom Schneemobil zu dem Platz trug. Hätte er sich nicht so gedrängt gefühlt, hätte er ihren kalten toten Körper gefickt und nichts weiter als Befriedigung empfunden.

Er dachte an all die Dinge, die er ihr angetan hatte, und wieder durchströmte ihn große Zufriedenheit. Sie war mutig gewesen, herausfordernd. Stark und selbstbewusst. Sie hatte Durchhaltevermögen und Würde besessen. Die Beste bis jetzt. Er hatte ihr Dinge angetan, von denen er seit Jahren träumte, die er aber nie umzusetzen gewagt hatte. Hochzufrieden empfand er Respekt und Bewunderung für sie in einem Maß, wie er es vorher nicht gekannt hatte.

Durch jahrelanges Experimentieren hatte er herausgefunden, was er mochte. Er hatte gelernt, aus den erwählten Frauen das Optimale herauszuholen. Er wusste jetzt genau, welchen Typ er mochte, wonach er suchte. Zuvor hatte ihn eine unterschwellige Panik immer nervös und ängstlich gemacht und ihm fast den Rausch verdorben. Er riskierte eine Menge, um seine Phantasien auszuleben, und wollte deshalb, dass die Erfahrung es wert war. Diese Frau hatte seine kühnsten Hoffnungen erfüllt, mithin hatte er sich Zeit gelassen und jeden Moment genossen.

Sie fehlte ihm schon jetzt. Er wünschte, er hätte sie länger behalten. Seine Hochstimmung war bereits im Sinkflug, bald würde er sich leer und leblos fühlen. Jemand hatte mal gesagt, er hätte eine Suchtpersönlichkeit. Doch er war viel zu diszipliniert, um so dummen und selbstzerstörerischen Süchten wie Zigaretten oder auch Alkohol zu frönen. Aber Töten, die absolute Macht über einen anderen Menschen zu haben, war etwas vollkommen anderes. Seine Sucht war mächtiger als jede Droge und verschaffte ihm ein Hochgefühl, ohne das er nicht leben konnte.

Er bückte sich und schnürte die Schneestiefel auf, streifte die Träger der Latzschneehose von den Schultern, zog sie aus und warf sie auf den Sitz des Schneemobils. Dann öffnete er den Hosenlatz, nahm den Penisring ab und wischte den Samen von seiner Haut. Am liebsten hätte er die Unterwäsche gewechselt, aber dafür war jetzt keine Zeit.

Er schnappte sich die Schlüssel von der Werkbank, stieg ins Auto, öffnete die Garagentür und fuhr hinaus. Als er auf die Straße einbog, malte er sich schon seinen nächsten Mord aus.

23. KAPITEL

»O Gott! Herr im Himmel, nein!«

Ich höre den Schrei aus zweihundert Metern Entfernung, ein furchtbarer Laut in der Stille des Waldes. Ich sehe Tomasetti an, unsere Blicke treffen sich, sein Gesicht sagt: *Und jetzt?*

Eine neue, entsetzliche Angst erfasst mich und ich renne los. Ein Dutzend Szenarien gehen mir durch den Kopf. Ist ein Familienmitglied des Opfers eingetroffen? Ist der Mörder zurückgekommen? Ich laufe noch schneller und stolpere über eine Bodenerhebung. Hinter mir flucht Tomasetti, ich solle vorsichtig sein.

Ich erreiche die Lichtung und sehe zu meinem Schreck Norm Johnston neben der Toten knien. T. J. steht neben ihm, die Hände auf der Schulter des Stadtrats. Mit gesenktem Kopf schaukelt Norm hin und her wie ein autistisches Kind. Ich nähere mich langsam. »Was macht Norm hier?«

»Mrs Srinvassen hat ihn angerufen.« T. J. sieht mich an, das Gesicht aschfahl. »Sie hat das Opfer erkannt. Es ist seine Tochter.«

Als ich das höre, gehe ich beinahe in die Knie. Brenda Johnston ist zwanzig Jahre alt. Klug, nett und schön. Eine junge Frau mit einer glänzenden Zukunft. Norm und ich sind wirklich keine Freunde, aber ich habe ihn von seiner Tochter sprechen hören. Das war das einzige Mal, dass ich ihn ansatzweise mochte, denn er hatte zumindest eine versöhnliche Eigenschaft: Er war ein guter Vater. Er liebte sein einziges Kind über alles. Dass sie jetzt tot ist, macht mich innerlich ganz krank.

Ich wende mich an Norm. Er sieht mich an, als wäre das irgendwie meine Schuld. Sein Gesicht ist von unbeschreiblicher Pein gezeichnet. Tränen strömen aus seinen Augen, seine Wangen sind fast so rot wie der blutbefleckte Schnee. »Es ist mein kleines Mädchen«, schluchzt er.

»Norm.« Ich lege die Hand auf seine Schulter. Sein ganzer Körper bebt. »Es tut mir so leid.«

Er ist über die Tote gebeugt, Hose und Jacke blutbefleckt, über die linke Wange zieht sich ein roter Streifen. In seiner Verwirrung ist ihm nicht bewusst, dass er Tatortspuren vernichtet.

»Norm«, sage ich sanft. »Bitte kommen Sie mit mir.«

»Ich kann sie doch nicht so hier liegen lassen. Sehen Sie sich das doch an. Er … hat sie ausgeweidet. Mein kleines Mädchen. Wie kann jemand so was machen? Sie war so schön.«

Tomasetti stellt sich neben mich. Aus dem Augenwinkel sehe ich die Muskeln seines angespannten Kiefers arbeiten. »Mr Johnston«, sagt er. »Gehen Sie mit Chief Burkholder. Wir passen gut auf Ihre Tochter auf.«

»Kann sie nicht so liegen lassen.« Er schaukelt vor und zurück. »Sehen Sie doch nur, was er mit ihr gemacht hat.«

»Sie ist tot, Sir.«

»Bitte verlangen Sie nicht, dass ich sie allein lasse.«

»Sie müssen uns unsere Arbeit machen lassen. Wir müssen die Spuren sichern.«

Norm blickt zu ihm auf, das Gesicht verzerrt. »Warum sie?«

»Ich weiß es nicht.« Tomasetti schiebt mich sanft beiseite, und ich widersetze mich nicht. »Aber ich versichere Ihnen, wir kriegen den Kerl.«

Tomasetti umfasst Norms Arm und hilft ihm auf die Füße. »Nehmen Sie sich zusammen, Mr Johnston. Gehen Sie mit Chief Burkholder. Sie muss Ihnen ein paar Fragen stellen.«

Johnston ist wie ein Zombie. Ich suche den Blickkontakt mit Tomasetti, kann den Ausdruck in seinen Augen aber nicht lesen. Was soll ich mit Norm machen? Er ist nicht in der Verfassung, Fragen zu beantworten, und ich bin nicht gut im Trösten. Aber er braucht jetzt einen Freund, und da niemand sonst dafür in Frage kommt, fasse ich ihn am Arm und führe ihn in Richtung Teich. »Gehen wir ein wenig.«

»Chief Burkholder!«

Eine seltsame Erleichterung überkommt mich, als Nathan Detrick und die Deputys Hunnaker und Barton auf dem Erdwall auftauchen. Gestern noch hätte ich mich über seine Gegenwart geärgert, heute geht es nur noch darum, den Mörder zu schnappen. Alles andere ist zweitrangig.

Detrick erreicht uns. Sein Blick wandert von mir zu der Leiche. »Heilige Mutter Gottes«, sagt er mit heiserer Stimme.

»Meine Officer sichern weitläufig die Umgebung«, sage ich, doch es kommt mir vor, als wären es die Worte eines anderen. »Der Mörder ist möglicherweise noch in der Gegend, wahrscheinlich mit einem Schneemobil.«

Detrick spricht in sein Funkgerät. »Schließt einen weitläufigen Ring um Miller's Pond. Rockridge Road, Folkerth Road, County Road Fourteen. Gesuchter fährt möglicherweise ein Schneemobil.« Er befestigt das Funkgerät am Gürtel und wendet sich seinen Deputys zu. »Sichern Sie den Bereich hier mit Absperrband.« Er sieht mich kopfschüttelnd an. »Ich bin, so schnell es ging, gekommen.«

»Das weiß ich zu schätzen. Wir können jede Hilfe brauchen.«

Beim Anblick von Johnston hebt er die Brauen.

»Seine Tochter«, sage ich leise.

»O nein.« Detrick legt ihm die Hand auf die Schulter und drückt sie. »Das tut mir ja so leid, Norm.« Er sieht mich an. »Ich kann hier übernehmen, wenn Sie ihn nach Hause bringen wollen.«

»Danke.« Ich berühre Norms Arm. »Kann uns jemand aufs Revier fahren?«

»Kein Problem.« Detrick pfeift einen seiner Deputys herbei.

* * *

Auf der Fahrt rufe ich Norms Frau an und bitte sie, aufs Revier zu kommen. Mein Wunsch macht ihr Angst, aber ich werde ihr die Nachricht vom Tod ihrer Tochter nicht per Telefon überbringen. Ich hoffe nur, dass sie es von niemand anderem erfährt.

Im Auto beruhigt sich Norm so weit, dass er mit mir reden kann. Ich erfahre, dass er Brenda zuletzt gestern Abend gegen einundzwanzig Uhr gesehen hat. Heute Morgen hatte er sie angerufen und eine Nachricht hinterlassen, doch sie hatte nicht zurückgerufen. Brenda wohnte allein und arbeitete als Büroleiterin in einer Arztpraxis in Millersburg. Bei einem Anruf in der Praxis erfahre ich, dass sie heute Morgen nicht gekommen ist, sehr ungewöhnlich für die verantwortungsbewusste junge Frau. Ich schließe daraus, dass der Mörder sie gestern Abend erwischt haben muss, was mir einen zeitlichen Rahmen gibt.

Als wir aufs Polizeirevier kommen, sieht Lois von der Telefonanlage auf. Bei Norms Anblick weiten sich ihre Augen, und sie formt in meine Richtung die lautlose Frage: *Was ist passiert?*

Ich schüttele den Kopf, was sie akzeptiert. »Rufen Sie Pfarrer Peterson an und bitten Sie ihn zu kommen. Wenn Mrs Johnston eintrifft, schicken Sie sie gleich zu mir ins Büro.«

Ihr Blick klebt noch immer an Norm. »Mach ich.«

Norm geht wortlos in mein Büro. Er weint zwar nicht mehr, aber sein Leid ist offensichtlich. Ich hätte gern ein paar Minuten, um meine Fassung wiederzugewinnen, will ihn aber nicht allein lassen und folge ihm, sehe zu, wie er neben meinem Schreibtisch auf den Besucherstuhl sinkt.

Der Kaffee von letzter Nacht sitzt wie Schlamm in der Kanne. Ich schenke mir eine Tasse ein, hätte aber lieber was Stärkeres. Als ich am Schreibtisch sitze, hole ich einen neuen Block, ein Formblatt für die Fallbeschreibung und eines für die Zeugenaussage aus der Schublade. »Ich muss Ihnen ein paar Fragen stellen, Norm.«

»Ich kann nicht glauben, dass sie tot ist.« Er sieht mir in die Augen. »Sie war mein Ein und Alles. Das Beste, was ich je vollbracht habe.«

Ich finde keine tröstenden Worte, bin der Situation nicht gewachsen. Aus lauter Verlegenheit nehme ich den Stift und starre auf den Block. Als die Glocke der Eingangstür die Ankunft seiner Frau Carol ankündigt, überkommt mich die Angst. Mein Herz schlägt heftig, ich sitze da und lausche dem nahenden Klacken von Absatzschuhen.

Dann steht Carol Johnston in der Tür, in einem grünen Swing Coat mit Kunstpelzkragen. Ihr Blick huscht von mir zu Norm und wieder zu mir. Sie ist zierlich, Mitte fünfzig, sieht aber zehn Jahre jünger aus.

»Was ist passiert?«, fragt sie.

Ich habe das Bild ihrer zuvor schönen Tochter vor Augen, wie sie im Schnee liegt, den Körper zerstückelt, und möchte am liebsten weinen.

Stattdessen stehe ich auf. »Ich fürchte, ich muss Ihnen eine furchtbare Nachricht überbringen.«

»Was für eine Nachricht?« Sie blickt ihren Mann an, und ich sehe die plötzliche Angst in ihren Augen. »Wovon redet sie?«

»Brenda ist tot«, sage ich.

»*Was?*« Die Frau sieht mich an, als hätte ich sie in den Solarplexus geboxt. »Das kann nicht sein.«

Norm erhebt sich wie ein gebeugter alter Mann mit Arthrose. »Carol.«

»Nein!«, schreit sie und schlägt beide Hände so heftig

vors Gesicht, dass ich es klatschen höre. Sie wirbelt herum, krümmt sich und stößt ein langgezogenes Neeeiiiin aus. Und wieder: »Neeeiiiin.«

Ich möchte die Hände auf die Ohren drücken, um ihre qualvollen Schreie nicht hören zu müssen, und weil ich Carol nicht ansehen kann, hefte ich meinen Blick auf Norm. »Es tut mir so leid«, sage ich.

»Wie?«, fragt sie wehklagend. »Wie?«

»Ermordet«, stößt Norm aus. »Der Mörder hat sie erwischt, genau wie die anderen.«

Carol sinkt auf die Knie, streckt das Gesicht und die Arme schreiend in die Luft, dann vergräbt sie es in den Händen. »Neeeiiiin!«

Norm geht zu ihr, will ihr auf die Beine helfen, doch sie stößt ihn weg. »Brenda!«, schreit sie. »O mein Gott, Brenda!«

Lois erscheint in der Tür, sieht mich an. »Kann ich irgendetwas tun?«

»Rufen Sie noch einmal Pfarrer Peterson an«, sage ich. »Sagen Sie ihm, wir haben einen Notfall.«

Sie nickt und geht leise weg.

Norm zieht Carol auf die Füße und schiebt sie sanft auf einen Stuhl, wo sie sich vornüberbeugt und laut wehklagt.

Er selbst wischt sich übers Gesicht und steht jetzt schwankend vor meinem Schreibtisch wie ein Mann, der gerade aus der Achterbahn gestiegen ist. Doch als er mich anblickt, ist sein Blick stechend. »Wurde sie vergewaltigt?«, stößt er aus.

»Das wissen wir noch nicht.«

Er kratzt sich mit der Hand übers Gesicht, bohrt die Finger in seine Augen. »Warum in Gottes Namen ist dieser Wahnsinnige immer noch nicht gefasst?«

»Wir tun alles Menschenmögliche«, erwidere ich.

Carol Johnston hebt den Kopf und zeigt mit dem Finger auf mich. »Das ist *Ihre* Schuld!«

Die Worte treffen mich messerscharf. Ich bleibe äußerlich ruhig, doch innerlich zucke ich zusammen.

Norms Gesicht ist schmerzverzerrt. »Musste sie leiden?«

»Das wissen wir nicht.« Das ist gelogen, Brenda Johnston muss vor ihrem Tod furchtbar gelitten haben. Doch ich erspare ihnen die Wahrheit, wenn auch nur für kurze Zeit. »Wir müssen die Autopsie abwarten.«

»Oh … Gott«, stößt Johnston zwischen den Zähnen hervor. Ein einziger Schluchzer entweicht seinem Mund, dann hat er sich wieder unter Kontrolle. »Drei Menschen tot. Unfassbar.« Seine Stimme wird laut. »Wie konnte das passieren?«

»Wir arbeiten rund um die Uhr, haben alle Kräfte mobilisiert –«

»Alle Kräfte? So nennen Sie das, Sie herzloses Miststück? Sie hatten ja nicht mal das Sheriffbüro informiert, und ich selbst hab das BCI angerufen. Und das nennen Sie ›alle Kräfte mobilisieren‹?«

Diese Szene hat sich in den letzten beiden Tagen hundertmal genauso in meinem Kopf abgespielt. Jetzt ist das Schlimmstmögliche passiert, und obwohl mir bewusst war, dass es früher oder später eintreffen würde, weiß ich nicht, wie ich reagieren soll, und starre wieder auf den Notizblock. »Ich weiß, das ist jetzt kein geeigneter Moment, Norm, aber ich muss Ihnen einige Fragen stellen.«

»Und ich Ihnen«, sagt er unheilvoll. »Zum Beispiel, warum Sie nicht sofort das BCI angerufen haben, nachdem klar war, dass Sie es mit einem Serienmörder zu tun haben? Warum haben Sie nicht das FBI angerufen? Sie haben den Fall von Anfang an falsch angepackt, Sie unfähiges Miststück.«

Etwas in mir windet sich wie ein Käfer, der von einem boshaften Kind aufgespießt wurde. »Ich tue mein Bestes.«

»Meine Tochter ist tot«, knurrt er mich an. »Ihr Bestes ist offensichtlich nicht gut genug.«

»Das bringt doch nichts«, erwidere ich.

Doch er lässt nicht ab. »Hätten Sie Ihre Arbeit getan, wäre meine Tochter vielleicht noch hier!« Er stürzt sich auf mich, wobei seinem Mund ein fast animalischer Laut entfährt. Ich schaffe es gerade noch aufzustehen, bevor er meinen Kragen packt und mich gegen die Wand stößt. »Dafür schmoren Sie in der Hölle, haben Sie das kapiert?«

»Nehmen Sie die Hände weg.« Ich umfasse seine Handgelenke. »*Sofort!*«

Carol blickt auf. Obwohl in ihrem eigenen Kummer gefangen, spürt sie, dass die Situation außer Kontrolle zu geraten droht. »Hört auf! Das hilft auch nicht.«

Johnston starrt mich an, als wollte er mich in der Luft zerreißen. Wut und Kummer stehen in seinen Augen, und ich frage mich, wie weit er gehen wird. »Bitte beruhigen Sie sich«, sage ich. »Ich weiß, dass Sie fassungslos sind.«

»Fassungslos ist das falsche Wort!« Er zieht mich am Kragen zu sich, dann stößt er mich zurück an die Wand, lässt los.

»Hören Sie auf«, versuche ich es noch einmal. »Ich brauche Ihre Hilfe.«

»Sie pazifistisches amisches Miststück!« Er spuckt die Worte aus, als hätte er in etwas Faules gebissen. »Ich rede mit Detrick, nicht mit Ihnen.«

Er nimmt seine Frau am Arm und geht mit ihr zur Tür. Carol Johnston sieht aus, als wäre jeder Knochen in ihrem Körper gebrochen.

In dem Moment sehe ich Tomasetti im Flur stehen. Er beobachtet mich, doch aus seinem Gesichtsausdruck werde ich nicht schlau. Er tritt zur Seite, um das Paar vorbeizulassen.

Ich stehe hinter meinem Schreibtisch, starre geradeaus, ohne etwas zu sehen. Zum ersten Mal in meinem Beruf als Polizistin fühle ich mich inkompetent. Ich bin schon öfter der Intoleranz begegnet, aber das ist es nicht, was wie Scherben in meinen Eingeweiden wütet. *Hätten Sie Ihre Arbeit ge-*

tan, wäre meine Tochter vielleicht noch hier. Diese Worte sind es, die mich fertigmachen. Ich schlage die Hände vors Gesicht und sinke auf meinen Stuhl. Tomasetti betritt das Büro, doch ich blicke nicht auf. Ich fühle mich so alt und gebrochen, wie Carol Johnston ausgesehen hat.

Mit einem Seufzer lässt Tomasetti sich auf dem Stuhl nieder. »Hässliche Szene.«

Ich bin so sehr in meinem eigenen Elend gefangen, dass ich nicht antworten kann.

»Der Täter ist entkommen«, sagt er. »Er hat es zur Straße geschafft, dann haben wir ihn verloren.«

Eine weitere Enttäuschung, die zu den hundert anderen hinzukommt. »Haben Sie irgendetwas Brauchbares gefunden?«

»Glock und ein BCI-Spurensicherungsspezialist nehmen Abdrücke von Schuhen und den Kufen des Schneemobils. Es ist möglicherweise ein Yamaha, aber sicher kann man das erst nach einem Profilvergleich sagen.«

Ich hebe den Kopf, und unsere Blicke treffen sich. »Ich stelle eine Liste der Leute hier in der Gegend mit einem Schneemobil der Marke Yamaha zusammen.« Doch in Gedanken bin ich noch immer bei den Johnstons. »Ist Doc Coblentz gekommen?«

»Als ich gegangen bin, haben sie gerade die Leiche abtransportiert.«

»Hat jemand Fotos gemacht?«

»Ja, auch das.«

Ich gebe mich wieder meinen düsteren Gedanken hin.

Nach einer Weile sagt er: »Nehmen Sie sich seine Worte nicht so zu Herzen.«

Mein Telefon klingelt, doch ich ignoriere es. »Warum nicht? Er hat recht.«

Er sieht mich aus zusammengekniffenen Augen an. »Inwiefern?«

»Ich hätte sofort Hilfe anfordern sollen.«

»Warum haben Sie das nicht getan?«

Es hört auf zu klingeln, sekundenlanges Schweigen. »Weil ich's vermasselt habe.«

»Warum haben Sie nicht um Unterstützung gebeten, Kate?«

Ich starre das Protokollbuch auf meinem Schreibtisch an, doch ich sehe nur Brenda Johnstons zerstückelten Körper im Schnee, die Organe wie Abfall um sie herum verstreut.

Er versucht es noch einmal. »Reden Sie mit mir.«

Ich sehe Tomasetti an. »Ich kann nicht.«

»Polizisten machen Fehler, Kate. Wir sind Menschen. Das passiert.«

»Es war kein Fehler.«

Meine Antwort verwirrt ihn, und wieder herrscht Schweigen zwischen uns. Wieder klingelt das Telefon, doch ich gehe nicht dran. In mir ist es leer, dunkel und kalt wie im Weltall. Es ist nichts mehr von mir übrig.

»Ich bin der Letzte, der das Recht hat, einen Vortrag über Richtig und Falsch zu halten«, sagt er auf einmal.

»Soll das so was wie ein Geständnis sein?«

»Also, wenn es irgendetwas zu diesem Fall gibt, das Sie mir nicht gesagt haben, wäre jetzt ein guter Moment, es zu tun.«

Die Versuchung, einfach alles rauszulassen, ist groß, aber ich kann es nicht. Ich traue ihm nicht. Ich traue nicht einmal mir selbst.

Kurze Zeit später steht er seufzend auf. »Kann ich Sie nach Hause fahren, damit Sie ein wenig Schlaf kriegen?«

Ich überlege, wann ich das letzte Mal geschlafen habe, doch es fällt mir nicht ein. Und was heute für ein Tag ist, auch nicht. Auf der Wanduhr ist es kurz vor sechs, und ich frage mich, wo der Tag geblieben ist. Doch ich muss weiterarbeiten, auch wenn die Erschöpfung schon mein Hirn vernebelt und ich in absehbarer Zeit völlig ineffizient sein werde. Aber wie soll ich mich schlafen legen, wo ich weiß, dass in meiner Stadt ein Mörder umgeht?

»Ich habe meinen eigenen Wagen«, erwidere ich und stehe auf.

»Sie sind nicht in der Verfassung zu fahren.«

»Doch, das bin ich.« Erst in diesem Moment wird mir klar, dass ich nicht vorhabe, nach Hause zu gehen.

24. KAPITEL

Auf dem Weg zum Explorer lugt die untergehende Sonne hinter einer Wand aus granitgrauen Wolken hervor. Der Wind hat sich gelegt, doch wenn man dem Online-Wetterbericht glaubt, wird es heute Nacht heftig schneien. Kaum sitze ich hinterm Lenkrad, rufe ich Glock auf dem Handy an. Als er beim ersten Klingeln abnimmt, bin ich geradezu unmäßig erleichtert, seine Stimme zu hören. »Sagen Sie mir bitte, dass Sie wenigstens einen guten Abdruck gemacht haben«, falle ich mit der Tür ins Haus.

»Die Abdrücke sind mies, aber wir haben zumindest einen ziemlich guten Abdruck vom Schneemobil.«

Ich schöpfe etwas Hoffnung, die ich aber gleich wieder dämpfe, weil sie mir verdeutlicht, wie verzweifelt ich bin. »Hat das Labor gesagt, wann es Ergebnisse gibt?«

»Morgen. Später Nachmittag.«

»Hat irgendwer ihn gesehen?«

»Einer von Detricks Deputys glaubt, ein blaues Yamaha gesehen zu haben. Täter trug einen silbernen oder grauen Helm.«

Es gibt Hunderte von Schneemobilen hier in der Gegend. »Sagen Sie Skid, ich will eine Liste von allen registrierten Schneemobilen der Marke Yamaha in den Countys Holmes und Coshocton. Er soll sich auf die Farben Blau, Silber und Grau beschränken und alle Besitzer überprüfen.«

Glock räuspert sich. »Äh, Detrick hat schon zwei seiner Deputys damit beauftragt.«

Damit hatte ich nicht gerechnet, schlucke. »Auch gut. Dann setze ich mich mit Detrick in Verbindung.«

»Ich weiß nicht, ob Sie es schon gehört haben, aber die Presse war da, nachdem Sie weg sind. Steve Ressler. Ein Team aus Columbus und ein paar Radiosender. Dieser verdammte Detrick hat sich für die Kameras rausputzen lassen und direkt vor Ort am Teich eine Pressekonferenz gegeben.«

»Wie ist sie gelaufen?«

»Im Prinzip hat er nix gesagt, aber gut dabei ausgesehen.«

Ich spüre, dass noch mehr kommt.

»Einer der Reporter hat gefragt, wo Sie sind«, fügt er hinzu. »Detrick hat getan, als wüsste er es nicht und würde Sie vertreten.«

»Ich war bei Johnston. Habe die Angehörigen benachrichtigt.« Ich hasse es, mich rechtfertigen zu müssen.

»Sie brauchen mir nichts zu erklären. Aber behalten Sie Detrick im Auge, er ist ein publicitysüchtiger Arsch.«

Diese ganze Entwicklung macht mir Sorgen. Ich habe das Gefühl, die Kontrolle über den Fall zu verlieren. Detrick stellt meine Glaubwürdigkeit in Frage, und Tomasetti kommt der Wahrheit immer näher. Ich bewege mich auf dünnem Eis.

»Wie geht es den Johnstons?«, fragt Glock.

Ich erzähle ihm von dem Vorfall im Polizeirevier.

»Norm hat ein großes Maul. Glauben Sie, er wird Ihnen Ärger machen?«

»Ich weiß es nicht. Vielleicht hat auch nur der Kummer aus ihm gesprochen.« Vor meinen Augen trüben rosa gerandete Wolken den westlichen Horizont. »Danke für die Warnung vor Detrick. Ich geh jetzt eine Runde schlafen.«

Beim Auflegen wird mir klar, dass ich am liebsten Norm anrufen würde, doch seine Wunden sind noch zu frisch. Ob er mit Detrick gesprochen und eine Beschwerde über mich eingereicht hat? Ich tippe die Kurzwahlnummer fürs Sheriffbüro ein, doch nur die Mailbox geht an. Ein klares Zeichen dafür, dass er mir aus dem Weg geht. Detrick wird mich bereitwillig opfern, wenn es nicht bald einen Durchbruch in dem Fall gibt. Ich sollte Schadensbegrenzung betreiben, mich absichern, besonders was meine Karriere betrifft. Doch ich habe mich bei meiner Arbeit noch nie danach gerichtet, was andere von mir denken, und werde das auch jetzt nicht tun.

Ich tippe Doc Coblentz' Nummer ein. »Haben Sie schon einen ersten Autopsiebericht?«

»Sie ist gerade erst auf meinen Tisch gekommen. Mein Gott, Kate, so was habe ich in meinem ganzen Leben noch nicht gesehen.«

»Ist was auf ihren Unterleib geritzt?«

»Kann ich wegen der Ausweidungsverletzungen noch nicht sagen. Sie ist wirklich schlimm zugerichtet.«

»Kehle durchschnitten?«

»Wie bei den anderen.« Er atmet tief aus. »Ich bin nicht sicher, dass sie daran gestorben ist.«

»Er hat seinen Modus Operandi geändert?«

Die Stimme des Arztes zittert. »Ich glaube, die Ausweidung hat vor ihrem Tod stattgefunden.«

Alles Blut weicht aus meinem Kopf. Ich bin noch nie ohnmächtig geworden, aber die Nachricht schockiert mich so sehr, dass ich an den Straßenrand fahren und halten muss. Einen Moment lang sagt keiner von uns ein Wort. Dann frage ich: »Könnte es sein, dass er eine medizinische Ausbildung hat?«

»Das bezweifle ich. Die Schnitte sind grob. Er hat sie geschlachtet.«

»Wurde sie vergewaltigt?«

»So weit bin ich noch nicht.«

»Sonst noch etwas?«, frage ich.

»Vorhin war einer von der Spurensicherung vom BCI hier. Er hat Abstriche gemacht und Proben unter den Fingernägeln genommen. Wir haben die Schnittwunden vermessen und einige Fotos gemacht. Er meinte, er könnte aufgrund der Abdrücke der Kettenglieder an den Gelenken vielleicht den Kettentyp herausbekommen.«

Mir fällt etwas ein. »Wurde ihre Kleidung gefunden?«

»Nicht ein Fetzen.«

»Ich glaube, er behält die Kleider.«

»Und warum?«

»Es sind seine Trophäen.«

»Das ist Ihr Gebiet, nicht meins.«

»Wann machen Sie die Autopsie?«

»Gleich morgen früh.«

Ich warte ungern so lange, doch das liegt an meiner Verzweiflung. Man muss auch mal essen und schlafen und mit der Familie zusammen sein. »Rufen Sie mich an? Ich möchte dabei sein.«

»Kate, warum wollen Sie sich das antun?«

Vielleicht ist das eine der vielen Methoden, mich selbst zu bestrafen, denke ich. Für das, was ich getan – oder nicht getan – habe. »Wir sehen uns morgen früh.«

Ich lege auf. Um mich herum bricht die Dämmerung an, grau und trüb. Zu meiner Rechten improvisieren Kinder in der traditionellen Amisch-Kluft – schwarzer Mantel, breitkrempiger Hut für Jungen, Kopftuch für Mädchen – ein Hockeyspiel auf dem Teich an der Straße. Einen Moment lang trägt mich die Szene zurück in meine eigene Kindheit, eine Zeit, in der ich nie allein gewesen bin und nicht wusste, was Einsamkeit ist. Mein Leben bestand aus Familie, Gottesdienst, Hausarbeit – und Spielen, sooft es ging. Bis zu dem Tag, an dem Daniel Lapp die Gewalt in meine Welt brachte, war ich ein glückliches, gut angepasstes Amisch-Mädchen, sorglos und mit einer verheißungsvollen Zukunft. Doch diese einfachen Zeiten scheinen nun tausend Leben weit weg.

Als ich an den Kindern vorbeifahre, empfinde ich schmerzlich meine Einsamkeit und die Sehnsucht nach dem, was ich verloren habe. Meine Eltern, meine Geschwister. Ein Teil von mir, den ich nie wieder zurückgewinnen werde. Ich winke den Kindern. Ihre lächelnden Gesichter machen mir Mut. Im Rückspiegel sehe ich, dass sie ihr Spiel fortsetzen, und ich verspüre das Bedürfnis, sie zu beschützen.

Meine Schwester Sarah und ihr Mann leben im letzten Haus am Ende einer Sackgasse. William hat den Weg freigeräumt, wahrscheinlich mit seinem vom Pferd gezogenen Pflug. Selbst in der Amisch-Gemeinde gilt er als konservativ. Während mein Bruder Jacob einen Traktor benutzt, hängt William der traditionellen Pferdestärke an, was zwischen den beiden Männern schon öfter zum Streit geführt hat.

Eine akkurate Reihe Blautannen, die Zweige mit Schnee beladen, säumt den Weg. Die massive, einstöckige Scheune mit dem halben Dutzend Fenstern an der Vorderseite und vier Gauben auf dem Blechdach ist an einen felsigen Hang gebaut. Obwohl nicht schriftlich belegt, soll sie zweihundert Jahre alt sein, also aus jener Zeit stammen, als Scheunen noch das Zentrum des ländlichen Lebens und architektonische Meisterwerke waren. In unserer Kindheit hatten meine Eltern uns oft mit hierher genommen. Ich habe Hühner gejagt, Verstecken gespielt und Kälbchen mit der Flasche gefüttert. Einmal war ich vor lauter Übermut von einer Heurutsche gesprungen und hatte mir den Knöchel verstaucht.

Ich parke hinter dem Pferdeschlitten, an dem ein »Langsam fahrendes Vehikel«-Schild im Licht meiner Scheinwerfer kurz aufleuchtet. Die vom gelben Laternenlicht erhellten Fenster vermitteln eine gemütliche, einladende Atmosphäre. Doch wie bei meinem Bruder, erwarte ich auch hier keinen herzlichen Empfang.

Ich gehe zur Eingangstür, klopfe und habe kaum genug Zeit, meine Gedanken zu ordnen, als die Tür schon von meiner älteren Schwester geöffnet wird. »Katie.« Sie flüstert meinen Namen, als wäre er ein verbotenes Wort. Ihr Blick huscht zur Seite, um mir zu sagen, dass William im Haus ist. »Komm herein ins Warme.«

Der Duft von gekochtem Kohl und frisch gebackenem Hefebrot steigt mir in die Nase und macht mich hungrig. Aber man wird mich nicht zum Abendessen einladen. Im Wohnzimmer, das von einer Petroleumlampe beleuchtet wird, stehen ein großer, selbst gezimmerter Tisch und eine Bank. An der Wand gegenüber hängt in der Mitte eine gerahmte Gobelinstickerei, die meiner *Mamm* gehört hatte. Die Initialen unserer Urgroßeltern sind in den Stoff gestickt, neben ein paar Haarlocken. Ich erinnere mich, wie ich früher mit den Fingern über die Locken gestrichen und mich gefragt habe, wie die Menschen wohl waren, denen sie einmal gehört hatten.

»Komm mit in die Küche«, sagt Sarah.

Ich folge ihr in die Küche, wo ihr Mann über einen Suppenteller gebeugt sitzt.

»Hallo, William«, sage ich.

Er ist bei meinem Eintreten aufgestanden und neigt jetzt leicht den Kopf. »Guten Abend, Katie.«

»Es tut mir leid, dass ich euch beim Abendessen störe.«

»Du kannst gern eine Suppe mitessen.«

Die Einladung überrascht mich, da ich ja unter *Bann* gestellt bin, trotzdem schüttele ich den Kopf. »Ich habe nur ein paar Minuten.« Ich blicke meine Schwester an, zwinge mich zu lächeln. »Ich wollte sehen, wie es dir geht. Wie du dich fühlst.«

Sie legt eine Hand auf ihren gewölbten Bauch, doch meinem Blick weicht sie aus. »Ich fühle mich gut«, sagt sie. »Besser als das letzte Mal.«

»Du siehst großartig aus.«

William lächelt. »Sie isst wie ein Pferd.«

»Schon als Kind hat sie uns die Haare vom Kopf gefressen.« Ich lächele, hoffe, es wirkt echt. »Das ist gut fürs Baby.«

»Aber schlecht für meine Taille!«, sagt sie etwas zu heiter.

Eine unbehagliche Stille tritt ein. Ich berühre ihre Schulter und sehe ihr in die Augen. »Arbeitest du noch an dem Baby-Quilt?«

»Ich bin fast fertig.«

»Darf ich ihn sehen?«

Meine Bitte überrascht sie, doch ihre Augen leuchten. »Natürlich.« Sie berührt meine Schulter und geht voran durchs Wohnzimmer. »Komm.«

Die Treppenstufen knarren auf dem Weg in den ersten Stock. Ich folge ihr ins Schlafzimmer, einen großen Raum mit Dachschrägen, zwei hohen Fenstern und schlichten, schweren Möbeln. Die Frisierkommode hat einmal unseren Eltern gehört. Eine Truhe mit Metallschließen und ein Schlittenbett mit einem von Sarahs Quilts darauf.

Sie geht zur Kommode und zündet eine Glaslampe an. Goldenes Licht wirft Schatten an Decke und Wände. »Du siehst müde aus, Katie.«

»Ich arbeite sehr viel.«

Sie nickt und holt einen fast fertigen Quilt aus der Schublade, dessen bogenförmige Flicken in Meerschaumgrün und Lila ein komplexes Muster bilden. Wie immer bin ich von den erforderlichen sieben Stichen pro zweieinhalb Zentimeter sehr beeindruckt. Quilten ist enorm arbeitsintensiv; ein guter Quilt besteht aus über fünfzigtausend Stichen. Die meisten Amisch-Frauen lernen schon früh nähen, und viele bringen einen ordentlichen Quilt zustande. Doch nur wenige können so ein Kunstwerk kreieren.

Das Kind im Bauch meiner Schwester vor Augen, streichele ich über den weichen Stoff. Ich denke an die Babys, die sie schon verloren hat, an die Verluste, die ich selbst erlitten habe, und muss gegen die aufsteigenden Tränen ankämpfen. »Er ist wunderschön.«

»Ja.« Diesmal ist ihr Lächeln echt. »Er ist sehr hübsch.«

Ich lasse die Hand sinken und stelle die Frage, die an mir

nagt, seit Tomasetti mich in der Bar mit seinem Rätsel über Pete den Polizisten konfrontiert hat. »Sarah, hast du irgendjemandem von Daniel Lapp erzählt?«

Sie bürstet mit der Hand ein Stück Faden vom Quilt. »Ich möchte nicht darüber sprechen, Katie.«

»Hast du jemandem von Lapp erzählt?«

Sie lässt die Hand mit dem Quilt sinken und sieht mich an, als hätte ich gerade meine Pistole gezogen und ihr mitten ins Herz geschossen. »Ich habe getan, was ich tun musste.«

»Was heißt das?«

»Ich habe zu Gott gebetet, dass er mir den Weg zeigt. Als ich gestern Morgen aufgewacht bin, wusste ich, dass wir – du und ich – nur Frieden in der Wahrheit finden.«

Alles in mir schreit Verrat. »Wem hast du es erzählt?«

»Ich habe Bischof Troyers eine Nachricht geschickt.«

»Was stand in der Nachricht?«

»Die Wahrheit.« Sie blickt hinab auf den Quilt. »Dass du weißt, wer der Mörder ist.«

Die Worte lösen Panik bei mir aus. Sofort habe ich die Szene in der Bar mit Tomasetti vor Augen. Einen Moment lang bin ich so geschockt, dass ich vergesse zu atmen.

»Es tut mir leid, wenn dir das schadet, Katie. Aber ich bin überzeugt davon, dass es richtig war, die Wahrheit zu sagen.«

»Du kennst die Wahrheit doch gar nicht!« Ich fange an, im Zimmer auf und ab zu gehen. »Sarah, wie konntest du das tun?«

»Deine Polizeifreunde können dir jetzt helfen, Daniel zu finden«, erwidert sie.

Mein Herz klopft wie verrückt, ich reibe mir mit beiden Händen übers Gesicht und versuche, mich zu beruhigen. »Hast du die Nachricht unterschrieben? Weiß er, von wem sie ist?«

»Ich habe meinen Namen nicht daruntergeschrieben.«

Ich versuche, mir die Auswirkungen vorzustellen, bin

aber zu erschöpft, um klar zu denken. Panik schnürt mir das Herz zu.

»Katie, was ist passiert?«

Ich bleibe stehen und sehe sie an. »Bischof Troyers hat die Nachricht dem Stadtrat übergeben. Oder vielleicht dem Bürgermeister. Und jetzt sind sie misstrauisch mir gegenüber. Bist du nun zufrieden?«

»Ich wollte nicht, dass du leidest, und es tut mir leid. Ich wollte nur, dass Daniel Lapp gefasst wird.«

»Wir wissen doch nicht einmal, dass er der Mörder ist!«, schreie ich.

Sie blickt nervös zur Tür. »Bitte schrei nicht.«

Mit aller Kraft kämpfe ich gegen die wachsende Panik in mir an, hole tief Luft. »Sarah, ich muss mit dir über damals reden.«

Sie will sich von mir abwenden, doch ich lege ihr die Hände auf die Schultern und zwinge sie, mich anzusehen. »Es ist wichtig, dass du dich daran erinnerst. Denk zurück an den Tag. Ist es wirklich möglich, dass Daniel Lapp überlebt hat?«

»Wenn er jetzt zurück ist, muss er überlebt haben.« Sie fährt mit zittrigen Fingern über den Halsausschnitt ihres schlichten Kleides. »Du hast ihn doch auch gesehen.«

Die Psyche eines Menschen ist sehr mächtig. Wie der Körper, besitzt sie Mechanismen zum Schutz vor Traumata. So ist mir zwar der ungeheure Horror jenes Tages für immer ins Gehirn gebrannt, doch an die Vergewaltigung selbst erinnere ich mich nur bruchstückhaft und an meine Schüsse so gut wie gar nicht. Aber das Blut habe ich noch deutlich vor Augen. Blut an den Gardinen. An den Händen. Ein schimmerndes Meer auf dem Boden.

So viel Blutverlust kann niemand überleben.

»Da war zu viel Blut«, flüstere ich.

»Was?«

Ich sehe meiner Schwester fest in die Augen. »Bist du mit *Datt* und Jacob zum Getreidespeicher gefahren?«

Sie starrt mich entsetzt an. »Nein.«

»Woher weißt du dann, dass sie die Leiche vergraben haben?«

»Ich habe *Mamm* und *Datt* darüber sprechen hören. In der Scheune. Ein paar Tage später.«

»Was haben sie gesagt?«

»*Datt* sagte *Mamm*, er habe Daniel in die Grube gelegt, da würde man ihn niemals finden.«

»In die Grube?« Mein Herz hämmert in meiner Brust. »Was heißt das? Was für eine Grube?«

»Ich weiß es nicht. Vielleicht ein Brunnen. Ich habe nicht gefragt.«

In die Grube …

Die Worte purzeln mir im Kopf herum wie die Glassteine in einem Kaleidoskop. »Ich muss gehen.«

Sarah sieht mich beunruhigt an. »Wohin?«

»Daniel Lapp finden«, antworte ich und laufe die Treppe hinunter.

25. KAPITEL

Der Polizeichefin aufgrund eines halbgaren Verdachts zu folgen war wohl keine so gute Idee. Und jetzt, wo die Temperaturen stark fielen und es wirklich zu schneien anfing, musste John sich eingestehen, dass es einfach nur dumm gewesen war. Gerade wollte er den Wagen anlassen, als in einiger Entfernung Scheinwerfer die Dunkelheit durchschnitten. »Mist«, entfuhr es ihm.

Er stand ungefähr fünfzehn Meter von der Wegeinmündung entfernt und konnte froh sein, wenn sie ihn nicht entdeckte – dazu brauchte sie nämlich nur ein bisschen genauer hinzusehen, bevor sie in die Straße einbog. Er war zwar ein guter Lügner, aber seine Anwesenheit hier zu erklären würde ihm einiges abverlangen. Und so sah er tief in den Sitz gesunken zu, wie der Explorer schlingernd auf die Straße einbog und Richtung Stadt davonraste.

Erleichtert ließ John den Motor an, drehte die Heizung hoch und fuhr los. Er konnte nicht sagen, warum er ihr folgte. Kate Burkholder hatte nichts Unrechtes getan. Außer dass sie weder die Bundes- noch die Staatsbehörde um Unterstützung gebeten hatte, ermittelte sie den Mordfall genau so, wie auch er es an ihrer Stelle getan hätte.

Allein die mysteriöse Nachricht, die ihm der Bürgermeister heute Morgen hatte bringen lassen, hatte sein Misstrauen geweckt. Wäre sie nicht vom amischen Bischof gekommen, hätte John sie als schlechten Scherz abgetan. Denn es war lächerlich anzunehmen, dass Kate die Identität des Mörders kannte, wie in der Nachricht behauptet wurde.

Doch über die Jahre hatte John gelernt, seinem Instinkt

zu vertrauen, und momentan sagte der ihm, dass Kate Burkholder etwas verheimlichte. Kannte sie den Mörder? War er ein Verwandter? Ein Liebhaber? Ein Amischer? Schützte sie ihn?

Alle diese Fragen gingen ihm durch den Kopf, während er ihr Richtung Stadt folgte. Es war schon nach neun Uhr, und sie würde wahrscheinlich Feierabend machen, was ihm nur recht war. Eine Dusche und etwas in den Magen könnte er gut gebrauchen. Und nicht zu vergessen einen Drink …

Doch Kate bog nicht in die Main Street ab, sondern fuhr auf dem Highway weiter Richtung Süden, und zwar ein bisschen zu schnell angesichts der Straßenverhältnisse. Neugierig geworden, folgte John ihr in sicherem Abstand nach Coshocton County.

»Wo zum Teufel willst du hin?« Er machte die Scheinwerfer aus, als sie in eine wenig befahrene Straße abbog, und staunte nicht schlecht, als sie auf dem Gelände einer stillgelegten Getreidefabrik hielt. Neugierig geworden, beobachtete er, wie der Explorer hinter dem Gebäude verschwand. John parkte in einhundert Meter Entfernung und stellte den Motor aus.

»Was hast du vor, Kate?«, flüsterte er.

Doch als Antwort erhielt er nur ein Graupeltrommeln auf der Windschutzscheibe und ein beharrlich nagendes Misstrauen in seinem Bauch.

* * *

Ich weiß, es ist ein Fehler, hierher zu kommen. Wahrscheinlich grabe ich bis zum Umfallen, entmutigt und mit steif gefrorenen Händen, und finde trotzdem nicht, wonach ich suche. Doch irgendwie möchte ich glauben, dass Daniel Lapps Leiche mich von dem Vorwurf freisprechen kann, niemandem erzählt zu haben, dass er der Mörder sein könnte.

Ausgestattet mit Schaufel, Spitzhacke und MagLite betrete ich die Anlage durch die Hintertür. Jetzt da ich allein hier bin, kommt mir alles anders vor. Draußen rüttelt der Wind an den losen Blechplatten und pfeift durch jede Ritze, erfüllt die Luft mit dem unheimlichen Ächzen und Stöhnen eines Geisterhauses.

Die Kälte beißt mir ins Gesicht, als ich zum vorderen Teil des Gebäudes gehe. Obwohl ich auf dem Land aufgewachsen bin, habe ich nie ganz begriffen, wie ein Getreidespeicher funktioniert. Doch nach der Nacht mit Jacob habe ich im Internet recherchiert und weiß jetzt zumindest ein paar grundlegende Dinge. Vor fünfzig Jahren sind die mit Weizen oder Korn beladenen Lastwagen unter dem Rolltor durch zuerst auf die Waage gefahren, wo sie gewogen wurden. Danach fuhren sie weiter zur »Grube«, wo sie ihre Ladung reinkippten. Die leeren Lastwagen wurden wieder gewogen und der Fahrer für das so festgestellte Gewicht seiner Ladung bezahlt.

»Und wo ist die Scheißgrube?«, sage ich laut.

Eine Windböe lässt das Rolltor klappern, und Graupeln trommeln an die Blechverkleidung. Ich leuchte mit der Taschenlampe den Bereich um die Waage ab, in deren Nähe die Grube sein müsste. Da für mich alles gleich aussieht, lege ich die Taschenlampe beiseite und stoße die Schaufelspitze an der Stelle in den Boden, wo die Lastwagendurchfahrt gewesen sein muss. Und erzeuge einen hohlen Ton. Sofort kratze ich mit der Schaufel die trockene Erde weg, und morsches Sperrholz kommt zum Vorschein. Ich knie mich hin und fange wie eine Verrückte an mit beiden Händen zu graben. Mein Keuchen hallt von den Wänden wider, und die Erkenntnis, dass es von mir kommt, macht mir Angst. Ich lege das Brett frei und hieve es zur Seite. Hoffnung erfüllt mich, als mein Blick auf ein rostiges Gitter fällt. Die Grube ist ungefähr zwei Meter vierzig im Quadrat und drei Meter sechzig tief. Die Schachtstreben wurden vor langem entfernt, aber das Loch nie zugeschüttet. Ich nehme die Taschenlampe und leuchte in die Grube, sehe Betonbrocken, Dreck, Schotter und kaputte Bretter.

Mit der Schaufel versuche ich, das Gitter anzuheben, doch das schwere Metall lässt sich nicht bewegen. Im Winter habe ich immer ein Seil im Auto, womit ich liegengebliebene Autos aus dem Schnee ziehen kann, und mir kommt die Idee, das Gitter damit anzuheben. Ich hole die Schlüssel aus der Tasche, laufe zum Explorer und fahre rückwärts in die Halle, befestige ein Seilende am Auto und das andere am Gitter. Zurück hinterm Lenkrad, stelle ich auf Allradantrieb um und trete aufs Gas. Das Seil spannt sich, der Motor jault auf, die Räder drehen erst durch, dann greifen sie und das Gitter hebt sich kreischend aus seinem uralten Bett.

Ich ziehe es ungefähr einen Meter weit von der Grube weg, stelle den Motor ab und steige wieder aus. Mit der Taschenlampe leuchte ich ins Loch. Es ist zu tief, um reinzuspringen, einen gebrochenen Knöchel brauche ich jetzt wirklich nicht. Aber ich kann an dem Seil runterklettern! Ich löse es vom Auto und werfe das Ende in die Grube, die Schaufel gleich hinterher, setze mich an den Grubenrand und lasse mich daran hinab. Es riecht nach Erde, Staub und Moder. Sowie ich Boden unter den Füßen spüre, leuchte ich mit der Taschenlampe die Grube aus. Eine Ratte huscht über verrottete Bretter.

Die Schaufel liegt nicht weit von mir entfernt bei einem Holzhaufen, ich hebe sie auf und stupse ihn damit an. Ich habe keine übertriebene Angst vor Nagetieren, aber keine Lust, von einem angesprungen zu werden. Dann fange ich an, im Schein der Taschenlampe, die auf einem Betonbrocken liegt, die Bretter auseinanderzuziehen. Staub fliegt mir in Nase und Augen, doch das hält mich nicht auf. Ich hebe ein Blech hoch und werfe es zur Seite. Ein großes Stück morsches Holz zerbröselt mir unter den Händen. Plötzlich fällt mein Blick auf mehrere kleine helle Gegenstände, die im Dreck liegen.

Ich schnappe mir die Taschenlampe, und das Blut stockt in meinen Adern, als mir klar wird, dass es Zähne sind. Ganz in der Nähe liegt ein zerlumpter Stofffetzen. Sind das die Überreste von Daniel Lapp? Ich gehe in die Hocke, um besser sehen zu können, und finde mehrere Rippen, die noch am Rückgrat fest sind. Dann entdecke ich den Schädel und weiß: Daniel Lapp ist tot. Aber diese Gewissheit erfüllt mich mit einer eigentümlichen Mischung aus Erleichterung und Grauen. Damals, vor sechzehn Jahren, war ich *sicher* gewesen, dass er die Frauen ermordet hatte. Aber wenn Daniel es nicht gewesen ist, wer dann?

Ich weiß nicht, wie lange ich hier stehe. Es ist, als hätte die Erkenntnis mich paralysiert. Die logische Hälfte meines Verstandes sagt mir, diesen Teil meiner Vergangenheit zu begraben und nach Hause zu fahren. Lapp zu vergessen und mich auf die Suche nach dem Mörder zu machen. Zu retten, was noch von meiner Polizeikarriere zu retten ist. Ich bedecke die Überreste mit Holz, dann klettere ich langsam aus der Grube, was ausgesprochen mühsam ist trotz meiner guten körperlichen Verfassung. Ich habe es fast geschafft, als sich oben am Rand etwas bewegt. Zu groß für einen Hund oder Waschbären. Da ist jemand. Vor Schreck lasse ich um ein Haar das Seil los. Ich zittere am ganzen Leib und suche verzweifelt nach einer Erklärung.

Ist mir jemand gefolgt?

Ich blicke hinauf, sehe aber nichts mehr. Mein Atem rasselt mir in den Ohren, meine Hände schmerzen vom Umklammern des Seils. Die Pistole nützt mir nichts, so wie ich hier in dem Loch hänge. Wenn jemand mir was antun will, ist jetzt die beste Gelegenheit.

Wie besessen klettere ich weiter nach oben, stoße die Stiefelspitzen in die Wand und Erde fällt nach unten. Meine Arme schmerzen vor Anstrengung.

Schwer atmend schaffe ich es schließlich bis zum Rand

und ziehe mich aus der Grube. Zitternd und keuchend rappele ich mich auf die Füße, sehe mich um – und erstarre. John Tomasetti steht keine drei Meter von mir entfernt, in einer Hand die Taschenlampe und in der anderen die glänzende Sig-Sauer-Halbautomatik. Unsere Blicke treffen sich kurz, dann leuchtet er mir mit der Taschenlampe voll ins Gesicht.

»Suchen Sie etwas?«, fragt er.

Ich durchwühle mein Hirn nach einer Lüge. Mein Puls dröhnt wie ein Düsentriebwerk beim Abheben. Kaum vorstellbar, wie bizarr ihm mein Verhalten vorkommen muss.

Ich bin von Kopf bis Fuß dreckig und sehe wahrscheinlich so fertig aus wie ein Junkie nach einer dreiwöchigen Drogenorgie. Doch wenigstens kann ich schnell denken. »Ich gehe einem Hinweis nach.« Ich schlage mir demonstrativ den Dreck von der Hose. »Und was machen Sie hier?«

Er ignoriert meine Frage und leuchtet mit der Taschenlampe in die Grube. »Hinweis worauf?«

Ich will nicht, dass er in die Grube sieht, habe die Knochen womöglich nicht richtig zugedeckt. Ich will nur so schnell wie möglich das Gitter an die alte Stelle ziehen und verschwinden. »Illegale Müllentsorgung. Ein anonymer Anruf, der Typ hat behauptet, jemand hätte Farbe und Lösungsmittel hier entsorgt.«

Es ist eine brauchbare Lüge, die ein simpler Verstand geschluckt hätte. Doch den besitzt John Tomasetti leider nicht. Er glaubt mir kein Wort, das sehe ich ihm an.

»Haben Sie etwas gefunden?«

»Nichts.« Ich ziehe das Seil aus der Grube und gehe zum Explorer. »Wahrscheinlich ein Spinner. Teenager. Kommt hier öfters vor.«

»Vielleicht sollte ich auch einen Blick reinwerfen.«

»Da unten gibt's nichts weiter als Ratten.« Doch mir ist klar, dass Tomasettis Anwesenheit kein Zufall sein kann.

Er ist nicht einfach hier vorbeigekommen und hat meine Scheinwerfer gesehen. Der Mistkerl ist mir gefolgt.

Diese Erkenntnis bringt mich fast aus der Fassung, doch ich reiße mich zusammen und schiebe mich hinters Lenkrad. Während ich den Explorer in Position manövriere, um das Gitter zurück auf die Grube zu befördern, geht Tomasetti um die Grube herum. Ich muss schnell machen, bevor er beschließt, all dem Misstrauen, das in seinem Gesicht steht, nachzugeben und selbst in die Grube zu steigen.

Ich fahre den Explorer ein Stück zurück und steige aus. Meine Hände zittern so schlimm, dass ich Probleme habe, das Seil wieder daran zu befestigen.

»Sind Sie nervös, Chief?«

»Mir ist nur kalt.«

»Sie haben es unheimlich eilig, das Loch wieder abzudecken.«

»Ich will nur schnell nach Hause.«

Er hält inne. »Kate, was zum Teufel soll das hier?«

Ich sehe ihn nicht an. Kann es nicht. Ich stehe zu nahe am Abgrund. Wenn ich erst einmal runtergefallen bin, kann ich mich vielleicht nicht wieder selbst rausziehen. »Hören Sie, es ist schon die zweite Beschwerde, dass hier Müll abgeladen wird«, fahre ich ihn an. »Ich wollte noch nicht nach Hause gehen, also bin ich hergefahren.«

»Und deshalb zittern Sie am ganzen Leib?«

Ich befestige das Seil, richte mich auf und sehe ihm in die Augen. »Falls es Ihnen entgangen ist, es ist kalt.«

»Sie schwitzen, verdammt nochmal. Sie sind vollkommen verdreckt. Sehen Sie sich doch an. Und jetzt sagen Sie endlich, was hier vor sich geht.«

»Ich hab keine Ahnung, was Sie glauben zu wissen, aber ich habe etwas dagegen, dass Sie mir folgen und mich ausspionieren. Was immer Sie auch machen, hören Sie auf damit. Kapiert?«

»Sie lügen mich an, und ich will wissen warum.«

Ich lache. »Sie sollten mit jemandem über Ihre Paranoia reden, Tomasetti.«

»Sie sind nicht in die Grube gestiegen, um einer Beschwerde nachzugehen.«

»Und das wissen Sie genau, ja?«

Plötzlich kommt er auf mich zu und leuchtet mir wieder mit der Taschenlampe ins Gesicht. »Sie wollen wissen, was ich weiß, Chief? Ich weiß, dass jemand in dieser Stadt glaubt, dass Sie den Mörder kennen. Ich weiß, dass Sie etwas verheimlichen.« Er zeigt mit dem Finger auf die Grube. »Und ich weiß, dass Sie nicht wegen irgendeinem anonymen Hinweis in das Loch gestiegen sind.« Er geht um die Grube herum, leuchtet mit der Lampe hinein. »Wenn ich da runtergehe, was finde ich dann?«

»Was wollen Sie von mir? Hat Detrick Sie beauftragt, mir zu folgen? Oder war es der Stadtrat? Sind Sie deren neuer Schoßhund?«

Ein Mundwinkel geht hoch, doch ich kann nicht sagen, ob lächelnd oder höhnisch. »Sie sollten es besser wissen.«

»Tatsächlich?« Ich gehe zum Explorer, habe es fast geschafft. Jetzt muss ich nur noch das Gitter auf die Grube manövrieren und verschwinden. Ich kann mir nicht vorstellen, dass er sich die Mühe macht, es noch einmal wegzuziehen.

Ich schiebe mich hinters Lenkrad und drehe den Zündschlüssel. Der Motor heult auf, ich greife nach dem Schalthebel und will gerade den Gang einlegen, als die Tür auffliegt, Tomasetti sich über mich beugt, den Motor abstellt und den Schlüssel an sich nimmt.

»Was zum Teufel soll das?« Ich springe aus dem Wagen, will ihm den Schlüssel entreißen.

Er lässt ihn in seiner Hosentasche verschwinden. »Sagen wir mal so, ich folge einer Intuition.«

»Das ist lächerlich. Geben Sie mir den Schlüssel. Sofort.«

Er löst das Seil vom Gitter und wirft das Ende in die Grube.

Panik überkommt mich. Er darf die Knochen nicht finden. »Sie überschreiten Ihre Kompetenzen.«

»Das wird mir nicht zum ersten Mal vorgeworfen.«

»Ich schwöre bei Gott, das kostet Sie Ihren Job.«

Er nimmt das Seil, stemmt die Beine an den Rand und lässt sich wie ein Bergsteiger hinunter ins Loch.

»Tomasetti, hören Sie auf damit. Ich will nach Hause.«

Keine Antwort.

»Verdammt! Da unten ist nichts!« Ich blicke wild um mich, überlege eine Sekunde lang wirklich, ob ich einfach das Seil vom Auto abmachen und ihn da unten verrotten lassen soll. Aber das geht natürlich nicht. Ich muss mich mit dem, was ich getan habe, auseinandersetzen, mein lange gehütetes Geheimnis preisgeben.

Plötzlich habe ich mein zukünftiges Leben vor Augen: Meine Polizeikarriere ist futsch, die Erinnerungen an meine Eltern, ihr Ruf, werden durch den Dreck gezogen und die ganze amische Gemeinde gleich mit. Mein Bruder, meine Schwester und meine Neffen werden leiden. Vielleicht kommt mein Fall vor die Grand Jury, oder, schlimmer noch, ich werde angeklagt und lande wegen Mordes im Gefängnis …

Ich laufe zur Grube und sehe, wie Tomasetti mit dem Fuß ein Stück Holz wegschiebt. Der Schädel kommt zum Vorschein. Mir wird schwindlig, ich fühle mich krank. Wie konnte das nur passieren?

»Was zum Teufel …?«

Ich wende mich ab, die Hand auf den Bauch gedrückt. Dafür gibt es keine Ausrede mehr. Es ist vorbei. Das Geheimnis ist gelüftet. Übelkeit steigt in mir auf, ich schaffe noch drei Meter, dann übergebe ich mich. Der dumpfe Aufprall meiner Knie auf dem Boden überrascht mich. Ich bin zwar schon öfter bewusstlos geschlagen worden, aber noch nie in Ohnmacht gefallen. Doch die Blutleere in meinem Kopf bedeutet, dass ich kurz davor bin. Ich verliere das Gefühl für Zeit – sind es Sekunden oder Minuten? –, bis ich merke, dass Tomasetti neben mir kniet.

Als seine Hand meine Schulter berührt, zucke ich zusammen. Ich bin verlegen und beschämt, aber auch nicht sicher, ob ich mich noch mehr übergeben muss, und bleibe liegen. Ignoriere ihn. Ich blicke auf meine Handschuhe im Dreck und würde am liebsten weinen.

»Wie geht es Ihnen?«, fragt er nach einer Weile.

»Was glauben Sie denn?«

»Ich glaube, Sie haben mir was zu erklären.«

Ich muss wieder würgen und spucke aus.

Er wartet einen Moment, bevor er spricht. »Die Knochen da unten. Sie wissen, von wem sie sind?«

Ich schließe die Augen, drücke sie fest zusammen. »Ja.«

»Wer?«

»Daniel Lapp.«

»Wer ist Daniel Lapp?«

»Ein Amisch-Mann.«

»Seit wann ist er tot?«

» Seit sechzehn Jahren.«

»Wie ist er gestorben?«

»Gewehrschuss.«

»Wissen Sie, wer ihn umgebracht hat?«

»Ja.«

Er hält inne. »Wer?«

»Ich«, stoße ich aus und fange hemmungslos an zu weinen.

26. KAPITEL

In all den Jahren als Polizist hatte John schon viele bizarre Situationen erlebt. An einigen war er sogar aktiv beteiligt gewesen, woran er sich nur ungern erinnerte. Doch das hier schoss den Vogel ab. Ein Mordgeständnis hatte er wirklich nicht erwartet, als er Kate Burkholder heute Abend hierher gefolgt war.

Er hatte eine gute Menschenkenntnis, nur in Bezug auf Frauen war seine Fehlerquote leicht erhöht, was wohl den meisten Männern so ging. Er dachte, nichts könnte ihn mehr schockieren, doch jetzt war er schockiert. Schlimmer noch, er wusste nicht, wie er sich verhalten sollte.

Er schob seine Hand unter Kates Schulter und half ihr aufzustehen. »Kommen Sie. Packen wir's an.«

Sie schien federleicht, und zum ersten Mal wurde ihm klar, wie zierlich sie war, dass sie ihm nur wegen der dicken Winterjacke und weil er sie für eine starke Frau hielt, so gewaltig erschien. Und sie war bestimmt nicht jemand, der schnell weinte. Bisher hatte sie den Stress total professionell gehandhabt, war tough und konzentriert, obwohl es der Fall wirklich in sich hatte. Doch jetzt war der Damm gebrochen. Zwar jammerte sie nicht, aber das Elend, das er in ihrem Gesicht sah, war so abgrundtief, dass es ihn nicht unberührt ließ.

Er umfasste ihre Schultern und zog sie zu sich herum. »Kate, was ist los?«

»Johnston hat recht«, sagte sie mit erstickter Stimme. »Ich … hab den Fall ver… vermasselt. Wegen … dem hier.«

Er wünschte, er wäre ihr niemals gefolgt. So was brauchte er nicht, wollte nichts damit zu tun haben. In gewisser Weise war ihm der Fund sogar egal. Er hatte genug eigene Probleme, auch ohne die Leiche hier.

»Reißen Sie sich zusammen«, fuhr er sie an.

Sie hob den Kopf, und ihre Blicke begegneten sich.

»Wir müssen reden.«

»Ich weiß.« Sie rieb sich verzweifelt die Wangen, fragte sich, wie schnell Tränen wohl auf der Haut gefroren.

»Können wir irgendwo hingehen, wo es warm ist?«, fragte er.

»Die Bar. Mein Haus.« Sie zuckte die Schultern. »Oder Sie können den Prozess einfach beschleunigen und mich gleich ins Gefängnis bringen.«

»Ihr Haus.« Er blickte um sich, wünschte, überall, nur nicht hier zu sein. »Ich habe das Gefühl, bei dem Gespräch sollten wir besser ungestört sein.«

»Ich fürchte, das stimmt.«

Als er ihr den Schlüssel zurückgab, dachte er, dass sie vielleicht abhauen würde. »Sie machen doch keine Dummheiten, oder?«

Sie bedachte ihn mit einem weisen Blick. »Ich habe mein Quantum an Dummheiten schon erfüllt«, sagte sie und ging zu ihrem Wagen.

* * *

Sie wohnte in einem bescheidenen Farmhaus am Rande der Stadt. Kein helles Licht über dem Eingang hieß sie willkommen, und die Auffahrt musste noch freigeschaufelt werden. Er parkte am Straßenrand. Kate stellte ihren Wagen in die Einfahrt und ging zur Haustür, ohne auf ihn zu warten.

John wusste, dass seine Anwesenheit hier für Gerede sorgen könnte, doch ihm war kein besserer Ort eingefallen. Außerdem arbeiteten die hiesige Polizeichefin und der ermittelnde Field Agent gemeinsam an einem Mordfall und hatten demzufolge einiges zu bereden.

Er stieg aus und ging über den Hof. Sie hatte die Tür offen gelassen, also trat er ein und machte sie hinter sich zu. Das Wohnzimmer war mit einem ausgesuchten Möbelmix ausgestattet: ein modernes braunes Sofa, zu dem ein cremefarbener Sessel einen schönen Kontrast bildete. Eine antike Vitrine, an manchen Stellen restaurationsbedürftig, mit Vasen und Schüsseln darin. Es roch schwach nach Kerzenwachs und Kaffee.

Kate stand am Garderobenschrank und hängte gerade ihren Anorak auf. Darunter trug sie eine verknitterte blaue Polizeiuniform. Sie bückte sich, schnürte die Stiefel mit schmalen, geschickten Fingern auf. Ihre Uniform saß zwar nicht eng, ließ jedoch einen gut gebauten Körper darunter vermuten. Sie war ungefähr einen Meter siebzig groß. Athletisch. Wog vielleicht etwas über fünfzig Kilo und hatte jene Art von breiten Hüften, die sein männliches Interesse weckten.

Er ging zur Garderobe und hängte seinen Mantel auf, doch seine Aufmerksamkeit galt weiterhin Kate. Ihr dunkelbraunes Haar war zerzaust, als hätte sie es den ganzen Tag nicht gekämmt, und das bleiche Gesicht war fleckig vom Weinen.

Sie zog die Stiefel aus, ging durchs Wohnzimmer und verschwand im Flur. John begab sich zur Küche, die gemütlich war mit den hellgrauen Einbauschränken und farblich kontrastierenden Ablageflächen. Auf dem kleinen Esstisch in der Mitte lag ein Stapel Rechnungen und stand eine halb abgebrannte Kerze. Eine ganz normale Küche, wenn man davon absah, dass ihre Besitzerin gerade einen Mord gestanden hatte ...

Kate tauchte wenige Minuten später wieder auf. Sie hatte sich umgezogen, trug jetzt Jeans und ein weites Sweatshirt mit der Aufschrift *Columbus Police Department*. Ihr Gesicht war gewaschen und die Haare waren gekämmt.

»Schön hier«, sagte er.

Sie ging, ohne zu antworten, an ihm vorbei zum Kühlschrank, stellte sich auf die Zehenspitzen und holte eine Flasche aus dem Hängeschrank darüber. »Die Schränke sind erneuerungsbedürftig.«

»Nur wenn Sie auf Country-Look stehen.« Er runzelte die Stirn beim Anblick der Flasche Wodka in ihrer Hand.

»Ich hasse Country-Look.« Sie sah ihn an. »Und sparen Sie sich, mich darauf aufmerksam zu machen, dass Alkohol nicht hilft.«

»Das wäre sowieso geheuchelt.«

»Wenn ich Ihnen alles über die Knochen erzählt habe, werden Sie ihn brauchen.«

Sie stellte zwei Gläser und die Flasche auf den Tisch, ging zur Hintertür und machte sie einen Spaltbreit auf. Eine verwahrloste, getigerte Katze schoss herein, zischte John an und verschwand im Wohnzimmer.

»Sie mag mich«, meinte John.

Der Laut aus Kates Mund war eine Mischung aus Lachen und Schluchzen. Sie zog einen Stuhl unter dem Tisch hervor und sank darauf. »Was Sie jetzt hören, wird Ihnen nicht gefallen, John.«

»Das war mir schon klar, als ich den Schädel gesehen habe.« Er nahm auf dem Stuhl ihr gegenüber Platz.

Sie schraubte die Wodkaflasche auf und schenkte ihnen ein. Einen Moment lang starrten sie beide wortlos auf die Gläser, dann leerte sie ihres auf ex und schenkte sich nach. Da wusste John, dass sie weitaus mehr Polizistin war als amisch.

Schließlich stellte er die Frage, die ihm seit dem Anblick des Schädels keine Ruhe ließ. »Hat die Leiche in der Grube irgendetwas mit dem Serienmörder von Painters Mill zu tun?«

»Davon bin ich die ganze Zeit ausgegangen.« Sie sah auf ihr Glas und zuckte die Schultern. »Bis heute Abend.«

»Am besten Sie erzählen mir alles von Anfang an.«

* * *

315

Ich habe das Gefühl, mein ganzes Leben ist auf diesen Moment zugelaufen. Und doch bin ich nicht darauf vorbereitet. Aber wie, in Gottes Namen, soll man sich auf die eigene Selbstzerstörung vorbereiten? Im schlimmsten Fall geht Tomasetti schnurstracks zu den Anzugträgern vom BCI, die sich dann sofort daranmachen, mein Leben zu zerstören. Wenn das passiert, werde ich Jacob und Sarah schützen, das habe ich mir fest vorgenommen. Nicht weil sie weniger schuldig sind als ich, sondern weil sie Kinder haben; ich will nicht, dass meine Neffen und Sarahs ungeborenes Kind da hineingezogen werden. Und auch die amische Gemeinde muss herausgehalten werden, das haben die Menschen verdient.

Ich sehe Tomasetti an, seine kalten Augen und den harten Mund. Er mag sich auf einem schmalen Grat bewegen, aber ich habe das schlimme Gefühl, dass Ausreden mir heute Abend nicht weiterhelfen. »Egal, was ich Ihnen erzähle, ich will den Fall zu Ende führen. Das müssen Sie mir versprechen.«

»Sie wissen, dass ich das nicht kann.«

Ich nehme einen Schluck, zwinge ihn hinunter. Alkohol, der kurzlebige Helfer in der Not. Die Worte, die ich aussprechen muss, stolpern in meinem Kopf herum, ein Durcheinander aus Erinnerungen und Geheimnissen und der großen Last meines Gewissens.

»*Kate*«, drängt er. »Reden Sie mit mir.«

»Daniel Lapp lebte auf einer Farm in unserer Nähe«, beginne ich. »Manchmal kam er zu uns, um beim Heupressen oder anderen Arbeiten zu helfen. Er war achtzehn.«

Tomasetti hört zu, beobachtet mich aufmerksam. »Was ist passiert?«

»In dem Sommer war ich vierzehn Jahre alt.« Ich kann mich kaum noch an das junge Amisch-Mädchen von damals erinnern und frage mich, wie ich jemals so unschuldig sein konnte. »*Mamm* und *Datt* waren auf einer Beerdigung in Coshocton County. Mein Bruder Jacob war zum Heumachen auf dem Feld, und Sarah brachte Quilts in die Stadt. Ich war zu Hause und backte Brot.«

Ich halte inne, doch Tomasetti gönnt mir keine Ruhepause. »Erzählen Sie weiter.«

»Daniel kam zur Tür. Er hatte Jacob auf dem Feld geholfen und sich dabei in die Hand geschnitten.« Selbst jetzt, ein ganzes Leben danach, bereitet mir die Erinnerung Bauchschmerzen. »Er hat mich von hinten angefallen. Auf den Boden geworfen. Ich habe geschrien, als ich das Messer sah, doch er hat mich geschlagen, immer wieder.« Ich fühle mich wie benommen, spüre vage, dass ich zu schnell atme, zu flach. »Er hat mich vergewaltigt.«

Ich kann Tomasetti nicht ansehen, höre aber, wie er sich über die Bartstoppeln streicht. »Die Amischen möchten gern glauben, dass wir ein anderer Menschenschlag sind«, sage ich, »aber das ist nicht immer der Fall. Wir wussten von den Morden, die in den Monaten davor passiert waren. *Datt* sagte uns zwar, sie beträfen nur die Englischen, dass es keinen Grund zur Beunruhigung gäbe, aber wir hatten Angst. Wir haben die Türen verriegelt und für die Familien gebetet; meine Mutter brachte ihnen Essen.« Ich zucke die Schultern. »Wir selbst haben keine Zeitung gehabt, aber ich habe im Touristenladen in der Stadt die Geschichten gelesen. Ich wusste, dass die Opfer vergewaltigt worden waren. Ich dachte, Daniel Lapp würde mich umbringen.«

»Was haben Sie gemacht, Kate?«

»Ich habe das Gewehr meines Vaters genommen und ihm in die Brust geschossen.«

Er starrt mich ungerührt an. »Haben Sie die Polizei gerufen?«

»Wenn wir ein Telefon gehabt hätten, hätte ich es vielleicht gemacht. Aber so nicht. Ich war vollkommen außer mir. Alles war voller Blut.« Ein Keuchen entweicht meinem Mund.

»Meine Schwester kam nach Hause. Sie sah den Toten auf dem Boden und rannte schreiend weg. Sie lief über eine Meile, um Jacob zu holen.«

»Niemand hat die Polizei gerufen?«

Ich schüttele den Kopf.

»Und Ihre Eltern?«

»Es war schon dunkel, als sie nach Hause kamen. Jacob erklärte *Datt*, was passiert ist. Ich glaube, wenn Lapp ein Englischer gewesen wäre, hätte mein Vater die Polizei gerufen. Aber Daniel war einer von uns. Mein Vater sagte, das wäre eine Angelegenheit der Amischen und würde dementsprechend gehandhabt, auf ihre Weise.« Ich atme tief ein, kriege aber nicht genug Luft. »Er und Jacob haben den Toten in Leinensäcke gewickelt und in die Kutsche gelegt. Sie sind zum Getreidespeicher gefahren und haben ihn dort begraben.« Ich sehe Tomasetti an. »Als sie nach Hause kamen, verbot uns mein Vater, je wieder darüber zu sprechen.«

»Haben sich die Leute nicht gefragt, was mit Lapp passiert ist?«

»Seine Eltern haben ihn wochenlang gesucht. Doch nach einer Weile begannen die meisten Amischen zu glauben, dass er weggelaufen sei, weil er nicht mehr die *Ordnung* befolgen konnte. Irgendwann haben es dann auch seine Eltern geglaubt.«

»Das Verbrechen wurde also niemals angezeigt«, sagt er.

»Nein.«

»Ziemlich hart für eine Vierzehnjährige, mit so was umzugehen.«

»Meinen Sie die Vergewaltigung oder dass ich einen Mann getötet habe?«

»Beides.« Er verzog das Gesicht. »Und dass Sie mit niemandem drüber sprechen konnten.«

»Meine Reaktion war, über die Stränge zu schlagen. Ich freundete mich mit englischen Jugendlichen an und rauchte und trank. Ein paar Mal bin ich in Schwierigkeiten geraten. Wahrscheinlich war das meine Art und Weise, damit umzugehen. Doch das Morden hatte danach aufgehört. Bis heute Abend habe ich geglaubt, Lapp könnte der Mörder sein.«

»Als die erste Leiche gefunden wurde, haben Sie also gedacht, er hätte überlebt?«

Ich starre auf meine Hände, sehe, dass sie zittern, und verschränke sie ineinander. »Ja.«

Schweigen tritt ein. Mein Verstand versucht, die Auswirkungen meiner Tat zu ermessen. Ich habe keine Ahnung, wie Tomasetti reagieren wird. Doch eines weiß ich sicher, meine Polizeikarriere ist zu Ende. Im günstigsten Fall ist das alles, was passiert. Doch sollten die Presseleute Wind von meiner Vergangenheit bekommen, werden sie sich wie Geier auf mich stürzen und mich zerreißen wie Aas.

»Lapp ist offensichtlich nicht unser Mann«, sagt er nach einer Weile.

»Ich habe den Falschen umgebracht.«

»Er war ein Vergewaltiger«, erwidert er.

»Aber kein Serienmörder.«

»Er hatte eine Waffe. Es war Selbstverteidigung.«

»Einem anderen das Leben zu nehmen ist gegen das Gebot Gottes.«

»Eine Minderjährige zu vergewaltigen auch.«

»Einen Mord zu vertuschen ist gegen unsere Gesetze.«

»Sie waren vierzehn Jahre alt. Sie haben Ihrem Vater vertraut, dass er das Richtige tut.«

»Ich war alt genug zu wissen, dass es falsch ist, einen Mann zu töten.« Ich zwinge mich, ihn anzusehen. Im Haus ist es so still, dass ich Schneegraupeln ans Fenster prallen höre. Das Brummen des Kühlschranks. Die warme Luft, die aus den Heizungsschlitzen bläst. »Was werden Sie tun, wo Sie jetzt mein dunkles Geheimnis kennen?«

»Wenn Sie offiziell ein Geständnis ablegen, können Sie

alles vergessen: Ihre Karriere, Ihren Ruf, finanzielle Sicherheit. Und nicht zu vergessen Ihren Seelenfrieden.«

»Der hat sich schon lange verabschiedet.«

»Nun, Kate, ich habe auch Dinge getan, die nicht einwandfrei sind.« Er zuckt die Schultern. »Ich habe nicht das Recht, über Sie zu richten.«

»Außer meiner Familie wissen nur Sie davon.«

Er schenkt beide Gläser nach. Ich will nichts mehr; der Wodka vernebelt mir das Hirn. Doch ich greife trotzdem zum Glas. »Ich verstehe nicht, warum das Morden nach jenem Tag aufgehört hat.«

»Vielleicht hat das, was Lapp Ihnen angetan hat, gar nichts mit den Morden von damals zu tun.«

Ich weiß, dass sechzig bis siebzig Prozent aller Sexualstraftaten nicht gemeldet werden. In der Amisch-Gemeinde ist die Prozentzahl vermutlich noch höher. Zum ersten Mal frage ich mich, ob ich Lapps erstes Opfer gewesen bin.

»Kate, so wie es aussieht, haben wir ein richtig fettes Problem.«

»Sie meinen, ich habe ein fettes Problem, ja?«

John beugt sich vor. »Lassen wir Ihr Schicksal als Polizistin momentan mal aus dem Spiel. Nehmen wir also an, wir kriegen den Kerl und der Fall kommt vor Gericht. Wenn jemand herausfindet, dass Sie einmal in ein Verbrechen verwickelt waren, das vertuscht wurde, könnte ein gewiefter Verteidiger das benutzen, uns beide zu diskreditieren und den Fall platzen zu lassen. Vielleicht sogar einen Freispruch für den Kerl erwirken.«

»Das mit Lapp muss niemand erfahren«, entgegne ich.

Er stößt ein raues Lachen aus. »Wer sonst weiß davon?«

»Mein Bruder Jacob und meine Schwester Sarah.«

»Und wenn sie auf einmal reden wollen?«

»Sie sind Amische. Das werden sie nicht.«

»Wer hat dem Bischof die Nachricht geschickt?«

»Meine Schwester.« Mein Lachen ist freudlos. »Sie fand, ich sollte es meinen Kollegen erzählen.«

»Wie wollen Sie das erklären?«

»Ein schlechter Scherz, was sonst.«

Er nimmt sein Glas und trinkt es auf ex. Ich tue es ihm nach, und wir stellen unsere Gläser gleichzeitig zurück auf den Tisch. Er sieht mich düster und unglücklich an. »Ich kenne Sie nicht besonders gut, aber ich glaube, Sie sind eine ausgezeichnete Polizistin. Ich glaube, Sie sind sehr engagiert. Das allein macht Sie schon zu einem besseren Gesetzeshüter, als ich es bin. Aber Sie wissen genauso gut wie ich, dass Geheimnisse irgendwann ans Tageslicht kommen.«

»Wie alte Knochen.« Ich starre ihn an. »Es sei denn, man vergräbt sie ganz tief.«

»Wenn ich es herausgefunden habe, können andere es auch.«

»Ich will nicht, dass meine Familie da hineingezogen wird. Und dass die amische Gemeinde für das bezahlt, was ich getan habe.«

»Sehen Sie mal, Kate, es gibt bei der Sache ein paar Dinge, die für Sie sprechen. Mildernde Umstände, sozusagen. Zum Beispiel, dass es Selbstverteidigung war; Ihr Alter zum Zeitpunkt des Schusses.«

»Und, was wollen Sie jetzt machen?«

»Ich weiß es nicht.«

Ich starre ihn an. Mein Herz klopft heftig. Ich will wissen, ob er mich den Behörden übergibt, traue mich aber nicht zu fragen. Tränen brennen mir in den Augenhöhlen, doch ich halte sie zurück. Auf keinen Fall will ich vor dem Mann, der wahrscheinlich mein Leben zerstören wird, zusammenbrechen.

»Ich muss gehen.« Sein Stuhl kratzt beim Aufstehen über den Boden. »Versuchen Sie zu schlafen.«

Er verlässt die Küche. Eine leise Stimme in meinem Kopf

will, dass ich hinter ihm herlaufe, ihn anflehe zu schweigen, zumindest so lange, bis der Fall gelöst ist. Doch ich bin
wie gelähmt. Das Zuschlagen der Tür klingt wie Totengeläut
in meinen Ohren. Ich greife zur Flasche und weiß, dass ich
nichts tun kann außer zu warten, bis der Himmel über mir
einstürzt.

27. KAPITEL

Kurz vor sieben Uhr treffe ich im Polizeirevier ein. Mona sitzt in der Telefonzentrale, die Füße auf dem Schreibtisch, einen Apfel in der Hand und in ihre übliche Lektüre vertieft.

»Hi, Chief.« Ihre Füße schnellen auf den Boden und ihre Augen weiten sich bei meinem Anblick. »Schlecht geschlafen?«

Nachdem Tomasetti gegangen war, konnte ich kaum mehr schlafen und sehe wahrscheinlich so fertig aus, wie ich mich fühle. »Was Heißes würde mir sicher guttun.«

»Ich hab Haselnuss-Zimt-Kaffee gemacht.« Sie reicht mir die Telefonnachrichten. »Doc Coblentz kann erst im Laufe des Vormittags mit der Autopsie anfangen.«

Damit habe ich kein Problem. Wo jetzt Daniel Lapp als Mörder ausscheidet, will ich heute Morgen herausfinden, wer in der maßgeblichen Zeit von hier weggezogen ist.

»Laut Wetterbericht soll es wieder schneien«, bemerkt Mona.

»Das sagen sie schon seit einer Woche.«

»Aber ich glaube, diesmal stimmt's.«

Mit einem Kaffee in der Hand gehe ich in mein Büro, setze mich an den Schreibtisch und hole die *Schlächter*-Akte hervor sowie einen neuen Schreibblock. Während mein Computer startet, rufe ich Skid auf dem Handy an. »Hat Ihnen das DRC außer Starkey noch jemanden zur Verfügung gestellt?«

»Nur Starkey.«

»Haben Sie schon die Krankenhäuser überprüft?«, frage ich. »Reha- und psychiatrische Einrichtungen?«

»Alles Fehlanzeige, Chief. Tut mir leid.«

»Na ja, war einen Versuch wert.«

»Haben Sie was Neues?«

»Ich arbeite daran. Bis später.«

Ich lege auf und google mehrere Minuten lang Umzugsfirmen in einem Dreißig-Meilen-Radius um Painters Mill. Hier im Ort gibt es keine, aber es öffnet sich ein Werbefenster für eine Umzugsfirma in Millersburg mit einer U-Haul-Niederlassung, die Umzugslaster vermietet. Ich notiere die Kontaktinformationen, wohl wissend, dass die Idee mit dem Wohnortwechsel ziemlich weit hergeholt ist, aber eine andere habe ich momentan nicht. Bei Great Midwest Movers in Millersburg lande ich erst mal in der Warteschleife und werde schließlich weiterverbunden.

»Jerry Golan, was kann ich für Sie tun?«

Ich stelle mich vor und komme gleich zur Sache. »Ich arbeite an einem Fall und brauche die Namen aller Leute, die zwischen 1993 und 1995 von hier weggezogen sind. Haben Sie die Unterlagen aus der Zeit noch?«

»Geht es um die Mordfälle bei Ihnen da oben?«

»Darüber kann ich keine Auskunft geben.« Ich senke die Stimme. »Aber unter uns gesagt, es könnte damit zu tun haben. Ich wäre Ihnen jedoch dankbar, wenn Sie das für sich behielten.«

»Ich schweige wie ein Grab.« Auch er hat die Stimme gesenkt, als teilten wir jetzt ein Geheimnis, und ich höre am anderen Ende das Klappern einer Tastatur. »Die gute Nachricht ist, dass seit unserer Firmengründung 1989 keine Akten vernichtet wurden. Die schlechte ist, dass wir 2004 umgezogen sind und dabei alles in Kisten verpackt haben. Und die sind nur zum Teil hier im Büro, der Rest ist noch eingelagert.«

»Ich brauche bloß die Namen und Kontaktinformationen.«

Ein Pfiff segelt durchs Glasfaserkabel. »Kann 'ne Weile dauern.«

»Sehen Sie eine Möglichkeit, für die Polizeichefin alles etwas zu beschleunigen?«

»Na ja, ich könnte eine Aushilfe einstellen.«

»Was halten Sie davon, wenn ich die Kosten übernehme?«

Er klingt erfreut. »O ja, Ma'am. Das würde sehr helfen.«

Eine Aushilfe ist im Budget nicht vorgesehen, aber irgendwie krieg ich das hin. Nachdem ich aufgelegt habe, rufe ich die Website von Coshocton County Auditor auf und klicke mich so lange weiter, bis ich gefunden habe, wonach ich suche. Die Website bietet öffentliche Einsicht in die Steuerunterlagen bei Immobilienverkäufen und -übertragungen. Ich klicke auf den Link und dann auf erweiterte Suche. »Treffer«, flüstere ich und gebe die entsprechenden Daten ein.

Bedauerlicherweise sind nur die Eintragungen der letzten zehn Jahre in der Online-Datenbank gespeichert, so dass ich auf »Kontakt« klicke und eine Liste aller Verkäufe im County in der Zeit vom 1. Januar 1993 bis 31. Dezember 1995 anfordere. Als Nächstes rufe ich die Website von Holmes County Auditor auf. Zufrieden stelle ich fest, dass es eine nach Liegenschaftsbezirken unterteilte »Verkäufe«-Suchfunktion gibt, wobei die mehrere Dutzend Bezirke nach Städten und Dörfern unterteilt sind.

Mein Telefon klingelt. Auf dem Display sehe ich Glocks Handynummer und nehme ab. »Hallo.«

»Irgendwas ist los«, sagt er ohne Umschweife. »Auggie Brock hat mich gerade angerufen und will sich mit mir auf dem Revier treffen. Er meinte, es sei dringend.«

»Was?« Meine Alarmglocken schrillen. »Hat er einen Grund genannt?«

»Nein, aber ich dachte, Sie sollten es wissen. Ich bin auf dem Weg.«

Dann ist die Leitung tot. Beunruhigt starre ich das Telefon an, das erneut klingelt. Monas Nummer erscheint auf dem Display und ich nehme ab. »Auggie und seine Entourage marschieren direkt auf Ihr Büro zu«, flüstert sie.

Sie hat den Satz kaum beendet, als Auggie Brock in meiner Tür erscheint. Ich lege den Hörer auf. Hinter Auggie steht Janine Fourman, und als dann noch Detrick und John Tomasetti in mein Blickfeld kommen, spüre ich großes Unbehagen.

Mein Herz fängt heftig an zu schlagen. »Was ist los?«

Keiner antwortet. Im ersten Moment denke ich, es gibt einen weiteren Mord, doch dann trifft mich die Wahrheit wie ein Schlag in die Magengrube.

John hat ihnen von Lapp erzählt. Was ich getan habe. Sie sind hier, um mich zu feuern. Oder schlimmer noch, mich zu verhaften. Bei der Vorstellung überkommen mich Angst, Scham und das Gefühl, verraten worden zu sein. Und ich weiß, ich stecke bis über die Ohren in Schwierigkeiten.

Ich starre John an. Er starrt aus kalten Polizistenaugen zurück. Mistkerl, denke ich. *Verdammter Mistkerl.*

»Wir möchten mit Ihnen reden«, sagt Auggie.

Ich erhebe mich, wobei mein Unbehagen zu Panik auswächst. »Was ist passiert?«

Auggie räuspert sich. »Chief Burkholder, aus triftigem Grund kündigen wir mit sofortiger Wirkung Ihren Arbeitsvertrag mit der Stadt Painters Mill.«

Ich fühle mich wie nach einem Taser-Beschuss. Fassungslos starre ich ihn an. Mein Gehirn arbeitet auf Hochtouren. »Mit welcher Begründung?«

Janine, die vor Ungeduld fast platzt, ergreift das Wort. »Uns liegt eine Beschwerde über Ihre Handhabung der Mordermittlungen vor.«

»Eine Beschwerde? Von wem?« Doch ich weiß es bereits.

»Das spielt zu diesem Zeitpunkt wohl keine Rolle«, erwidert sie.

»Da bin ich anderer Meinung!« Ich sehe John an, der meinem Blick ruhig begegnet, und frage mich, ob er Bescheid wusste und mir bloß nichts gesagt hatte. Ich wende mich dem Bürgermeister zu. »Sagen Sie es mir.«

»Heute Morgen hat eine Sitzung hinter geschlossenen Türen stattgefunden«, antwortet er.

»Wer war dabei?«

Er zeigt in die Runde. »Wir alle. Wir haben es beschlossen.«

Hinter John sehe ich Glock stehen, und das Messer bohrt sich noch tiefer in die Wunde. Hat er davon gewusst?

Janine Fourman sieht mich an wie eine Mutter, die ihr ungezogenes Kind zurechtweisen muss. »Das hat nichts mit Ihnen persönlich zu tun, Kate. Wir handeln nur im Interesse von Painters Mill.«

Auggie holt ein Blatt Papier hervor und reicht es mir. »Sie sind aus triftigem Grund Ihrer Pflichten enthoben. Der Stadtrat ist der Ansicht, dass Sie den Fall aufgrund mangelnder Erfahrung nicht ordnungsgemäß gehandhabt haben.«

Ich unterbreche ihn. »Mangelnde Erfahrung?«

Mich ignorierend, fährt Auggie fort. »Unser Urteil basiert auf der Tatsache, dass Sie viel zu lange gewartet haben, andere Polizeibehörden um Unterstützung zu bitten, namentlich das FBI, BCI und das Holmes County Sheriff's Department. Jemand hat Beschwerde eingereicht. Nach eingehender Prüfung ist der Stadtrat zu dem Schluss gelangt, Sie vorübergehend Ihres Amtes zu entheben, bis alle Fakten bekannt sind. In der Zwischenzeit amtiert Sheriff Detrick als Polizeichef.«

Mir fällt ein Stein vom Herzen, weil keine Rede von menschlichen Überresten ist. »Hört sich an, als hätten Sie das die ganze Nacht geprobt, Auggie.«

Er besitzt die Dreistigkeit, zu erröten. »Das ist nicht als Kritik an Ihnen gemeint, die Entscheidung beruht auf Ihrer fehlenden Erfahrung und den schwierigen Umständen des Falls.«

»Ich tue alles Menschenmögliche, um den Mörder zu fassen.« Ich hasse den verzweifelten Unterton in meiner Stimme. »Wir arbeiten praktisch rund um die Uhr.«

Janines Gesicht verzieht sich, verliert zum ersten Mal den Ausdruck selbstgefälliger Zufriedenheit. »Wir wissen, wie hart Sie arbeiten. Wir wissen, dass Sie sich Mühe geben. Das steht auch nicht zur Diskussion. Wir haben nur einfach das Gefühl, dass Ihnen die Erfahrung fehlt, einen Fall dieses Ausmaßes zu lösen.«

»Tun Sie das nicht«, sage ich zu Auggie.

Der Bürgermeister wendet den Blick ab. »Die Entscheidung ist gefallen.«

Ich blicke einem nach dem anderen ins Gesicht, doch es ist, als würde ich eine Steinmauer anstarren. Sie haben sich entschieden. Zwar ist mir klar, dass der Entschluss eher politische als persönliche Hintergründe hat, aber das mindert nicht meinen Schmerz. Ich habe ein persönliches Interesse an diesem Fall und will ihn zu Ende bringen. »Sie machen einen schweren Fehler.«

Auggie nickt Glock zu. »Officer Maddox, bitte nehmen Sie die Polizeimarke und die Waffe von Chief Burkholder entgegen. Kate, ich gebe Ihnen ein paar Minuten, um Ihre Sachen zusammenzupacken, wenn Sie das wollen. Den Explorer müssen Sie leider hier lassen, es ist ein städtisches Fahrzeug. Officer Maddox wird Sie nach Hause bringen.«

Glock rührt sich nicht vom Fleck, wirft ihm den schönsten Leck-mich-Blick zu, den ich je gesehen habe.

Ich sehe auf meinen Schreibtisch, wo noch immer die Website des Wirtschaftsprüfers von Holmes County auf dem Monitor ist. Es ist mir unvorstellbar, meine Sachen zu packen und zu gehen. Diese Arbeit ist mein Leben. Doch dieser Fall ist zu einer Obsession geworden. Auggie verlässt kopfschüttelnd mein Büro. Janine wirft mir ein wölfisches Lächeln zu und folgt ihm. Tomasetti ist nirgends zu sehen. Ich fühle mich von allen verraten und im Stich gelassen.

Ich sehe Glock an. »Passen Sie auf, dass ich ja auch keine Büroklammern mitnehme?«

Er weicht meinem Blick nicht aus. »Die Arschlöcher haben mich damit überfallen, Chief.«

Seine Loyalität müsste mich trösten, tut es aber nicht. Ich sinke auf den Stuhl, versuche mich zu beruhigen.

Glock setzt sich auf den Besucherstuhl. »Dieser verdammte Johnston.«

Ich reibe mir die Augen. »War Tomasetti involviert?«

»Keine Ahnung.«

Ich überfliege die Papiere auf dem Schreibtisch, meine Notizen, Theorien und Berichte. Die *Schlächter*-Akte. Die Tatortfotos. Dutzende Telefonnachrichten von Leuten, die ich zurückrufen müsste. Wie kann ich einfach gehen, wo noch nichts erledigt ist?

»Chief, wenn das Baby nicht unterwegs wäre, hätt ich gekündigt«, sagt er. »Aber ich brauch die beschissene Krankenversicherung.«

Ich kann mir nicht vorstellen, nie mehr an diesem Schreibtisch zu sitzen. Wenn ich erst einmal durch diese Tür hinausgegangen bin, sagt mir eine innere Stimme, werde ich immer weiter gehen und nie mehr zurückkommen. Aber ich weiß besser als die meisten, dass man vor seiner Vergangenheit nicht weglaufen kann.

»Dann fange ich wohl mal an zu packen.«

Glock sieht niedergeschlagen aus. Ich drücke die Lautsprechertaste des Telefons und wähle Monas Nummer. »Können Sie mir bitte einen Karton bringen?«

Nach einer kurzen Pause ein zögerliches: »Warum?«

»Bringen Sie ihn einfach, Mona, okay?«

Ich beende das Gespräch. Kurz darauf erscheint sie mit einem leeren Kopierpapier-Karton. Ihr Blick schnellt von mir zu Glock und wieder zu mir. »Was haben die gemacht?«

Ich antworte nicht, doch sie weiß es bereits, es ist in ihren Augen zu lesen. »Chief? Haben die …« Sie bricht den Satz ab.

»Ja«, sage ich.

»Das können die doch nicht machen.« Wieder wandert ihr Blick zu Glock und zurück zu mir. »Dürfen die das?«

»Es steht in meinem Vertrag.«

»Aber Sie sind die beste Polizeichefin, die diese Stadt je hatte.«

»Es ist alles Politik«, brummt Glock.

Wahllos werfe ich meine Sachen in den Karton, ein paar gerahmte Fotos, den Briefbeschwerer aus Messing, den Mona mir zu Weihnachten geschenkt hat. Mein Polizeidiplom und diverse Urkunden hängen an der Wand. Doch was ich wirklich mitnehmen will, aber nicht darf, ist mein verdammter Fall. Ein paar Minuten lang sehen mir Glock und Mona beim Packen zu. Als das Telefon in der Zentrale klingelt, schüttelt Mona den Kopf. »Ich fass es nicht«, sagt sie und eilt davon, um den Anruf entgegenzunehmen.

Richtig demütigend wird es, als Detrick kommt. Er blickt von mir zu Glock, dann zum Karton auf meinem Schreibtisch und sieht schließlich wieder mich an. »Es tut mir leid, dass es so gekommen ist.«

Ich will meine Wut rauslassen. Ich will ihn einen arschkriechenden, rampenlichtsüchtigen, fallklauenden Scheißkerl nennen. Doch stattdessen werfe ich eine Duftkerze in den Karton und sehe ihn stirnrunzelnd an. »Fordern Sie das FBI an?«

»Der Ermittlungsleiter trifft morgen ein«, erwidert Detrick.

Ich nicke, frage mich, ob John das mit dem Ermittlungsleiter gewusst, es aber vorgezogen hat, mir nichts davon zu sagen. »Viel Glück mit dem Fall.« Detrick sagt nichts.

Ich nehme den Karton und gehe.

28. KAPITEL

Als ich mit meinen Siebensachen unterm Arm die Tür aufschließe, fühle ich mich wie ein verwundetes Tier, das in seine Höhle flüchtet, um sich die tödlichen Wunden zu lecken. Im Haus ist es kalt und still und ich bekomme eine Ahnung davon, wie mein Leben ohne den Job aussehen wird. Die Konsequenzen meiner Entlassung dringen langsam in mein Bewusstsein vor.

Als ich achtzehn Jahre alt war und verkündete, der Glaubensgemeinschaft der Amisch nicht beitreten zu wollen, hat mich der amische Bischof unter *Bann* gestellt. Von da an nahm meine Familie die Mahlzeiten getrennt von mir ein. Das geschah nicht, um mich zu verletzen, sondern in der Hoffnung, dass ich mich besinnen und das Leben führen würde, das Gott für mich vorgesehen hatte. Ich fühlte mich einsam und verlassen, doch all das Leid konnte an meiner Entscheidung nichts ändern.

Heute fühle ich mich fast genauso. Im Stich gelassen. Verraten. Doch ich sollte mir lieber Sorgen um praktische Dinge machen, wie den Verlust meines Einkommens und der Krankenversicherung. Und um die Tatsache, dass ich beruflich einen schweren Schlag erlitten habe und im Umkreis von fünfzig Meilen keinen Job mehr finden werde. Ich werde das Haus verkaufen und wegziehen müssen. All das verblasst jedoch neben meiner wachsenden Besessenheit von dem Fall.

Ich stelle den Karton auf den Küchentisch. Zuoberst liegt mein Schreibblock, doch ich widerstehe der Versuchung, ihn herauszunehmen. Ich will die Idee mit dem Wohnortwechsel weiterverfolgen, doch ohne die polizeilichen Hilfsmittel wird das schwer.

Ein Kratzen am Fenster über der Spüle reißt mich aus meinen Gedanken. Draußen auf der Fensterbank sitzt der getigerte Kater und starrt mich an. Ich öffne die Tür, banne sich aufdrängende Parallelen zwischen dem unerwünschten Streuner und mir aus dem Bewusstsein. Der Kater schießt herein, gefolgt von einem Schwall kalter Luft und Schneeflocken. Ich hole Milch aus dem Kühlschrank, gieße sie in eine Schale und schiebe sie in die Mikrowelle. »Ich weiß«, sage ich und stelle die Schale auf den Boden. »Das Leben ist beschissen.«

Ich überlege, ob ich mir einen Drink genehmigen soll, aber vor zwölf Uhr mittags betrunken zu sein macht alles nur noch schlimmer. Also gehe ich ins Schlafzimmer und tausche die Uniform gegen Jeans und Sweatshirt. Den Laptop auf der Kommode nehme ich mit in die Küche, platziere ihn auf dem Tisch und rufe wieder die Website von Holmes County Auditor auf. Es ist ein mühsames Unterfangen, bei dem wahrscheinlich kaum mehr rauskommt als schmerzende Augen und ein steifer Hals. Aber wenigstens habe ich etwas zu tun. Nichts wäre jetzt schlimmer als rumzusitzen, mich in Selbstmitleid zu suhlen oder, Gott bewahre, auf einen Selbstzerstörungstrip zu kommen.

Gegen Mittag bin ich so frustriert, dass ich Schaum vor dem Mund habe. Als ich schließlich die Stille im Haus nicht mehr ertrage, stelle ich irgendeine hirnlose Sendung im Fernsehen an, die mir als Geräuschkulisse bei der Computerarbeit dient. Um ein Uhr schenke ich mir einen doppelten Wodka ein und trinke ihn wie Limonade an einem heißen Tag.

Ich rufe Skid an, kriege aber nur seine Voicemail. Ich hatte ihn beauftragt, die zugelassenen Schneemobile von zwei Countys zu überprüfen, und frage mich, ob er von meinem

Rauswurf gehört und beschlossen hat, sich tot zu stellen. Ich wähle gerade seine Nummer zu Hause, als Pickles anruft.

»Diese verdammten Bürohengste«, fällt er mit der Tür ins Haus.

»Was ist denn los bei euch?«

»Detrick hat sich in Ihrem Büro breitgemacht, als wär's sein eigenes. Mona sagt, wenn er jetzt noch seine bescheuerten präparierten Tierköpfe an die Wand hängt, kündigt sie.«

»Ist das FBI schon da?«

»Der Ermittlungsleiter ist gerade eingetroffen. Irgendein Penner, der noch feucht hinter den Ohren ist, aber ein Diplom in Arschküssen und den gesunden Menschenverstand eines Beagles hat. Detrick lutscht ihm praktisch einen.« Ich lache herzhaft, trotz meiner düsteren Stimmung. »Schön, dass wenigstens einer von uns das lustig findet«, knurrt Pickles.

»Ich bin nur froh, dass ich euch fehle.«

»Ohne Sie ist es nicht mehr dasselbe hier, Kate. Haben Sie vor, sich zu wehren?«

»Keine Ahnung. Wahrscheinlich nicht.« Ich muss an Tomasetti denken, verkneife es mir aber, nach ihm zu fragen. Dabei würde ich so gern wissen, ob er bei alledem mitgemischt hat. »Wie geht's Glock?«

»Er hasst das alles, hält aber durch. Ich schwöre, wär seine Frau nicht kurz davor, ein Baby rauszudrücken, hätte er den Typen schon alles vor die Füße geschmissen.«

»Und Sie?«

»Ich überlege mir, endgültig in Rente zu gehen, wenn das hier vorbei ist. Nichts ist schlimmer, als ein paar Anzugträgern gegenüber Rechenschaft abzulegen.«

Ich zögere kurz. »Kann ich Sie um einen Gefallen bitten?«

»Na klar können Sie das.«

»Gehen Sie zu Skids Arbeitsplatz und sehen Sie nach, ob da eine Liste der in den beiden Countys registrierten Schneemobile liegt. Wenn ja, können Sie sie mir faxen?«

»Kein Problem.«

Es tut gut zu wissen, dass es in der Dienststelle jemanden gibt, auf den ich zählen kann. Ich frage mich, ob Mona mir die Akte kopieren würde. »Was läuft sonst noch so?«

»Glock schickt alle los, um die Leute noch mal zu befragen. Ist eine gute Idee, aber bis jetzt ohne jeden Erfolg, Chief.«

Ich sollte ihn daran erinnern, dass ich nicht mehr ihr Chief bin, doch im Moment fühlt sich die Anrede einfach zu gut an. »Danke, Pickles.«

»Gern geschehen.«

Ich lege auf und gehe wieder an meinen Laptop. Überrascht sehe ich, dass mir jemand vom Amt in Coshocton County die angeforderte Liste der Leute geschickt hat, die zwischen 1993 und 1995 Grundbesitz verkauft haben. Es sind insgesamt siebzehn Namen. Ich würde die Liste am liebsten durch die OHLEG-Datenbank laufen lassen und frage mich, ob mein Zugang gesperrt wurde. Gespannt rufe ich die Seite auf, gebe Benutzername und Passwort ein und atme schließlich aus, als die Startseite der Polizeibehörden auf meinem Bildschirm erscheint. Ich gehe sofort zu *OHLEG-SE,* der Suchmaschine, und gebe die Namen ein. Das Gleiche wiederhole ich bei SORN, der Datenbank mit allen Sexualstraftätern in Ohio. Ich rechne mir keine großen Erfolgschancen aus, aber man weiß ja nie, wann einem das Glück mal hold ist.

Da ich auf die Ergebnisse wohl ziemlich lange warten muss, gehe ich zur Website von Holmes County Auditor und beginne die mühsame Suche nach Leuten, die zwischen 1993 und 1995 Eigentum verkauft oder übertragen haben. Wahrscheinlich ist es reine Zeitverschwendung, denn selbst wenn ich mit meinem Verdacht richtig liege und der Mörder den Schauplatz gewechselt hat, ist es möglich, dass er eine Wohnung gemietet hatte. Oder in einem anderen County Wohneigentum besaß. Oder die Immobilie war unter dem Namen eines Familienangehörigen gelistet – die Varianten scheinen endlos. Und nicht zu vergessen das kleine Problem, dass ich keine Polizistin mehr bin. Selbst wenn ich irgendeine Verbindung entdecke, werde ich große Schwierigkeiten haben, der Spur nachzugehen.

Ich klicke mich durch die Website und habe am Ende vier Namen, als es an der Tür klopft. Ich schrecke hoch, gehe zur Tür und sehe durch den Spion. John Tomasetti steht düster dreinschauend auf der Veranda, den Kragen zum Schutz vor der Kälte aufgestellt und Schneeflocken auf den Schultern. Ich atme tief durch und öffne die Tür.

Unsere Blicke treffen sich, dann mustert er mich von oben bis unten. »Ich würde fragen, wie es Ihnen geht, aber das Glas in Ihrer Hand macht das überflüssig.«

»Welchen Anteil haben Sie an dem Ganzen?«, frage ich.

»Ein so großer Heuchler bin ich nun auch wieder nicht.«

»Aha, das Timing war also reiner Zufall.«

»Richtig.«

»Dann habe ich Neuigkeiten für Sie, *Agent* Tomasetti. Ich glaube Ihnen kein Wort.«

Er runzelt die Stirn, tritt von einem Fuß auf den anderen. »Kann ich reinkommen?«

»Es wäre klüger, wenn Sie jetzt gehen.«

»Klugheit hat mir noch niemand vorgeworfen.«

Ich werfe ihm einen vernichtenden Blick zu.

»Hören Sie«, sagt er. »Ich bin nicht Ihr Feind.«

»Sie sind mir in den Rücken gefallen.«

»Jemand hat sich über Sie beschwert. Und in Anbetracht der Szene gestern in Ihrem Büro würde ich auf Johnston tippen.«

Er hat recht; das Gleiche hat Glock durchblicken lassen. Aber es reicht nicht, um meine Wut zu dämpfen. Ich habe keine Lust, vernünftig zu sein, und weiß nicht, wem ich trauen kann.

»Wenn ich dem Stadtrat Ihr Geheimnis verraten hätte«,

sagt John, »können Sie Ihren Arsch darauf wetten, dass Sie jetzt in einem Vernehmungszimmer säßen, umgeben von ein paar unsanften Polizisten, die Ihnen hässliche Fragen über den Verbleib eines vermissten amischen Mannes stellen.«

Ich trete zurück und mache die Tür ganz auf. »Warum sind Sie hier?«

Er tritt ein und schließt sie hinter sich. »Ich wollte sichergehen, dass Sie okay sind.«

Ich blicke auf das Glas in meiner Hand. Es ist leer. Ich will es wieder auffüllen, doch er soll nicht wissen, dass meine seelische Verfassung auf dem Nullpunkt ist. »Sie hätten anrufen können.«

»Das mit Ihrem Job tut mir leid.«

»Tun Sie mir einen Gefallen und sehen Sie von Mitleidsbekundungen ab, okay?«

Er nickt und zieht den Mantel aus, erwartet, dass ich ihn abnehme. Da ich es nicht tue, geht er zum Sofa und wirft ihn über die Armlehne. »Sie wissen, dass Sie sich gegen die Kündigung wehren können. Für so was gibt es Anfechtungsklagen.«

»Ist es vermutlich nicht wert.«

Als er Richtung Küche geht, wird mir klar, dass er den Laptop und die Notizen entdeckt hat. Ich folge ihm und wünschte, ich hätte die Sachen weggeräumt, bevor ich ihn hereingelassen habe. Er soll nicht wissen, dass ich noch an dem Fall arbeite.

Stirnrunzelnd betrachtet er das Szenario auf dem Tisch. »Sie gehören doch nicht etwa zu der Sorte von besessenen Polizistinnen, die nicht loslassen können, oder?«

»Ich bringe lediglich gern zu Ende, was ich angefangen habe.«

»Und ich bin ein umgänglicher Mann mittleren Alters.« Tomasetti schüttelt den Kopf, geht zum Hängeschrank und nimmt sich ein Glas heraus.

»Fühlen Sie sich ganz wie zu Hause«, sage ich.

Ohne den Blick von mir zu lassen, kommt er auf mich zu und nimmt – indem er mir etwas zu nahe kommt – das Glas aus meiner Hand. Zuerst denke ich, er will es wegstellen, doch er platziert beide Gläser auf dem Tisch, und ich beobachte fasziniert, wie er jeweils ein halbes Glas Wodka einschenkt und mir dann meines zurückgibt. »Und, sind Sie okay?«

»Es ginge mir besser, wenn Sie mich auf dem Laufenden hielten.«

»Ich neige sowieso dazu, die Regeln zu brechen.«

»Es muss ja keiner wissen.«

»Früher oder später kommt die Wahrheit meist raus.« Er hebt das Glas. »Glauben Sie mir, ich spreche aus Erfahrung.«

Ich stoße mit ihm an und leere das Glas in einem Zug. Der Wodka brennt bis hinunter in den Magen. In meinem schon leicht benebelten Kopf wird es noch nebliger. Ich sehe Tomasetti an, sehe ihn richtig an, und fühle mich seltsam angezogen. Ob es an dem Fall liegt, zu dem er mein bestes Bindeglied ist, oder aus einem weit komplexeren Grund, kann ich nicht sagen.

Er ist kein schöner Mann, nicht im klassischen Sinne. Doch insgesamt gesehen ist er auf eine gefährliche, unkonventionelle Weise attraktiv. Denn während die einzelnen Komponenten seines Gesichts durchaus nichtssagend sind, hat es in seiner Gesamtheit nichts Gewöhnliches. Er ist ein Mann voller Schatten und scharfer Kanten, seine Geheimnisse sind genauso tabuisiert wie meine eigenen.

»Ich hab die markanten Tatdetails durch VICAP laufen lassen«, sagt er, »aber es ist nichts Brauchbares zurückgekommen.«

»VICAP wurde lange Zeit kaum benutzt, besonders die kleineren Städte haben erst vor kurzem angefangen, ihre Daten einzugeben.«

»Das weiß ich.«

»Vielleicht sollten Sie deshalb die Suchkriterien erweitern. Ich würde selber gern sehen, was zurückkommt.«

»Und ich dachte schon, Sie haben mich reingelassen, weil Sie mich mögen.«

»Dann wissen Sie jetzt, dass ich eigene Ziele verfolge.«

Sein tiefes Lachen hat einen musikalischen Klang, und mir wird klar, dass ich ihn zum ersten Mal lachen gehört habe. »Was für ein Glück, dass mein männliches Ego so robust ist.«

»Und, machen Sie es?«

»Ich könnte mir vorstellen, dass wir uns da irgendwo treffen.«

»So eine Antwort kann als sexuelle Belästigung ausgelegt werden.«

»Kann. Aber Sie stehen nicht mehr auf der Gehaltsliste.«

Meine Herzfrequenz ist erhöht. Ich fühle mich beschwingt und möchte beides dem Wodka zuschreiben, muss mir aber ehrlicherweise eingestehen, dass es mehr mit dem Mann zu tun hat.

Er leert sein Glas und kommt auf mich zu. Noch nie hat mich der Blick eines Menschen so irritiert. Erst als ich mit dem Hintern an den Unterschrank stoße, wird mir klar, dass ich zurückweiche. Dass ich von einer beunruhigenden Erwartung erfüllt bin, sowohl geistig als auch körperlich, die ich erst aufhöre zu analysieren, als er vor mir steht und die Hände rechts und links von mir auf den Unterschrank legt. Ich bin eingeschlossen.

»Was machen Sie da?«, bringe ich hervor.

»Vermutlich alles vermasseln.«

»Darin sind Sie gut, stimmt's?«

»Wenn Sie wüssten.« Er senkt den Kopf, beugt sich vor und presst seinen Mund auf meinen. Die Berührung erfüllt mich mit Schrecken und Freude. Seine festen Lippen sind warm, sein schneller Atem streift meine Wange. Ich bin versucht, mich zu öffnen und mit ihm die nächste Stufe zu erklimmen, doch ein über die Jahre entwickelter, tief verwurzelter Schutzinstinkt lässt das nicht zu. In puncto Leidenschaft ist der Kuss eher gewöhnlich. Aber seine Wirkung ähnelt einer Maschinengewehrsalve.

Ich erinnere mich nicht, mich bewegt zu haben, doch plötzlich umschlinge ich mit den Armen die festen Muskeln seiner Schultern, die vor Anspannung zittern. Sein Kuss wird fordernder, er schiebt die Zunge zwischen meine Lippen, ich lasse ihn ein, genieße das immer drängendere Spiel unserer Zungen. Sein Aftershave duftet nach Kiefer und Moschus. Ich bebe vor Begehren, als er seine harte Männlichkeit an mich presst, und bin feucht zwischen den Beinen.

Ich bin nicht völlig unerfahren in Liebesdingen. Während meiner Zeit in Columbus hatte ich ein paar belanglose Affären und eine ernsthafte, jedoch gescheiterte Beziehung. Aber das ist alles schon eine Weile her und ich bin ziemlich eingerostet. Doch er scheint es nicht zu bemerken.

Er nimmt mein Gesicht in beide Hände, ich öffne die Augen und sehe, dass er mich anstarrt, überrascht und perplex. Unser Atem klingt, als wären wir gerade einen Marathon gelaufen.

Er streichelt mir mit den Knöcheln über die Wange, und die sanfte Berührung lässt mich erzittern. »Das war unerwartet«, sagt er.

»Aber nett.«

»Mehr als nett.«

Ich nehme seine Hände von meinem Gesicht, doch ich kann nicht aufhören, ihn anzusehen. Mein Mund prickelt noch von dem Kuss. »Das Timing könnte besser sein.«

»Daran muss ich wohl noch arbeiten.«

Ein Klopfen an der Tür zerstört den Augenblick. »Erwartest du jemanden?«

»Nein.«

Ich gehe zur Tür und sehe durch den Spion. Glock steht auf der Veranda, die Mütze wegen des eisigen Windes tief ins Gesicht gezogen. Sofort denke ich, sie haben eine neue Leiche entdeckt. »Was ist passiert?«, frage ich und bitte ihn mit einer Handbewegung ins Haus.

»Chief.« Beim Anblick von Tomasetti kriegt Glock große Augen. »Detrick hat gerade jemanden verhaftet.«

»*Was?*«, entfährt es mir. »Wen?«

»Jonas Hershberger.«

Das kann nicht wahr sein. Ich kenne Jonas, bin mit ihm zur Schule gegangen. Jedenfalls bis zur achten Klasse, das letzte Schuljahr bei den Amisch. Er lebt auf einer heruntergekommenen Schweinefarm ein paar Meilen vom Fundort von Amanda Horners Leiche entfernt.

»Er gehört zu den sanftmütigsten Menschen, die ich je kennengelernt habe«, sage ich.

»Es gibt Beweise, Chief.«

»Was für welche?«, mischt Tomasetti sich ein.

»Blut. Auf Hershbergers Farm.«

»Wie kam es zu der Verhaftung?«, frage ich.

»Wir haben die ganze Gegend abgesucht, Detrick hat einen verdächtigen Fleck entdeckt und einen Schnelltest machen lassen, ob es Blut ist. Es war Blut. Er hat gefragt, ob er die Farm durchsuchen darf, und Jonas hat zugestimmt.« Glock zuckt die Schultern. »Einer von Detricks Deputys hat ein Kleidungsstück gefunden, das einem der Opfer gehören könnte. Detrick hat die ganze Farm absperren lassen, weil er hofft, noch mehr zu finden. Im Moment ist ein Kriminaltechniker vom BCI vor Ort, und Detrick und der Ermittlungsleiter sind mit Hershberger im Vernehmungszimmer. Sieht ganz so aus, als sei er unser Mann.«

John blickt mich an. »Ich muss hin.«

Ich würde unheimlich gern mit ihm gehen, ein Bedürfnis quälender als körperlicher Schmerz. Meine Nerven sind zum Zerreißen gespannt, und ich renne hin und her. Tomasetti zieht den Mantel an. »Gottverflucht«, stoße ich leise aus.

Er kommt durchs Zimmer und legt mir die Hand auf die Schulter. »Ich rufe dich an, sobald ich mehr weiß.«

Zu wütend, um zu antworten, nicke ich.

Glock ist schon vorausgegangen. Tomasetti wirft mir einen letzten Blick über die Schulter zu und geht hinterher. Ich folge ihnen auf die Veranda, spüre die Kälte kaum, sehe beide in ihre Autos steigen und losfahren.

»Verdammt«, flüstere ich.

Und ich frage mich, ob Gott nach all den Jahren beschlossen hat, mich dafür zu bestrafen, was ich getan – und nicht getan – habe.

29. KAPITEL

Manche Abende sind dunkler, kälter und länger als andere. Heute ist so einer. Obwohl es erst acht Uhr ist, fühlt es sich an wie Mitternacht. Ich habe einen Kater und bin so ruhelos, dass ich es kaum in meiner eigenen Haut aushalte. Nachdem Tomasetti und Glock gegangen waren, hatte ich mir noch einen Drink genehmigt. Und ordentlich geheult. Aber weinen und trinken bis zur Besinnungslosigkeit ist nicht mein Stil. Ich bin eher jemand, der aktiv wird. Und doch laufe ich im Haus umher, heule wie ein Schulmädchen und tue genau das, was ich mir verboten hatte: Ich schwelge in Selbstmitleid.

Warum bin ich nicht froh, dass sie einen Verdächtigen haben? Warum jauchze ich nicht vor Freude, dass nun keine Frau mehr sterben muss? Meine Karriere hat zwar ein unschönes Ende gefunden, aber es gibt Schlimmeres. Doch warum zum Teufel fühle ich mich dann, als hätte man mir gerade die Eingeweide herausgerissen?

Erst als ich in meinem Mustang sitze und auf dem Weg zu Hershbergers Farm bin, wird mir der Grund dafür klar: Jonas zu verdächtigen ist absurd.

Ich habe mich immer bewusst darum bemüht, meine Voreingenommenheit nicht in meine Arbeit einfließen zu lassen. Ich weiß, vielleicht besser als alle anderen, dass die Amischen nicht perfekt sind. Sie sind Menschen, sie machen Fehler, sie verletzen Regeln und brechen mit Traditionen. Manchmal brechen sie sogar das Gesetz. Einige setzen sich über fundamentale amische Werte hinweg, fahren Auto und benutzen Strom. Aber nicht Jonas. Ich weiß mit absoluter Sicherheit, dass er kein Fahrzeug hat. Er fährt nicht einmal einen motorisierten Traktor auf seiner Farm. Es ist absolut unmöglich, dass er der Fahrer des Schneemobils war.

Dazu kommt die Tatsache, dass er nicht auch nur ansatzweise dem Täterprofil entspricht. Ich kenne Jonas fast mein ganzes Leben lang; er ist ein grundguter Mensch. In meiner Kindheit haben *Mamm* und *Datt* Schweinefleisch von den Hershbergers gekauft. Einmal, als *Datt* und Jonas' Vater sich unterhalten haben, hat Jonas mich mit in die Scheune genommen, wo eine hübsche dreifarbige Katze gerade Junge bekam. Vier waren schon da, und Jonas war so fasziniert von den Kleinen, dass er die Not der Mutter, die hechelnd und mit heraushängender rosa Zunge auf der Seite lag, nicht bemerkte. Aber ich sah, dass sie versuchte, ein weiteres Kätzchen zu gebären. Wir wussten nicht, wie wir ihr helfen konnten, und so rannte Jonas zu seinem Vater und flehte ihn an, die Katze in die Stadt zum englischen Tierarzt zu bringen. Mir war klar, dass sein Vater das nicht tun würde, doch Jonas weinte wie ein Baby. Ich hatte mich für ihn geschämt, war aber auch verstört, weil die Katze so litt und wahrscheinlich sterben würde, zusammen mit den Neugeborenen. Später habe ich dann erfahren, dass sie wirklich gestorben ist, aber Jonas die Kätzchen mit der Flasche aufzog. Alle vier haben überlebt.

Nur eine kleine Begebenheit im Laufe eines ganzen Lebens. Ich weiß auch, dass Menschen sich verändern. Ich weiß, dass das Leben seinen Tribut fordert und bestimmte Ereignisse es vermögen, Unschuld in Zynismus, Süße in Bitterkeit und Güte in Grausamkeit zu verwandeln. Allerdings weiß ich auch, dass die meisten Serienmörder bereits von Geburt an Soziopathen sind. Ihre dunkle Reise beginnt in der Kindheit, mit Tieren. Nur wenige Menschen entwickeln im Erwachsenenalter ein krankhaft gestörtes Sozialverhalten.

Es ist Jahre her, dass ich mit Jonas gesprochen habe, und ich weiß, er hat sich verändert. Die Gerüchte darüber sind bis zu mir vorgedrungen. Nach dem Tod seiner Frau vor fünf

Jahren ist er zum Sonderling geworden. Er lebt allein, und es ist bekannt, dass er Gespräche mit Leuten führt, die gar nicht da sind, unter anderem mit seiner toten Frau. Seine Farm ist heruntergekommen, er entsorgt die Jauche nicht sachgemäß und es stinkt katastrophal. Niemand weiß Näheres von ihm, weil er keine sozialen Kontakte pflegt. Doch das hindert die Leute nicht, über ihn zu reden.

Das Beste wäre, mit Jonas selbst zu sprechen, doch ich weiß, dass Detrick mir das nicht erlauben wird. Also begnüge ich mich damit, zu seinem Bruder zu fahren. James Hershbergers Farm ist fast so abgewirtschaftet wie die von Jonas. In der Einfahrt bete ich, dass nicht schon jemand von der Polizei da ist. Auf keinen Fall darf herauskommen, dass ich mich doch nicht in Luft aufgelöst habe, so wie sie es gerne hätten. Hinter dem Haus stehen eine Kutsche und ein seelenruhiger Percheron-Wallach mit angewinkeltem Hinterbein und einer Schneedecke auf dem Rücken. Ich parke hinter der Kutsche und gehe auf dem Fußweg zur Veranda.

Ohne dass ich geklopft habe, geht die Tür auf. James Hershbergers Gesichtsausdruck sagt mir, dass ich nicht willkommen bin.

»Ich habe gerade gehört, was mit Jonas passiert ist«, sage ich auf Pennsylvaniadeutsch.

»Ich möchte nicht mit dir sprechen, Katie.«

Schnell erkläre ich ihm, dass ich entlassen wurde.

Er wirkt überrascht, macht die Tür aber trotzdem nicht weiter auf, um mich hereinzulassen. »Ich kann nicht verstehen, warum die englische Polizei meinen Bruder wegen dieser furchtbaren Taten verhaftet hat.«

»Hat er ein Alibi?«, frage ich.

Der amische Mann schüttelt den Kopf. »Jonas ist ein Einsiedler. Ich versuche, ein guter Bruder zu sein, aber ich sehe ihn nur selten. Er führt ein einfaches Leben. Tagelang verlässt er seine Farm nicht.«

»Weißt du, was für Beweise die Polizei hat?«

»Der Polizist sagt, er hat Blut auf der Veranda gefunden.« James streicht über seinen Bart. »Katie, mein Bruder ist Metzger. Da gibt es oft Blut. Aber es ist von keiner der Frauen.«

»Warst du schon bei ihm?«

»Das erlaubt die Polizei nicht.« Er schiebt die Hände in die Hosentaschen. »Er hat diese Taten nicht begangen. Darauf wette ich mein Leben.«

»Ich weiß, dass er vor Jahren seine Frau verloren hat. Wie ist er damit umgegangen? Hat ihn das in irgendeiner Weise verändert?«

»Er war natürlich sehr traurig, aber nicht bitter oder zornig. Ihr Tod hat ihn nur näher zu Gott gebracht.«

»Fährt er irgendein motorisiertes Fahrzeug?«, frage ich.

»Nein, nie. Er betreibt die Farm nur mit Pferden.« Er sieht mich flehentlich an. »Katie, er würde niemals etwas gegen Gottes Gebot tun. Das entspricht nicht seinem Wesen.«

Wieder muss ich an die Kätzchen denken. Ich strecke die Hand aus und berühre James' Arm. »Ich weiß«, sage ich und gehe zurück zum Auto.

* * *

Ich will nicht nach Hause, aber es gibt keinen Ort, wo ich sonst hingehen kann. Am liebsten würde ich zu Jonas' Farm fahren, aber wenn die Polizei noch da ist, werden sie mich nicht aufs Grundstück lassen. Was wohl die forensische Blutuntersuchung ergeben wird? Kann es sein, dass sich der schüchterne Amisch-Junge, den ich von früher kannte, in den letzten zwanzig Jahren in ein Monster verwandelt hat?

Vor meinem Haus steht John Tomasettis Tahoe, und ein Anflug von Hochgefühl überkommt mich. Obwohl ich es nur ungern zugebe, freue ich mich, ihn wiederzusehen. Wegen des Falls, möchte ich glauben und lasse mögliche andere Gründe lieber unerforscht.

Wir begegnen uns auf der vorderen Veranda. »Was hat Detrick gegen Hershberger in der Hand?«, frage ich und schließe die Tür auf.

»Ich habe das Blut ins Labor geschickt«, antwortet er, Schnee auf Haaren und Schultern. Wieder starrt er mich mit jenem eindringlichen Blick an, und ich merke, dass mir seine Aufmerksamkeit gefällt. »Es ist Menschenblut.«

Die Nachricht dämpft meine Hoffnung, dass Jonas schnell entlastet wird. Ich hänge Johns Mantel in den Garderobenschrank. »Haben sie schon die Blutgruppe bestimmt?«

»Es ist 0-negativ. Hershberger ist A-positiv«, sagt er. »Brenda Johnston war 0-negativ. Die DNA wird zeigen, ob es von ihr ist.«

»Wann rechnest du mit dem Ergebnis?«

»In fünf, höchstens sieben Tagen.«

Keine gute Nachricht für Jonas. Auf dem Weg zur Küche ist mir Johns Gegenwart überdeutlich bewusst. Ich schalte das Licht an, gehe zum Herd, fülle den Kessel mit Wasser und stelle ihn auf die Flamme. »Glaubst du, dass er's war?«

»Wenn das Blut von einem der Opfer stammt, ist's ein Volltreffer.«

Ich wende mich Tomasetti zu. »Ich kenne Jonas seit meiner Kindheit. Er ist kein gewalttätiger Mann.«

»Menschen ändern sich, Kate.«

»Hast du ihn vernommen?«

John nickt.

»Was hast du für einen Eindruck?«

Er wedelt mit der Hand vor der Stirn, ein Zeichen für verrückt. »Ich finde, er ist ziemlich daneben.«

»Emotionale Probleme machen aus ihm aber nicht gleich einen Mörder.«

»Entlasten ihn aber auch nicht gerade.«

»Was ist mit seinem Alibi?«

»Er verlässt selten die Farm.«

»Erzähl mir von den Beweisen.«

»Außer dem Blut hat ein Kriminaltechniker vom BCI auch einen Schuh gefunden, der möglicherweise einem der Opfer gehört hat. Ein Stück blutigen Draht. Ein Messer, das auf die Beschreibung der Mordwaffe passt.«

Ich bin schockiert. »Findest du das nicht alles ein bisschen zu passend? Denk mal darüber nach. Er hat nie auch nur einen Hinweis hinterlassen, und plötzlich hebt er das ganze Zeug auf seinem eigenen Hof auf?«

»Kate.« Mit beiden Händen umfasst er meine Oberarme. »Hör auf. Es ist vorbei. Wir haben ihn.«

Ich sehe ihm in die Augen. »Jonas war's nicht.«

»Weil er amisch ist?«

»Himmelherrgott, John, er fährt keinen motorisierten Wagen. Er kann das Schneemobil gar nicht gefahren haben.«

»Sagt er.«

»Er entspricht nicht dem Profil.«

»Profile erstellen ist keine exakte Wissenschaft.«

Ich seufze. Warum kann ich nicht so zufrieden sein wie alle anderen? »Hast du die Kriterien des modifizierten Modus Operandi durch VICAP laufen lassen?«

Er stöhnt genervt. »Hat dir schon mal jemand gesagt, dass du ein Problem hast, loszulassen?«

»Ich möchte die Berichte sehen.«

»Kate, ich hab der Frau von der Verbrechensanalyse gesagt, wir brauchen sie nicht mehr, weil wir eine Festnahme haben.«

»John, bitte.«

Er seufzt. »Du verschwendest deine Zeit, aber ich rufe sie an und sage ihr, sie soll sie dir e-mailen.«

»Danke.« Ich stelle mich auf die Zehen und drücke ihm einen Kuss auf die Wange.

»Ich soll zurück nach Columbus kommen. Ich bin hier, um mich zu verabschieden.«

Eigentlich dürfte mich das nicht überraschen, tut es aber doch. »Wann reist du ab?«

»Ich hab schon gepackt und wollte heute Abend noch fahren.«

In den letzten beiden Tagen war John zu einem unerwarteten Verbündeten geworden, der mir Beistand geleistet und Informtionen gegeben hat. Außerdem ist er, wie mir jetzt klar wird, auch ein Freund. »Ich bin froh, dass du noch mal vorbeigekommen bist«, sage ich.

Sein Mund verzieht sich zu einem Lächeln. »Yeah, weil du mich über den Fall ausquetschen wolltest.«

»Das auch.« Ich mag seinen Humor. Wie es wohl wäre, ihn in meinem Leben zu haben? »Ich hatte mich gerade daran gewöhnt, dich hier zu haben.«

»Die meisten Menschen wollen mich schnell wieder loswerden.«

Ich muss lachen, doch fühle ich mich auf einmal unbehaglich. Abschied nehmen ist nicht mein Ding. Ich kann ihm nicht in die Augen sehen und will mich abwenden, doch er hält mich am Arm fest.

»Es gibt da noch was Unvollendetes«, sagt er.

»Meinst du den Kuss?«

»Für den Anfang.«

Er zieht mich zu sich und drückt seinen Körper an meinen. Mein Herz schlägt wie ein amoklaufendes Metronom. Zum ersten Mal seit Tagen vergesse ich den Fall und denke nur an John. Er senkt den Kopf, fährt mit den Lippen sanft über meinen Mund. Sein Atem riecht nach Pfefferminz. Sein Kuss ist sanft, aber nicht zögerlich. Er tritt zurück, umfasst mein Gesicht mit den Händen. »Ich habe mich die ganze Zeit gefragt, was passiert wäre, wenn uns niemand gestört hätte.«

»Wahrscheinlich hätte ich Schiss bekommen.«

»Oder ich hätte was Blödes gesagt und du wärst sauer geworden.«

»Vielleicht sind wir einfach nur aus der Übung.«

»Du glaubst also, wir könnten unsere Grundkenntnisse reaktivieren?«

»Wenn wir es wirklich wollen und uns richtig darauf konzentrieren, wäre es einen Versuch wert. Mal sehen, was passiert.«

Wir grinsen uns dämlich an. Ich will nicht, dass es jetzt peinlich wird zwischen uns, aber genau das passiert. Keiner von uns beiden kann mit dieser Art von Intimität gut umgehen.

»Willst du was trinken?«, fragt er.

»Hilft das bei Schmetterlingen im Bauch?«

»Es hilft bei vielen Dingen.« Er geht zum Hängeschrank und nimmt die Wodkaflasche heraus. Ich mache den Herd wieder aus, hole zwei Gläser und stelle sie auf die Ablage.

Der getigerte Kater kratzt draußen am Fenster und starrt mit schneebedecktem Kopf in die Küche.

»Kalte Nacht für so ein kleines Kerlchen.« John macht die Tür auf, die Katze schießt herein, faucht ihn an und verschwindet im Wohnzimmer.

»Er fängt an, sich für dich zu erwärmen«, bemerke ich.

»So geht mir das immer mit Streunern.« Er schenkt beide Gläser voll und hebt seins hoch. »Auf das Ende eines langen und schwierigen Falles.«

Ich stoße mit ihm an, verbiete mir die Frage, ob der Fall wirklich gelöst ist. Wir trinken auf ex, halten den Blickkontakt. Obwohl ich mich nicht erinnern kann, wann ich das letzte Mal solche Gefühle hatte, weiß ich, was als Nächstes passiert. Und ich erwäge tatsächlich, meiner abenteuerlichen Laune nachzugeben.

John nimmt mein Glas und stellt es ab. Dann zieht er mich an sich. »Was machst du da?«

»Ich überlege, wie ich dich ins Bett kriege.«

»Komisch, das hab ich auch gerade gedacht.«

Er küsst mich, jetzt ohne jede Zurückhaltung. Es ist der Kuss eines Mannes, der weiß, was er will, und keine Angst hat, es sich zu nehmen. »Es ist also okay für dich?«, flüstert er.

Ich stutze, doch dann wird mir klar, dass er die Vergewaltigung meint. »Es gab eine Zeit, da wäre ich jetzt auf der Stelle weggerannt. Oder ich hätte jede Form von Beziehung schon im Ansatz sabotiert.«

»Und ich dachte immer, ich wäre der marktbeherrschende Beziehungskiller«, erwidert er.

»Bist du nicht.«

»Ist das eine Warnung?«

»Vermutlich.«

Er sieht mich aus dunklen Augen eindringlich an. »Lass uns ganz ehrlich sein, Kate. Es geht nur um uns. Dich und mich.«

»Und unser Gepäck.«

Lachend trägt er mich den Flur entlang und stößt die erste Tür auf.

»Falsches Zimmer«, sage ich.

»Sorry.« Er geht weiter und wir landen in meinem Schlafzimmer.

Neben dem Bett stellt er mich auf die Füße. Sein Blick wandert zu der alten Petroleumlampe auf dem Nachttisch. »Funktioniert die?«

»Sie hat meiner *Mamm* gehört.« Eines der wenigen Dinge, die ich von ihr habe. »Streichhölzer sind im Nachttisch.«

»Geh nicht weg.« Er mildert seine Worte mit einem Lächeln ab.

Meine Nerven flattern. Ich beobachte, wie er die Glaskugel von der Lampe nimmt, das Streichholz anzündet, und kurz darauf ist der Raum in flackerndes Licht getaucht. Er kommt zurück zu mir, legt die Hände auf meine Schultern und sieht mir in die Augen. »Mein letztes Mal liegt lange zurück.« Er blickt auf die Seite, dann wieder zu mir. »Seit Nancy war nichts mehr.«

»Zwei Jahre allein zu sein sind eine lange Zeit.«

»Viele Dämonen leisten mir Gesellschaft.«

Ich muss daran denken, was ich über ihn gelesen und gehört habe, und frage mich, ob die Geschichten alle stimmen. Ob er nach der Ermordung seiner Frau und Kinder wirklich das Gesetz in die eigene Hand genommen hat; ob er mir die Wahrheit sagen würde, wenn ich ihn frage – und ob ich sie wirklich wissen will.

Er nimmt den Saum meines Sweatshirts, ich hebe die Arme und er zieht es mir über den Kopf. Sein Blick huscht zu meinem BH, meinem Bauch, tiefer. Er fährt mir durchs Haar, verwuschelt es. Einen Moment lang hält er mein Gesicht mit beiden Händen, dann schiebt er die BH-Träger mit dem Daumen über meine Schulter runter.

Ein kühler Luftzug weht über meine Brüste, und mich fröstelt. Seine Hände gleiten zu meinen Jeans, er zieht den Reißverschluss auf. Ich fühle mich zunehmend befangen, muss etwas mit den Händen tun und versuche, sein Hemd aufzuknöpfen, doch meine zitternden Finger machen nicht mit.

John nimmt meine Hände und küsst die Knöchel. »Wie kann es sein, dass du mitten in der Nacht einem Verrückten durch den Wald hinterherjagst und dabei nicht mal ins Schwitzen kommst, aber jetzt so heftig zitterst, dass du meine Knöpfe nicht aufkriegst?«

»Ich glaube, wenn's drauf ankäme, könnte ich dir durchaus in den Hintern treten, Tomasetti.«

Er grinst. »Das glaube ich auch.«

Ich versuche ein Lächeln, doch stattdessen kriege ich einen knallroten Kopf. »Ich bin nicht gut in so was.«

»Doch, das bist du.« Er küsst mich sanft auf die Stirn. »Du musst nicht nervös sein. Ich bin's doch nur, Tomasetti.«

Er knöpft sein Hemd selbst auf und entblößt eine kräftige Brust mit dunklen Haaren. Er ist muskulös, aber nicht gepolstert, und drahtig wie ein Langstreckenläufer. Doch all diese Gedanken verfliegen, als er mir die Jeans über die Hüfte nach unten streift. Ich steige heraus und sehe zu, wie er seine Hose wegkickt.

Seine Berührung wirkt elektrisierend, positiv wie negativ geladene Teilchen erfassen jeden Nerv in meinem Körper. Langsam schiebt er mich zum Bett. Ich setze mich, er drückt mich nach hinten und legt sich auf mich. Erregung überkommt mich wie eine Sturzflut, jeder Zentimeter meines Köpers vibriert mit Begehren. Ich wölbe mich ihm entgegen, will ihn haben, will diesen Moment, will alles.

Als John in mich eindringt, habe ich das Gefühl, wir sind der Mittelpunkt des Universums und ein freundlicher Gott segnet zwei unvollkommene Menschen mit einem vollkommenen Moment.

30. KAPITEL

John lag auf dem Bett und lauschte dem Wind, der die Schneeflocken ans Fenster klatschte. Neben ihm schlief Kate ruhig und reglos wie ein erschöpftes Kind. Es war nicht der richtige Moment, um an Nancy zu denken, doch er konnte nicht anders. Noch lange nach ihrer Ermordung hatte er sie spüren können. Nicht als körperliche Präsenz, eher als psychische Prägung. Doch irgendwann in den letzten Monaten war ihm das verlorengegangen. Er konnte nicht länger ihr Gesicht heraufbeschwören oder den Duft ihres Parfums. Sie war zur Erinnerung geworden.

Was er davon halten sollte, war ihm nicht klar. Zwei Jahre lang hatte er nichts anderes getan, als sich in Trauer, Leid und Wut gesuhlt – und in Selbsthass. Anfangs ging es ihm um Bestrafung, doch dann nur noch um Rache. Alles war ihm egal. Sein Job, seine Freunde und seine Beziehungen. Und auch was mit ihm passierte, interessierte ihn nicht. Dann, quasi als letzte Chance, gab es diesen Fall und damit auch Kate. Kate mit den traurigen Augen, dem schönen Lächeln und den Geheimnissen, fast so dunkel wie seine eigenen. Und so war er wieder unter den Lebenden gelandet. Keine einfache Rückkehr für einen Mann auf Selbstzerstörungskurs. Zwar hatte er noch einen langen Weg vor sich, aber der Anfang war gemacht.

Es war klar, dass er Schuldgefühle haben würde. Die hatte er sowieso. Weil er lebte und Nancy und die Mädchen tot waren. Weil das Leben ohne sie weiterging. Weil *er* die Tragödie langsam hinter sich ließ. Dass er mit Kate schlief, würde alles noch komplizierter machen. Er war nicht in der seelischen

Verfassung, eine Beziehung anzufangen, und auch nicht besonders gut darin, Menschen glücklich zu machen. Irgendwann würden Erwartungen aufkommen, und die, das wusste er, konnte oder wollte er nicht erfüllen.

Er glitt aus dem Bett, zog sich an und ging aus dem Zimmer, schnappte sich Mantel und Schlüssel und machte leise die Haustür hinter sich zu. Er wusste nicht, warum er davonlief. Vielleicht, weil man viel mehr Mut brauchte, sich jemandem nahe zu fühlen, als allein zu sein.

Die Nacht um ihn herum war so still, dass man den Schnee fallen hörte. Fast sechs Monate lang hatte er nicht mehr geraucht, doch jetzt brauchte er eine Zigarette so dringend wie ein Fixer seinen Schuss. Er machte die Beifahrertür auf, nahm das Päckchen Marlboro aus dem Handschuhfach und zündete sich eine an. Er hatte gerade den ersten tiefen Zug genommen, als quietschend die Haustür aufging.

»Rauchst du immer allein?«

Er drehte sich um und sah Kate in einem flauschigen Bademantel und gefütterten Mokassins auf der Veranda stehen. Trotz der zerzausten Haare und dem viel zu großen Bademantel sah sie unglaublich sexy aus.

»Ich wollte das Haus nicht zuräuchern«, sagte er.

»Ich kann ein Fenster aufmachen.«

Das tat sie dann auch, und schließlich saßen sie am Küchentisch und reichten die Zigarette hin und her, bis sie aufgeraucht war.

»Es scheint, als übe ich einen schlechten Einfluss auf dich aus«, sagte John.

»Ich zerstöre nur ungern dein Bild von mir, aber das war nicht meine erste Zigarette.«

Er betrachtete sie eingehend. Es gefiel ihm, wie ihr das Haar in die Augen fiel und wie sie es mit der Hand wegschob. In dem Moment wurde ihm klar, dass er so ziemlich alles an ihr mochte. »Und *wer* war dann der schlechte Einfluss?«

Sie grinste. »Ich habe eine Freundin namens Gina Colorosa. Wir waren zusammen auf der Polizeiakademie.«

»Aha, die wilden Akademiezeiten.« Plötzlich wollte er alles über sie wissen. »Und wie hat Gina es geschafft, ein nettes Amisch-Mädchen zu verderben?«

»Wenn ich dir das alles erzähle, musst du mich verhaften.«

»Gina gefällt mir immer besser.«

Eine Erinnerung ließ Kate lächeln, dann wurde sie ernst. »Ich habe nicht mehr hierhergepasst, besonders nachdem der Bischof mich unter *Bann* gestellt hatte.« Sie zuckte die Schultern. »Ich war jung genug, um mir einzureden, dass es mir nichts ausmacht. Und wütend und trotzig. Ich hab Geld für den Bus gespart und bin nach Columbus gezogen, als ich achtzehn wurde.«

»Das muss eine ganz schöne Umstellung gewesen sein.«

Sie lachte selbstironisch. »Na ja, ich war wie ein Fisch auf dem Trockenen. Ich besaß zweihundert Dollar und trug die Kleider, die meine Mutter genäht hatte. Ich hatte sie zwar gekürzt, aber …« Sie schüttelte den Kopf. »Du kannst es dir sicher vorstellen. Na ja, ich hatte kein Geld, keinen Job, keine Wohnung. Und ich kannte keine Menschenseele. Ich hab mehr oder weniger auf der Straße gelebt, als ich Gina das erste Mal begegnete.«

»Und wie hast du sie kennengelernt?«

»Es war nicht gerade Liebe auf den ersten Blick.« Sie senkte den Kopf, dann sah sie ihn wieder an. »Es war kalt. Ich brauchte einen Schlafplatz. Sie hatte ihr Auto nicht abgeschlossen.«

»Du hast in ihrem Auto geschlafen?«

»Als sie am nächsten Morgen zur Arbeit fahren wollte, fand sie mich.« Ihr Mund verzog sich zu einem schiefen Lächeln. »Das habe ich noch nie jemandem erzählt.«

»Hat sie die Polizei gerufen?«

»Zuerst wollte sie das. Aber ich hab anscheinend so harmlos ausgesehen, dass sie mich mit in ihre Wohnung genommen und mir was zu essen gegeben hat. Und plötzlich hatte ich ein Zuhause.« Wieder lächelt sie, diesmal amüsiert. »Gina machte all die schlimmen Sachen, vor denen man mich gewarnt hatte. Rauchen, trinken, fluchen. Sie kam mir total weltgewandt vor. Ich weiß nicht wie und warum, aber wir verstanden uns auf Anhieb.«

»Und wie bist du dann bei der Polizei gelandet?«

»Gina hat in der Telefonzentrale vom Columbus PD gearbeitet, und ich hab schließlich einen Job als Kellnerin in einem Pancake House gekriegt. Wenn sie abends nach Hause kam, hat sie mir von ihrem Tag erzählt, und ich fand, dass sie den aufregendsten Job der Welt hatte. So einen wollte ich auch. Ich bin zurück auf die Schule und hab meinen Highschool-Abschluss nachgemacht. Einen Monat später hat sie mir einen Job in der Telefonzentrale einer kleinen Polizeiwache nahe der Innenstadt besorgt, und im Herbst haben wir beide im City College Kurse in Strafjustiz belegt. Ein Jahr später waren wir auf der Akademie.«

Er starrte sie an, war von ihrer Geschichte vollkommen in Bann gezogen. Und von ihr selbst auch. Kein guter Zustand für einen Mann, der in ein paar Stunden abreisen wollte.

»Und du, Tomasetti, was ist mit dir?«

»Ich bin schon verdorben aus dem Bauch gekrochen.«

Lachend griff sie nach der Zigarettenschachtel. John konnte nicht sagen, warum es ihm gefiel, dass sie rauchte. Vielleicht erschien sie ihm dadurch menschlicher, nicht so perfekt und seiner unreinen Seele ein wenig verwandter.

»Was hast du getrieben, bevor du Polizist wurdest?«, fragte sie.

»Ich war schon immer Polizist.« Er rollte die Schultern nach hinten, um die Spannung in seinem Nacken zu mildern. »Jetzt ist wohl der Moment, wo du mich fragen solltest, was in Cleveland passiert ist.«

»Ich denke mir, wenn du davon erzählen willst, wirst du schon von selbst damit anfangen.«

Sie wich seinem Blick nicht aus. Das beeindruckte ihn, wahrscheinlich mehr, als er ihr je eingestehen würde. »Wie viel weißt du?«, fragte er.

»Ich kenne nur die Medien-Version. Und die ist normalerweise falsch.«

»Es ist eine schlimme Geschichte, Kate.«

»Du musst nicht darüber reden, wenn du nicht willst.«

Doch zum ersten Mal in seinem Leben wollte er es. Kate hatte ihm etwas gegeben, das er lange Zeit nicht gehabt hatte: Hoffnung.

Sie hatte ihn erkennen lassen, dass er den Alkohol und die Pillen vielleicht doch nicht brauchte, um durch den Tag zu kommen. Die Zeit war reif, um die Eiterbeule aufzustechen, die Dämonen herauszulassen und den Heilungsprozess zu beginnen. »Weißt du, wer Con Vespian ist?«

»Jeder Cop hier im Staat weiß, wer Vespian ist. Clevelands Version von John Gotti.«

»Mit einer Prise Charles Manson.«

»Drogen, Prostitution, Glücksspiel.«

»Er hatte seine Finger überall drin, aber hauptsächlich handelte er mit Heroin. Im großen Stil. Da wurde auch schon mal einer umgelegt, wenn es nützlich war. Aber am schlimmsten wurde es, wenn er ein Exempel statuieren wollte. Vespian und ich kannten uns schon aus der Zeit, als ich noch Streifenpolizist war. Ich hatte ihn zweimal verhaftet, und jedes Mal wurde er freigesprochen. Es gab keinen Drogenfahnder in der Stadt, der ihn nicht gern drangekriegt hätte. Aber der Scheißkerl hatte immer Schwein, und dass er halb durchgeknallt war, machte ihn extrem gefährlich.«

»Schlechte Kombination.«

»Er hat das System ausgetrickst und ist damit durchgekommen. Ich wollte derjenige sein, der ihn zu Fall bringt, und so ist er irgendwann im Laufe der Jahre zu meiner persönlichen Obsession geworden.«

Ihr Gesichtsausdruck wurde ernst. John sah ihr an, dass sie wusste, dass die Geschichte jetzt eine dunkle Wendung nahm. »Mein Partner hieß Vic Niswander, ein alter Hase und auf politisch unkorrekte Weise witzig. Er war gerade Großvater geworden, hatte noch vier Monate bis zur Rente. Wir haben immer Scherze darüber gemacht, aber er wollte Vespian kriegen, bevor er ging.«

Bei der Erinnerung lächelte John. Doch als seine Gedanken zu dem Albtraum wanderten, der folgte, war ihm, als hätte er gerade in ein Stück Gammelfleisch gebissen. »Vic und ich hatten einen Spitzel in Vespians Organisation, Manny Newkirk. Ich weiß nicht mehr, wie wir den Typ gefunden haben, ein bekiffter Trottel ohne jeden Verstand. Für zwanzig Dollar hat er alles gesagt, was man hören wollte. Eines Nachts hatte ich ein Routinetreffen mit ihm verabredet, konnte aber wegen irgendeinem Kinderkram – Basketball oder so – nicht hin. Niswander ist für mich gegangen.« Er atmete tief aus, um den Druck zu mindern. »Ein paar Mistkerle lauerten ihnen auf, überschütteten sie mit Benzin und verbrannten sie bei lebendigem Leib.«

John sah sie nicht an, konnte es nicht, denn die Bilder in seinem Kopf waren zu schlimm. »Alle wussten, dass Vespian dahintersteckte, aber wir konnten es nicht beweisen.«

»Aber warum haben sie einen Polizisten verbrannt?«, fragte sie.

»Vespian wollte Informationen, und die hat er gekriegt.«

»Was für Informationen?«

Sie zuckte kaum merklich zusammen, doch John entging es nicht. Sie wusste, was jetzt kam. »Er hatte es auf deine Familie abgesehen.«

Er nickte. »Sie sind in mein Haus eingebrochen, als ich nicht da war. Vespian und ein paar seiner Schläger. Sie vergewaltigten meine Frau, vergewaltigten meine kleinen Mädchen und dann brachten sie alle um. Verbrannten auch sie bei lebendigem Leib, wie Vic.«

Sie schob die Hand über den Tisch und legte sie auf seine. »Ich kann mir nicht einmal vorstellen, wie grauenhaft das gewesen sein muss.«

»Es stand nicht alles in den Zeitungen. Die Leichen waren so verkohlt, da gab es kaum noch Beweise. Von der Vergewaltigung hab ich erst erfahren, als ich Vespian in die Finger kriegte.«

Was er gesehen hatte, als er die Absperrung der Feuerwehr durchbrach, darüber konnte er nicht sprechen. Er war nicht stark genug, um sich die grauenvollen Bilder freiwillig ins Gedächtnis zu rufen. »Der Boss hat mich wegen Krankheit beurlaubt, und irgendwie bin ich im Krankenhaus gelandet. Auf der verdammten Psycho-Station.« Er versuchte ein Lächeln, doch vergeblich. »Um ehrlich zu sein, ich erinnere mich kaum noch daran.«

»Ich verstehe nicht, warum die Cops Vespian nicht gejagt haben.«

»Natürlich haben sie das. Du weißt doch, wie Cops sind. Sie haben sich zusammengeschlossen und ihn gejagt. Aber der Scheißkerl war *unberührbar*.«

»Kaum vorzustellen, wie das für dich gewesen sein muss«, sagte sie leise.

»Na ja, während die da draußen alles versuchten, saß ich im Krankenhaus und sabberte mich voll. Eines Morgens nahm ich wieder an so einer Gruppentherapie-Scheiße à la *Einer flog über das Kuckucksnest* teil, als mir ein durchgeknallter Typ sagte, alles, was ich zur Heilung bräuchte, wär eine Mission. Als ich darüber nachdachte, wurde mir klar, dass er doch nicht so verrückt war, wie jeder dachte.« Er sah Kate an. »Und so fand ich meine Mission.«

»Du hast Vespian gejagt.«

»Ein Polizist kann ein guter Verbrecher sein, wenn er will.«
John starrte sie an. »Willst du den Rest hören?«

Sie nickte. »Wenn du es mir erzählen willst.«

»Ich fing an, Vespian zu beschatten. Studierte seinen Tagesablauf. Wo er hinging, mit wem er sich traf. Alles andere in meinem Leben blieb auf der Strecke. Ich hab nichts mehr gegessen und nicht mehr geschlafen, aber ich war nie hungrig oder müde. Der verrückte Typ hatte recht gehabt: Meine Fixierung auf Vespian hat mich geheilt.

Vespian spielte jeden Mittwochabend Poker. Pünktlich wie ein Uhrwerk fuhr er in seine Villa in Avon Lake und kam immer so gegen drei, vier Uhr raus. Eines Morgens, als er zu seinem Lexus ging, hab ich auf ihn gewartet.«

Kate starrte ihn an, wusste, was jetzt kam. Es war, als würde sie einem Zug dabei zusehen, wie er auf ein Auto zuraste, das auf den Gleisen stand.

»Ich hab ihn mit dem Taser außer Gefecht gesetzt, ihm Handschellen angelegt, in den Kofferraum geworfen und in ein Lagerhaus gefahren, das ich gemietet hatte. In einer üblen Gegend am Hafen. Ich hab ihn auf 'nem Stuhl festgebunden und bei Gott, ich hab ein Geständnis gekriegt. Jedes verdammte blutige Detail hab ich auf Band. Folter. Vergewaltigung. Nicht nur meine Frau, auch meine Kinder. Kleine Mädchen.«

»O John –«

Er schnitt ihr das Wort ab. »Ich wusste, dass das Band vor Gericht nicht zugelassen würde.« Er atmete tief aus, rieb sich die nassen Handflächen am Hosenbein ab. »Ich hatte nicht geplant, ihn zu töten, Kate. Ich wollte nur das Geständnis. Aber als er mir dann erzählte, was er mit ihnen gemacht hat … es war, als stünde ich neben mir. Als würde ich zusehen, wie ein anderer den Schweinehund mit Benzin übergießt und bei lebendigem Leib verbrennt.«

John zitterte am ganzen Körper, der Atem brach aus ihm

heraus wie unterdrücktes Schluchzen, übermäßig laut in der Stille des Hauses. Als er die Hände ausstreckte, zitterten sie unkontrolliert, und er legte sie vor sich auf den Tisch. Er sah Kate direkt in die Augen und erzählte ihr, was er noch keinem anderen Menschen erzählt hatte. »Ich habe zugesehen, wie Vespian verbrannte, und dabei nichts als Genugtuung empfunden.«

Sie versuchte, die Tränen wegzublinzeln, doch sie ließen sich nicht aufhalten und sie wischte sie sich mit der zittrigen Hand ab.

»Jetzt weißt du, mit was für einem Mann du heute Nacht geschlafen hast«, sagte er. »Du weißt, was ich getan habe. Warum ich es getan habe.« Er zuckte die Schultern. »Ausgleichende Gerechtigkeit? Ein guter Cop, der zum Verbrecher wurde? Oder einfach nur vorsätzlicher Mord?«

Einen Moment lang saßen sie schweigend da, die Stille nur durchbrochen von seinem laut pochenden Herz und dem Heulen des Windes um das Dach. Dann räusperte sich Kate und fragte: »Wussten deine Kollegen, dass du es getan hast?«

»Sie haben mich von Anfang an verdächtigt. Man muss ja auch nicht gerade ein Genie sein, um zwei und zwei zusammenzuzählen. Es dauerte nicht lange, und die Cops fingen an rumzuschnüffeln.« Er lächelte gezwungen. »Aber ich war vorsichtig gewesen, hatte ihnen nichts Handfestes hinterlassen. Sie hatten nur den Indizienscheiß gegen mich.«

»Trotzdem genug, um dich vor die Grand Jury zu bringen.«

»Schon, aber die Jury brauchte nicht mal eine Stunde, um zu entscheiden, dass die Beweise für eine Anklage nicht ausreichten.« Er lächelte. »Na ja, die wirklichen Beweise deuteten alle auf Vespians Partner hin. Das weiß ich, weil ich sie platziert habe. Das stand in keiner Akte.«

»Vespians Partner wurde dann ja auch vor Gericht gestellt und verurteilt.«

»Er sitzt lebenslänglich im Bundesgefängnis in Terre Haute.« John lächelte. »Also *das* nenne ich ausgleichende Gerechtigkeit.«

»Und was hast du danach gemacht?«

»Hab meinen alten Job wiedergekriegt. Durfte aber nur noch Schreibtischarbeit machen, weil sie dachten, ich sei eine Gefahr für die Gesellschaft. Ich war zu weit gegangen, Kate. Viel zu weit. Wenn man so was mal gemacht hat, kann man nicht mehr zurück. Der Boss wollte mich weghaben. Sie haben mir das Leben schwergemacht, und irgendwann haben sie's geschafft.«

»Und wie bist du beim BCI gelandet?«

»Genau genommen hatte ich ja eine saubere Akte. Ich glaube, der Commander wollte mich unbedingt loswerden und hat ein paar Beziehungen spielen lassen. Fand jemanden, der mich übernahm. Was sollte man auch sonst mit einem psychopathischen, korrupten und hoch dekorierten Polizeibeamten tun?«

»Du wurdest also an eine Stelle verfrachtet, wo du keine Probleme machen kannst.«

»Richtig.« Er sah weg, das Gesicht verzerrt. »Aber wir beide wissen ja, dass Probleme es an sich haben, einen zu verfolgen. Die beim BCI haben die Nase ziemlich voll von mir. Und dann das Stigma, das viele Gepäck, das ich mit mir rumschleppe ...« Er hob die Schulter, ließ sie wieder sinken. »Und nicht zu vergessen der Alkohol und die Tabletten.«

»John.« Sie sagte seinen Namen mit großer Anteilnahme. »Wie schlimm ist es?«

»Die Seelenklempner haben die Pillen wie Bonbons verteilt, um mich wieder auf die Reihe zu kriegen. Und ich hab das Zeug nur allzu gern geschluckt.«

Er hasste den desillusionierten Ausdruck in ihren Augen. Aber Kate war nicht die Erste, die er seit dem Verlust seiner Familie enttäuscht hatte. Den Schuh konnte er sich bei so ziemlich allen anziehen, die er kannte, einschließlich sich selbst.

»Und, schaffst du es?«, fragte sie.

»Sagen wir mal so, ich bin eine Art Work-in-Progress.« John stand auf und ging um den Tisch herum zu ihr. Sie sah ihn groß an, als er ihre Oberarme umfasste, sie sanft vom Stuhl zog und ihr dann tief in die Augen blickte.

»Mit dir zusammen zu sein«, sagte er. »Wie jetzt. Mit dir zu arbeiten – das hat geholfen, Kate. Ich fühle Dinge, die ich lange nicht mehr gefühlt habe. Ich möchte, dass du das weißt.«

»Das tue ich«, sagte sie. »Ich weiß es.«

31. KAPITEL

Das Klingeln des Telefons reißt mich aus einem unruhigen Schlaf. Ich taste auf dem Nachttisch nach dem Hörer und drücke ihn ans Ohr, noch bevor ich ganz wach bin. »Hallo?«

»Ist dort Chief Kate Burkholder?«

Für den Bruchteil einer Sekunde bin ich noch immer Polizeichefin, und jemand will mir berichten, dass es im Fall einen Durchbruch gegeben hat. Doch schon im nächsten Moment erinnere ich mich, dass ich entlassen bin. Mir fällt wieder ein, dass Jonas Hershberger verhaftet wurde. Und dass ich mit John Tomasetti geschlafen habe.

Ich setze mich auf. »Ja, am Apparat.«

»Hier ist Teresa Cardona. Ich arbeite beim BCI in der Abteilung Verbrechensanalyse. John Tomasetti bat mich, Ihnen den letzten VICAP-Bericht zu schicken.«

Ich spüre Johns Abwesenheit. Das Haus fühlt sich wieder genauso leer an wie sonst. Ich schiebe die Beine über die Bettkante und greife nach dem Morgenmantel. »Ja, den würde ich gern sehen.«

»Ich habe Ihre E-Mail-Adresse nicht.«

Ich nenne sie ihr. »Wie schnell können Sie ihn schicken?«

»Wenn Sie wollen, sofort.«

»Ja, sehr gern. Danke.« Ich lege auf, bin gleichzeitig freudig erregt und niedergeschlagen. Endlich bekomme ich das Resultat des Abgleichs der Täterhandschrift mit anderen Verbrechen. Doch der Ursache meiner Niedergeschlagenheit gehe ich lieber nicht auf den Grund. Wie gern würde ich glauben, der Schmerz in meiner Brust rühre vom Verlust meines Jobs und dem voraussichtlichen Ende meiner Polizeikarriere her. Doch ich bin ehrlich genug, mir einzugestehen, dass es mehr mit Johns Abreise zu tun hat, die ohne jeden Abschied geschah. Aber darüber will ich jetzt nicht nachdenken. Ich habe heute früh genug um die Ohren, auch ohne die Zweifel am Morgen danach.

Zehn Minuten später sitze ich mit einem Kaffee bewaffnet am Küchentisch und öffne das E-Mail-Programm. Ich habe tatsächlich Post von T. Cardona, klicke den Anhang an und lade die Pdf-Datei herunter. Einhundertfünfunddreißig Seiten, ein endloser Datenstrom mit *Informationen über die Opfer, zugefügte Wunden, sexuelle Handlungen des Täters, Waffen* sowie Dutzenden anderen Kriterien. Ich werde eine Menge Kaffee brauchen, um das alles zu durchforsten.

Ich beginne mit *zugefügte Wunden.* Gegen Mittag bin ich vom vielen Kaffee und der Informationsüberflutung total nervös; außerdem fällt mir die Decke auf den Kopf. Ich versuche trotzdem, mich weiter auf die Berichte zu konzentrieren, doch meine Gedanken wandern immer wieder zu John. Letzte Nacht war eine absolute Ausnahmesituation gewesen. Vielleicht ist es ein Überbleibsel meiner amischen Erziehung, aber mit einem Mann zu schlafen ist eine große Sache für mich. Ich kann nicht aufhören, an ihn zu denken. An all das, was wir miteinander geteilt und geredet haben.

Die meisten Menschen würden ihn für seinen Akt der Selbstjustiz verurteilen. Und obwohl ich selbst einmal diesen schmalen Grat beschritten habe, finde ich es falsch, jemandem das Leben zu nehmen. Doch ich weiß auch, dass es einen seelischen Schmerz gibt, der für das menschliche Herz zu schwer zu ertragen ist. Manche Verbrechen kann der Verstand einfach nicht akzeptieren. Ich hoffe, dass John so etwas wie Frieden finden wird.

Um zwei Uhr dreißig reißt mich ein Klopfen an der Hintertür aus der Arbeit. Ich bin überglücklich, als ich sie aufmache und Glock sehe. »Es ist immer ein schlechtes Zeichen, wenn Besucher durch die Hintertür kommen«, sage ich zur Begrüßung.

»Ich hab keine Lust auf irgendein Gerede.« Er klopft sich den Schnee von der Jacke und tritt ein. »Eklig da draußen.«

»Der Wettermann hat bis morgen zwischen fünfzehn und zwanzig Zentimeter Neuschnee angekündigt.«

»Scheiß Winter.« Dann fällt sein Blick auf den von Papierbergen umgebenen Laptop auf dem Küchentisch.

»Sie machen den Eindruck, als könnten Sie eine Pause vertragen.«

Ich mache die Tür hinter ihm zu. »Gibt's was Neues in dem Fall?«

»Wir suchen immer noch auf Hershbergers Farm nach Beweisen.«

»Und, was glauben Sie?«

»Hershberger sitzt bis zum Hals in der Scheiße.«

Ich schenke zwei Tassen Kaffee ein. »Glauben Sie, dass er's war?«

»Die Beweise sind erdrückend. Der Schuh, den wir gefunden haben, gehörte Amanda Horner. Ihre Mutter hat ihn heute Morgen identifiziert. Es gibt Unterwäsche mit DNA, wir warten auf das Laborergebnis.«

»Finden Sie nicht, dass plötzlich alles irgendwie sehr einfach ist?«

»Aber er könnte nie in den Besitz des Schuhs und der Unterwäsche gekommen sein, ohne Kontakt mit dem Opfer gehabt zu haben.«

»Habt ihr schon CODIS gecheckt?« CODIS ist das Akronym für Combined DNA Index System, eine vom FBI betriebene DNA-Datenbank mit rechtsverbindlichen DNA-Proben.

»Das Ergebnis steht noch aus.«

Ich gebe ihm die Tasse. »Wie halten sich Pickles und Skid?«

»Detrick lässt sie draußen in der Kälte im Schweinemist wühlen.«

Ich hasse die Vorstellung, dass Detrick die Scheißarbeit von meinen Mitarbeitern machen lässt, besonders da Pickles nicht mehr der Jüngste ist. »Und, spielt sich Detrick groß auf?«

»Stolziert rum, als hätte er Jack the Ripper verhaftet, und erzählt, dass er uns alle mit auf einen großen Jagdausflug nimmt, wenn wir den Fall wasserdicht machen.«

»Netter Ansporn, wenn man Rehen gern eine Kugel verpasst.«

»Die meisten seiner Jungs finden das klasse. Detrick war anscheinend mal ein bedeutender Jagdführer in Alaska.«

»Detrick, der große weiße Jäger.«

Glock scheint wenig beeindruckt. »Und wie geht es Ihnen so, Chief?«

Ich muss an Tomasetti denken, verbanne die Gedanken aber schnell aus meinem Kopf. »Ich weiß, dass das jetzt verrückt klingt, aber ich bin vollkommen sicher, dass Jonas Hershberger unschuldig ist.«

Glock sieht mich überrascht an. »Er ist ein merkwürdiger Vogel.«

»Es gibt einige merkwürdige Vögel, aber das macht sie noch nicht zu Psychopathen.«

»Wir haben massenhaft Beweise.«

»Glock, ich kenne Jonas. Er kann nicht fahren. Er hat keinen Zugang zu einem Schneemobil. Er kann die Morde nicht begangen haben.« Ich denke einen Moment darüber nach. »Haben Sie überprüft, ob er in den sechzehn Jahren dazwischen umgezogen ist?«

»Er wohnt seit seiner Kindheit im selben Haus. Er hat es vor acht Jahren geerbt, nachdem seine Eltern mit ihrer Kutsche tödlich verunglückt sind.« Er hält inne. »Wir haben ein paar Fünfzig-Gallonen-Fässer gefunden, in denen er Abfall verbrennt, und Ascheproben ans Labor geschickt. Mal sehn, ob er die Kleider da drin verbrannt hat.«

»Habt ihr irgendwelche Pornos oder S&M-Videos gefunden? Sexspielzeug? Folterinstrumente? Irgendwas in der Art?«

»Nein, aber er schlachtet Schweine auf der Farm. Er hat Messer und weiß, sie zu benutzen.«

»Viele Amische schlachten für den Eigenbedarf. Mein Vater hat auch Rinder geschlachtet.«

»Aber wie erklären Sie sich dann die Beweise?«

»Gar nicht. Ich weiß, sie sind erdrückend. Es ist nur … es passt einfach nicht. Zum Beispiel die sechzehn Jahre dazwischen und dann drei Morde in einem Monat. Was war der Auslöser?« Ich mache eine Pause. »Haben Sie mit Jonas geredet?«

Er nickt. »Detrick und ich haben ihn heute Morgen eine Stunde lang verhört. Erst wollte er nicht englisch sprechen, nur pennsylvaniadeutsch. Als er schließlich doch redete, stritt er alles ab. War total beleidigt, als wir ihn über die Frauen ausfragten. Detrick hat ihn ziemlich hart rangenommen, aber er ist nicht umgefallen.«

»Halten Sie ihn für schuldig?«

»Er ist verdammt stur und wortkarg. Schwer zu beurteilen.«

»Hat er einen Anwalt?«

»Er hat nicht danach gefragt.«

Ich nicke, beunruhigt von der Vorstellung, dass Jonas allein und obendrein Detrick ausgeliefert ist.

Glock reibt sich mit der Hand den Nacken. »Ach Chief, wir vermissen Sie total. Mir ginge es echt besser, wenn Sie das alles leiten würden.«

Als mir Tränen in die Augen zu steigen drohen, trinke ich schnell einen Schluck Kaffee.

»Ich hab gehört, dass sich Detrick mit Janine Fourman und Auggie Brock hinter verschlossenen Türen getroffen hat, an dem Abend, bevor Sie rausgeflogen sind«, sagt Glock.

»Wie haben Sie das erfahren?«

»Die Sekretärin im Rathaus hat angerufen, nachdem sie

von Ihrem Rausschmiss gehört hat. Ich lese nur zwischen den Zeilen, aber ich wette, Detrick hat mit denen nicht übers Wetter geredet.«

Wut erfüllt mich, wenn ich mir vorstelle, dass da Dinge gesagt wurden mit der Konsequenz, dass ich wahrscheinlich alles verlieren werde. »Dieser verdammte Mistkerl.«

»Haben Sie was von Tomasetti gehört?«

Schamesröte steigt mir ins Gesicht, eine wirklich dämliche Reaktion. Glock weiß nicht, dass Tomasetti und ich die Nacht miteinander verbracht haben. Trotzdem kann ich ihm nicht in die Augen sehen. »Ich glaube, er ist heute in aller Frühe abgefahren.«

»Wow.« Er lacht laut, offensichtlich überrascht von meiner Reaktion. »Sie und Tomasetti? Ich glaub's ja nicht.«

»Es ist wohl besser, wenn wir das nicht weiter erörtern.«

Er räuspert sich und wirft einen fragenden Blick auf den papierbedeckten Küchentisch.

»Ich gehe ein paar Sachen nach«, sage ich.

»Dass Sie nicht Ihr Haushaltsbuch führen, war mir schon klar.«

»Tomasetti hat mir ein paar Daten mit vergleichbarer Täterhandschrift zukommen lassen. Ich sehe sie mir unter dem Aspekt eines Wohnortwechsels an.«

»Schon was gefunden?«

»Noch nicht. Aber es ist eine Menge Material.« Ich halte inne. »Gibt's Neuigkeiten von den Johnstons?«

»Morgen ist die Beerdigung.«

Ich nicke. »Und wie geht's LaShonda?«

»Sie ist dick wie ein Haus.« Beim Gedanken an seine hochschwangere Frau huscht ein breites Grinsen über sein Gesicht. »Kann jetzt jeden Tag kommen.«

»Sagen Sie ihr schöne Grüße, ja?«

»Mach ich, Chief. Muss jetzt los.« Er geht zur Tür, öffnet sie und tritt hinaus. »Wir werden in Schnee ersticken.«

»Yeah.«

»Rufen Sie an, wenn Sie was brauchen.«

Er verschwindet um die Ecke, und ich fühle mich plötzlich furchtbar einsam. Ausgegrenzt und abgeschnitten, als wäre ich ganz allein auf dieser Welt. Schnee wirbelt vom grauen Himmel herab, und mir wird bewusst, wie wichtig es für mich ist, hier in Painters Mill zu leben – und wie viel ich verliere, wenn ich nicht um meine Wiedereinstellung kämpfe.

Ich setze mich an den Tisch und lese weiter im VICAP-Bericht, einer düsteren, eintönigen Lektüre. Mord. Vergewaltigung. Serienverbrechen mit allen dazugehörigen verstörenden Details. Um sechs Uhr abends flimmern mir die Worte vor den Augen, die sich anfühlen, als hätte ich Sand drin. Meine Ohren schmerzen, weil ich ewig lange telefoniert habe. Und doch bin ich keinen Schritt weitergekommen. Zweifel beginnen an mir zu nagen. Vielleicht habe ich unrecht. Vielleicht ist Jonas Hershberger doch schuldig. Es ist zwanzig Jahre her, dass ich ihn kannte. Aus eigener Erfahrung weiß ich, dass die Zeit und bestimmte Ereignisse das Leben eines Menschen von Grund auf ändern können. Ich bin selbst das beste Beispiel dafür. Mit dem Gefühl, mich festgefahren zu haben, hole ich die Flasche Wodka und ein Wasserglas aus dem Hängeschrank, schenke es mir viel zu voll und nehme den gefährlichen ersten Schluck. Zurück am Laptop, logge ich mich bei OHLEG ein, um zu sehen, ob meine früheren Anfragen Früchte getragen haben – und stelle fest, dass mein Account deaktiviert ist.

»Mist.« Damit ist auch mein letzter Zugang zu Polizeidaten weg. Ich starre auf den Monitor, frustriert und wütend und ohne eine Idee, was ich als Nächstes machen kann.

Spontan gehe ich zu einer bekannten Suchmaschine, tippe »Einritzungen«, »Unterleib« und »Ausbluten« ein und klicke auf Suche. Ich rechne kaum damit, auf nützliche Informationen zu stoßen, dafür gibt es zu viel schrägen Mist im Internet. Doch außer Links zu Romanauszügen, einer bizarren

Kurzgeschichte, einer College-Hausarbeit über Medien und Gewalt gibt es auch einen zum *Fairbanks Daily News-Miner,* was mich ziemlich schockiert. Ich klicke ihn an und lese:

DRITTE LEICHE IM TANANA RIVER ANGESCHWEMMT
Alaska State Trooper berichten, dass am späten Dienstag eine noch nicht identifizierte Frau von Jägern gefunden wurde. Die Frau ist weiß und wahrscheinlich Ende zwanzig. Laut Trooper Robert Mays »war ihre Kehle durchgeschnitten« und sie hatte »an ein Ritual erinnernde Einritzungen auf dem Unterleib«. Das ist die dritte Leiche, die in den letzten sechs Monaten am Ufer des abgelegenen Tanana River gefunden wurde, und die Menschen in der Region sind äußerst beunruhigt. »Wir halten unsere Türen verriegelt«, sagt Marty West, ein Einwohner von Dot Lake. »Ohne mein Gewehr gehe ich nirgendwo mehr hin.« Die Leiche wurde zur Autopsie nach Anchorage gebracht.

Ich starre den Bildschirm an. Mein Herz schlägt heftig. Die Ähnlichkeit ist zu frappierend, um sie zu ignorieren. VICAP hatte nichts ausgespuckt, aber das ist nicht ungewöhnlich, denn örtliche Polizeidienststellen haben erst vor kurzem begonnen, die Datenbank verbreitet zu nutzen. Manche alte Daten wurden wegen Arbeitskräftemangel gar nicht in die Datenbank eingegeben.

Auf der Uhr über dem Herd ist es kurz vor acht. Alaska liegt in der Alaska Standard Time Zone, also vier Stunden früher. Ich google die Telefonnummer der Polizei in Fairbanks, wähle sie, werde zweimal weiterverbunden und erfahre schließlich, dass Detective George »Gus« Ogusawara vor sieben Jahren in Rente gegangen ist. Ich frage den Polizisten nach Ogusawaras Telefonnummer, doch er will sie mir nicht geben und meint stattdessen, ich solle es mal in Portland oder Seattle versuchen.

Ich gehe wieder ins Internet. Glücklicherweise ist Ogusa-wara ein ungewöhnlicher Name und ich lande schon bei der zweiten Nummer einen Treffer. »Ist dort George Ogusa-wara?«, frage ich.

»Und wer sind Sie?« Eine Tenorstimme mit einem starken asiatischen Akzent.

Ich stelle mich schnell als Chief of Police vor. »Waren Sie früher Ermittler in Fairbanks?«

»Ich war Detective in Fairbanks, Ma'am. Bin als Detective Lieutenant in Ruhestand gegangen vor sieben Jahren. Wo Sie jetzt Richtigen gefunden, was wollen Sie wissen?«

»Ich ermittle in einer Serie von Morden, die mit denen in Fairbanks Anfang der 1980er Jahre große Ähnlichkeit haben.«

»Schlimme Zeit, die Morde damals, hat allen Albträume gemacht, einschließlich mir. Was Sie wollen wissen?«

»Ich habe gelesen, dass der Mörder jedem Opfer etwas auf den Unterleib geritzt hat.«

»Ja, bevor er sie gefoltert und getötet hat. Der Kerl ist kran-kes Dreckschwein, kann ich Ihnen versichern.«

»In dem Bericht, der mir vorliegt, steht nicht, was er einge-ritzt hat. Ich wollte wissen, ob Sie sich vielleicht noch daran erinnern können?«

»So was vergisst selbst hartgesottener Cop wie ich nicht. Er hat Zahlen eingeritzt. Römische Zahlen. Eins, zwei, drei.«

»Wurde der Mörder gefasst?«

»Er war einziger Grund ich bin nicht in Rente gegangen, bis ich schließlich zu alt war und nicht mehr konnte.« Er hält inne. »Sie glauben, Sie haben ihn erwischt?«

Ich will ihm nicht zu viel erzählen, bin sowieso schon zu weit gegangen, als ich sagte, ich sei Chief of Police. »Ich bin nicht sicher. Gibt es sonst noch etwas, das Sie mir über die Morde sagen können?«

»Die waren das Schlimmste, was ich je gesehen. Wirklich übler Kerl, der Mörder.«

»Sie waren mir eine große Hilfe, vielen Dank.«

Er will noch etwas sagen, doch ich lege auf. Was mache ich jetzt mit diesen neuen Informationen? Drei ähnliche Morde in Alaska, über dreitausend Meilen weit weg. Wenn es wirklich derselbe Mörder ist, was hat ihn dann bewogen, von Ohio nach Alaska und zurück nach Ohio zu ziehen?

Ich setze mich wieder an den Computer und lese alles über den Tanana-River-Mörder, was die Suchmaschine mir bietet. Als ich einen kleinen Artikel im *Tanana Leader* überfliege, gefriert mir beim Anblick eines Namens das Blut.

Nate Detrick, ein Jagdführer bei den Yukon Hunting Tours, entdeckte die Leiche und informierte die Polizei …

Ich traue meinen Augen kaum. Wie groß ist die Chance, dass ein Mann zweimal im Leben mit verblüffend ähnlichen Morden, die Tausende Meilen voneinander entfernt geschehen sind, in Berührung kommt? Jetzt erinnere ich mich dunkel an eine Bemerkung, die Glock heute Nachmittag gemacht hatte:

Detrick war anscheinend mal ein bedeutender Jagdführer in Alaska.

In dem Moment fällt mir ein, dass ich bei meinen Recherchen schon mal auf den Namen des Sheriffs gestoßen bin. Gespannt rufe ich noch einmal die Website von Holmes County Auditor auf, und ein eiskalter Schauer erfasst mich, als ich lese, dass Nathan Detrick und seine Frau Grace im September 1994 ihr zweihundertdreißig Quadratmeter großes Grundstück in Millersburg verkauft haben.

Ich will die Verbindung, die mein Verstand gerade hergestellt hat, nicht wahrhaben. Es muss ein Zufall sein. Nathan Detrick ist Polizist. Ihn zu verdächtigen ist mehr als lächerlich. Er ist über jeden Verdacht erhaben.

Oder nicht?

Detrick gehört zu der Handvoll Menschen, die in den ausschlaggebenden sechzehn Jahren aus Painters Mill weggezogen waren. Er hat in Alaska gelebt, wo es ähnliche Morde gegeben hat, und ich bin schon lange genug Polizistin, um zu wissen, dass das eine Weiterverfolgung der Spur rechtfertigt.

Beim Blick auf meine Hände sehe ich, dass sie zittern. Ich weiß, dass ich falsch liege. Zufälle gibt es *wirklich,* und ich bin bescheuert, Detrick zu verdächtigen. Aber der Sheriff entspricht dem Profil weitaus besser als Jonas, und mein Polizistenbauch sagt mir, weiterzugraben.

Mir fällt die Liste mit den registrierten Schneemobilen ein, um die ich Pickles gestern gebeten hatte, und ich wühle in den Papieren auf dem Tisch, bis ich sie finde. Es ist eine getippte Liste mit den Namen der Leute, die in Coshocton County und Holmes County ein blaues oder silbernes Schneemobil angemeldet haben. Mittendrin taucht auch Detrick auf. Er besitzt ein blaues Yamaha.

»Das kann nicht wahr sein«, flüstere ich. »Niemals.«

Ich setze mich wieder an den Computer, um mir Detrick etwas genauer anzusehen. Nach einer halben Stunde stoße ich in der *Dayton Daily News* vom Juni 1986 auf einen Zeitungsartikel über einen aufstrebenden jungen Polizeibeamten, der kürzlich von Fairbanks, Alaska, nach Dayton versetzt worden war. Ein gut aussehender, junger Detrick lächelt, flankiert von seiner Frau, in voller Uniform in die Kamera. Laut Zeitungsdatum war das genau zwei Monate nach dem letzten Mord in Alaska.

Ich fange an, in dem Zeitraum, in dem Detrick dort war, in und um Dayton nach ähnlichen Morden zu suchen. Es gibt ein Dutzend Websites, die mich immer weiter zu anderen führen – Zeitungen, Fernseh- und Radiosites, ein paar öffentlich zugängliche Polizeiwebsites, sogar eine Crime-Stopper-Site –, doch ich finde nichts. Erst als ich meine Suche auf die umliegenden Staaten ausweite, springt mir in der Archiv-Rubrik der *Kentucky Post* eine Geschichte ins Auge.

LEICHE AM FLUSSUFER IDENTIFIZIERT
Die nackte Leiche einer Frau, die ein Jogger letzte Woche am Ohio River gefunden hatte, wurde als die der zwanzig Jahre alten Jessie Watkins identifiziert. Laut des amtlichen Leichenbeschauers von Kenton County, Jim Magnus, war die Kehle der Frau durchschnitten. Die Polizei von Covington und das Kenton County Sheriff's Office »setzen alles in Bewegung, um den Täter zu finden«, verlautete es aus einer ungenannten Polizeiquelle am Montag. Watkins, eine aktenkundige Prostituierte, war zuletzt in einer Bar in Cincinnati gesehen worden. Zurzeit gibt es noch keinen Verdächtigen.

Ich öffne eine Landkarten-Website und tippe die Städte Dayton, Ohio, und Covington, Kentucky, ein. Covington ist ungefähr eine Autostunde von Dayton entfernt. Machbar an einem Abend, wenn man genug Zeit zur Verfügung hat.

Als Nächstes suche ich in Michigan nach ähnlichen Verbrechen, aber ohne Erfolg. Unbeirrt versuche ich es in Indiana, klicke mich eine Stunde lang von einer Website zur nächsten. Als ich gerade aufgeben will, stoße ich auf eine Zeitungsnotiz über den Mord an einer jungen Wanderarbeiterin, deren Leiche in einem Maisfeld zwischen Indianapolis und Richmond gefunden wurde.

WANDERARBEITERIN TOT AUFGEFUNDEN
Die Polizei tappt bei dem Mord an der einunddreißig Jahre alten Lucinda Ramos, deren Leiche am Montag in einem Maisfeld an der Interstate 70 nahe New Castle gefunden wurde, noch immer im Dunkeln. »So etwas hab ich in meinem ganzen Leben noch nicht gesehen«, sagte

Dick Welbaum, der Farmer, der um ein Haar mit seinem Traktor über die Leiche gefahren wäre. Eine anonyme Quelle aus dem Amt des Coroners von Henry County sagte, dass die Tote »an ein Ritual erinnernde Einritzungen« auf dem Unterleib hatte. Auf die Frage, ob es sich um einen Kultmord handeln könnte, verweigerte Mick Barber vom Henry County Sheriff's Office jeglichen Kommentar. Allerdings sagte er, dass das Sheriff's Office mit dem New Castle Police Department sowie der State Police zusammenarbeitet, um den oder die Täter zu finden.

Wieder »an ein Ritual erinnernde Einritzungen«. Laut Landkarten-Website braucht man mit dem Auto von New Castle, Indiana, nach Dayton eine Stunde und zwanzig Minuten. Ich finde die Telefonnummer der Indiana State Police im Internet und habe innerhalb weniger Minuten Ronald Duff von der Kriminalpolizei am Apparat.

Ich stelle mich als Chief of Police vor und komme sofort zur Sache. »Ich interessiere mich für einen Mordfall, den Sie 1988 untersucht haben. Der Name des Opfers war Lucinda Ramos.«

»Seit damals hab ich eine Menge Gehirnzellen weniger. Ich hole mir schnell die Akte.«

Er hätte sich weigern können, mit mir zu reden, weil ich mein privates Telefon benutze. Wenn ein Polizist nicht sicher ist, mit wem er spricht, ruft er manchmal die Polizeidienststelle an, bei der der Anrufer behauptet zu arbeiten, und lässt sich dann verbinden. Doch da ich nach einem lange zurückliegenden, ungeklärten Fall gefragt habe, hat er es vermutlich nicht für nötig befunden, meine Identität zu verifizieren.

Nach ein paar Minuten kommt er wieder ans Telefon. »Glauben Sie, eine Spur in diesem Fall zu haben?«, fragt er.

»Wir haben drei Tote hier in Painters Mill. Ich suche in den umliegenden Staaten nach ungeklärten Mordfällen mit der gleichen Täterhandschrift.«

»Wenn ich helfen kann, gern. Wonach suchen Sie konkret?«

»In dem mir vorliegenden Bericht werden Einritzungen bei der Toten erwähnt. Können Sie mir vielleicht mehr darüber sagen?«

Am anderen Ende höre ich Papier rascheln. »Ich hab den Bericht des Coroners vorliegen. Darin steht, ich zitiere: ›Einritzungen in der Haut sind oberflächlich und acht Zentimeter über dem Nabel.‹

»Und was stellen die Einritzungen dar?«

Wieder Papierrascheln. »Ich finde keine Aufzeichnung darüber, aber ich habe ein Foto des Opfers hier. Moment, ich hole meine Brille.« Eine kurze Pause. »Sieht irgendwie aus wie ein großes I und ein V.«

»Wie eine römische Zahl?«

»Möglich.«

Ich traue meinen Ohren kaum. »Gab es einen Grund, warum diese Information nicht in VICAP eingegeben wurde?«

»Wir haben hier erst 2001 angefangen, VICAP zu benutzen, und bis jetzt sind noch keine Archivdaten gespeichert. Zu wenig Personal und Geld, das kennen Sie ja wahrscheinlich selbst.«

»Können Sie das Foto scannen und mir mailen?«

»Sicher. Wie lautet denn Ihre E-Mail-Adresse?«

Ich nenne sie ihm und lege auf. Am liebsten würde ich sofort John anrufen, doch das scheint mir verfrüht. Bis jetzt habe ich nichts weiter als einen Verdacht begründende Sachverhalte. Man könnte meine Verdächtigung Detricks als den Versuch einer verbitterten, wütenden ehemaligen Polizeichefin auslegen, ihrem Nachfolger eins auszuwischen. Ich brauche mehr Beweise, bevor ich andere Leute involviere. Zudem bin ich nicht einmal selbst davon überzeugt, mit Detrick richtig zu liegen. Wenn ich jetzt voreilig handele, kann die ganze Sache für mich zum Boomerang werden.

Also setze ich mich wieder an den Laptop und bringe alle Informationen, die ich übers Telefon und Internet erhalten habe, in einen zeitlichen Rahmen. Vom Februar 1980 bis Dezember 1985 arbeitete Detrick als Jagdführer bei Yukon Hunting Tours. Alle drei Morde in Fairbanks geschahen in diesem Zeitraum. Anfang 1986 zog er nach Dayton, Ohio, wo er bei der Polizei anfing und bis 1990 als Streifenpolizist eingesetzt war. Die Morde in Kentucky und Indiana ereigneten sich in der Zeit, als er in Dayton wohnte. Nach meiner Rechnung waren Lucinda Ramos das vierte Opfer und Jessie Watkins das fünfte. 1990 bekam er bei der Polizei von Holmes County einen Job als Deputy und siedelte nach Millersburg um; jetzt begannen die sogenannten *Schlächter*-Morde. Zu der Zeit tötete er vier Frauen, Opfer sechs bis neun. 1994 verkaufte er sein Haus und zog nach Columbus, wo er bis 2005 blieb und zum Detective befördert wurde. In diesem Zeitraum bin ich noch auf keine ähnlichen Morde gestoßen, habe allerdings auch noch nicht genau recherchiert. 2006 kam er zurück nach Painters Mill, kandidierte als Sheriff und errang einen erdrutschartigen Sieg. Die kürzlichen Morde begannen mit Opfer Nummer zweiundzwanzig. Mir fehlen zwölf Opfer aus der Zeit, als er in Columbus gelebt und gearbeitet hat. Davon abgesehen, passt der Zeitablauf wie O. J. Simpsons blutiger Handschuh.

In dem Moment klingelt das Telefon und ich schrecke hoch. »Hallo?«

»Chief«, höre ich Mona mit gedämpfter, dringlicher Stimme sagen. »Sie sollten wohl besser herkommen.«

Es ist fast Mitternacht. Ihrem Ton nach zu schließen gibt es schlechte Neuigkeiten. »Was ist passiert?«

»Jonas Hershberger hat gerade versucht, sich aufzuhängen.«

32. KAPITEL

Wo ihr Wurm nicht stirbt und das Feuer nicht erlischt.

Oder so ähnlich heißt es in der Bibel in Bezug auf die Hölle.

Wären mir in jungen Jahren nicht jene konservativen Moralvorstellungen eingeimpft worden, hätte ich die Geschichte von Jonas Hershbergers Selbstmordversuch vielleicht geglaubt. Aber so ist es mir unmöglich. Die Amischen sind nämlich der Überzeugung, dass sie ihr Leben so leben müssen, wie Jesus es gelebt hat. Vergebung und Demut sind Teil dieses Glaubens. Selbstmord passiert, kommt aber selten vor – und ist die Sünde, für die es keine Vergebung gibt.

Ich parke neben Monas Escort und erlöse meine Scheibenwischer von dem aussichtslosen Kampf gegen den Schnee. Pickles' alter Chrysler sowie ein Dienstwagen stehen da, doch Glocks Auto glänzt durch Abwesenheit. Im Laufschritt erreiche ich die Tür des Polizeireviers, das ich mit Schnee im Gefolge betrete. Mona steht mit dem Headset auf dem Kopf bei der Telefonanlage. »Was ist passiert?«, frage ich.

»Jonas hat versucht, sich aufzuhängen. Detrick und Pickles sind unten bei ihm.«

»Ist er okay?«

»Ich glaube schon. Er ist bei Bewusstsein.«

»Rufen Sie einen Krankenwagen.« Ich laufe nach hinten zum Flur und nehme immer zwei Stufen auf einmal hinunter ins Kellergeschoss. Das Gefängnis ist klein und veraltet, mit zwei knapp vier Quadratmeter großen Zellen und einem winzigen Wärterbereich. Als ich unten ankomme, beugen sich Detrick und Pickles gerade über Jonas, der auf einer Bank sitzt.

»Was ist passiert?«, frage ich.

Beide Männer wirbeln herum, offensichtlich überrascht, mich zu sehen. »Sie sind nicht befugt, hier zu sein, Burkholder.«

Detricks Gesicht ist rot, sein kahler Schädel glänzt schweißnass.

Ich trete näher, um mir Jonas besser ansehen zu können. Seine Hände sind auf dem Rücken mit Handschellen gefesselt. Um seinen Hals baumeln die Schnürsenkel seiner Schuhe. Unterhalb des Kiefers ist ein blutroter Striemen zu sehen.

»Der Idiot hat versucht, sich zu erhängen«, sagt Pickles schwer atmend. »Der Sheriff ist gerade noch rechtzeitig gekommen, um es zu verhindern.«

In Anbetracht meiner jüngsten Erkenntnisse über Detrick kann ich mich des furchtbaren Gefühls nicht erwehren, dass die Wahrheit anders aussieht.

Detrick kommt auf mich zu. »Was wollen Sie hier?«

Eine Welle des Unbehagens durchströmt mich, und ich habe das untrügliche Gefühl, dass er mich gleich rausschmeißen wird. Ich sehe Jonas an. »Was ist passiert?«, frage ich schnell auf Pennsylvaniadeutsch.

Jonas sieht mich an, erschüttert und verängstigt. »Ich hab geschlafen und der englische Polizist hat mich angegriffen.« Er zeigt auf Detrick. »Er hat mir die Schnürsenkel von meinen Stiefeln um den Hals gelegt und fest zugezogen.«

Detrick steht jetzt dicht vor mir. »Ich habe Sie etwas gefragt.«

Ich weiche seinem Blick nicht aus. »Ich dachte, ich könnte helfen, wegen der Sprachbarriere.«

»Wenn ich Ihre Hilfe brauche, werde ich Sie darum bitten.«

Jonas ist in Gefahr, etwas anderes kann ich nicht denken. »Er muss ins Krankenhaus und untersucht werden.«

»Ihm fehlt nichts.« Detricks Augen werden zu Schlitzen,

doch selbst darin offenbart sich noch Gerissenheit und Vorsicht. Er weiß, dass ich lüge, aber er weiß nicht, warum. »Sie müssen gehen, Kate. Jetzt.«

Er beugt sich dicht zu mir und fängt demonstrativ an zu schnüffeln. »Haben Sie *getrunken?*«

»Nein.«

»Sie lügen. Ich rieche es an Ihrem Atem.« Er wirft Pickles einen ungläubigen Blick zu, doch an mich gewandt sagt er: »Sie sind betrunken. Was zum Teufel denken Sie sich eigentlich, in so einer Nacht betrunken Auto zu fahren? Hierher zu kommen, wo wir schon genug am Hals haben.«

»Ich habe nichts getrunken.« Das ist zwar gelogen, doch ich werde den Teufel tun und es zugeben. Detrick will mich bloß Pickles gegenüber diskreditieren.

»Burkholder, Sie gehen nach Hause«, sagt er. »Sofort.«

»Sorgen Sie dafür, dass Jonas ins Krankenhaus kommt«, sage ich zu Pickles.

Detrick packt meinen Arm. »Ich bringe Sie persönlich raus.«

Pickles kommt aus der Zelle gelaufen. »Lassen Sie sie los.«

Detrick zeigt drohend mit dem Finger auf ihn. »Halt das Maul, alter Mann.«

Pickles lässt sich nicht provozieren, sieht mich aber an. »Vielleicht sollten Sie jetzt einfach gehen, Chief.«

»Passen Sie auf, dass Jonas nichts –« Plötzlich packt Detrick mich am Nacken und stößt mich ans Gitter. »Geben Sie mir Ihre Hände.«

»Ich gehe«, sage ich.

»Sie haben Ihre Chance gehabt. Geben Sie mir jetzt die Hände!«

Alles in mir schreit danach, Widerstand zu leisten. Doch das würde die Situation nur noch weiter eskalieren lassen, und so halte ich die Handgelenke hin. »Ich habe nichts Unrechtes getan.«

»Sie sind betrunken und verhalten sich ordnungswidrig.« Er löst die Handschellen von seinem Gürtel, drückt mir schwer atmend und mit schweißnassen Handflächen die Hände im Rücken zusammen und legt mir so brutal die Handschellen an, dass es wehtut.

Pickles tritt zu uns heran. »Sheriff, das ist unnötig.«

Detrick ignoriert ihn und starrt mich an, als würde er mich am liebsten mit bloßen Händen erwürgen. »Ich hab keine Ahnung, was Sie damit bezwecken wollten, aber Sie haben sich gerade eine Menge Ärger eingehandelt.«

»Ich wollte nur helfen, mehr nicht.«

»Schwachsinn. Sie haben sich betrunken und sind gekommen, um Schwierigkeiten zu machen.«

Mein Herz schlägt so heftig, dass ich kaum Luft kriege. An die Morde, die dieser Mann vielleicht begangen hat, darf ich erst gar nicht denken. Ich bin in Handschellen und wehrlos. Wenn er jetzt beschließt, seine Waffe zu ziehen und uns alle umzubringen, könnte ich nichts dagegen tun.

»Ich dachte, Jonas würde eher mit jemandem reden, der Pennsylvaniadeutsch spricht«, sage ich. »Das ist alles.«

»Mitten in einem Schneesturm? Nach Mitternacht? Sie sind angetrunken und beschließen herzukommen, um zu *helfen?* Burkholder, ich bin doch nicht von gestern!«

»Mona hat sie angerufen«, wirft Pickles ein, offensichtlich um die Situation zu entschärfen. »Deshalb ist sie hier. Kommen Sie schon, sie ist Polizistin. Haben Sie etwas Nachsicht.«

Detrick zeigt mit dem Finger auf Jonas, spricht aber zu Pickles. »Ist Ihnen überhaupt klar, dass wir den Fall verlieren können, nur weil sie mit dem Verdächtigen gesprochen hat? Sie ist keine Polizistin! Das muss nur irgendein Anwalt hören, und dieses Stück Scheiße da drin geht als freier Mann hier raus. Wollen Sie das vielleicht?«

Zum ersten Mal wirkt Pickles verunsichert.

»Lassen Sie mich los, oder ich schwöre Ihnen, Sie landen vor Gericht.« Ich versuche, mit fester Stimme zu sprechen, doch die Worte sprudeln zu schnell und zu schrill aus meinem Mund.

»Sie sind absolut nicht in der Position, mir zu drohen.« Er packt meinen Arm und schiebt mich Richtung Treppe.

Als wir in den Eingangsbereich kommen, springt Mona auf und schnappt nach Luft, sieht mich an, als wäre ich auf dem Weg zum Galgen. »Was ist passiert?«

»Alles in Ordnung«, sage ich.

»Aber warum hat er –«

»Sie ist betrunken.« Detrick schiebt mich zum Schreibtisch und dreht mich unwirsch um, damit er die Handschellen aufschließen kann.

Ich sehe Mona an. »Ich bin nicht betrunken.«

Detrick stößt einen Seufzer aus. »Ich tue Ihnen jetzt einen großen Gefallen, Burkholder, und lasse Sie laufen. Aber wenn Sie noch mal hier auftauchen, ob betrunken oder nüchtern oder in einem verdammten Raumschiff, stecke ich Sie ins Gefängnis. Haben Sie das kapiert?«

Die Handschellen schnappen auf. »Hab ich.«

»Chief, was geht hier vor?«, fragt Mona.

»Ich erkläre's Ihnen später«, erwidere ich und reibe meine Handgelenke.

Detrick zeigt auf die Tür, als wäre ich ein streunender Hund, der sich von der Straße hier rein verirrt hat. »Verschwinden Sie, bevor ich meine Meinung ändere und Sie für den Rest der Nacht in die Ausnüchterungszelle stecke.«

»Behalten Sie Jonas im Auge«, sage ich zu Mona.

»Ich hab den Krankenwagen bestellt«, erwidert sie.

»Sofort abbestellen«, faucht Detrick. »Diesem mordenden Stück Scheiße geht's gut.«

Mona greift kopfschüttelnd zum Telefon.

Detrick starrt mich wütend an, in den Augen etwas, das

noch viel düsterer ist als Verachtung. »Verschwinden Sie, verdammt noch mal.«

Ich gehe, ohne mich umzudrehen.

* * *

Mona Kurtz war immer stolz auf ihre Fähigkeit gewesen, auch in stressigen Situationen die Ruhe zu bewahren. Das gelang ihr hauptsächlich deshalb, weil die Polizeiarbeit sie faszinierte. Sie mochte die Aufregung und bewunderte die Cops, die auch im Chaos noch cool blieben. Doch heute Nacht war sie alles andere als gelassen.

Normalerweise liebte sie ihren Job. Von Natur aus ein Nachtvogel, war die Arbeit in diesen Stunden für sie perfekt. Die Telefone und Funkgeräte, über die sie mit den diensthabenden Polizisten kommunizierte, blieben relativ ruhig, so dass sie lesen oder die Hausaufgaben für den Strafjustiz-Kurs machen konnte, den sie am städtischen College belegt hatte. Und die Kollegen versorgten sie immer mit dem neuesten Tratsch in der Stadt.

Doch seit Beginn der Mordserie war es hier ziemlich unangenehm geworden. Alle waren gereizt, sie musste ständig Berichte tippen und Daten in den Computer eingeben. Das Telefon klingelte nonstop bis in die frühen Morgenstunden, und die Leute wurden immer merkwürdiger. Und um dem Ganzen die Krone aufzusetzen, hatte sich Nathan Detrick auch noch im Büro von Chief Burkholder breitgemacht. Der Sheriff mochte ja durchaus charmant sein – falls man auf glatzköpfige alte Männer stand –, aber etwas an ihm bereitete Mona ein seltsames Unbehagen.

Nach der Entlassung des Chiefs war es mit ihrer Arbeit nur noch bergab gegangen. Zwar wusste Mona nicht alles, aber doch viel mehr, als den Leuten hier klar war. Auch wenn der Telefon-Job in der Hierarchie ganz unten rangierte, konnte man sich doch so ziemlich alles zusammenreimen, weil man mitbekam, wer wen anrief und welche Nachrichten hinterlassen wurden. Und deshalb wusste sie auch, dass Chief Burkholder total reingelegt worden war.

Sie konnte es kaum fassen, dass ihre ehemalige Vorgesetzte um ein Haar verhaftet worden wäre. Schwierigkeiten zu machen sah Kate überhaupt nicht ähnlich. Was zum Teufel hatte sie sich dabei gedacht? Mona hatte den Chief immer total bewundert, genau genommen war sie ihr großes Vorbild. Na ja, zusammen mit Stephanie Plum, der Heldin in den Büchern von Janet Evanovich. Dass Detrick ihr Handschellen angelegt und gedroht hatte, sie zu verhaften, war jedenfalls der Gipfel.

»Seltsame Dinge passieren heute Nacht.«

Mona blickte auf und sah Pickles kommen. »Das kann man wohl sagen.«

Sie reckte den Hals und warf einen Blick zur Treppe, die ins Kellergeschoss führte. »Wo ist der Glatzkopf?«

Pickles lehnte an ihrem Schreibtisch. »Im Büro von Chief Burkholder.«

Mona senkte die Stimme. »War der Chief wirklich betrunken?«

»Sie stand unter großem Druck mit all den Morden.« Er seufzte. »Es wäre nicht das erste Mal, dass ein Polizist zur Flasche greift.«

Mona kritzelte auf ihrem Nachrichtenblock rum. »Ich wünschte, sie wäre noch unser Chief.«

»Das geht mir genauso.«

»Ich hasse diesen ganzen komischen Mist. Für Detrick zu arbeiten stinkt.«

Das Telefon klingelte. Mona stellte ihr Radio leise, setzte das Headset auf und drückte auf Sprechen. »Polizeidienststelle Painters Mill.«

»Ronald Duff von der Indiana State Police. Ich würde gern mit Chief of Police Kate Burkholder sprechen.«

»Chief Burkholder ist nicht hier.« Mona konnte sich noch

immer nicht überwinden, den Leuten zu sagen, dass Kate nicht mehr Chief war. Solche Nachrichten öffentlich bekannt zu geben, gehörte nicht zu ihren Aufgaben. Wahrscheinlich hoffte sie, dass sich alles zum Guten wenden und Kate zurückkommen würde. Doch nach heute Nacht schien das noch unwahrscheinlicher als zuvor.

»Können Sie mir sagen, wie ich sie erreichen kann?«

»Sheriff Detrick ist hier. Kann er Ihnen helfen?« Der Sheriff hatte sie angewiesen, alle Anrufe für Chief Burkholder an ihn weiterzuleiten, und das hatte Mona auch getan.

»Das geht auch, danke.«

»Kann ich ihm sagen, worum es geht?«

»Ich habe ein besseres Bild des Opfers hier in Indiana gefunden und wollte fragen, ob ich es faxen soll.«

Zufrieden, dass Detrick offensichtlich der richtige Ansprechpartner war, stellte Mona ihn durch.

* * *

Von Wind und Schnee malträtiert steige ich in den Mustang und schlage die Tür hinter mir zu. Ich kann noch immer nicht glauben, was gerade passiert ist, und zittere so heftig, dass ich den Schlüssel nur mit Mühe ins Zündschloss kriege. Es klingt zwar verrückt, doch ich glaube, Detrick ist der Mörder. Alle Beweise deuten auf ihn, und nach dem, was Jonas mir gesagt hat … Detrick muss die Beweise auf Jonas' Farm platziert haben und wird Jonas bei der erstbesten Gelegenheit umbringen, um die Spuren zu verwischen.

In dem Moment wird mir klar, dass ich überfordert bin. Ich schaffe das nicht alleine. Nicht nur, dass ich keine Polizistin mehr bin, auch meine Integrität ist in Frage gestellt. Detrick hat alles in seiner Macht Stehende getan, um mich zu diskreditieren – mit ziemlichem Erfolg. Wenn ich ihn jetzt beschuldige, werden die Leute glauben, ich wolle ihm wegen des Verlusts meines Jobs eine reinwürgen.

Eigentlich hatte ich vor, John erst dann anzurufen, wenn ich handfeste Beweise gegen Detrick habe, doch ich kann nicht länger warten. Jonas ist in großer Gefahr. Es wird nicht leicht sein, John zu überzeugen, aber ich brauche seine Hilfe. Auf dem Weg aus der Stadt wähle ich seine Nummer.

Obwohl es schon nach Mitternacht ist, nimmt er beim zweiten Klingeln ab. »Bist du okay?«, fragt er.

»Ich stecke in Schwierigkeiten.«

»Ich bin echt überrascht. Was ist passiert?«

»Versprich mir, dass du mich nicht für verrückt hältst und auflegst.«

»Du weißt doch, ich habe eine Schwäche für geistig Verwirrte.«

Ich lache, doch es klingt mehr wie ein Schluchzen. »Ich glaube, ich weiß, wer der Mörder ist.«

»Ich höre.«

»Nathan Detrick.«

Die Stille, die nun folgt, ist so absolut, dass ich einen Moment lang glaube, die Verbindung ist abgebrochen. Dann höre ich einen Seufzer. »Und wie genau bist du zu diesem erstaunlichen Ergebnis gekommen?«

Ich erzähle ihm schnell von den Morden in Fairbanks zu der Zeit, als Detrick dort als Jagdführer gearbeitet und sogar eine der Leichen »gefunden« hatte. Ich berichte ihm von den Morden in Kentucky und Indiana und der Nähe zu Dayton, wo Detrick seinerzeit Polizist war. Ich breite den zeitlichen Ablauf vor ihm aus und sage abschließend, dass Detrick ein blaues Schneemobil besitzt.

»Ich weiß, das sind alles nur Indizien, aber du musst zugeben, zusammengenommen sind sie ziemlich aussagekräftig.«

»Kate, verdammt, hör auf.«

Ich schließe die Augen. »John, hör mir zu. Ich glaube, Detrick will es Hershberger anhängen und dass er ihn umbringen wird, um ihn mundtot zu machen.« Schnell erzähle ich ihm, was auf dem Polizeirevier passiert ist.

»Detrick ist Polizist und Ehemann und Vater dreier Mädchen im Teenageralter. Er trainiert eine Footballmannschaft.«

»Ich weiß, wer er ist. Und auch, wie das alles klingt!«, blaffe ich ihn an. »Aber er steckt mitten in einer schmutzigen Scheidung. Vielleicht war das der Auslöser für die Eskalation.«

»Kate …«

»Mir gefällt das genauso wenig wie dir, aber ich kann doch nicht ignorieren, worauf ich gestoßen bin.«

Er seufzt, und ich spüre ein Kneifen im Bauch. Das bekomme ich immer, wenn jemand, dessen Meinung ich schätze, etwas sagen wird, das ich nicht hören will. Und jetzt ist dieser Jemand John, was besonders weh tut und mir zudem Angst macht, denn ohne ihn bin ich allein.

»Es passt alles zusammen«, sage ich betont ruhig. »Er hat in jeder Stadt gewohnt, in der es solche Morde gab. Die Täterhandschrift stimmt fast exakt überein. Er hat sogar eine der Leichen ›gefunden‹. Wir beide wissen, dass solche Mörder bekannt dafür sind, in die polizeilichen Untersuchungen involviert zu sein. Er ist Polizist und weiß deshalb, wie man sich absichert. Als Teenager hat er im Schlachthof gearbeitet. Er rasiert sich den Schädel, John. Hast du dich jemals gefragt, warum die Spurensicherung noch nie auch nur ein Haar an einem der Tatorte gefunden hat? Ich wette, er rasiert seine ganzen Körperhaare ab.«

»Das klingt ziemlich paranoid.«

»Dann hilf mir, es zu widerlegen.«

»Weiß Detrick, dass du ihn verdächtigst?«

»Nein.«

»Belass es dabei.« Sein Fluchen kommt wie ein Feuerball durch die Leitung. »Ich bin in ein paar Stunden da.«

Die Fahrt von Columbus nach Painters Mill dauert normalerweise zwei Stunden. Aber da die Schneedecke stündlich um zwei Zentimeter wächst, wird er wohl erst morgen früh hier sein. »Okay.«

»Ich will, dass du nach Hause gehst. Stell alles zusammen, was du an Fakten hast. Ich bin so schnell wie möglich bei dir.«

»Danke.«

»Was immer du machst, Detrick darf auf keinen Fall wissen, dass du ihn verdächtigst. Und tu mir einen Gefallen, ja?«

»Kommt drauf an.«

»Pass auf dich auf.«

Er legt auf, ohne sich zu verabschieden.

Der Zweifel in seiner Stimme bedrückt mich. Als Frau und ehemalige Amische habe ich hart für meinen guten Ruf gearbeitet. Glaubwürdigkeit ist mir wichtig. Ich hasse es, beides in Frage gestellt zu sehen.

Ich wende den Mustang und mache mich auf den Weg nach Hause. Die Sicht ist so schlecht, dass ich kaum die Straßenlampen entlang der Main Street sehen kann. Das County hat zwar Schneepflüge eingesetzt, doch es sind zu wenige, um mit den Schneemassen fertig zu werden. Ich bin zwei Blocks von meinem Haus entfernt, als in meinem Rückspiegel das Blaulicht eines Polizeiwagens auftaucht. Vermutlich Pickles, der mit mir über die Sache im Polizeirevier sprechen will.

Dass ich mich irre, wird klar, als ich in meinem Seitenspiegel den Chevrolet Suburban vom Sheriffbüro sehe. Selbst in dem dicht fallenden Schnee erkenne ich Detricks Umrisse, als er aussteigt. Einen verrückten Moment lang spiele ich mit dem Gedanken, aufs Gas zu treten und abzuhauen, doch das würde alles nur noch schlimmer machen. Ich muss einfach nur cool bleiben. Schließlich weiß er ja nicht, dass ich ihn verdächtige.

Meine Dienstwaffe musste ich nach der Entlassung zwar abgeben, aber ich habe auch privat einen Waffenschein und besitze eine hübsche kleine Kimber .45, die ich schnell aus der Mittelkonsole hole und in meine Jackentasche stecke.

Detrick klopft an das Fenster auf der Fahrerseite. Ich lasse das Fenster ein Stück runter. »Was gibt's?«

»Stellen Sie den Motor ab.«

»Was?«

»Machen Sie schon, Burkholder. Steigen Sie aus. Sofort.«

»Ich habe gegen kein Gesetz verstoßen.«

»Sie haben getrunken. Das hab ich schon im Polizeirevier gerochen und jetzt wieder. Steigen Sie verdammt noch mal aus dem Wagen.«

Mein Herz beginnt zu rasen. Das hatte ich nicht erwartet. Ein Dutzend Antworten gehen mir durch den Kopf, doch keine davon ist wirklich brauchbar. »Das möchte ich ungern tun, Detrick. Ich folge Ihnen zum Revier und mache da einen Alkoholtest.«

»Ungern?« Er starrt mich durch den fünfzehn Zentimeter großen Fensterspalt an. »Machen Sie die Tür auf. Sofort.«

Ich habe meine Stimme gut im Griff und antworte ruhig: »Holen Sie noch einen Beamten her und ich gehorche.«

»Steigen Sie aus dem Auto aus!«, brüllt er. »Sofort!«

All die grauenhaften Dinge gehen mir durch den Kopf, die dieser Mann möglicherweise getan hat. Doch ich kann mir nicht vorstellen, dass er glaubt, mir etwas antun zu können und damit durchzukommen. Aber aus meinem Wagen steige ich nie und nimmer. Ich drücke die automatische Zentralverriegelung.

»Machen Sie es nicht schwerer als nötig«, sagt er.

»Holen Sie Pickles her und ich gehorche.« Schnee weht durch den offenen Fensterspalt herein.

Er beugt sich weiter vor. »Wenn Sie darauf bestehen, dass ich einen weiteren Cop herhole, werde ich Sie mit Beschuldigungen zuknallen. Alkohol am Steuer. Widerstand. Alles, was mir einfällt. Ich ruiniere Sie, Burkholder. Danach können Sie froh sein, wenn Sie einen Job als Parkplatzwächter kriegen.«

Ich sage nichts.

»Wie Sie wollen.« Er scheint nachzugeben, richtet sich auf und hält das Funkgerät vor den Mund. »Hier ist 247 –«

Das Fenster birst. Glas fliegt mir entgegen. Detricks behandschuhte Faust kommt auf mich zu, etwas Dunkles darin. Ich ramme die Gangschaltung ein, doch bevor ich aufs Gas treten kann, höre ich das widerliche *Klick* eines Elektroschockers. Fünfhunderttausend Volt starke Elektroden drücken sich in meinen Hals.

Es ist, als würde man von einem Baseballschläger getroffen. Ich spüre den Stoß bis in die Knochen. Der Mustang rollt vorwärts, doch ich schaffe es nicht, aufs Gas zu treten. Der Stromstoß lähmt mich. In meinem Kopf herrscht großes Durcheinander. Als Detrick zum Zündschlüssel greift und den Motor abstellt, weiß ich, dass ich einen verheerenden Fehler gemacht habe.

33. KAPITEL

John brauchte eine Stunde, nur um aus der Stadt rauszu-kommen. Das lag nicht bloß an den zugeschneiten Straßen, auch viele Unfälle behinderten den Verkehr. Aber die Fah-rerei wäre nicht einmal so schlimm gewesen, hätte er nicht irgendwann angefangen, sich Sorgen um Kate zu machen. Dass sie Detrick verdächtigte, klang zwar ungeheuerlich, doch sie war ein kluger Kopf und, wichtiger noch, sie war eine gute Polizistin. Wenn sie mit ihrem Verdacht richtig lag, war in Painters Mill ein Serienmörder mit Dienstmarke auf Beutezug.

Während er darauf wartete, dass es nach einem Unfall auf dem Highway 16 endlich weiterging, versuchte er, sie auf dem Handy zu erreichen, bekam jedoch nur die Mailbox. Er hinterließ eine Nachricht und versuchte es bei ihr zu Hause. Als dort auch nur der Anrufbeantworter ansprang, geriet er in Panik.

»Wo zum Teufel steckst du?«, murmelte er und legte auf.

Er hatte noch immer Glocks Nummer in seinem Han-dy eingespeichert und versuchte, ihn als Nächsten zu errei-chen. Zu seiner Erleichterung war er da. »Haben Sie Kate gesehen?«

»Nur heute früh. Warum?«

Er überlegte, wie viel er ihm sagen konnte. »Wäre es Ihnen vielleicht möglich, kurz bei ihr zu Hause vorbeizuschauen?«

»Ich kann sofort hinfahren.« Er hielt inne. »Sagen Sie mir, was los ist?«

John kroch im Schritttempo an einem quer stehenden Sat-telschlepper vorbei, aus dessen zerquetschtem Fahrerhaus

Rettungssanitäter gerade den Fahrer zogen. »Das geht momentan nicht, Glock.«

»Dann mach ich mir jetzt offiziell verdammt Sorgen, Tomasetti.«

»Sehen Sie nach ihr. Ich erzähle Ihnen alles, wenn ich da bin.« Obwohl er bei dem Schneegestöber nicht viel sehen konnte, drückte er den Tacho auf sechzig Stundenkilometer hoch und hoffte inständig, dass Kate unrecht hatte.

* * *

Ich werde aus dem Wagen gezerrt, habe Schnee im Gesicht, auf den Haaren. Flocken fallen mir in den Kragen. Ich weiß, ich stecke in Schwierigkeiten, bin aber vollkommen wehrlos.

Noch ein *Klick*.

Schmerz durchfährt meinen Körper, erschüttert mein Gehirn. Meine Muskeln verkrampfen. Ich liege mit dem Gesicht im Schnee, Mund und Augen voll, die Haut eiskalt. Detrick kniet neben mir, zerrt meine Hände auf den Rücken. Ich versuche zu kämpfen, doch ich zappele nur wie ein Fisch.

»Du hättest aufgeben sollen, Kate.«

Ich versuche zu schreien, doch wegen dem Schnee in meinem Mund spucke ich nur. Auch der Nebel lässt sich nicht aus meinem Kopf schütteln, er ist wie festgeklebt.

Wieder Stromstöße mit dem Elektroschocker. Der Schmerz entreißt mir ein Stöhnen. Meine Muskeln verhärten sich, und ich merke, wie mir die Augen nach hinten wegrollen. Ich verliere immer wieder das Bewusstsein, die Welt ist jetzt nur noch schwarzweiß. Er stapft durch den Schnee, ist mit irgendetwas beschäftigt. Das nehme ich zwar wahr, bin jedoch zu benommen, um zu sagen womit. Die Fesseln sind so fest, dass sie mir in die Handgelenke schneiden. Ich rolle mich auf die Seite, hebe den Kopf und blicke um mich. Schnee fällt aus dem schwarzen Himmel. Und plötzlich beugt Detrick sich über mich.

»Jetzt bist du nicht mehr so schlau, was?«

Er schiebt mir die Hände unter die Achseln und zieht mich weg. Ich will treten und merke, dass meine Füße zusammengebunden sind. Er öffnet den Kofferraum meines Mustangs, hebt mich hoch, als wäre ich gewichtslos, und schmeißt mich hinein. Krachend lande ich auf der Schulter, und als er meine Füße nach hinten zieht, wird mir klar, dass er mir Arme und Beine auf dem Rücken zusammenbinden will.

»Hilfe!«, schreie ich, so laut ich kann. »*Hilfe!*«

»Halt's Maul.«

»Helft mir *bitte!*«

Er packt mich bei den Haaren, zieht meinen Kopf zurück und schiebt mir einen Stoffknäuel in den Mund. Bevor ich ihn ausspucken kann, drückt er mir Klebeband drauf, das er mir um den ganzen Kopf wickelt.

Er greift in den Kofferraum und reißt das Kabel für die Notfallentriegelung aus der Innenverkleidung. »Damit du erst gar nicht auf die Idee kommst rauszuklettern.«

Der Kofferraumdeckel fällt zu und um mich herum wird es dunkel. Ich atme heftig durch die Nase. Mein Puls schlägt bis zum Hals. Ein Motor wird angelassen, doch nicht der von meinem Auto, sondern von seinem. Dann ruckelt der Mustang, und mir wird klar, dass er meinen Wagen abschleppt. In dem Moment habe ich so große Angst wie noch nie in meinem Leben. Ich weiß, dass er mich töten wird. Ich habe sein blutiges Werk gesehen. Panik erfasst mich und ich kämpfe einen sinnlosen Kampf mit den Fesseln. Tierische Laute entsteigen meiner Kehle, die im Knebel ersticken. Ich drehe und winde mich, bis mein ganzer Körper vom Adrenalinausstoß vor Erschöpfung zittert.

Nach einer gefühlten Ewigkeit zwinge ich mich zur Ruhe. Ich atme lang und tief durch, konzentriere mich darauf, die Arme und Beine zu entspannen. Kurz darauf lichtet sich der Nebel in meinem Kopf und ich kann wieder denken. Er hat zwar die Notfallentrieglung des Kofferraums außer Kraft gesetzt, aber ich weiß, dass es zwischen Kofferraum und Rücksitz einen Hebel gibt. Wenn ich den finde, kann ich vielleicht entkommen.

Im Kofferraum zu manövrieren ist beschwerlich und geht entsetzlich langsam. Ich taste mit dem Gesicht nach dem Hebel der Sitzverriegelung. Nach mehreren Minuten finde ich ihn endlich in der rechten Ecke. Jetzt bräuchte ich meine Zähne, aber mein Mund ist zugeklebt. Also drücke ich mein Gesicht gegen den Hebel und benutze ihn, um das Klebeband runterzuschieben. Dabei verletze ich mir die Lippe, aber das ist jetzt egal. Schließlich ist mein Mund frei, ich ziehe mit den Zähnen an der Verriegelung und höre den Mechanismus klicken. Mit dem Kopf stoße ich gegen die Rücksitzlehne und seufze erleichtert auf, als sie nach vorne klappt.

Ich brauche alle Kraft, die ich noch habe, um vom Kofferraum auf den Rücksitz zu kriechen. Von da rolle ich mich auf den Boden, krieche weiter zwischen die Vordersitze und bin schon fast auf dem Fahrersitz, als das Auto stehen bleibt.

Panik erfasst mich, ich winde mich hektisch und schaffe es irgendwie über die Mittelkonsole auf den Fahrersitz. Mit der Stirn drücke ich auf die automatische Türverriegelung, dann presse ich das Kinn auf die Hupe. Als sie ertönt, verspüre ich kurz Erleichterung. Mir fällt die Kimber in meiner Tasche ein und ich überlege, wie ich an sie rankomme. Mein Blick fällt auf das Handy auf dem Beifahrersitz. Ohne groß nachzudenken beuge ich mich runter und nehme es in den Mund. Da ich es nie und nimmer in die Jackentasche kriege, senke ich den Kopf und lasse es in die Bluse fallen.

Eine Hand schiebt sich durch das kaputte Fenster, und einen Moment später geht die Tür auf. Grinsend hält Detrick mir den Elektroschocker vor die Nase. *Klick!*

Der Schmerz ist fast unerträglich. Meine Muskeln verkrampfen sich wieder. Als er nach mir greift, sehe ich flüchtig sein Gesicht, werfe mich auf die Hupe und freue mich über ihr Blärren, bete, dass jemand es hört. Ich werde unsanft aus dem Auto gezerrt und lande im Schnee. Er packt mich an den Haaren und zieht mich weg, reißt mir ganze Haarbüschel mit den Wurzeln aus. Schnee rutscht in meinen Kragen, ich drehe etwas den Kopf, um mich zu orientieren. Wir sind auf einer Lichtung, umgeben von Bäumen. Weiter vorn erkenne ich die dunklen Umrisse eines Farmhauses, dahinter ein Silo und eine windschiefe Scheune.

Als ich Treppenstufen hinaufgezogen werde, höre ich auf zu denken und zappele wild, um Hände und Füße freizubekommen. Dann schlägt mein Kopf so hart auf die obere Stufe, dass ich Sterne sehe, danach registriere ich verschwommen, dass ich über eine Holzveranda geschleift werde. Detrick stößt die Tür auf, und stickige Luft, Moder und Kälte schlagen mir entgegen. Er zerrt mich über die Schwelle wie einen Sack Getreide. Die Tür schlägt zu und ich kämpfe gegen einen Anfall von Klaustrophobie. Das Monster hat mich in seine Höhle gebracht, mehr kann ich nicht mehr denken.

Angst und Schrecken kriechen wie langsam wirkendes Gift in meinen Verstand und paralysieren mich. Ich denke an Amanda Horner, Ellen Augspurger und Brenda Johnston. Vor meinem inneren Auge sehe ich ihre geschundenen Körper und frage mich, ob das hier ein Teil dessen ist, was sie ertragen mussten, bevor er sie getötet hat. Ich frage mich, ob ich auf die gleiche Weise sterben werde.

Die Tür geht auf und knallt wieder zu. Ich bin allein, weiß aber, dass er zurückkommen wird. Der Holzboden fühlt sich kalt und rau unter meiner Wange an. Ich liege auf der Seite und atme, als wäre ich gerade eine Meile gesprintet. Mein Rücken schmerzt von der unbequemen Lage, doch ich weiß, dass das Schlimmste erst noch kommt.

Mein Puls schlägt im roten Bereich. Ich zittere am ganzen

Leib. Aber ich muss denken. Kämpfen. Fliehen. Den Scheißkerl töten, wenn ich die Chance dazu bekomme. Ich hebe den
Kopf und sehe mich um. Das Haus ist alt und ohne Möbel,
wahrscheinlich steht es leer. Ich frage mich, ob es auf Monas Liste stand, doch dann fällt mir ein, dass sich Detrick um
die Überprüfung kümmern sollte. Aller Wahrscheinlichkeit
nach hat er das nie getan.

Er kommt mit einem Petroleumofen und einem Werkzeugkasten zurück. Er sucht den Blickkontakt, und mich
schaudert. »Du willst doch bestimmt wissen, wie ich rausgekriegt habe, dass du mein kleines Geheimnis kennst.«

Ich starre ihn an.

»Dein Kumpel bei der Indiana State Police hat angerufen
und wollte mit dir über einen ungeklärten alten Fall in Indiana reden. Aus irgendeinem Grund dachte er, du wärst immer noch Chief of Police. Du weißt auch nicht, wie er darauf
kommt, oder?«

Er stellt den Ofen ab, geht daneben in die Hocke. Während
er ihn anmacht, versuche ich die Fesseln an meinen Handgelenken zu lösen. Ich weiß nicht, woraus sie sind, aber sie fühlen sich weich an.

Das Gerät springt an und taucht den Raum in gelbes Licht.
Er richtet sich auf, kommt zu mir und reißt das restliche Klebeband von meinem Mund. Das tut ziemlich weh, doch ich
würge die Schluchzer ab. Dann sehe ich das Messer in seiner
Hand und ein Schrei entweicht meinem Mund, als er sich zu
mir runterbeugt. Doch er schneidet nur das Stoffband durch,
das meine Hände und Füße im Rücken miteinander verbindet.

Meine Hände und Füße sind zwar noch immer gefesselt,
aber jetzt kann ich mich strecken, rolle auf die Seite und sehe
ihn an. »Damit kommen Sie niemals ungestraft davon.«

Er legt mir die linke Hand auf die Schulter und tastet mich
mit der rechten ab. »Hast du 'ne Waffe dabei, Kate?«

»Nein.«

Er findet die Kimber in meiner Jackentasche und holt sie raus. »Hübsches Stück.« Grinsend umfasst er den Griff. »Und teuer.« Er stellt sich wie ein Schütze hin und zielt auf meine Stirn. »Wie schießt sie denn? Zielgenau? Starker Rückstoß?«

»Tomasetti weiß alles«, sage ich.

»Der Säufer hat doch keinen blassen Schimmer.«

»Ich hab ihm alles gesagt. Er ist auf dem Weg hierher. Es ist vorbei.«

»Und was glaubst du so zu wissen?«

»Ich weiß von den Morden in Alaska. In Kentucky und Indiana. Die vier Morde hier in Painters Mill vor sechzehn Jahren.«

»Hast das alles selbst rausgekriegt, was?«

»Die Leute vom BCI wissen es auch. Es ist vorbei. Sie können aufgeben, oder Sie können abhauen. Wenn Sie jetzt gehen, sind Sie morgen früh in Kanada.«

»Und dann? Soll ich den Rest meines Lebens ängstlich um mich gucken? Nicht mein Stil.«

»Wenn Sie bleiben, landen Sie im Gefängnis.«

In seinen Augen ist Arroganz. Er glaubt mir nicht, nimmt mich nicht ernst. »Es gibt nur ein Problem mit deiner Behauptung, Kate.«

Meine Kehle ist wie zugeschnürt, ich kann nichts sagen.

»Du hast keine Beweise. Keine DNA. Keine Fingerabdrücke.« Er zuckt die Schultern mit der Nonchalance eines Mannes, der ein lästiges Kind abserviert.

»Die Indizien reichen aus, damit sie sich alles genau ansehen. Und dann finden sie auch Beweise. Es ist nur eine Frage der Zeit, das wissen Sie genau.«

Ein Grinsen überzieht sein Gesicht. »Du vergisst, dass schon ein Verdächtiger im Gefängnis sitzt. Hast du überhaupt eine Ahnung, wie viele Beweise ich gegen Jonas Hershberger habe?«

»Meinen Sie die untergeschobenen Beweise?«

»Ich habe Blut. Fasern. Haare. Ich rede von DNA, Kate, und von der persönlichen Habe der Opfer. Kleidung der Opfer, die bei der Scheune vergraben ist. Deine Officer haben nur noch nicht die richtige Stelle gefunden, aber dafür werde ich sorgen. Hershberger landet auf dem elektrischen Stuhl.«

»Tomasetti hat einen Durchsuchungsbeschluss. Er ist wahrscheinlich gerade in Ihrem Haus.« Die Lüge geht mir mit der Vehemenz eines Gift und Galle spuckenden Höllenpredigers über die Lippen.

Sein Grinsen verschwindet, macht einem Gesichtsausdruck Platz, der mein Blut gefrieren lässt. »Du bist ein lügendes Stück Scheiße.«

»Wenn Sie mich umbringen, wird Sie jeder Polizist in diesem Staat jagen.«

Er verzieht den Mund. Seine schlagartige Verwandlung vom Charmeur zum Psychopathen trifft mich unvorbereitet. Er stürzt sich auf mich und zerrt mich mit solcher Wucht auf die Füße, dass mein Kopf nach hinten kippt. »Du glaubst, du kannst mich mit deinen Lügen aus der Fassung bringen? Du glaubst, ich bin blöd?«

»Ich glaube, Sie sind eine armselige Missgeburt.«

»Dann sag ich dir jetzt, was passieren wird«, stößt er zwischen den Zähnen hervor.

Ich versuche mich wegzudrehen, doch er hat meine Jackenärmel fest im Griff und schüttelt mich wieder. »Du bist verzweifelt, weil du deinen Job verloren und weil du bei diesem Fall jämmerlich versagt hast, das verkraftest du nicht. Also hast du dich betrunken, bist zu dem verlassenen Farmhaus hier gefahren und hast noch ein paar Drinks nachgelegt. Dann hast du dich auf den Boden gesetzt, deine hübsche kleine Kimber genommen, sie in den Mund gesteckt und abgedrückt. Wie klingt das als Happy End?«

»Das wird kein Mensch glauben.« In meinem Kopf schreie

ich diese Worte, doch aus meinem Mund kommen sie gelassen.

»Du wärst nicht die erste Polizistin, die wegen dem Job eine Kugel schluckt.«

»Dann muss ich Ihnen wohl die Augen öffnen, Sheriff Detrick. Tomasetti weiß, was Sie gemacht haben. Er kriegt Sie dran. Ihre Probleme haben gerade erst angefangen.«

Mit der Geschwindigkeit einer zubeißenden Schlange nimmt er meinen Kopf in beide Hände und zieht ihn dicht vor sein Gesicht. »Ich würde auf der Stelle meine Seele verkaufen, um an dir rumzuschnippeln«, flüstert er. »Ich würde dich aufschneiden und deine Eingeweide rausholen wie bei dem Johnston-Girl. Dann würde ich dich umdrehen und ihn dir an Stellen reinstecken, wo ihr unschuldigen Mädchen ihn nicht gerne reingesteckt kriegt.«

Ich wappne mich gegen seine Nähe, seine grauenhaften Worte. Ich starre ihn an, hasse ihn, hasse alles, was er verkörpert. »Wenn Sie das machen, wissen die Cops, dass ich keinen Selbstmord begangen habe. Und wie wollen Sie Jonas die Morde anhängen, wenn noch eine Leiche gefunden wird, während er im Gefängnis sitzt?«

»Du hältst dich wohl für superklug, was? Dann hör mir mal gut zu. Es gibt 'ne Menge Dinge, die ich dir antun kann und die niemand rausfinden wird, weil das hier alles mit dir zusammen in Flammen aufgehen wird.« Er zeigt auf den Petroleumofen. »Man muss das Ding nur zu nah an die Gardinen stellen, und diese Bruchbude erleuchtet den Himmel wie das Feuerwerk am vierten Juli.«

Mich schaudert es, als er mir mit der Zunge über die Wange leckt. Ich rieche Knoblauch aus seinem Mund und den Moschusduft eines billigen Rasierwassers. Ich spüre seinen warmen Atem im Gesicht, die Feuchtigkeit seines Speichels auf der Haut.

»Solange ich dir keine Knochen breche, wird das Feuer alle

Beweise vernichten. Du weißt doch, ich benutze ein Kondom.« Er klopft sich auf die Jackentasche. »Hab 'ne ganze Schachtel dabei, nur für dich.«

Ich stoße ihn mit dem Kopf so fest wie möglich ins Gesicht, höre seine Nase knacken. Er schubst mich weg, fasst sich ins Gesicht, und ich sehe gerade noch das Blut zwischen seinen Fingern rinnen, dann knalle ich rücklings auf den Boden. Ich warte nicht, dass er sich auf mich stürzt, sondern rolle zur Kimber, die er fallen gelassen hat, winde mich wie ein Wurm, bis meine rechte Hand den Griff berührt. Wenn ich meine Finger …

Detrick stößt die Waffe mit dem Fuß weg. Ich blicke auf und sehe, wie er das Messer aus der Tasche zieht und sich über mich beugt. Blitzschnell rolle ich auf den Rücken, ziehe die Beine an und verpasse ihm einen Maultier-Tritt. Mit rudernden Armen taumelt er zurück. Glas splittert und mir wird klar, dass ich ihn Richtung Fenster gekickt habe. Ich drehe mich auf die Seite und suche verzweifelt meine Waffe. Meine letzte Chance. Meine einzige Chance, hier lebend rauszukommen.

Doch ich kann die Kimber nirgends sehen und schiebe mich in die Richtung, in die er sie gekickt hat. Da packen mich Detricks Hände bei den Schultern, ich werfe mich rum, will ihn wieder treten, sehe seine Hand auf mich zukommen.

Klick!

Fünfhunderttausend Volt setzen jeden Nerv in meinem Körper unter Strom. Ich schreie vor Schmerz auf, kriege einen Muskelkrampf, und in meinem Kopf explodiert Licht. Dann lande ich mit der Wange auf dem Boden. Ein weiteres *Klick* und mein Körper wird stocksteif. Meine Augen rollen nach hinten weg, meine Zähne schlagen zusammen. Ich schmecke Blut. Meine Blase entleert sich.

Klick!

Und die Welt um mich herum wird grau.

34. KAPITEL

LaShonda war nicht gerade begeistert, dass er in dem Sturm noch mal raus musste. Glock gefiel es auch nicht, aber er hatte keine Wahl. Bei Kates Telefon zu Hause war der Anrufbeantworter und bei ihrem Handy die Mailbox angegangen. In Anbetracht des Wetters und Tomasettis geheimnisvollem Anruf machte er sich nun ziemliche Sorgen.

Er wusste, dass Kate wegen der Morde und dem Verlust ihres Jobs niedergeschlagen war. Im günstigsten Fall würde er sie zu Hause mit einer Flasche hochprozentigem Alkohol antreffen. Manche Polizisten griffen zur Flasche, um sich zu trösten oder um zu vergessen. Es waren die anderen Möglichkeiten, die ihn beunruhigten.

Er parkte auf der Straße vor ihrem Haus und sah mit zusammengekniffenen Augen durch das Schneegestöber zu ihrer Einfahrt. Normalerweise stand ihr Wagen dort, aber jetzt nicht. Glock versuchte sich einzureden, dass sie den Mustang wegen des Wetters in die Garage gestellt hatte. Aber er war schon lange genug Polizist, um zu wissen, wann er auf seinen Bauch hören sollte. Und der sagte ihm gerade etwas anderes. Von Wind und Schnee traktiert kämpfte er sich zur Garage und sah durchs Fenster. Sie war leer, was ihn sehr beunruhigte. Er ging zur Hintertür, doch sie war verschlossen. Mit der behandschuhten Hand schlug er die Scheibe nahe des Knaufs ein, griff hindurch und schloss die Tür auf. Das Haus war warm und duftete nach Kaffee. Er knipste das Licht an. »Chief? Ich bin's, Glock. Sind Sie da?«

Der Wind, der um die Dachtraufe pfiff, schien ihn zu verhöhnen.

Glock legte die Hand an die Kaffeemaschine. Sie war kalt. Der Küchentisch war mit Papieren, Akten und ihrem Laptop bedeckt. Sein Blick fiel auf handschriftliche Notizen. State Police in Indiana. Ein ehemaliger Detective in Alaska. Und ein Zeitungsbericht.

Er checkte noch schnell den Rest des Hauses, aber Kate war nicht da. Zurück in der Küche, rief er Tomasetti an. »Sie ist nicht zu Hause«, sagte er ohne Vorrede.

»Ich brauche noch zwanzig Minuten«, erwiderte Tomasetti. »Wir treffen uns auf dem Revier.«

»Was zum Teufel ist los? Wo ist Kate?«

»Ich erkläre alles, wenn ich da bin. Tun Sie mir einen Gefallen und versuchen Sie Detrick ans Telefon zu kriegen. Finden Sie raus, wo er ist und was er gerade macht. Er darf aber nicht erfahren, dass wir Kate suchen.«

»Was hat Detrick denn damit zu tun?«

»Er ist möglicherweise … involviert.«

»Involviert in was?«

»Die Morde.«

»*Was?* Das kann ja wohl nur 'n schlechter Witz sein. Detrick?«

»Hören Sie, ich bin mir nicht sicher. Rufen Sie ihn an, okay?«

»Und wenn er im Büro ist?«

»Dann ist das die beste Nachricht, die ich den ganzen Tag hatte. Wenn er nicht da ist, bin ich ziemlich sicher, dass Kate in Schwierigkeiten steckt.«

* * *

Langsam kehrt mein Bewusstsein zurück. Als Erstes nehme ich das Heulen des Windes wahr. Den Schnee, der ans Fenster klatscht. Ich liege auf der Seite, die Knie an die Brust gezogen. Meine Hände sind im Rücken gefesselt und meine Fußgelenke sind auch noch zusammengebunden. Der Arm, auf dem ich liege, ist taub. Ich zittere vor Kälte, auch weil meine Hose im Schritt nass ist, und ich erinnere mich, reingepinkelt zu haben, als Detrick mich mit dem Elektroschocker attackiert hat.

Ich öffne die Augen. Das gelbe Licht des Heizofens tanzt an der Decke. Kalte Luft umgibt mich, und mir fällt ein, dass die Fensterscheibe kaputt ist. Ich drehe den Kopf und sehe entsetzt, dass Detrick in der Tür steht. Irgendwann muss er seine Jacke ausgezogen haben, denn er trägt ein Jeanshemd über einem Rollkragenpullover und gut sitzende Hosen.

»Du hast mir die Nase gebrochen«, sagt er.

Ich bemerke das Blut auf seinem Rollkragenpullover. »Und wie wollen Sie das erklären?«

»Leute fallen nun mal auf eisglatten Fußwegen.« Er mustert mich von Kopf bis Fuß. Sein Lächeln lässt mich schaudern. »Du zitterst ja. Ist dir kalt?« Ich sage nichts. »Du hättest das Fenster nicht kaputt machen sollen. Mit dem Ofen wär's jetzt schön kuschelig hier drin.«

Die Hoffnungslosigkeit meiner Lage ist wie ein dunkles Loch, in das ich langsam hineingezogen werde. Dieser Mann wird mich töten. Nur der Zeitpunkt ist noch offen. Und die Methode. Die Zeit ist auf meiner Seite, aber die Uhr tickt.

»Wirst du dich auch gut benehmen, wenn ich die Fessel an deinen Füßen durchschneide?«

»Wahrscheinlich nicht.«

Er lacht. »Diesmal tue ich dir richtig weh, wenn du wieder was Dummes versuchst, hast du verstanden?«

Er sieht mich an wie ein ausgehungerter Hund ein Stück Fleisch, das er gleich verschlingen wird. Er wird mich vergewaltigen, ich sehe es in seinen Augen. Die Vorstellung stößt mich ab, doch ich rufe mir ins Gedächtnis, dass ich so was schon einmal überlebt habe. Das schaffe ich noch mal. Ich will leben. Dieser unzerstörbare Wille erfüllt mich mit jedem Schnellfeuerschlag meines Herzens.

Er kommt auf mich zu, den Elektroschocker in der Hand.

»Lassen Sie das Ding weg«, sage ich.

»Du kooperierst also?«

Bis ich die Chance habe, dich zu töten. »Ich mache, was Sie wollen.«

Er hockt sich neben mich. Im Schein des Heizofens funkelt das Messer wie Quecksilber. Das Stoffband um meine Füße fällt ab. Ich spüre seinen Blick auf mir, kann mich aber nicht überwinden, ihm in die Augen zu sehen. Weil er dann meine Angst sieht. Ich weiß, dass er sich daran labt.

Mein Herz rast, als er anfängt, mir den linken Stiefel aufzuschnüren. Ich starre auf seine Finger, die manikürten Nägel, die vollkommen ruhigen Hände. Er wirkt so normal, dass ich mir fast einreden kann, es sei alles nur ein Traum.

Doch der Mann, der meine Stiefel aufbindet, verspürt nichts anderes als den nagenden Zwang, seinen dunklen Hunger zu stillen. Heute Nacht bin ich es, auf die sich sein Hunger konzentriert – der kurz davor ist, außer Kontrolle zu geraten.

* * *

Die Uhr im Armaturenbrett zeigte drei Uhr dreißig an, als John den Tahoe vor dem Polizeirevier in Painters Mill parkte. Schneeflocken begleiteten ihn beim Betreten des Gebäudes. Mona saß in der Zentrale, einen Lutscher im Mund und die Füße neben dem Computerbildschirm. Aus dem Radio auf dem Schreibtisch trällerte ein Song der Red Hot Chili Peppers. Als sie John erblickte, landeten ihre Füße blitzschnell auf dem Boden und sie sprang auf.

»Ich dachte, Sie wären abgereist.«

»Bin zurückgekommen. Haben Sie Chief Burkholder gesehen?«, fragte er, schon halb auf dem Weg in Kates Büro.

»Nicht seit Detrick sie fast verhaftet hat.«

»Irgendeine Idee, wo sie sein könnte?«

»Ich dachte, sie ist zu Hause.«

»Wann ist sie hier weggegangen?«

»Vor ein paar Stunden, glaube ich.«

»Wo ist Detrick?«

»Wohl auch zu Hause, nehme ich an.« Ihre Augenbrauen verbanden sich zu einem Strich. »Ist was passiert?«

Die Tür ging auf und Glock stürmte herein, das Gesicht so düster, wie John es noch nie bei ihm gesehen hatte. Mona zog den Lutscher aus dem Mund. »Sagt mir mal einer, was hier vorgeht?«

Ohne sie zu beachten, wandte John sich an Glock. »Haben Sie Detrick erreicht?«

»Ich hab ihn auf dem Handy angerufen, aber er hat nicht abgenommen.«

»Versuchen Sie's zu Hause.«

Er erwartete, dass der ehemalige Marine Bedenken äußern würde, den Sheriff morgens um drei Uhr dreißig anzurufen, doch Glock holte wortlos sein Handy vor und drückte zwei Tasten. »Lora? Hallo, hier ist Rupert Maddox.« Beim Sprechen sah er John an. »Ja, alles in Ordnung. Wäre es möglich, kurz mit Nathan zu sprechen?« Glocks Augenbrauen schossen in die Höhe. »Er ist nicht da? Wirklich? Wissen Sie, wo er ist?« Er nickte. »Nun, das nenne ich wahre Hingabe an den Beruf. Ich rufe ihn über Funk an. Tut mir leid, dass ich Sie gestört habe.«

Sein düsterer Gesichtsausdruck entsetzte John genauso sehr wie seine Worte: »Die Haushälterin sagt, er ist auf Streife.«

»Versuchen Sie's im Sheriffbüro«, wies John ihn an und wandte sich Mona zu. »Probieren Sie, ihn über Funk zu erreichen.«

Sie schob das Headset auf die Ohren, drückte ein paar Tasten und sagte ins Mikrophon: »Zentrale ruft 247. Sheriff Detrick, hören Sie mich?«

»Versuchen Sie's noch mal auf seinem Handy«, sagte John zu Glock.

Kurz darauf ließ der ehemalige Marine sein Mobiltelefon sinken. »Mailbox.«

»Scheiße.« John ging die Möglichkeiten im Kopf durch. »Besitzt Detrick irgendwelche Grundstücke in der Gegend?«

Glock schüttelte den Kopf. »Keine Ahnung.«

»Was ist mit leerstehenden Farmen und –«

»Ich habe eine Liste.«

Beide Männer sahen Mona an, die bei der Vorstellung, helfen zu können, ganz aufgeregt wurde. »Ich habe sie dem Sheriff gegeben, aber sie ist noch im Computer.« Sie klickte auf die Maus, druckte das zweiseitige Dokument aus und gab es John. »Ich habe sie unterteilt in Häuser, Farmen und Geschäfte in einem Radius von fünfzig Meilen.«

»Wir brauchen mehr Leute«, sagte John.

»Was ist mit Pickles?«, fragte Glock.

»Schon im Einsatz«, warf Mona ein. »Hab ihn vor fünfzehn Minuten losgeschickt. Ein Mann ist nahe Clark mit dem Auto von der Straße abgekommen. Er kümmert sich um einen Abschleppwagen.«

John überflog die Liste. »Rufen Sie Pickles trotzdem an. Sagen Sie, es ist dringend. Er soll anfangen, diese Orte hier zu überprüfen.«

»Wonach soll er suchen?«, fragte sie.

John war unsicher, wie viel er ihr verraten konnte. »Wir suchen Kate. Ihr Auto. Wir glauben, sie könnte in Schwierigkeiten stecken.«

»Was für Schwierigkeiten?« Sie sah von einem Mann zum anderen.

John senkte die Stimme. »Wir wollen sie einfach finden, okay?«

»Sagen Sie Pickles noch, er soll nicht das Funkgerät benutzen«, warf Glock ein. »Nur das Handy.«

»In Ordnung.«

»Und rufen Sie auch Skid an«, fügte er hinzu. »Wenn einer Kate findet, soll er entweder John oder mich anrufen, sonst niemanden.«

John wandte sich wieder Glock zu. »Ich rufe die Helikoptereinheit in Springfield an, sie sollen eine Suchmeldung für ihren und Detricks Wagen rausgeben.«

»Okay.«

John drehte sich um und ging zur Tür. »Wir sind effizienter, wenn wir uns trennen. Sie übernehmen das erste Grundstück auf der Liste.«

Glock war jetzt neben ihm. »Und was machen Sie?«

»Ich stochere ein bisschen im Wespennest rum. Mal sehen, was so alles rausfliegt.«

* * *

Detrick wohnte im Süden Millersburgs in einem einstöckigen Tudorhaus, das bei Johns Eintreffen vollkommen dunkel dalag. Er wusste, dass das, was er vorhatte, zu weit ging. Doch er sah keine andere Möglichkeit. Kate war verschwunden. Wenn sie mit Detrick richtig lag, war sie morgen früh schon tot. Er hatte keine Zeit, den Dienstweg einzuhalten. Im Grunde war das mit seiner Karriere sowieso schon gelaufen, da konnte er sie auch mit einem großen Knall beenden.

Er stapfte durch den tiefen Schnee zum Hauseingang und drückte ein Dutzend Mal auf die Klingel. Als sich im Haus nichts rührte, hämmerte er mit der Faust an die Tür. Nach ein paar Minuten wurde sie von einer Frau mittleren Alters, im rosa Morgenmantel und passenden Hausschuhen, so weit geöffnet, wie es die Sicherheitskette erlaubte. »Wissen Sie überhaupt, wie viel Uhr es ist?«, fuhr sie ihn an.

»Mrs Detrick?«

»Ich bin Lora Faulkor, die Haushälterin. Grace und die Kinder sind vor einem Monat ausgezogen.«

John zeigte ihr seine Dienstmarke. »Ist Sheriff Detrick da, Ma'am?«

»Ich dachte, er wäre auf Streife. Wegen dieser Morde.« Ihr gerade noch verärgertes Gesicht bekam einen ängstlichen Ausdruck. »Ist ihm etwas zugestoßen?«

»Ich habe Grund zu der Annahme, dass er in Schwierigkeiten ist, Ma'am. Darf ich hereinkommen?«

Sie schloss kurz die Tür, um die Kette auszuhängen, und machte sie wieder auf. »Was ist passiert?«

»Wir wissen nur, dass er verschwunden ist.«

»Verschwunden? O Gott.« Sie rang die Hände. »Ich hab ihm noch gesagt, er soll bei dem Wetter zu Hause bleiben. Wahrscheinlich hatte er einen Unfall.«

John betrat ein großes Wohnzimmer, das mit Eichenmöbeln aus der Pionierzeit ausgestattet war und einem Modulsofa mit passendem kariertem Sessel. Der schwache Holzduft eines abendlichen Kaminfeuers lag noch in der Luft.

»Warum ist Mrs Detrick ausgezogen?«, fragte er.

»Wegen der bevorstehenden Scheidung, nehme ich an. Das hat natürlich zu großen Spannungen geführt. Mr Detrick arbeitet viel und hat keine Zeit, zu kochen oder sauber zu machen. Deshalb beschäftigt er mich weiter.«

»Verstehe.« Der Zeitpunkt des Auszugs von Detricks Frau und Kindern entging John nicht. »Hat er ein Arbeitszimmer oder ein Büro hier im Haus?«

Sie sah ihn verwundert an, offensichtlich überrascht von der Frage. »Warum in aller Welt wollen Sie sein Büro sehen?«

»Ich muss herausfinden, wo er hingefahren ist. Vielleicht hat er hier irgendwo Unterlagen darüber. Aufzeichnungen seiner üblichen Streifentouren.«

»Würde er so was nicht im Sheriffbüro aufbewahren?«

»Zeit ist von großer Bedeutung, Ma'am. Wenn Sie mir einfach sein Büro zeigen könnten?«

»Also gut. Das geht wahrscheinlich in Ordnung. Ich sehe

nur nicht, wie das helfen soll.« Die Hand auf den Bauch gepresst, ging sie den Flur entlang. »Suchen die anderen Deputys auch nach ihm?«

»Jeder verfügbare Mann.«

»Wie lange wird er schon vermisst?«

»Seit ungefähr zwei Stunden. Wir können ihn weder auf dem Handy noch über Funk erreichen.«

»O nein, lieber Himmel, das ist nicht gut.«

Er folgte ihr durch den Flur, in dem Dutzende gerahmte Fotos hingen. Detricks Kinder, dachte er und fragte sich, wie ein Vater, ein Polizist, so ein dunkles Doppelleben führen konnte.

Sie stieß eine Tür auf und machte das Licht an. John blickte in ein Arbeitszimmer mit Schreibtisch und Bankerleuchte und einem raumhohen Regal voller Bücher und Nippes, der für den Rest des Hauses wohl nicht gut genug war. An den Wänden hingen Auszeichnungsplaketten von Polizeidienststellen.

»Was genau suchen Sie denn?«, fragte Lora.

John ignorierte die Frage und ging schnurstracks zum Schreibtisch. Verschlossen. Doch er war an einem Punkt, wo es kein Zurück mehr gab. Er sah die Haushälterin an. »Wo ist der Schlüssel?«

»Ich verstehe nicht, warum Sie in seinen Schreibtisch sehen müssen. Das hat doch keinen Sinn. Wofür soll das gut sein?«

Er nahm einen Brieföffner, ging in die Hocke, stieß die Spitze ins Schloss und brach es auf.

»Was machen Sie da?«, rief sie.

Er wühlte in den Schubladen und hatte in wenigen Minuten den ganzen Schreibtisch durchsucht, ohne etwas zu finden. »Wo bewahrt er sonst noch persönliche Dinge und Unterlagen auf?«

»Was ist hier wirklich los? Wer sind Sie?«, fragte sie.

»Wir müssen herausfinden, wo er hingefahren ist.« John stemmte die Hände in die Hüften und sah sich um. »Wo bewahrt er seine persönlichen Dinge auf?«

»Ich finde, Sie sollten jetzt gehen.«

»Ich fürchte, das kann ich nicht.«

»Ich rufe die Polizei.«

»Die Polizei ist gerade unterwegs und sucht Detrick, Ma'am.«

Das brachte sie zum Schweigen, doch John wusste, dass es nicht lange anhalten würde. »Ich muss wissen, wo er seine persönlichen Dinge aufbewahrt.«

Als sie nicht antwortete, trat er vor sie, ergriff ihre Arme und schüttelte sie. »*Wo, verdammt nochmal!*«, schrie er.

Sie starrte ihn an. Ihr Mund zuckte. »Er hat ein paar Sachen auf dem Dachboden.«

John nahm zwei Stufen auf einmal hinauf in den ersten Stock, konnte nur noch an Kate denken. Die Zeit, die sie miteinander verbracht hatten. Die absolute Gewissheit in ihrer Stimme, als sie ihm von Detrick erzählte.

Am Ende des Flurs entdeckte er die Tür zum Dachboden. Die Haushälterin folgte ihm. »Hören Sie sofort auf, hier rumzusuchen, und sagen Sie mir, was los ist!«, schrie sie.

John stieg die schmale Treppe hinauf, öffnete die Tür und machte das Licht an. Eine nackte Birne baumelte vom Dachsparren, erhellte einen kleinen Dachboden voller Kartons, einem verbeulten metallenen Aktenschrank, einem halben Dutzend Klappstühlen und einem zusammengefalteten Tischsonnenschirm für die Veranda.

»Ich rufe jetzt auf der Stelle Deputy Jerry Hunnaker an«, sagte Lora.

John drehte sich um und sah sie in der Tür stehen, ein Mobiltelefon in der Hand. »Tun Sie, was Sie für richtig halten.« Er ging zu dem Aktenschrank und zog an der Schublade, doch sie war verschlossen. »Wo ist der Schlüssel?«

»Ich weiß es nicht.« Sie tippte eine Nummer ein.

John sah sich nach einem Gegenstand um, mit dem er das Schloss aufbrechen konnte, entdeckte einen alten Regenschirm und stieß dessen Metallspitze hinein.

»Was machen Sie da?«, schrie sie wieder.

Er bearbeitete das Schloss so lange, bis die oberste Schublade herausrollte. Im vorderen Teil waren Akten, dahinter mehrere Tupperware-Behälter und eine Schuhschachtel. Mit den Akten fing er an. Bankauszüge. Rechnungen von Energieversorgern, bedeutungslose Formulare und Garantiebescheinigungen. Als Nächstes öffnete er die Schuhschachtel und fand Fotos. Hunderte. Von Leichen. Mordopfern. Selbstmördern. Schrecklichen Unfällen. Allen war eines gemeinsam: sie zeigten Gewalt.

John nahm einen der Tupperware-Behälter und öffnete ihn. Er enthielt einen Damenschlüpfer. Im nächsten fand er einen schwarzen BH. Eine dünne *Kappe,* so wie Amisch-Frauen sie trugen. Souvenirs, wurde ihm klar. »Großer Gott.« Doch nichts davon führte ihn zu Kate.

Er ging zur Tür und hätte Lora dabei fast umgerannt. »Ich habe in Nathans Büro angerufen«, sagte sie. »Sie wissen nichts davon, dass er vermisst wird. Ich hab gesagt, was Sie hier machen. Sie sind auf dem Weg hierher.«

»Wenn Detrick in Schwierigkeiten wäre, wohin würde er gehen?«

»Ich habe Ihnen nichts mehr zu sagen.«

Er verlor die Selbstkontrolle und packte sie an den Schultern, drückte sie an die Wand. »Wenn ich ihn nicht finde, bringt er wieder jemanden um. Also, wo ist er?«

»Jemanden umbringen?« Sie starrte ihn mit offenem Mund an. »Sie sind ja verrückt! Nate würde nie jemandem etwas antun! Er ist Polizist! Das würde er nicht tun!«

»Das hat er schon getan!«, schrie John. »Gibt es irgendeinen Ort, wo er allein hingeht?«

»Er hat so was nie erwähnt.«

»Hat er eine Hütte? Oder was Ähnliches?«

»Ich weiß es nicht!«

Er versuchte, seine Fassung wiederzuerlangen, ließ sie los und trat ein paar Schritte zurück. Sekundenlang starrten sie sich an, dann machte John kehrt, rannte die Treppe hinunter ins Erdgeschoss und zur Tür hinaus zu seinem Wagen. Als er hinterm Steuer saß, zitterte er am ganzen Leib.

Er griff zum Handy und rief Glock an. »Detrick ist unser Mann.«

»Woher –«

»Ich war gerade bei ihm zu Hause. Hab mich im Arbeitszimmer und auf dem Boden umgesehen. Er hat Souvenirs behalten.«

»Mein Gott, Tomasetti.«

»Wo sind Sie?«

»Im Norden von Painters Mill. Ich hab zwei Farmen auf der Liste überprüft, lauter Nieten.«

»Sie kann überall sein.« John nahm die Liste der leerstehenden Grundstücke von der Konsole. »Wir müssen sie finden, Glock. Sie ist in Gefahr.« Er ließ den Motor an und fuhr los. »Wo soll ich hin?«

»Es gibt ein verlassenes Motel in der Nähe der Route 62 stadtauswärts von Millersburg. Ich bin auf dem Weg dahin. Sie sind näher bei Killbuck. Da ist ein Haus, das auch auf der Liste steht.«

John sah auf die Liste, frustriert, weil er die Gegend nicht kannte. »Verdammt nochmal, wir brauchen mehr Leute.«

»Pickles und Skid suchen auch. Wir finden sie.«

John beendete das Gespräch und bog auf die State Route 754 ab. Die Gemeinde Killbuck kam als Nächstes, und kurz dahinter lag das verlassene Haus. Auf den zugeschneiten Straßen ging es quälend langsam voran, und die Sicht war schlecht. Selbst die Telefonmasten und Straßenschilder waren verschwunden. In ein paar Stunden würde hier gar nichts mehr gehen.

Mit zusammengekniffenen Augen sah er hinaus in den dicht fallenden Schnee. »Wo bist du, Kate?«, flüsterte er.

Doch als Antwort hörte er nur das gleichförmige Hin und Her der Scheibenwischer und das Echo seiner eigenen Angst.

35. KAPITEL

Ich sehe ihm dabei zu, wie er mir die Stiefel auszieht. Draußen wütet der Schneesturm und lässt das alte Haus ächzen und stöhnen. Obwohl der Heizofen auf Hochtouren läuft, ist der Raum kalt. Meine Arme und Beine zittern unkontrolliert. Ich weiß nicht mehr, ob vor Kälte oder dem Grauen, das mich erfüllt. Ich denke an das letzte Gespräch mit John und frage mich, ob er mir das mit Detrick geglaubt hat. Ob er mich sucht. Ob *irgendwer* mich sucht. Oder ob ich genauso enden werde wie die anderen Frauen.

Detrick stellt meine Stiefel beiseite und blickt mich an. Selbst in dem düsteren Licht sehe ich den Hunger in seinen Augen brennen, leuchtend und heiß. Ich bin so angewidert, dass mein Magen rebelliert.

»Du zitterst ja«, sagt er. »Das gefällt mir. Das gefällt mir sogar sehr.«

Ich sehe ihm direkt in die Augen, will meine Wut heraufbeschwören, denn alles ist besser als diese Angst, die mich lähmt. »Du warst das an dem Abend im Wald, stimmt's?«

»Ich hatte ihren Schlüpfer verloren, war mir glatt aus der Hosentasche gefallen.« Er grinst. »War ziemlich knapp, was?«

»Warum machst du das?«

Die Frage scheint ihn zu amüsieren. »Meine Mami war nicht gemein zu mir, und mein Daddy hat mich nicht vergewaltigt, falls du das meinst.«

»Ich will nur wissen, warum.«

»Es gefällt mir. Schon immer. Ich bin sozusagen ein Fall wie aus dem Lehrbuch. Hab als Kind mit Tieren angefangen.

Mit acht hab ich ein Kätzchen getötet und dabei 'nen Ständer gekriegt wie nie zuvor.«

Während er spricht, mache ich im Kopf eine Bestandsaufnahme meines körperlichen Zustands. Meine Zehen sind taub vor Kälte. Meine Fußgelenke sind steif von den Fesseln. Meine Hände sind noch zusammengebunden, aber meine Beine sind frei. Ich kann kämpfen. Ich kann rennen.

»Ich will dich aufreißen«, sagt er. »Ich will hören, wie du schreist und stöhnst. Ich will sehen, wie dir die Augen rausquellen.« Er fasst sich an die Hose und reibt seinen Penis. »Siehst du, was ich meine? Es ist wie bei dem verdammten Pawlow'schen Hund. Ich stelle mir vor, wie ich dich schneide, und dann muss ich's machen. Ich muss dir weh tun, und dann kann ich abspritzen. Mein Schwanz gibt mir so lange keine Ruhe, bis es vollbracht ist.«

Ich unterdrücke ein Schaudern. »Wenn ich heute Nacht sterbe, werden die Cops alles in Bewegung setzen. Sie werden es rauskriegen. Und sie wissen, dass Jonas Hershberger nicht der Mörder ist.«

»Erzähl nur weiter, Kate. Ich mag den Klang deiner Stimme.«

Mein Atem geht zu schnell, zu flach. Ich habe Angst, große Angst.

Er kniet nieder und nähert sich mir. Ich schrecke zurück, doch er packt mich bei den Haaren und zerrt mich zu sich heran. »Ich zieh dir jetzt die Hose aus. Du wirst stillliegen wie 'ne gute kleine Schlampe und lässt mich machen. Sonst kommt wieder der Elektroschocker zum Einsatz. Kapiert?«

Er stößt mich auf den Rücken. Meine Ellbogen und Hände bohren sich in den Fußboden, doch ich wehre mich nicht. Noch nicht. Soll er doch glauben, dass er leichtes Spiel mit mir hat.

Als er meine Jacke beiseiteschiebt und meine Hose aufmacht, zucke ich zusammen. Seine Hände sind rau, und zum ersten Mal zittern sie. Sein Atem wird schneller. Trotz der Kälte steht Schweiß auf seiner Stirn.

»Ich werde dir weh tun. Es wird schlimm werden, Kate. Schlimmer als alles, was du dir vorstellen kannst. Du wirst schreien.«

Er zerrt meine Jeans über die Hüften nach unten, über die Knie, die Knöchel, fegt sie beiseite. Die Luft ist eiskalt an meinen nackten Beinen, ich setze mich auf, will mich bedecken. Da trifft mich sein Schlag unvorbereitet, die flache Hand klatscht so fest auf meine Wange, dass ich Sterne sehe. Ich falle zurück, doch drehe mich sofort auf die Seite, um nicht auf meinen gefesselten Armen zu liegen.

Er knurrt etwas Unverständliches und zerrt mich an den Haaren hoch. Meine Kopfhaut schmerzt furchtbar. Der zweite Schlag ist wie eine Stange Dynamit, die in meinem Kopf explodiert. Ich falle zurück und liege still, mit brennender Wange.

Detrick steht über mir, macht die Hose auf und schiebt sie runter bis zu den Knien. Er sieht auf mich hinab, der Mund zu einem permanenten Zähnefletschen verzerrt. »Du wirst die Beste, die ich bis jetzt hatte«, flüstert er.

Sein erigierter Penis schwingt leicht auf und ab, purpurrot und knollig. Er greift in die Brusttasche seines Hemdes, holt ein Kondom heraus und reißt die Verpackung auf. Mit zittrigen Händen schiebt er es sich drüber. Der Anblick seiner rasierten Lenden schockiert mich, sollte er aber nicht. Ich hatte recht: deshalb haben die Techniker im Labor nie Haare gefunden. Ich sehe das glänzende Gleitmittel auf dem Kondom und muss an die anderen Frauen denken, die das gleiche Schicksal erlitten haben, dem ich jetzt entgegensehe.

Das Grauen drückt wie ein kalter Fels auf meine Brust. Ekel wühlt in meinen Eingeweiden. Die Vergewaltigung wird schlimm sein, doch ich weiß, dass mich heute Nacht noch viel Schlimmeres erwartet. Ich versuche, wie eine Polizistin zu denken. Ich muss offensiv agieren. Seinen wunden Punkt finden. Doch in diesem Moment fühle ich mich wieder wie vierzehn und bin vor Entsetzen wie gelähmt.

Er stopft die Kondomverpackung in die Hemdtasche und kniet sich vor mich. Er wird mich wieder schlagen, ich sehe es in seinen Augen. Wilde Gedanken toben mir durch den Kopf. Tausend entrüstete Schreie stecken mir im Hals. Seine Hose rutscht auf die Knöchel. Das macht ihn verwundbar. Meine Beine sind frei. Meine Oberschenkelmuskeln sind richtig kräftig. Ich habe nur eine Sekunde zum Reagieren.

Ich ziehe beide Beine an und trete ihm mit voller Wucht gegen die Brust. Er stößt einen tierischen Laut aus, taumelt zurück, landet auf dem Rücken und wirft dabei das Heizgerät um. Hoffnung flackert in mir auf, als sich Petroleum und Flammen über den Holzfußboden ergießen.

In springe auf die Füße, kicke seinen Mantel in die Flammen. Zwei Meter von mir entfernt schießt Detrick hoch, reißt sich mit wutverzerrtem Gesicht die Hose hoch. Sein Blick schnellt von mir zum Feuer. Ein hysterischer Lacher entflieht meinem Mund, als mir klar wird, dass er nicht weiß, wer oder was die größere Gefahr darstellt.

Er macht einen Satz auf mich zu. Ich drehe mich um und laufe. Wo habe ich zuletzt die Kimber gesehen? Auf dem Boden? Dem Kaminsims? Ich habe keine Zeit zum Suchen und renne zur Tür, versuche den Knauf mit meinen im Rücken gefesselten Händen zu drehen.

Da packen seine Hände meine Schultern und ich stoße einen Schrei aus. Er zerrt mich zurück, wirft mich auf den Boden. Hätte ich mich doch nur durchs Fenster gehechtet, ist alles, was ich denken kann.

Ich trete wild, aber ziellos um mich, lande ein paar Treffer. Er flucht lautstark. Schlägt mit den Fäusten auf meine Beine, doch der Schmerz ist mir egal. Wenn ich aufhöre zu treten, bin ich tot.

Ich kämpfe wie nie zuvor, nehme vage das kaum einen Meter entfernte Feuer wahr. Rauch und Petroleum steigen mir in die Nase. Sein Mantel brennt neben dem Heizgerät. Der Boden fängt Feuer, Flammen züngeln hoch in die Luft. Der Gedanke, dass jemand den Lichtschein sieht, gibt mir neue Hoffnung.

Doch die wird umgehend zunichtegemacht, als er sich auf mich wirft. Der erste Schlag trifft mein Kinn. Ich versuche mich zu drehen, wegzurollen, doch er ist zu schwer. Ich trete mit dem rechten Bein, aber der Winkel ist schlecht. Der zweite Schlag trifft mich an der Schläfe. Mein Kopf knallt auf den Boden, weiße Lichter explodieren hinter meinen Augen. Er schlägt mich wieder, und ich höre meinen Wangenknochen krachen. Schmerz brennt in meinen Nasenhöhlen, meine Sicht verdunkelt sich und ich kämpfe gegen eine Ohnmacht an.

Du musst bei Bewusstsein bleiben! Kämpfe!

Mein Verstand singt die Worte wie ein Mantra. Ich versuche einen Kopfstoß, doch diesmal ist er vorbereitet. Fluchend knallt er mir die Faust in die Magengrube. Mir bleibt die Luft weg. Ich muss würgen, schnappe nach Luft, doch meine Lunge streikt.

Dann spüre ich seine Hände um meinen Hals. Er ist unheimlich stark. Ich öffne den Mund zum Atmen, doch er drückt mir die Kehle zu. Panik überkommt mich. Ich drehe und winde mich unter ihm, sehe Sterne am Rand meines Gesichtsfelds. Meine Zunge quillt aus dem Mund, meine Augen treten hervor. Und ich frage mich, ob sich so Sterben anfühlt.

Dunkle Finger greifen nach mir. Ich höre seine Stimme, verstehe aber nichts. Langsam verliere ich das Bewusstsein. Aber ich will leben. Leben! Und dann wird es dunkel um mich herum und ich stürze in den Abgrund.

* * *

Hätte das Feuer nicht die Fenster erhellt, wäre John an dem Haus vorbeigefahren. Zuerst hatte er es für Einbildung gehalten, dass die Beleuchtung des Armaturenbretts ihm einen Streich spielte. Dann sah er es wieder. Ein gelber Lichtschein durch die scheinbar undurchdringliche Schneewand.

Autoscheinwerfer? Taschenlampe? Ein Feuer?

Er machte die Scheinwerfer aus und blieb mit dem Tahoe mitten auf der Straße stehen. Die Sig zog er aus dem Schulterholster, lud sie durch, um eine Patrone schussbereit im Lauf zu haben. Als er die Autotür öffnete, peitschten Schnee und Wind auf ihn ein. Die Sichtweite betrug nur noch wenige Meter. Er kämpfte sich zum Haus vor. Nach zehn Metern sah er wieder Licht aufflackern und wäre fast auf das Auto in der Auffahrt geprallt. Er wusste sofort, dass es Detricks Suburban war. Gleich dahinter stand Kates Mustang, mit einer Abschleppstange daran befestigt.

John zog sein Mobiltelefon aus der Jackentasche und rief Glock an. »Ich hab sie gefunden.« Er konnte kaum seine Stimme hören, so laut heulte der Wind. »Das leerstehende Haus nahe Killbuck.«

»Ich bin auf dem Weg.«

John schob das Telefon zurück in die Tasche. Er hatte keine Ahnung, was ihn da drinnen erwartete. Doch zwei Umstände waren auf seiner Seite: Erstens wusste er, dass Detrick seine Opfer ziemlich lange am Leben hielt. Und zweitens bot der Schneesturm die perfekte Deckung.

36. KAPITEL

Als Erstes wird mir bewusst, dass ich atmen kann. Mein Mund klappt auf. Meine Zunge fühlt sich an wie eine trockene Socke, doch ich sauge die Luft gierig ein. Rauch und Petroleum steigen mir in die Nase. Ich liege auf dem Rücken, meine Hände sind auf dem Rücken gefesselt. Der Wind fegt ums Haus wie ein tobendes Tier.

Ich öffne die Augen und sehe Detrick. Er hat Blut unter der Nase, einen dunklen Fleck auf seinem Hemd. Alles fällt mir wieder ein. Der Kampf, das Feuer. Ich hebe den Kopf, das Feuer ist aus. Ich spüre den kalten Boden unter mir und merke, dass mein Schlüpfer weg ist. Detrick steht kaum einen Meter von mir entfernt. Er hat die Hose ausgezogen, diesmal richtig.

»Schrei für mich, Kate.« Er kommt näher, geht in die Knie und legt sich auf mich. »Schrei für mich.«

Ich mache das Einzige, was ich kann: ich spucke.

Er versteift sich kurz, dann schiebt er die Zunge raus und leckt den Speichel von seiner Lippe. Ich starre in sein furchterregendes Gesicht, verzerrt von unmenschlicher Grausamkeit. Ich kann nicht glauben, dass mein Leben so enden soll. Das ist inakzeptabel. Ich werde das nicht hinnehmen. Der Wille zu leben tobt in mir, ist zu stark, um einfach ausgelöscht zu werden. Zu heiß, um abzukühlen. Ich werde nicht zulassen, dass er das mit mir macht. Doch die Hoffnung schwindet schnell dahin – diese kostbare Lebensader ist endgültig durchtrennt. Ich bin allein im tobenden Meer, ohne Chance auf Rettung.

Ich schließe die Augen, werfe den Kopf zurück und schreie.

* * *

Halbblind von Schnee und Wind tastete John sich zur Rückseite des Hauses. Zweimal war er gestolpert und hingefallen, hatte aber nie die Sig losgelassen oder die Orientierung verloren. Der Wind zerrte an seiner Kleidung. Vor ihm lag eine Veranda, deren Fliegenfenster wie Wäsche im Wind flatterten. Geduckt eilte er die Steinstufen hinauf zur Hintertür.

Gedämpftes Licht drang durch das schmutzige Glas, durch das John in die frühere Küche blickte. Er drehte den Knauf und die Tür ging knarrend auf. Er sandte ein Stoßgebet aus, dass Detrick ihn nicht gehört hatte, und schlich hinein.

Kates Schrei ging ihm durch Mark und Bein. Sein Herz klopfte wild. In seinen Jahren als Polizist hatte John viel Schlimmes gesehen. Menschen hatten Unmenschliches getan, sogar seine eigene Familie war umgebracht worden. Und doch ließ ihr Schrei jetzt sein Blut gefrieren.

Er schlich durch die Küche. Den Rücken an die Wand gepresst, spähte er ins nächste Zimmer. Im schwachen Licht eines Heizgeräts sah er Detrick über Kate gebeugt, nackt von der Taille abwärts. Ihr Gesicht sah John nicht, nur die fragmentarischen Umrisse ihres Körpers auf dem Boden.

Ein zweiter Schrei durchschnitt die Luft. Die Pistole im Anschlag, schob John sich um die Ecke. Detrick musste die Anwesenheit eines Dritten gespürt haben, denn er drehte den Kopf, riss die Augen weit auf und war in Sekundenschnelle auf den Füßen, blickte wild um sich.

»Hände hoch, damit ich sie sehe«, schrie John.

Detrick machte einen Satz zum Kamin.

Kate hob den Kopf. »*Pistole!*«, schrie sie.

John drückte zweimal ab. Die erste Kugel traf Detrick dicht unter der Achselhöhle. Er blieb wie erstarrt stehen, dann sank er auf die Knie. Die zweite Kugel durchdrang die rechte Wange. Sein Kopf schnellte herum wie nach einem Boxschlag, er fiel zur Seite und blieb regungslos liegen.

John konnte sich nicht mehr erinnern, die Waffe ins Holster gesteckt zu haben und zu Kate gegangen zu sein. Er sah das Grauen in ihrem Gesicht, die nackten Beine voller Blut. Verletzt, dachte er, aber am Leben.

Ein Schluchzer entwich ihrem Mund, als er neben ihr kniete. »Ich bin hier«, sagte er mit rauer Stimme. »Es ist okay. Du bist in Sicherheit.«

»Er wollte mich umbringen«, stieß sie aus.

»Ich weiß, mein Liebling. Ich weiß. Es ist vorbei. Alles wird gut.«

Sie war nackt von der Taille abwärts. Er verbot sich daran zu denken, was alles hätte passieren können, zog seine Jacke aus und deckte sie damit zu. Wichtig war nur noch, dass sie lebte. Er war nicht zu spät gekommen. Diesmal nicht.

»Wie schlimm bist du verletzt?«, fragte er.

Sie schluchzte jetzt, zitterte am ganzen Leib, unfähig zu sprechen.

Am liebsten hätte John noch ein paar Kugeln in Detrick gejagt. »Ich binde deine Hände los, ja?«

Behutsam half er ihr aufzusitzen. Mit seinem Taschenmesser durchschnitt er das Stoffband um ihre Handgelenke, dann nahm er ihre Hände in seine und rubbelte sie. »Bist du verletzt?«

»Ich bin okay.«

»Kate, hat er …«

Tränen strömten aus ihren Augen, als sie ihn ansah. »Nein.«

Die Erleichterung war so groß, dass John seinen Gefühlen freien Lauf ließ. »Komm her«, flüsterte er.

Sie streckte die Hand nach ihm aus.

»Alles wird wieder gut«, sagte er.

»Versprich es mir«, flüsterte sie.

»Ich verspreche es.« Als er sie in die Arme nahm, zerbrach sie in tausend Stücke.

37. KAPITEL

Schnee glitzert unter einem strahlenden Januarhimmel. Die Einwohner von Painters Mill tauchen aus ihren Häusern und Geschäften auf wie vorsichtige Tiere nach einem langen Winterschlaf. Gehwege werden freigeschaufelt und Windschutzscheiben vom Eis befreit. Ein großer John-Deere-Traktor räumt den Schnee im Verkehrskreisel. Ich kann den Duft der Donuts aus der Bäckerei Butterhorn unten in der Straße riechen.

Drei Autos sind auf den Stellplätzen vor dem Polizeirevier geparkt. Ich kenne sie alle. Mein reservierter Platz ist frei, als würde ich erwartet. Ich lenke den Wagen darauf und stelle den Motor ab. Seit meiner Wiedereinsetzung als Chief of Police bin ich zum ersten Mal wieder hier – und maßlos froh. Was aber nicht heißt, dass ich keine gemischten Gefühle habe, wenn ich daran denke, was mich drinnen erwartet.

Zwei Tage sind vergangen seit meinem Martyrium im Farmhaus. Seither habe ich jedes grauenhafte Detail tausendmal wiedererlebt. Aber ich weiß, es hätte schlimmer kommen können. Dass ich Glück habe, noch am Leben zu sein.

Nathan Detrick hat seine Schusswunden überlebt. Er wurde gestern in ein Krankenhaus in Columbus verlegt und dort operiert. Sein Zustand ist stabil, hieß es heute Morgen, und laut Aussage der Ärzte wird er überleben. Die Tatsache, dass er vor Gericht gestellt und ins Gefängnis kommen wird, sollte mich trösten. Ich glaube allerdings nicht, dass die Welt ein besserer Ort ist, wenn er hinter Gittern sitzt.

Das FBI und BCI haben begonnen, unaufgeklärte alte Fälle unter die Lupe zu nehmen, angefangen mit den Tanana-

River-Morden in Alaska. Heute Morgen hat mich der Ermittlungsleiter, ein altgedienter Agent namens Dave Davis, informiert, dass er auch ähnliche Verbrechen sowie Vermisstenmeldungen für den Zeitraum überprüfen will, als Detrick Polizist in Dayton war. Bis jetzt hat der ehemalige Sheriff die Tötung von dreißig Frauen in den letzten fünfundzwanzig Jahren gestanden, aber niemand weiß, ob das wirklich stimmt.

Der Notarzt im Pomerene Hospital hat gesagt, dass ich außer ein paar Blutergüssen und Fleischwunden keine Verletzungen davongetragen habe. Es sind die anderen, die unsichtbaren Wunden, die mir zu schaffen machen. Die Flashbacks sind schlimm, die Albträume noch schlimmer. Der Arzt meint, das seien normale psychische Reaktionen auf das Trauma, das ich erlebt habe. Er hat mir einen Therapeuten in Millersburg empfohlen und versichert, dass die Albträume mit der Zeit verblassen. Ich hoffe, er behält recht.

John Tomasetti ist an jenem ersten Tag bei mir geblieben, wobei ich die meiste Zeit ruhiggestellt war und gegen den Schlaf angekämpft habe. Er hat Suppe gekocht und Kaffee gemacht und mir den Wodka verweigert, den ich verlangte, hat mit mir geredet, wenn ich es brauchte. Als ich ihm für die Rettung meines Lebens danken wollte, meinte er, ich würde gerade einen Fall von Heldenverehrung durchleiden, was sich in ein paar Tagen wieder legen würde. Ich habe keine Ahnung, wie es mit unserer Beziehung weitergehen wird. Doch eines weiß ich sicher: Er wird immer mein Freund sein.

An der Tür des Polizeireviers überkommen mich Zweifel. Ich bin zwar nicht übertrieben eitel, doch die Blutergüsse in meinem Gesicht und am Hals sehen furchtbar aus. Ich habe mir große Mühe gegeben, sie zu überschminken, habe auf dem Gebiet aber wenig Talent. Zudem kann auch das Zeug in den Tiegeln und Töpfchen nun mal keine Wunder vollbringen. Meine Lippe wurde mit drei Stichen genäht und ist auf die doppelte Größe angeschwollen. Doch das versuche ich zu vergessen, als ich die Tür aufmache und eintrete.

Mona sitzt in der Telefonzentrale, das Headset auf den Ohren und den Blick auf den Bildschirm gerichtet. Als die Türglocke bimmelt, sieht sie auf, und ein Lächeln überzieht ihr Gesicht. »Chief!«

»Ich hab Sie doch nicht etwa beim Arbeiten erwischt?«, frage ich.

Sie errötet, steht auf und kommt um den Schreibtisch herum. »Ehrlich gesagt sind's Hausaufgaben. Sorry.« Ich verkneife mir einen Schmerzenslaut, als sie mich in die Arme nimmt und drückt. »Mensch, wir sind alle so froh, dass Sie wieder da sind. Herzlich willkommen.«

»Sind die Presseleute schon aufgetaucht?«, frage ich.

»Heute Morgen haben ein paar angerufen. Die meisten wollen Sie interviewen. Ich hab ihnen schonend beigebracht, dass Sie nichts über den Fall sagen dürfen.«

»Danke, Mona, weiter so.«

Ich blicke zurück über die Schulter und sehe Glock aus seiner Arbeitsnische auf uns zukommen. Er ist keiner, der viel lächelt, doch ich sehe ein Grinsen in seinen Augen. »Wie geht es Ihnen, Chief?«

»Besser«, bringe ich heraus.

Pickles taucht hinter ihm auf. »Wow, da holt mich doch glatt der Teufel. Welch schöner Anblick, und das ist wirklich nicht ironisch gemeint, Chief.«

»Bringen Sie mich nicht zum Lachen«, sage ich. »Dann reißen die Fäden.«

»Da müssen Sie sich echt was einfallen lassen, wo wir alle hier heilfroh sind, Sie zurückzuhaben«, erwidert Pickles.

Ich schüttele beiden Männern und Mona die Hand. »Es ist schön, wieder hier zu sein.«

Die Vertrautheit ist Balsam für meine Seele, ich genieße sie und hoffe, dass ich nicht in Tränen ausbreche.

»Wir haben erfahren, was im Farmhaus passiert ist«, sagt Glock.

»Wenn Sie irgendetwas brauchen«, fügt Mona schnell hinzu.

»Sagen Sie es uns einfach«, vollendet Pickles den Satz.

Ich lächele sie an. »Ich möchte nur nicht wie ein Invalide behandelt werden, okay?«

»Wie kommen Sie denn darauf?« Pickles lacht. »Das würden wir niemals tun.«

Glock traut sich schließlich, die Frage zu stellen, die allen unter den Nägeln brennt. »Und wie sind Sie darauf gekommen, Detrick unter die Lupe zu nehmen?«

»Das hat gedauert. Aber in einem war ich mir ganz sicher, nämlich dass Jonas Hershberger kein Mörder ist.«

»Wie konnten Sie das wissen?«, fragt Mona.

»Kätzchen.«

»Kätzchen?«

Ich erzähle ihnen von dem Wurf, den Jonas gerettet hat, als wir Kinder waren. »Ich glaube, die meisten Soziopathen werden so geboren und nicht dazu gemacht. Nur wenige entwickeln durch Lebensumstände ein soziopathisches Verhalten.«

»Tomasettis Täterprofil hat genau auf Detrick gepasst«, sagt Pickles.

»Anscheinend haben solche Profile durchaus einen Sinn«, erwidere ich.

»Aber wenn Sie nicht –«, beginnt Mona, doch ich unterbreche sie.

»Rechnen Sie es mir nicht zu hoch an, okay?« Ich denke an Daniel Lapps Überreste im Getreidespeicher. »Ich verdiene es nicht.«

Weil das Telefon klingelt, komme ich um eine Erklärung herum. Mona eilt zu ihrem Schreibtisch, um den Anruf entgegenzunehmen, und ich gehe in mein Büro, wo ich überrascht feststelle, dass mein Schreibtisch aufgeräumt ist. Als ich das letzte Mal daran gesessen habe, war der Inhalt der *Schlächter*-Akte darüber verteilt. Mona oder Lois scheinen ihn für mich aufgeräumt zu haben.

Ich habe mich kaum daran niedergelassen, als das Telefon klingelt. Das Display zeigt Monas Nebenstelle an, und ich drücke die Lautsprechertaste.

»Chief, ich hab gerade einen Anruf gekriegt, dass draußen auf der Dog Leg Road wieder Kühe frei rumlaufen.«

Ich muss an das letzte Mal denken, als wir einen Anruf wegen Stutz' Tieren bekamen, und lächele. »Schicken Sie Skid hin, ja? Und sagen Sie ihm, diesmal soll er Stutz vorladen. Er hatte genug Zeit, den Zaun zu reparieren.«

»Verstanden.«

Ich lege auf und lehne mich auf dem Stuhl zurück. Von meinem Platz aus höre ich Glock und Pickles das Pro und Kontra von Täterprofilen diskutieren, das gelegentliche Klingeln von Monas Telefon und das Kratzgeräusch des Funkgeräts. Hier zu sein, in diesem Büro, fühlt sich gut an. Ich gehöre hierher, zu meinen Mitarbeitern. In diese Stadt.

Ich werde weiterhin mit meinen Geheimnissen leben, es gibt schlimmere Schicksale, das weiß ich jetzt. Ich denke an meine Neffen, Elam und James, an Sarah und das Baby in ihrem Bauch. Ich denke an Jacob und die hässlichen Auseinandersetzungen mit ihm. Und ich denke an das isolierte Dasein, das ich führe, meine Unfähigkeit, Anschluss zu finden, und mir wird bewusst, dass es an der Zeit ist, den ersten Schritt zu tun. Sie sind meine Familie, und ich will, dass sie zu meinem Leben gehören.

Ich denke an John, zum x-ten Mal heute, und frage mich, wo er ist und was er tut. Und ob er genauso oft an mich denkt wie ich an ihn.

Mein Telefon klingelt wieder, ich sehe auf dem Display die Ortsvorwahl 614 und die Buchstaben »BCI«. Schon beim

Abnehmen antizipiere ich den Klang seiner Stimme. »Ich hab mich schon gefragt, wann du mal anrufst«, sage ich.

»Ich hab gehört, du bist wieder eingestellt.«

»Sie waren gestern bei mir und haben gebettelt.«

»Ich hoffe, du warst nicht zu leicht zu haben.«

»Ich hab eine Gehaltserhöhung rausgeschlagen.«

»Das ist gut.« Er hält inne. »Ich bin in der Gegend und wollte fragen, ob du mit mir zum Mittagessen gehst.«

»Columbus ist hundert Meilen weit weg, Tomasetti. Wie kannst du da hier in der Gegend sein?«

»Ich hab dem Boss gesagt, ich hätte noch Papierkram zu dem Fall zu erledigen.«

»Wir könnten ja ein oder zwei Berichte zusammenschustern.«

»Ich hab erzählt, ich müsste über Nacht bleiben.« Er senkt die Stimme. »Unter uns gesagt, ich bin ziemlich verknallt in den Chief of Police.«

Meine Lippe tut weh, doch ich lächele trotzdem. »Es heißt, der Diner hier serviert ziemlich gutes Schmorfleisch.«

»Wenn das so ist, hole ich dich in fünfzehn Minuten vom Revier ab.«

»Ich warte«, sage ich und lege auf.

DANK

Bei der Arbeit an einem Buch ist die Faktenrecherche ein scheinbar endloser Prozess. Während das Schreiben selbst ein einsames Unterfangen ist, werden Schriftsteller bei ihren Recherchen mit der Gelegenheit belohnt, unzählige interessante Menschen und Experten kennenzulernen, die großzügig ihr Wissen mit ihnen teilen. Ich habe vielen Menschen für ihre Hilfe zu danken, *Die Zahlen der Toten* zu verwirklichen.

Mein besonderer Dank gilt meiner hervorragenden Agentin Nancy Yost, die das Potential der Story von Anfang an gesehen hat und niemals ins Schwanken kam. Und auch meinem wunderbaren Lektor, Charlie Spicer, dessen Begeisterung für die Geschichte sowie seine redaktionelle Anleitung dazu beigetragen haben, das Buch zum Erfolg zu führen. Ich danke ebenfalls dem gesamten Team von St. Martin's/Minotaur in New York: Sally Richardson, Andrew Martin, Matthew Shear, Matthew Baldacci, Bob Podrasky, Hector DeJean, David Rotstein, Allison Chaplin und Sarah Melnyk. Viele andere kluge Menschen wären noch zu nennen, doch leider reicht der Platz dafür nicht. Ich fühle mich privilegiert, mit so einem dynamischen und fähigen Team zu arbeiten.

Großen Dank schulde ich Chief Daniel Light vom Arcanum Police Department in Ohio für den Einblick in die Arbeit und den Alltag von Polizisten in einem Kleinstadtrevier. Ebenfalls zu Dank verpflichtet bin ich A.C. für die Einblicke in die Kultur der Amisch und seine Bereitschaft, mir viele wertvolle Einzelheiten über den amischen Alltag anzuvertrauen. Ich danke Jennifer Archer, Anita Howard, Marcy McKay und April Redmon, meinem Kritikerteam, dass